PHILOLOGISCHE STUDIEN UND QUELLEN

Herausgegeben von

Wolfgang Binder · Hugo Moser · Karl Stackmann

HEFT 41

DIE DICHTERISCHE ENTWICKLUNG HEINRICHS VON KLEIST

Untersuchungen zu seinen Briefen und zu Chronologie und Aufbau seiner Werke

von

Hans Joachim Kreutzer

ERICH SCHMIDT VERLAG

MEINER MUTTER

Druck: von Münchowsche Universitätsdruckerei, Gießen
Printed in Germany

Vorwort

Die vorliegenden Untersuchungen über Kleists dichterische Entwicklung wurden in etwas anderer Form 1964 von der Philosophischen Fakultät der Universität Hamburg als Dissertation angenommen. Sie gehen auf eine Anregung meines verehrten Lehrers Professor Dr. Adolf Beck zurück, dem ich mich seit dem Beginn meines Studiums in vielfacher Beziehung dankbar verpflichtet weiß. Für verschiedenartige Hilfen beim Zustandekommen des Drucks habe ich Professor Dr. Richard Samuel in Melbourne, Professor Dr. Wolfgang Binder in Zürich und Frau Dr. Ellinor Kahleyss in Berlin sehr zu danken.
Im Verlauf meiner Arbeit habe ich von mancher Seite großzügige Hilfe erfahren, vornehmlich in Gestalt von Erlaubnis und Gelegenheit zur Benutzung von Handschriften, Beschaffung seltener Bücher, Auskünften auf Grund von teilweise umfangreichen Nachforschungen in Archivbeständen sowie in der Anfertigung von Filmen und Photokopien. Der Dank hierfür gilt dem Staatsarchiv des Kantons Aarau, der Deutschen Staatsbibliothek in Berlin (Professor Dr. Hans Lülfing, Dr. Hans-Erich Teitge, Herrn Horst Wolf), der Stiftung Preußischer Kulturbesitz, und zwar ihrer Staatsbibliothek in Berlin (Dr. Hermann Knaus, Fräulein Hildegard Rudloff), ihrem Depot in Tübingen (Dr. Wilhelm Virneisel) und der Westdeutschen Bibliothek Marburg, sodann dem Freien Deutschen Hochstift Frankfurt am Main (Dr. Detlev Lüders), der Staats- und Universitätsbibliothek Hamburg, den Staatlichen Kunstsammlungen Kassel, dem British Museum London, dem Schiller-Nationalmuseum in Marbach (Dr. Paul Raabe) und dem dort befindlichen Cotta-Archiv (Frau Dr. Liselotte Jünger-Lohrer), dem Goethe- und Schiller-Archiv der Nationalen Forschungs- und Gedenkstätten der klassischen deutschen Literatur in Weimar (Professor Dr. Karl-Heinz Hahn, Fräulein Eva Beck), ferner Professor Dr. Werner R. Lehmann, der verstorbenen Frau Dr. Eva Rothe und Danielle Truchot.

Münster/Westfalen, im Mai 1967.

Inhalt

Zur Zitationsweise

Kleists Dramen und Erzählungen werden nach der 1. Auflage der Ausgabe Erich Schmidts zitiert, der bisher einzigen mit vollständiger kritischer Rechtfertigung, und zwar mit römischer Ziffer (Band) und arabischen Ziffern (Seite und Vers bzw. Zeile). Wo über die Bandnummer kein Zweifel herrschen kann, wurde sie fortgelassen; dann bedeuten zwei durch Komma getrennte Zahlen Seite und Vers bzw. Zeile des betreffenden Bandes. Die Vers- oder Zeilenzahl gibt jeweils den Beginn eines Zitats an.

Gleiches gilt sinngemäß — d. h. bis auf die dort fehlende Zeilenzählung — für die Gedichte, Kleinen Schriften und Briefe, die nach der von Minde-Pouet und Sembdner überarbeiteten zweiten Auflage der kritischen Ausgabe zitiert werden. In Fällen, in denen sie eindeutige Besserungen bringt, also etwa bei den Briefen aus Kleists letzter Zeit, wurde Sembdners Ausgabe von 1961 herangezogen (zitiert: Sembdner, römische Ziffer [Band], arabische Ziffer [Seite]). — Zu erwähnen ist ferner das Sigel „LS" für die erste Auflage von Sembdners Sammlung der „Lebensspuren" Kleists. Hier wurde jeweils die Nummer des angeführten Zeugnisses gegeben, bei längeren Abschnitten auch die Seite, auf die ich Bezug nehme. Wenn die zweite Auflage gemeint ist, wird dies ausdrücklich gesagt.

Kurze Stellenangaben habe ich nach Möglichkeit gleich in den Text gesetzt.

I. Die Kleistforschung und das Problem der Entwicklung des Dichters

Seit mehr als einhundertfünfzig Jahren bemühen sich literarische Kritik und wissenschaftliche Forschung um das Werk, die Persönlichkeit und den Lebensweg Heinrichs von Kleist. Zu den Folgen dieser Bemühungen gehört es, daß die Literatur über Kleist heute für den einzelnen fast nicht mehr übersehbar ist, daß der Dichter aber auf der anderen Seite in noch stärkerem Maße das geworden ist, was er auch seinen Mitlebenden schon war: ein „dunkler" Autor. Gegenstände wie Ausdrucksweisen seiner Dichtung waren und blieben stets in besonderer Weise rätselhaft. Nicht selten glaubte man den entscheidenden Schlüssel zu seinem innersten Wesen gefunden zu haben, immer wieder aber sind im Fortgang der Erkenntnis solche Einsichten in Frage gestellt und von neuen abgelöst worden. Das könnte, betrachtet man das Ganze wissenschaftlichen Bemühens um diesen Dichter, zur Resignation verleiten, würde nicht gleichzeitig auch sichtbar, daß sich in jeder Ausdeutung eine Seite oder Facette der Dichtung expliziert, ja, daß uns diese Dichtung gar nicht anders als in der Vielfalt ihrer je wieder geschichtlichen Reflexe gegeben ist. Daraus mag jede neue Bemühung auch wieder den Mut zu ihrer eigenen Gültigkeit schöpfen, gleichzeitig aber den früheren ihr Recht lassen.

Unserer Übersicht über die wichtigsten Stimmen zum Thema „Kleists dichterische Entwicklung" liegt eine ausführliche Musterung der Kritik und Forschung seit den zeitgenössischen Rezensionen zu Grunde. Der zentrale Charakter der Aufgabenstellung zwang dazu, auch Themen miteinzubeziehen, die nur indirekt mit dem unseren zu tun haben. Es versteht sich von selbst, daß getroffene Auswahl und Gewichtsverteilung — sowohl der Referate wie der kritischen Stellungnahmen — auch angesichts der erforderlichen Raffung hie und da anders denkbar wären. Gleiches gilt für den Aufbau, der einen lesbaren Kompromiß zwischen reiner Chronologie und Zusammenfassung thematisch zusammengehöriger Werke erstrebt. So ergibt sich zum Beispiel, daß die Literatur über Kleists Erzählungen, die sich von jeher in geringerem Maß einer vorwiegend gehaltlichen Interpretation fügten, als eigener Komplex am Schluß behandelt wird. Das Hauptaugenmerk liegt auf Arbeiten, die

Wegscheiden der Forschung markieren. Daher wird gelegentlich ausführlicher auf Untersuchungen verwiesen, die nicht die ihnen gebührende Beachtung fanden, wohingegen einige bedeutende Werke — ich nenne nur die Namen Lugowski und Kommerell — am Rande auftreten, weil sich in diesen Fällen durchaus keine Beziehung zu unserem Thema herstellen ließ.

Wir beschränken uns zunächst auf die Darstellung der Theorien über eine Entwicklung innerhalb des gesamten Schaffens Kleists. Die Frage nach der zeitlichen Fixierung für den Beginn seiner Dichtung bleibt dem zweiten und dritten Kapitel vorbehalten, eine eingehende Prüfung der Zeugnisse und Hypothesen zur Entstehung der Werke dem vierten. Das fünfte, abschließende, Kapitel geht dann auf die Dichtungen selbst ein. Da umfassende Analysen nach notwendigerweise so ausführlichen Untersuchungen den Rahmen gesprengt hätten, habe ich hier als exemplarisch die Aufbauprinzipien der einzelnen Werke erörtert.

Kleists Wirkungsgeschichte im 19. Jahrhundert

Die Geschichte der Kleistdeutung beginnt mit Ludwig Tieck. Sein Essay, der 1821 den Band einleitete, der Kleists dichterischen Nachlaß enthielt [1], ist der erste Versuch einer Darstellung von Leben und Werk des Dichters. Aber auch die voraufliegenden Anfänge von Kleists Wirkungsgeschichte, die Rezensionen seiner Werke, lassen in ersten Umrissen bereits eine Entwicklungskurve erkennen. Beim Erscheinen der ‚Familie Schroffenstein' sah man dem Anfänger seine charakteristischen Eigenarten nach, weil man sie für noch ungebändigte Äußerungsformen hielt. Als sich später zeigte, daß Kleist infolge einer Bindung an Vorbilder eher noch zurückhaltend gewesen war, kehrte man sich von ihm ab. Das Wohlwollen der Rezensenten hielt noch beim ‚Amphitryon' an — erstaunlicherweise und im Gegensatz zu der in diesem Punkt unter Tiecks und Goethes Einfluß stehenden Kritik des gesamten 19. Jahrhunderts. Mit dem Erscheinen des ersten ‚Phöbus'-Heftes begann die wachsende Abwehr von Seiten der kritischen Organe; daran änderte auch das ‚Käthchen' nichts, weder das Buch noch die Aufführung in Wien. Kleists Neigung zum „Wunderbaren" oder „Exzentrischen" — wie sie für ‚Pen-

---

1 Heinrich von Kleists hinterlassene Schriften herausgegeben von L. Tieck, Berlin 1821. Ich zitiere nach der nicht wesentlich veränderten Einleitung der Ausgabe von 1826.

thesilea‘ und ‚Käthchen‘ konstatiert wurde — schloß für die Zeitgenossen seine Entwicklung als Dramatiker ab; ‚Hermannsschlacht‘ und ‚Homburg‘ waren ja nur in kleinen Zirkeln bekannt. Diese wirkungsgeschichtlichen Fakten mögen die zum Teil bis heute lebendige Vorstellung von einem Verfall der dichterischen Kraft mit wachgehalten haben.

Ein später Erfolg war Kleist noch mit seinen Erzählungen beschieden. Darin mag sich das beginnende historistische Zeitalter ankündigen mit seinem Bedürfnis nach verbürgter und glaubhafter Wirklichkeit. Aus verwandtem Anlaß kam man um die Wende zum 20. Jahrhundert dazu, Kleist für den aufkommenden Realismusbegriff in Anspruch zu nehmen. Die vaterländischen Dramen wurden nach ihrem Erscheinen gleichfalls recht positiv bewertet; zweifellos sah man sie im Zusammenhang mit dem zeitgenössischen Geschichtsdrama, obwohl dessen eigentlicher Höhepunkt bereits zurücklag [2]. Mit chauvinistischen Tendenzen, die später Analoges bewirkten, hat das nichts zu tun [3].

Tiecks Essay hat das Kleistbild des 19. Jahrhunderts inauguriert. In bestimmter Weise bestärkt durch später in die Öffentlichkeit gelangte Urteile Goethes [4] bleibt seine Wirkung trotz permanenter Kritik bis gegen das Ende des Jahrhunderts lebendig. Der Essay hat seine Bedeutung alleine schon darin, daß Tiecks kurrenter Name einfach das Interesse an Kleist wachhielt, dessen Werk so das wirkungsgeschichtliche Schicksal etwa eines Hölderlin erspart blieb.

Da Tieck den Keim einer „Gemütskrankheit“ Kleists noch vor dessen dichterische Anfänge verlegte, blieb ihm im Grunde kaum Spielraum für seine Anschauungen von einer zunehmenden inneren Zerrüttung. Nicht einmal die Begegnung mit der Philosophie Kants, die Tieck als erster

---

[2] Vgl. Friedrich Sengle, Das deutsche Geschichtsdrama, Stuttgart 1952, 87.

[3] Gelegentlich konnte damals sogar die ‚Hermannsschlacht‘ über den ‚Homburg‘ gestellt werden, wie bei Dahlmann (LS 319) und bei Matthäus von Collin. Vgl. dessen Sammelrezension: Über neuere dramatische Literatur, Jahrbücher der Literatur 20, Wien 1822, 119: „... eine ausführliche, auf die innern Motive des Dichters eingehende kritische Entwicklung dieses Werks würde selbst ein Werk liefern, welches die geheiligtesten Aufgaben der Kunst in jeder Beziehung berühren, und indem es ihre Auflösung sowohl in dem beleuchteten Werke selbst als in verwandten Dichtungen nachwiese, einen Verein der herrlichsten Ideen geben würde, die es im wahren Sinne zum Sitze des Schönen erhöben.“

[4] In den Erinnerungsbüchern von Johannes Falk (Goethe aus näherm persönlichen Umgange dargestellt, Leipzig 1832) und Riemer (Mitteilungen über Goethe, Berlin 1841) sowie in dem 1851 veröffentlichten Briefwechsel zwischen Goethe und Knebel.

herausgestellt hat, markiert so einen Einschnitt. Neben und trotz aller Kritik erkannte Tieck eine durchgehende technische Vervollkommnung an; anläßlich des ‚Zerbrochnen Krugs' etwa fällt das Wort „Virtuose" [5], und von der ‚Penthesilea' sagt er, „daß der Verfasser der Schroffensteine in seiner Kunst außerordentlich vorgeschritten sey", aber „im Wesentlichen einen bedeutenden Rückschritt gemacht habe" [6]. Auch die — von Tieck anerkannte — Einzigartigkeit des ‚Homburg' stellt nur einen Augenblick relativer Freiheit von Trübungen dar. Aus dem Dilemma, daß er einerseits Kleists Dichtung als ihrer Grundtendenz nach krank ablehnte, anderseits aber ihre künstlerische Perfektion anerkannte, rettete sich Tieck mit der Formel vom „Manieristen": „Wenn er also auch nicht von der freiesten Höhe die Kunst übersah und beherrschte (was nur den Auserwähltesten vergönnt ist), so war er auf eine Weise, die zu loben ist, ein großartiger Manierist, wenn man diesen Ausdruck . . . richtig versteht" [7]. Hatte Tieck hier noch eine mehr typisierende als wertende Wortbedeutung im Sinne des Aufsatzes Goethes von 1789 [8] im Auge, so gewann diese Formel später insbesondere in der Anwendung auf Kleists letzte Werke eine eindeutig pejorative Bedeutung [9].

Zeitlich in die Nachbarschaft Tiecks gehören Hegel und seine Schule, die auch für manche moderne Untersuchung noch die Voraussetzung bilden. Hegel selbst hat sich in der Ablehnung noch über Tieck hinausgehend zu Kleist geäußert [10]. Für unser Thema ist die 1827 erschienene Rezension der Tieckschen Ausgabe von 1826 durch Hegels Schüler Heinrich Gustav

---

[5] aaO. Bd. 1, XLIII.

[6] aaO. XLIV.

[7] aaO. LXIII f.

[8] Einfache Nachahmung der Natur, Manier, Stil.

[9] Ansätze zu einer Verengung der Wortbedeutung finden sich schon in dem Aufsatz Goethes, da der „Stil" höher bewertet wird. Entscheidend für die weitere Geschichte des Begriffs sind Friedrich Schlegels zweipolige Schemata antik — modern, Stil — Manier, objektiv — subjektiv etc. in seinem Aufsatz ‚Über das Studium der griechischen Poesie' von 1797. Aus der Gegenüberstellung von Goethe und Schiller gewann dann Eckermann die Auffassungen von Manier und Stil, die im 19. Jahrhundert wirksam waren (J. P. Eckermann, Beyträge zur Poesie mit besonderer Hinweisung auf Goethe, Stuttgard 1824; vgl. bes. 44—47 und 185 f.). In dieser simplifizierten Form stand die Wirkungsgeschichte Kleists zunächst unter dem Vorzeichen Goethes. — Zu diesem Problem vgl. jetzt die von E. R. Curtius und G. R. Hocke ausgehende Studie Marianne Thalmanns, Romantik und Manierismus, Stuttgart [1963]. Kleist wird hier jedoch etwas vorschnell der Romantik zugerechnet.

[10] In seiner Rezension des von Tieck und Raumer herausgegebenen Solger-Nachlasses, Jubiläumsausgabe Bd. 20, 145 f.

Hotho bedeutsam [11]. Hotho geht von einem Vergleich zwischen Kleist und Novalis aus, in dem er als beiden gemeinsam hervorhebt: Autokratie des Ich, Herrschaft des Inneren gegenüber der Wirklichkeit, Übergewicht des Gemüts und Herzens über das Denken, poetisch-willkürliches Spiel mit Wahrheit und Wirklichkeit, Zerrissenheit des Gemüts, weil es „heimatlos in zweien Welten" lebt, in seiner eigenen und der „der Wirklichkeit und Wahrheit der Gegenstände" [12]. Hotho hat in seinen Analysen der Kleistschen Dichtungen [13] als erster eine durchgebildete Theorie von Kleists Entwicklung entworfen, er nimmt dabei drei Phasen („Kreise") an. Eine erste Werkgruppe besteht aus ‚Familie Schroffenstein', ‚Findling', ‚Verlobung', ‚Marquise' und ‚Zerbrochnem Krug'. Sie ist dadurch gekennzeichnet, daß sich „theils ein falsches Handeln nach innern Gemüths-Stimmungen, Character-Eigenheiten und äußerer Wahrscheinlichkeit bei mangelnder Ausmittlung verborgener Umstände darstelle, theils dieß Ausmitteln selbst sich zum alleinigen Intresse mache" [14]. In einem zweiten Kreis stehen Werke, in denen ein göttlicher Wille sich in der zufallsbestimmten Wirklichkeit kundgibt (‚Zweikampf', ‚Bettelweib', ‚Cäcilie'), oder sich dem Gemüt offenbart (‚Amphitryon'). Dieses müsse der göttlichen Offenbarung aber auch unbewußt folgen, „ohne ihr seine eigenen Wünsche" (wie in ‚Penthesilea' und ‚Erdbeben') „oder sein waches, verständiges Bewußtseyn (Käthchen) entgegenzusetzen" [15]. Ein dritter Kreis schließlich verbindet ‚Hermannsschlacht', ‚Homburg' und ‚Kohlhaas', Werke, in denen auch das wache Bewußtsein wieder Gültigkeit besitze und die reale, geschichtliche Außenwelt mit dem Bewußtsein des Dichters in Einklang stehe. Hier wird die Gesamtentwick-

---

[11] In den Jahrbüchern für wissenschaftliche Kritik, 1827, Sp. 685—724. — Im gleichen (ersten) Jahrgang traten der Sozietät der Jahrbücher u. a. bei: Ernst von Pfuel (im März) und Rühle von Lilienstern (ab Juni). Eine Einflußnahme von dieser Seite auf das Erscheinen der Rezension (enthalten im Mai-Heft) ist nicht auszuschließen. Jedenfalls hielt Hotho 1828 Vorlesungen an der Berliner Kriegsschule, an der auch Rühle tätig war (vgl. den ADB-Artikel über Hotho von Prantl, Bd. 13, 191 f.).

[12] aaO. Sp. 687.

[13] Hingewiesen sei vor allem auf seine Deutung der ‚Familie Schroffenstein', durch die Tieck glänzend widerlegt wird (aaO. Sp. 688—93), auf seinen Einspruch gegen Tiecks Meinung, der ‚Amphitryon' sei „als Studium oder Zerstreuung" (Tieck aaO. XLI) geschrieben (aaO. Sp. 700) und schließlich auf seine von der Tieckschen abweichende Rechtfertigung der Todesfurchtszene im ‚Homburg' (aaO. Sp. 718 ff.). Drei Exzerpte aus Hotho druckte Sembdner (LS 723a).

[14] aaO. Sp. 710.

[15] Ebda.

lung also ganz anders gesehen als bei Tieck, vor allem ohne eine Zerstörung des Dichters und seines Werks von innen heraus. Dieser zweite Versuch, ein Gesamtbild zu zeichnen — er beruht offensichtlich auf einem dreistufigen Denkschema, das seine Hegelianische Provenienz deutlich verrät —, deduziert freilich mehr von eigenen Prinzipien als daß er von der Dichtung oder von Daten und Fakten ausgeht, doch sichert ihm sein gedankliches Niveau eine bedeutende Stellung in der Kleistliteratur des gesamten 19. Jahrhunderts. — Das Verhältnis von dichterischer Subjektivität und „objektiver" Wirklichkeit bildet — ähnlich wie für Hotho — auch bei einigen neueren, später zu erwähnenden Kleiststudien, die ihren Ausgang von Hegel nehmen, den Angelpunkt [16].

Der Hegelsche Ansatz blieb zunächst folgenlos. Das 19. Jahrhundert berief sich auf Tieck — und fühlte sich durch Goethe bestärkt. Die Ausrichtung aller Vorstellungen von Werk und Persönlichkeit Kleists auf das Goethische Leitbild hin wird am deutlichsten in den Literaturgeschichten sichtbar [17]. Erst mit dem stärkeren Einsetzen literarhistorischer Einzelforschung geht diese Tendenz zurück. Julian Schmidt, der eine Variation der Tieckschen Grundformel mit Kritik an ihrem Urheber verband, konnte sich bereits auf die Bülowsche Sammlung [18] stützen und vermochte so ein differenzierteres Bild zu zeichnen [19]. Er wandte sich zwar gegen Tiecks These von einem Rückschritt (etwa im Falle der ‚Penthesilea'), doch gewannen „die sittlichen Begriffe des Zeitalters" [20] bei ihm ein solches Übergewicht über künstlerische Beurteilungsmaßstäbe, daß Kleists letzte Werke (‚Homburg' und zweiter Band der Erzählun-

---

[16] Günter Ulbricht, Das Verhältnis von Dichter und Dichtung bei Heinrich von Kleist, Mschr. Diss. Bonn 1952; Friedrich Koch, Heinrich von Kleist. Bewußtsein und Wirklichkeit, Stuttgart 1958; Georg Lukács, Die Tragödie Heinrich von Kleists, in: Deutsche Realisten des 19. Jahrhunderts, Berlin 1953, 19—48.

[17] Was bei Koberstein (1827) noch gar nicht bemerklich ist, fällt bei Gervinus (1. Aufl. 1835—42) stark ins Auge, der die Äußerungen Goethes einfach paraphrasiert; vgl. 2. Aufl. Teil 5, 1844, 675. Auch Cholevius (1856) ist sehr von diesen Urteilen abhängig.

Die weniger bekannten Literaturgeschichten hängen nicht so stark vom klassischen Leitbild ab und werden Kleist eher gerecht. Das gilt für Eichendorff (1857), auch für Wackernagel-Martin (Bd. 2: 1894), vor allem im Vergleich mit Scherer (1. Aufl. 1883). Bei Martin (aaO. 578) findet sich auch die erste positive Beurteilung des ‚Amphitryon' seit Tiecks Abwertung des Stückes (wenn man von Hotho einmal absieht).

[18] Eduard von Bülow, Heinrich von Kleist's Leben und Briefe, Berlin 1848.

[19] In seiner Einleitung zur Reimerschen Ausgabe, Berlin 1859, Bd. 1, V—CXXII.

[20] aaO. IX.

gen) nun erneut als Zeugen eines Verfalls angesehen wurden. — In dieser Umformung wirkte Tieck weiter auf das Kleistbild der zweiten Jahrhunderthälfte [21], vor allem auf die Schererschule, deren Vorrangstellung in Deutschland auch in dieser Beziehung deutliche Konsequenzen hatte.

Die Biographie Adolf Wilbrandts schloß — vor dem Einsetzen der positivistischen Forschung — eine Epoche ab. Wilbrandt war der letzte, der sich noch Nachrichten von einem derer, die Kleist nahegestanden hatten (Ernst von Pfuel), verschaffen konnte. Die Glaubwürdigkeit dieser Nachrichten ist später von Rahmer und anderen angefochten worden — gutenteils zu Recht. Bei Wilbrandt erscheint zum ersten Male die vordichterische Frühphase Kleists als eine eigenständige Epoche, deren Charakter allerdings weitgehend verkannt wurde, da Wilbrandt das Bildungsstreben des jungen Kleist mit dem Shaftesbury-Goetheschen Ideal des ästhetischen Menschen, des „virtuoso" [22] in Parallele setzte. Wilbrandt stellte den ‚Guiskard' an den Beginn des dramatischen, den ‚Findling' an den Beginn des novellistischen Schaffens. Dem ‚Erdbeben' und der ‚Verlobung' billigte er noch den „reinen Styl" der ‚Penthesilea'-Epoche zu, während er ‚Bettelweib', ‚Cäcilie' und ‚Zweikampf' einer Periode der Zerstörung zuordnete, die Kleists Schaffen beschließe. Hier spielt natürlich auch die Unkenntnis der ‚Abendblatt'-Epoche und ihrer Bedeutung eine Rolle [23].

Damit wird ein anderes, mit unserem Thema eng verbundenes Problem berührt: die allmähliche „Entschleierung" des Kleistschen Werks. In Tiecks Gesamtausgabe fehlten die kleineren Prosaschriften ganz, ferner die Briefe bis auf einige Bruchstücke. Die notwendige Ergänzung brachte dann 1848 die Sammlung Bülows. In ihr erschienen zum ersten Male: der wichtige Brief an Kleists Privatlehrer Martini, ein bedeutender Teil der Briefe an Wilhelmine sowie Briefe an Henriette von Schlieben, Luise von Zenge, Rühle, Fouqué und der Abschiedsbrief an Adam Müller und seine Frau, das frühe Gedicht „Nicht aus des Herzens bloßem Wunsche . . .", einer der politischen Aufsätze von 1809, schließlich aus den ‚Abendblättern' die ‚Anekdote aus dem letzten preußischen Kriege'

[21] Genannt seien Erich Schmidts Aufsätze und die Arbeiten von Zolling, Siegen, Wilbrandt, Conrad, Warkentin, schließlich die positivistische Stilkritik der Weissenfels, Minde-Pouet und Fries (vgl. das Literaturverzeichnis).

[22] Adolf Wilbrandt, Heinrich von Kleist, Nördlingen 1863, 21.

[23] aaO. 382: „Zu gebrochen und müde, um sich noch an ein größeres Werk zu wagen, wendet er sich kleinen Künsten zu, und läuft, noch in der Fülle seiner Kraft, Gefahr, in greisenhaften Zügen zu versteinern."

und der Essay ‚Über das Marionettentheater'[24]. Mit der Edition der politischen Prosaschriften für die geplante ‚Germania' und aus den ‚Abendblättern' durch Rudolf Köpke 1862[25] tauchte ein eigengesetzlicher Teil des Kleistschen Schaffens aus dem überlieferungsgeschichtlichen Dunkel auf; er verdeutlichte vor allem das Bild von der Zeit nach dem Dresdner Aufenthalt. Den Abschluß dieser Entschleierung stellte im wesentlichen die erste kritische Kleistausgabe dar, 1885 von Theophil Zolling besorgt (mit eigenen Ergänzungen)[26]. 1911 wurde noch das früheste erhaltene Gedicht Kleists gefunden, die ‚Hymne an die Sonne'. Der Bestand der ‚Abendblatt'-Beiträge Kleists hat sich bis heute in den Ausgaben ständig vergrößert, als endgültig bestimmt und abgegrenzt kann er wohl immer noch nicht gelten. Seit der ersten Ausgabe des gesamten Briefcorpus von Minde-Pouet (1905) hat sich der Briefbestand noch um über dreißig Stücke erweitert, darunter den Zufallsfund der zwei wichtigen Briefe an Adolphine von Werdeck[27].

Die Epoche des Positivismus

Etwa seit den achtziger Jahren des 19. Jahrhunderts macht sich in der Kleistforschung der Einfluß derjenigen methodischen Richtung bemerkbar, die man mit der Bezeichnung „positivistisch" versehen hat. Ihre Hauptleistungen im Bereich der Kleistforschung liegen in der Ermittlung lebensgeschichtlicher Dokumente sowie speziell in der Biographistik, im Aufspüren von Werkquellen und schließlich in der Stilforschung.

Auf dem Gebiet der Biographie hatte Theophil Zolling 1882 mit seiner Studie über Kleists Schweizer Aufenthalt einen Beitrag geleistet, der manche Legende der Kleist-Vita zerstörte, im übrigen aber der Konzeption Tiecks und Julian Schmidts verhaftet blieb[28]. Zwei Jahre später

---

[24] Die Veröffentlichungen der Briefe an die Schwester durch Koberstein 1860 und der an die Braut durch Biedermann 1884 ermöglichten später genauere Kenntnis namentlich von Kleists geistigem Werdegang in der frühen Zeit.

[25] Heinrich von Kleist's politische Schriften und andere Nachträge zu seinen Werken, Berlin 1862.

[26] In Kürschners Deutscher Nationalliteratur Bd. 149 und 150. Zolling druckte als erster den ‚Ghonorez'-Text und den ‚Aufsatz, den sichern Weg des Glücks zu finden ...'.

[27] Zu der Hymne vgl. Hoffmann im Euph. 18, 1911, 441—46. — Die Werdeck-Briefe wurden 1933 von Herbert Wünsch aufgefunden und 1934 veröffentlicht.

[28] Heinrich von Kleist in der Schweiz, Stuttgart 1882. „Höchstens in der mechanischen Fertigkeit zeigt sich ein gewisser Fortschritt, ..." (aaO. 82) und: „Die erste Schweizerreise Kleists kann der Litterarhistoriker und Aesthetiker beschreiben, die zweite aber gehört in das Gebiet des Psychiaters" (aaO. 89).

erschien mit der noch heute lesenswerten Biographie Otto Brahms das maßgebliche Werk der Schererschule. In ihm zeigen sich enge Verbindungen zwischen den Kunstanschauungen des Naturalismus und der Schererschen Theorie vom Kunstwerk und seinen bestimmenden Faktoren [29]. Brahm hat zwar erst in dem Vorwort zur (überarbeiteten) vierten Auflage die „Literaturrevolution von 1889" und diese nur im Hinblick auf eine Änderung seiner Konzeption genannt, doch ging seine Blickrichtung schon 1884 auf das „Milieu". In gewisser Weise hatte dem das — von Brahm auch zitierte — hellsichtige Wort Arnims vom „Talent" vorgegriffen, das sich „aus der alten preußischen Mondierung durcharbeitete" [30]. — Brahm äußerte die bedenkenswerte Vermutung, daß Kleist 1800/01 vordichterische Versuche auf „populär-philosophischem Gebiet" gemacht habe [31] und widerlegte die hergebrachte Anschauung von den schon in der ‚Familie Schroffenstein' sichtbaren Krankheitskeimen, indem er den Problemgehalt des Dramas auf die Gedankenwelt zurückführte, die in den Briefen des Berliner Winters 1800/01 zutagetritt [32]. Mit dem ‚Amphitryon', dessen Sonderstellung in einer Periode des Atemholens nach dem Ringen um den ‚Guiskard' erkannt wurde, beginne der Stil der Blütezeit; im Gegensatz zu fast allen Untersuchungen bis in die jüngste Zeit setzte Brahm auch den Beginn der Erzählkunst Kleists erst in diese Zeit. Mehr Nachfolge fand Brahm mit seiner These von Adam Müller als Kleists bösem Geiste — eine bis heute nicht befriedigend geklärte Frage. Zwar erscheint am Schluß der Biographie wieder das traditionelle Urteil von der Maniriertheit der letzten Werke Kleists, doch hat Brahm das Verdienst, herausgestellt zu haben, daß Kleist in den politischen Gedichten und Prosaschriften der späteren Jahre (etwa ab 1808) zu einer ganz neuen Haltung gelangte [33].

Wenn auch mit dieser ersten wissenschaftlichen Biographie die Macht der von den Zeitgenossen Kleists stammenden Meinungen und Legenden endete, so wurde doch die Verengung positivistischer Methoden, namentlich in Verbindung mit einem von Goethe abgezogenen Begriff von Erlebnisdichtung, zum Nährboden eines neuen Dogmatismus. Angesichts des Widerstreits von pathographischer Betrachtungsweise und der von

[29] Das Leben Heinrichs von Kleist, Berlin 1884.

[30] Vgl. LS 345. Brahm aaO. 402: „Was Arnim hier Montirung nennt, heißen wir heute Milieu; ..." (Zitate nach der 4. Aufl.).

[31] aaO. 45 f.

[32] aaO. 77 ff.

[33] aaO. 341.

2

Isaac [34] und Rahmer [35] erhobenen Forderung, Kleist als einen psychisch Gesunden anzusehen, behält Ayraults These ihre Gültigkeit, Goethe habe zwar als Kritiker um 1900 allein gestanden, sei aber als Arzt immer noch gehört worden [36].

Unter die bleibenden Leistungen des Positivismus muß das Aufspüren von Werkquellen gerechnet werden, die Bestimmung des „Erlernten" an der Dichtung. Aus den entsprechenden Untersuchungen ist freilich für unser Thema kaum etwas zu gewinnen, nicht zuletzt deshalb, weil wir über die Chronologie der Lektüre Kleists, ja auch über diese selbst, so gut wie gar nichts wissen. Lägen die Dinge anders, wäre es fraglos leichter, auch Anhaltspunkte für die Bestimmung von Kleists geschichtlichem Ort zu gewinnen. So finden sich zum Beispiel in Kaykas Arbeit über Kleist und die Romantik [37] gute Bemerkungen über Kleists rationalistische Frühphase, doch bleiben diese Gedankengänge im Bereich typologischen Vergleichens, ohne daß, wie es erforderlich wäre, Kleists Verhältnis etwa zur Literatur der Aufklärung auch mit Hilfe von Zeugnissen stringent bestimmt werden könnte [38].

Beim zweiten Glied der Schererschen Formel, dem „Erlebten", also den lebensgeschichtlichen Q u e l l e n, sind wir besser gestellt. Wertvolle Abrundung der Kenntnis von Kleists biographischem Umkreis während der Militärzeit und der Würzburger Reise, speziell zu Ludwig Brockes, brachten die Bücher Sigismund Rahmers. Die Schriften dieses Outsiders

[34] Hermann Isaac, Schuld und Schicksal im Leben Heinrich von Kleists, PJbb 55, 1885, 433—77.

[35] S. Rahmer, Das Kleist-Problem ..., Berlin 1903; Heinrich von Kleist als Mensch und Dichter, Berlin 1909.

[36] La légende de Heinrich von Kleist, Paris 1934, 33.

[37] Ernst Kayka, Kleist und die Romantik, Berlin 1906.

[38] Über einige Ansätze ist die Forschung in dieser Frage nicht hinausgelangt. Lediglich das Verhältnis zu Wieland ist genauer untersucht, außer in den Stoffsammlungen von Hermann Behme (Heinrich von Kleist und C. M. Wieland, Heidelberg 1914) und Bernhard Luther (Heinrich v. Kleist — Kant und Wieland, Biberach/Riß 1933) vor allem in der wertvollen Arbeit von Röbbeling (Kleists Käthchen von Heilbronn, Halle 1913) und zuletzt von Ludwig Muth (Kleist und Kant, Köln 1954). Trotz Kluckhohns Zweifeln (in seinem zweiten Forschungsbericht, DVjS 21, 1943, Referatenheft, 64) ist Wielands Einfluß auf den jungen Kleist tatsächlich groß gewesen. Auf stilistische Berührungen mit Klopstock hat (nach andersartigen Untersuchungen von Röbbeling, Hanna Hellmann und Frida Teller) Karl Ludwig Schneider hingewiesen: Heinrich von Kleist. Über ein Ausdrucksprinzip seines Stils, in: Libris et litteris, Festschrift für Hermann Tiemann, Hamburg [1959], 258—71. Wiederabdruck in: Heinrich von Kleist. Vier Reden zu seinem Gedächtnis [Berlin 1962], 27—43.

— Rahmer war Arzt — stellten einen bewußten Protest gegen die inzwischen von der Sexualpathologie in der Nachfolge Freuds [39] vorgebrachte Ansicht dar, daß Kleist in geistig-charakterlicher Hinsicht als Kranker anzusehen und daß vor allem auch seine Dichtung unter dementsprechenden Vorbehalten zu beurteilen sei. Rahmer kam zu dem Ergebnis, „daß die progressive Entwicklung des Dichters das Resultat einer ansteigenden Entwicklung und wachsenden Charakterfestigung des Menschen" sei [40].

Die meisten biographischen Zeugnisse besitzen wir über Kleists letzte Zeit in Berlin, die hier in einem Exkurs behandelt sei. Nach den Ansätzen bei Köpke und Brahm unternahm es der als Romantikforscher verdiente Reinhold Steig, diese Periode und in ihrem Mittelpunkt die Geschichte der ‚Abendblätter' darzustellen. Als Materialsammlung für diesen Problemkreis heute noch wertvoll, stellt sein Buch doch eine seltsame Verirrung dar, denn Steig gesellte Kleist nach Maßgabe einer reaktionären, antisemitischen und royalistischen Ideologie mit größter Perfektion der konservativen Adelspartei zu. Selbst die ‚Heilige Cäcilie' wurde Steig zu „politischer Opposition allerfeinster und allerschärfster Art" [41] gegen die herrschende Reformpartei. Im Prinzip entzog allerdings Steig fortan der Behauptung, daß Kleists Kraft schließlich erlahmt sei, den Boden; er sprach es selbst aus, daß Kleists „Phantasie bis zuletzt voll von Arbeitskraft und Arbeitsplänen war" [42]. Im weiteren Fortgang der Deutung dieses Lebensabschnitts, den wir wohl nicht als den letzten, unmittelbar zu Kleists Selbstmord hinführenden, ansehen dürfen, trat zunächst Hoffmann Steig bei [43], doch ließ Walzel in einer Rezension Bedenken durchblicken, die Steigs Resultate radikal in Frage stellten [44]. Er tat den entscheidenden Schritt in Richtung auf den Kern des Problems, wenn er meinte, daß Kleist in die Rivalitäten beider Parteien verstrickt worden sei [45]. Jede Abhängigkeit Kleists von der Christlichdeutschen Tischgesellschaft bestritt Rahmer [46]. Durch die Studien von Rogge und Deetjen wurde dann klar, daß Kleist ein unabhängiges Blatt

---

[39] Sadger, Heinrich von Kleist, Wiesbaden 1910.
[40] Heinrich von Kleist, aaO. V.
[41] Heinrich von Kleist's Berliner Kämpfe, Berlin und Stuttgart 1901, 532.
[42] Neue Kunde zu Heinrich von Kleist, Berlin 1902, 129.
[43] Euph. 10, 1903, 149.
[44] AfdA 29, 1904; bes. 108 f., 116 und 125 Anm. 1.
[45] aaO. 112.
[46] Heinrich von Kleist, aaO. 185 ff.

wollte, das Forum der Diskussion aller Parteien sein sollte [47]. Die philologisch-exakte Untersuchung der ‚Abendblätter' und der Redaktionstätigkeit Kleists durch Sembdner machte die Verstellungskunst des Journalisten Kleist deutlich, die ihn als Propagandisten im Gewande der Unparteilichkeit erweist, als Parteigänger der antinapoleonischen Opposition [48]. Abgesehen von der nun viel genaueren Ermittlung der Personen und Fakten im Zusammenhang der ‚Abendblätter' macht Sembdners Buch die Kontinuität in der Entwicklung des politischen Schriftstellers Kleist vom Sommer 1808 — dem mutmaßlichen Beginn der Arbeit an der ‚Hermannsschlacht' — bis zum Winter 1810/11 sichtbar. Darüber hinaus lieferten Sembdners Versuche, Kleists Beiträge nach Form und Charakter einzuteilen, einen wichtigen Beitrag zur gattungsmäßigen Erfassung und Aufgliederung der kleineren Prosaschriften Kleists [49].

In Fortsetzung dieses Exkurses sei noch auf die Entwicklung des politischen Denkens bei Kleist eingegangen, die mit der des politischen Dichters keineswegs immer zusammenfällt. Die deutsche Literaturwissenschaft, ohnehin wenig geneigt, das Politische als legitimen Gegenstand der Dichtung anzusehen — wobei der im Deutschen gebräuchliche besondere Wortsinn von „Dichtung" eine Rolle spielt —, hat sich von dem in Kleists früheren Briefen faßbaren apolitischen Weltbürgertum durchweg verleiten lassen, den starken Wandel in Kleists diesbezüglichen Anschauungen zu verkennen und darüber hinaus seine politische Dichtung als einen Randbereich von einem andersartigen Zentrum seines Dichtertums zu trennen. — Wenn Brahm noch 1911 von einer Stummheit des Staatsinteresses bei Kleist gesprochen hatte [50], so arbeitete bereits Hermann Schneider 1915 eine Wandlung in Kleists Anschauungen seit der Dresdner Zeit heraus, die er zugleich von der Wende der kosmopoliti-

---

[47] Helmuth Rogge, Heinrich von Kleists letzte Leiden, JbKG 1922, 31—74; Werner Deetjen, Zum Kampf um die Abendblätter, JbKG 1929/30, 21—23. Im gleichen Sinne auch Heinrich Böx, Kleists politische Anschauungen, Diss. Hamburg 1930, 38.

[48] Helmut Sembdner, Die Berliner Abendblätter Heinrich von Kleists, ihre Quellen und ihre Redaktion, Berlin 1939.

[49] Sembdner hat seine Forschungen in einigen Aufsätzen weitergeführt (vgl. das Literaturverzeichnis) und sie in seiner Neuausgabe der ‚Abendblätter' (Darmstadt 1959) sowie in der 1961 erschienenen 2. Aufl. seiner Kleistausgabe zusammengefaßt. Die Echtheitsfragen bedürfen z. T. noch kritischer Prüfung. — Die formalen Merkmale der Kleistischen Anekdote hatte schon vorher Hans Lorenzen untersucht (Typen deutscher Anekdotenerzählung, Diss. Hamburg 1935, bes. 23).

[50] aaO. 390.

schen Frühromantik zur archaisierenden Deutschtümelei der Hochromantik abhob. Schneider meinte sogar, daß die Krise der vaterländischen Hoffnungen für Kleist tiefere Bedeutung gehabt habe als die Kantkrise [51]. Die verdienstvolle Arbeit von Heinrich Böx legte dann 1930 dar, daß Kleist in Königsberg bei seiner Berührung mit dem unter Adam Smith-Krausschem Einfluß stehenden Altensteinschen Kreis zu einer inneren Übereinstimmung mit der späteren preußischen Reformpartei gelangte und auch später immer Gegner der Adelspartei blieb [52]. In der ungedruckten Cambridger Dissertation Richard Samuels (1938), deren Hauptanliegen aus einigen später veröffentlichten weiterführenden Einzelstudien kenntlich ist [52a], wurde diese Linie der Deutung auf einem soliden Fundament historischer Detailforschung fortgesetzt. — Von allgemeineren Fragestellungen aus hat sich 1964 die Kleist-Gesellschaft mit verwandten Problemen beschäftigt [53].

Der Stilforschung des Positivismus ist es zuzuschreiben, daß sprachliche Untersuchungen über Kleist zunächst einmal Beschreibungen von Abnormitäten, ja Sprachschrullen waren. Weissenfels (1888) sah in der ‚Penthesilea' eine höchste Steigerung der Kleistschen Ausdrucksmittel, zu der die vorangegangenen Dramen quantitativ zunehmend hinführen, während die folgenden ohne grundlegende Änderung des sprachlichen Gesamtbildes darin wieder abnehmen [54]. Im Hinblick auf die Prosa hielt Weissenfels an der alten Formel von einer Entwicklung zur Manier fest [55]. Welche Schwierigkeiten ihm die stilistischen Eigenheiten Kleists

---

51 Kleists Deutschtum, in: Studien zu Heinrich von Kleist, Berlin 1915, 21.

52 Böx aaO. 35 und 45. — Recht interessant sind in diesem Zusammenhang die im Arnim-Nachlaß erhaltenen Akten der deutschen Tischgesellschaft (so nennt sie sich zumeist und das mit Recht, denn ihr Christentum ist ganz ungemein „deutsch"); sie werden heute im Goethe- und Schiller-Archiv in Weimar aufbewahrt. Das Studium dieser Dokumente läßt es mir zweifelhaft erscheinen, daß Kleist der Tischgesellschaft im eigentlichen Sinne angehört hat. Zumindest muß die Verbindung lose und von kurzer Dauer gewesen sein.

52a Heinrich von Kleist's Participation in the Political Movements of the Years 1805 to 1809, 1938. Der Verfasser stellte mir liebenswürdigerweise ein Exemplar seiner Arbeit zur Verfügung. — Für die Einzelstudien vgl. das Literaturverzeichnis.

53 Der Sammelband „Kleist und die Gesellschaft", [Berlin 1965] (mit Beiträgen von Catholy, Conrady, Ide und Müller-Seidel), faßt die Referate und Diskussionsbeiträge der Jahrestagung 1964 zusammen.

54 Richard Weissenfels, Über französische und antike Elemente im Stil Heinrich von Kleists, Braunschweig 1888.

55 aaO. 27.

bereiteten, zeigt seine oft nachgesprochene Erklärung für die Wortverschränkungen, die er nämlich sowohl aus einem Streben nach ungezwungener Natürlichkeit wie nach ungewöhnlicher, unprosaischer Künstlichkeit herleitete [56]. Auch Minde-Pouet sah bei Kleist „die ungezwungene Konversation des Lebens" als Stilprinzip verwirklicht [57]. Treffend ist seine Beobachtung, daß Wortspiele nur bis zum ‚Amphitryon' vorkommen [58]. Er konstatierte ferner eine Zunahme der Bilder in den letzten Novellen, namentlich im ‚Zweikampf' [59]. Aus der von Weissenfels in stilistischer Hinsicht angegebenen Entwicklungslinie nahm Minde-Pouet die ‚Hermannsschlacht' heraus. Nach dem ‚Homburg' sei dann „ein plötzlicher Niedergang des Dichters" eingetreten, die letzten Novellen seien in „toter Manier" erstarrt [60]. Die Fülle ihres Beispielmaterials hat diesen Studien auf lange Zeit Anerkennung gesichert. — Die feinsinnigen Sammlungen von Albert Fries ergeben nichts zu unserem Thema [61]. Eine kleine Untersuchung August Sauers legte 1907 dar, daß als letzte Stufe der stilistischen Entwicklung Kleists eine Hinwendung zu Sprachformen der Mystik anzunehmen ist [62].

Die Übereinstimmung innerhalb der Kleistforschung wurde mit wachsendem Abstand von den goethezeitlichen Ursprüngen immer geringer und die Themen der literarischen und kunsttheoretischen Tagesdiskussion gewannen an Einfluß. Eine deutliche Zäsur in der Wirkungsgeschichte Kleists bildete das Gedenkjahr 1911. In den damals erschienenen voluminösen Werken Herzogs und Meyer-Benfeys, aber auch in der Neubearbeitung des Brahmschen Werks und bei Julius Hart [63] wird die

---

[56] aaO. 84.
[57] Heinrich von Kleist. Seine Sprache und sein Stil, Weimar 1897, 26.
[58] aaO. 32.
[59] aaO. 92.
[60] aaO. 301.
[61] Außer der knappen Bemerkung, daß sich in Kleists Versbau eine zunehmende Abrundung zeige (Stilistische und vergleichende Forschungen . . ., Berlin 1906, 57).
[62] August Sauer, Kleists Todeslitanei, Prag 1907. Sauer wies Spuren dieser Sprache auch in Kleists letzten Briefen nach (aaO. 30 ff.).
Trotz des Hinweises von Servaes (Heinrich von Kleist, Leipzig . . . 1902, 146 f.) hatte Minde-Pouet 1905 die Zeilen unter die Briefe eingereiht, einem Vorschlag Steigs (Kämpfe, aaO. 659 ff.) folgend. In der Ausgabe von 1938 stehen sie unter den Gedichten. Sembdner hat zwar in seiner Ausgabe von 1961 den unglücklichen Titel ‚Todeslitanei' aufgegeben, doch ist nun die Placierung in der Gruppe „Gelegenheitsverse und Albumblätter" (!) mißlich.
[63] Wilhelm Herzog, Heinrich von Kleist, München 1911. — Heinrich Meyer-Benfey, Kleists Leben und Werke, Göttingen 1911. Das Drama Heinrich von

Inthronisation Kleists als „Klassiker" vollzogen, eine Tendenz, die sich schon in der Ausgabe Erich Schmidts gezeigt hatte. Der Begriff des Klassischen ist dabei durchaus eine Rangfrage; Meyer-Benfey freilich meinte daneben, daß Kleist in einem ursprünglichen und somit wieder klassischen Sinne Dramatiker sei. In der Entgegensetzung zu Schiller äußert sich ein aufkommendes antiklassisches Ressentiment [64], man glaubte mit dem Regreß auf eine von dramaturgischer Konvention befreite Darbietungsform der Handlung etwas ursprünglich „Dramatisches" erreicht zu haben, eine Ansicht, der schon Nietzsche in einer Anmerkung zum „Fall Wagner" widersprochen hatte [65].
Meyer-Benfeys Theorie über die Entwicklung des Dramatikers Kleist basiert auf der Annahme, daß es Kleist wenigstens bis in die Dresdner Zeit darum gegangen sei, im gleichzeitigen Anschluß an die antike Tragödie und an Shakespeare einen idealen und neuen Typus des Dramas zu schaffen. Der erste Band des Werks trägt denn auch den Titel „Kleists Ringen nach einer neuen Form des Dramas", doch fällt sein Endresultat überraschend einfach aus, weil Meyer-Benfey zur Kennzeichnung der im ‚Zerbrochnen Krug' und in der ‚Penthesilea' verwirklichten „Schöpfung einer neuen vollkommeneren Form des Dramas" [66] nicht mehr vorbringt als das Fehlen einer Akteinteilung — was ja nichts Neues bedeutet — und ein Formschema, bestehend aus Vorspiel und Entfaltung der Handlung in zwei Stadien mit einem Intermezzo [67], ein Bauprinzip, das sich in den genannten Werken wohl nicht ganz so wiederfindet. Der zweite Band („Kleist als vaterländischer Dichter") setzt zudem den ersten nicht konsequent fort. Das ‚Käthchen' spiegelt nach Meyer-Benfey den angedeuteten inneren Wandel des Dichters, doch bedeutet die Wende zum Politischen auch, daß Kleists Interesse an der Form erschöpft gewesen sei. Wenn Meyer-Benfey schließlich im Zusammenhang mit dem ‚Hom-

---

Kleists, 2 Bde., Göttingen 1911/13. — Julius Hart, Das Kleist-Buch, Berlin [1912].

64 Ein solches trat schon 1897 in dem unqualifizierten Buch von Emil Mauerhof (Schiller und Heinrich von Kleist, Zürich und Leipzig o. J.) hervor. — Von ganz anderen Voraussetzungen her kam jüngst Günter Blöcker zu der Aussage, daß „Kleist — neben Büchner — der einzige ursprüngliche, nicht durch Bildungsvorstellungen behinderte Dramatiker ist, den wir in Deutschland haben" (Heinrich von Kleist oder Das absolute Ich, Berlin [1960], 14 f.).

65 Friedrich Nietzsche, Werke, hg. von Karl Schlechta, München o. J., Bd. II, 921. — Zum ganzen Problem vgl. vor allem Bruno Snell, Aischylos und das Handeln im Drama, Leipzig 1928, bes. 1—33.

66 aaO. 589.

67 aaO. 583—91.

burg‘ ausführt, daß die direkte Darstellung spezifisch dramatisch sei und nicht analytische Technik und katastrophische Anlage [68], die nach seiner eigenen Analyse die genannten dramatischen Meisterstücke Kleists kennzeichnen, so hätte sich die gesamte Theorie durch diese Widersprüche selbst aufgelöst.

Weniger anspruchsvoll, aber einleuchtender ist die Entwicklungslinie, die 1912 Julius Hart zeichnete. Er widmete der vordichterischen Phase besonderes Augenmerk und wies in fruchtbarer Weise das Fortleben der Anschauungen des jungen, vernunftgläubigen Kleist in seiner Dichtung nach [69]; so wird z. B. der „Vernunftweiberstaat“ der Amazonen auf das Erbe dieser Entwicklungsstufe zurückgeführt. Die Überwindung der Tragödie sei das eigentliche Ziel des Kleistschen Dramas, „die Gestalten der letzten Dramen des Dichters . . . finden ihn mit immer gefestigteren und tieferen Zuversichten“ [70]. Das sind, verglichen mit dem sich ausbreitenden Pantragismus heroisch-dionysischer Art, bedenkenswerte Sätze.

Die geistes- und problemgeschichtliche Forschung

Walter Müller-Seidel hat gesagt, „erst mit den Büchern von Witkop, Muschg, Gundolf, Braig und Fricke“ sei „die neuere Kleistforschung in Fluß gekommen“ [71]. Das bedarf des Zusatzes, daß die Forschung damals auch eine ihr nicht durchaus gedeihliche Präzipitation erfahren hat, mit der ein methodischer Substanzverlust einherging, denn philologische und historische Forschungen traten zurück und die Stilforschung verschwand zunächst völlig. — Eine interessante Gelenkstelle zwischen dem Positivismus und der spekulativen Bewegtheit der zwanziger Jahre markiert Julius Petersens Aufsatz über Kleist und Tasso, denn neben der exakten Darstellung eines — möglichen — Einflusses Tassos auf Kleist entwickelt Petersen in den von Tasso gebotenen Motiven eine sowohl Kleists Dichtung wie das Verhältnis des Dichters zu seinem Werk einschließende Grundfigur, die in wechselnden Formen die gesamte Entwicklung Kleists durchzieht. Petersen handelt ausführlich über die Dramenpläne ‚Peter der Einsiedler‘ und ‚Leopold von Österreich‘, die als Vorformen oder Variationen des ‚Guiskard‘-Stoffes angesehen werden. Mit diesem Drama habe sich Kleist „die Gestalt“ geschaffen, „in der

[68] aaO. Bd. II, 449.
[69] aaO. 422 ff.
[70] aaO. 483 f.
[71] Versehen und Erkennen, Köln und Graz 1961, 2.

er die Tragödie seines Lebens dichtet und die Tragödie seiner Dichtung durchlebt"[72]. Das Motiv der Belagerung durchzieht die gesamte Reihe der Dramen Kleists, die nach Petersen von dem Plan zur ‚Zerstörung Jerusalems' beschlossen wird. In dieser Reihe entstehen zwei Zäsuren durch den Pariser Zusammenbruch, der die Lustspiele entstehen läßt, und durch die Hinwendung zum realen Theater in den vaterländischen Dramen. Das tragisch scheiternde Ringen um den ‚Guiskard' ist also nach Petersen die wiederkehrende und Kleists Wesen bezeichnende Grundfigur. Diese ganz nach-wagnerische, vom Gedanken der Künstlerproblematik durchzogene Deutung, die allerdings den Datierungsfragen zu wenig Aufmerksamkeit schenkt, enthält als Entwicklungslinie eine wiederholte Kreisbewegung. Nun ermangelt die Vorstellung, daß gegenüber den zehn Auftritten des ‚Guiskard' und ein paar verlorenen Akten aus Dramenfragmenten alle anderen Themen und Formen der Kleistschen Dichtung von ganz untergeordneter Bedeutung seien, nicht eines paradoxen Anstrichs; die Annahme oder Verwerfung dieser Hypothesen entscheidet aber gleichzeitig darüber, ob wir in Kleists ganzem Schaffen lediglich einen beständigen tragisch-dionysischen Grundzug finden oder ob wir darin Wandlungen grundlegender Art, mithin eine Entwicklung, erkennen können.

In seinem Festvortrag von 1921 hat dann Petersen noch deutlicher Kleists Unterordnung unter eine äußere Zweckbestimmung als eine vollkommene Selbstzerstörung bezeichnet[73]. — Dem steht schroff die 1922 von Unger in seiner Studie über das Todesproblem bei Kleist vorgetragene Ansicht gegenüber, die in der Schlußfolgerung gipfelt, daß es im Denken und Dichten Kleists eine folgerichtige Entwicklung „aus vorwiegend ästhetischer zu tiefernst ethischer Lebensauffassung" gebe[74]. Eine dritte Möglichkeit deutete Nadler an, der Kleists ganzen Entwicklungsgang auf die Spanne zwischen ‚Familie Schroffenstein' (1802) und ‚Guiskard' (1803) begrenzte. „Diese Kluft füllten die späteren Dramen nur aus. Kleist ging den Weg bescheiden zu Fuß, den er in einem Jahr überfliegen wollte und überflogen hatte"[75]. — Dies sind drei typische Modelle, die immer wieder vorkommen, deren Nebeneinander aber auch besagt, wie schwierig die Frage nach Kleists Entwicklung zu beantworten ist.

---

[72] Julius Petersen, Heinrich v. Kleist und Torquato Tasso, ZfdU 31, 1917, 345.
[73] Kleists dramatische Kunst, JbKG 1921, 9.
[74] Rudolf Unger, Herder, Novalis und Kleist, Frankfurt a. M. 1922, 134.
[75] Josef Nadler, Die Berliner Romantik 1800—1814, Berlin 1920, 177.

Paul Kluckhohn bekräftigte 1926 in einer knappen Skizze den von Unger entwickelten Grundgedanken [76]. Nach Kluckhohn lassen Kleists Dramen (in ihrem Gehalt) eine aufsteigende Linie erkennen. Die ,Familie Schroffenstein' sei mit ihrem Fatalismus ebenso aus dem „Zusammenbruch des Aufklärungsideals durch Kants Kritizismus" erwachsen wie auch der „vergebliche Heldentrotz des ,Robert Guiskard'". Dem ,Guiskard'-Zusammenbruch, dem noch größeres Gewicht zukomme als der Kantkrise, folge eine Periode der Resignation, in der „Kleist Halt findet . . . im Vertrauen auf das tiefste eigenste Gefühl". In der ,Hermannsschlacht' werde die Isolierung des Dichters überwunden durch eine Hingabe ans Vaterland; der ,Homburg' bringt dann die Lösung des Problems Individuum und Gemeinschaft, eine Auflösung der Antinomie im Sinne Schleiermachers und Adam Müllers. Die prinzipielle Anerkenntnis einer Entwicklung ist hier schon deshalb bedeutsam, weil sie im Rahmen eines Forschungsreferats erscheint, das die in Bezug auf ihren spekulativ-konstruktivistischen Charakter recht ähnlichen Kleistbücher von Witkop, Gundolf, Muschg und Braig mit einschließt und allen gemeinsam vorwirft, daß sie der Entwicklung Kleists nicht gerecht geworden seien.

Die Überlegungen Witkops zum Werden des Tragikers Kleist kommen immer wieder auf „den tragisch-dionysischen Rhythmus seines Wesens und Lebens" zurück [77], sind aber kaum an Tatsachen orientiert. Muschg beschäftigt sich so gut wie gar nicht mit dem Problem der Entwicklung [78]. Gundolfs dogmatischer, bisweilen doktrinärer Klassizismus läßt Kleist wie eine Gestalt des Expressionismus erscheinen. Jede Entwicklung bei Kleist wird geleugnet, wenn auch Gundolf für ,Hermannsschlacht' und ,Homburg' einen Prozeß fortschreitender Gesundung anerkennt [79]. Damit soll nicht bestritten werden, daß dieses Buch an fruchtbaren Gedanken reich ist — jedenfalls sofern man die Georgesche Nuance dabei wegzudenken versteht. — Die Interpretatio christiana Braigs hat außer Nadler niemand akzeptiert; nur von ihr aus ist die Entwicklung vom Schicksals- zum Vorsehungsdrama zu verstehen, die Braig zwischen ,Familie

---

76 Das Kleistbild der Gegenwart, DVjS 4, 1926, 829 f.

77 Heinrich von Kleist, Leipzig 1922, 133.

78 Kleist, Zürich 1923. Da Muschg Kleists Produktion nicht als Nacheinander sondern als Ineinander auffaßte (aaO. 9), konnte er die Frage der Entstehungszeiten völlig beiseiteschieben (aaO. 131).

79 Heinrich von Kleist, Berlin 1922, 139. — Zur Kritik dieses ganzen Forschungsabschnitts, vor allem Gundolfs, vgl. Georg Stefansky, Die Macht des historischen Subjektivismus, Euph. 25, 1924, 153—68.

Schroffenstein' und ,Käthchen' vollzogen sieht [80]. Aber Erbsünde und Erlösung sind wohl doch nicht die Grundprobleme Kleists.

In den gleichen Umkreis gehört auch der bekannteste Vertreter der geistesgeschichtlichen Richtung, Hermann August Korff, wenngleich der vierte, u. a. Kleist behandelnde Band seines 1923 begonnenen Werks ,Geist der Goethezeit' erst drei Jahrzehnte später erschien. Für Korff, der Kleist in seinen dramatischen Anfängen, ja noch bis zur ,Penthesilea', nahe an den Sturm und Drang rückte, gilt die Vorstellung vom Tragiker Kleist wie auch die Suche nach einer Formidee der Tragödie nur für das Frühwerk, Kleists eigentliches Ziel sei geradezu die Überwindung der Tragödie gewesen. Die ,Hermannsschlacht' zeige die Wende in Kleists Schaffen an, der ,Homburg' sei das „eigentliche Wunder in Kleists Entwicklungsgeschichte" [81].

An dieser Stelle seien um der besseren Übersicht willen die vorliegenden Untersuchungen zu fünf speziellen Problemen der Entwicklung Kleists in kleinen Exkursen zusammengefaßt und auch über den Zeitraum der zwanziger Jahre hinaus verfolgt. Es handelt sich um die Kantkrise, um Kleists Beziehung zur Musik, die Bedeutung des Marionettengedankens für seine Entwicklung, den Einfluß Rousseaus auf ihn und schließlich um sein Verhältnis zu Adam Müller.

Seit dem Vortrag, den Ernst Cassirer 1918 in der Berliner Kantgesellschaft hielt, kann die Kantkrise als eine der bedeutsamsten Stationen in Kleists Entwicklung angesehen werden [82]. Der Wert der Cassirerschen Studie liegt nicht in dem Hinweis auf Fichtes ,Bestimmung des Menschen' als auslösendes Moment der Krise — dieser Hypothese hat man allgemein die Gefolgschaft versagt —, sondern in der Analyse des Kleistschen Weltbildes vor und nach seinem krisenhaften Wandel. Die beträchtliche Zahl von Abhandlungen, die dieser Vortrag anregte, fand 1954 eine resümierende Behandlung durch Ludwig Muth. Diese Studien sind überwiegend der Frage gewidmet, welcher Autor oder welche Schrift die Kantkrise ausgelöst habe, und gerade diese — an sich wichtige — Frage besagt doch nicht viel über Kleists geistige Entwicklung, zumal jede Antwort in Ermangelung direkter Zeugnisse immer

---

80 Heinrich von Kleist, München 1925, 323. — Daß der von Braig beschriebenen Entwicklung der Kleistschen Novellistik die Beweise mangeln, meinte schon Nadler in einer Rezension (Euph. 27, 1926, 576).

81 H. A. Korff, Geist der Goethezeit, IV. Teil: Hochromantik, 2. Aufl. Leipzig 1956, 287.

82 Heinrich von Kleist und die Kantische Philosophie, Berlin 1919.

den Charakter einer Hypothese behält. Das gilt auch für Muths Annahme, das Weltbild des jungen Kleist sei durch die Lektüre des zweiten Teils der ‚Kritik der Urteilskraft', die ‚Kritik der teleologischen Urteilskraft', erschüttert worden, wenn sie auch vor anderen den Vorzug größerer Schlüssigkeit besitzt. Bereits Cassirer hatte die Verwurzelung des Wissenschaftsideals des jungen Kleist im Denken der Aufklärung, insbesondere in popularphilosophischem Gedankengut, aufgewiesen und Muth, der diese Erkenntnisse noch vertieft, tritt Cassirer ausdrücklich bei [83]. — Emil Ermatinger hat zuerst die Vermutung ausgesprochen, daß Ludwig von Brockes eine bedeutende, wenn auch ungeklärte Rolle in der Krise gespielt hat [84], und Samuel vermißte einen Hinweis auf ihn bei Muth [85]. Neuerdings hat Müller-Seidel darauf verwiesen, daß Brockes wahrscheinlich als Vermittler der Philosophie Bouterweks für Kleist in Frage kommt [86]. — Eine wichtige und wohl noch ungelöste Aufgabe bleibt es, die Nachwirkungen und Metamorphosen der vor und in der Krise bestehenden Anschauungen Kleists in seiner Dichtung zu erforschen [87].

Die schon um die Jahrhundertwende einsetzenden Versuche, Kleists Verhältnis zur Musik zu deuten, sind ganz aus den Problemen der eigenen Zeit heraus geboren; die Übertragung der Diskussion über das Wagnersche Musikdrama auf die Dichtung hat hier Pate gestanden. So hat man damals Kleist als „einen Vorläufer des modernen musikalischen Dramas" bezeichnet [88]. Es ist fraglich, ob dieses Thema für das Pro-

---

[83] aaO. 74—76.

[84] Das dichterische Kunstwerk, Leipzig und Berlin 1921, 82 f. — Da Muth (aaO. 27 ff.) so nachdrücklich die Einwirkung der Wielandschen ‚Sympathien' hervorhebt, sei angemerkt, daß schon Ermatinger (aaO. 80) das mit den ‚Sympathien' in Zusammenhang stehende Gedicht ‚Die Natur der Dinge' in ähnlicher Weise herangezogen hat.

[85] Rez. Muth, Euph. 50, 1956, 360.

[86] Vgl. seine Rezension des Buches von Ide (Der junge Kleist), AfdA 74, 1963, bes. 179—186.

[87] Nachgetragen sei noch, daß der 1959 postum erschienene Vortrag Johannes Hoffmeisters (Beitrag zur sogenannten Kantkrise Heinrich von Kleists, DVjS 33, 1959, 574—87) im wesentlichen nur die Gedanken wiederholt, die Sophie Lazarsfeld (Kleist im Lichte der Individualpsychologie, JbKG 1925/26, 106—32) und Hellmuth Falkenfeld (Kant und Kleist, Logos 8, 1919/20, 303—19) Jahrzehnte vorher erörtert hatten.

[88] Servaes aaO. 52. Dies wurde fortgeführt von Frida Teller (Neue Studien zu Heinrich von Kleist, Euph. 20, 1913, 681—727) und von Petersen (Kleists dramatische Kunst, aaO. 15), der auch nach Frida Tellers Vorgang den Begriff „Leitmotiv" verwendete.

blem der Entwicklung Kleists überhaupt etwas hergibt. Zunächst einmal haben die beiden Hauptstützen für die Annahme von musikalischen Überlegungen bei Kleist, die Aurovision im Brief vom 19. September 1800 und das Wort über den Generalbaß im Brief an Marie von Kleist vom Mai 1811, nichts miteinander zu tun, denn nur im zweiten Fall kann von einer Übertragung musikalischer Gesetze auf die Dichtung die Rede sein. Die Einzelheiten in der Schilderung der Aurovision und Kleists eigenes Klarinettenspiel weisen nicht auf eine Bekanntschaft mit der Barockmusik und ihrem technischen Hauptkennzeichen, dem Generalbaß. Auch wenn es eine schwache Spur einer Verbindung zu Zelter und zur Berliner Liedertafel gibt [89], ist doch zu bedenken, daß „Generalbaß" damals einfach so viel wie Harmonielehre oder harmonische Gesetzmäßigkeit überhaupt bedeutete; Versuche, strukturelle Analogien zwischen Kleists Dramen und barocken Kompositionsformen zu bestimmen [90], stehen also auf unsicheren Füßen. Die Behandlung des ganzen Problems in der Forschung ist bisher unbefriedigend [91]. — Das Interesse am „Musikalischen" in Kleists Dichtung hat in der Folge zu einer Überbetonung der irrationalen Komponenten in ihr beigetragen und Kleists Gestalt in übertriebenem Maße auf das sogenannte Dionysische festgelegt, so daß im ganzen der rationale Kalkül des Dichters unterschätzt wurde. Gleiche Tendenzen hatten natürlich auch die Anregungen, die der Expressionismus der Kleistforschung unterschwellig gegeben hat [92].

Die in den zwanziger Jahren herrschenden Interessenrichtungen förder-

---

[89] LS 440.

[90] Vgl. Hans Klein, Musikalische Komposition in deutscher Dichtung, DVjS 8, 1930, 695 ff. Schon Fries hatte geäußert (Stilistische und vergleichende Forschungen, aaO. 43), daß Kleist „kanon- oder ritornellartige, an die Technik der F u g e erinnernde Figuren anaphorischer Art" verwende, wobei allerdings die terminologische Konfusion schon zeigt, wie fragwürdig die Übertragung solcher musikalischer Begriffe sein kann.

[91] Donald P. Morgan, Heinrich von Kleists Verhältnis zur Musik, Diss. Köln 1937, bietet nur eine Stellensammlung. — Gerne würde man in der Deutung der späten Briefstelle Beißner zustimmen, der sie zu Hölderlins Wort vom „kalkulablen Geseze" in den ‚Anmerkungen zum Oedipus' in Beziehung setzt und als „handwerkliche Gesetzmäßigkeit" bezeichnet (Friedrich Beißner, Unvorgreifliche Gedanken über den Sprachrhythmus, Kluckhohn-Schneider-Festschrift, Tübingen 1948, 429). Aber Kleists Bemerkung ist wohl doch zu knapp, als daß sie eine mehr als ganz allgemeine Deutung erlaubte.

[92] Vgl. Petersen, Kleists dramatische Kunst, aaO. 18: „... so können wir das, was gestern noch Expressionismus genannt wurde, als die Herrschaft des irrational Musikalischen in allen Künsten bezeichnen."

ten in besonderem Maße die Versuche, den Marionettengedanken im Hinblick auf Kleists Dichtung, teils auch auf seine Entwicklung, heuristisch fruchtbar zu machen. Die Prämisse solcher Versuche besteht in der Anschauung, daß der Aufsatz ‚Über das Marionettentheater' eine theoretische Selbstauslegung Kleists ist. In vollem Umfange hatte das zuerst 1911 Hanna Hellmann angenommen, die den Marionettengedanken ohne entwicklungsmäßige Differenzierung als „Hieroglyphe, Rune und Symbol" ins Zentrum romantischer Theorie stellte [93], eine von den dreistufigen Denkmodellen der nachklassischen Zeit her gesehen zweifellos verführerisch naheliegende Möglichkeit. Eleonore Rapp, die die beste Materialsammlung zum Marionettengedanken in der Goethezeit gegeben hat, wollte ihn bei Kleist allenfalls auf die ‚Familie Schroffenstein' angewendet wissen [94]. Braig sah dann in dem Essay ganz allgemein das Geheimnis der Kleistschen Kunstanschauung ausgesprochen, und am weitesten ging schließlich Böckmann, der den Marionettengedanken toto coelo in allen Gestalten Kleists wiederfand [95]. Nach der ‚Familie Schroffenstein', in der zunächst präludierend der weitgehende Trug des Bewußtseins anklinge, seien alle Gestalten Kleists wie auch sein eigenes Leben als Bewegung der Marionette aus dem Schwerpunkt (der „Bestimmung") heraus aufzufassen.

Es ist jedoch die Frage, ob die stillschweigende Voraussetzung dieser Untersuchungen zutrifft, daß der Aufsatz Kleists einem von der Dichtung wesensmäßig geschiedenen Bereich angehört. Gleiches gilt natürlich für das Aufsatzfragment ‚Über die allmähliche Verfertigung der Gedanken beim Reden' und für die Paradoxe ‚Von der Überlegung', die man ebenfalls als Schlüssel zum Verständnis der Dichtung Kleists benutzt hat. Eine kritische Untersuchung über die Möglichkeit eines solchen Verfahrens ist seit langem ein Desiderat. Es hat — gerade in den zwanziger Jahren — nicht an Stimmen gefehlt, die Kleist als unphilosophischen, überhaupt zu rationalem Denken weitgehend unfähigen Geist hinstellten. Obwohl eine so weitreichende theoretische Fundierung, wie sie etwa Böckmanns Aufsatz voraussetzt, mit einer solchen Auffassung in Widerspruch steht, hat einzig Schultze-Jahde aus diesen Prämissen

---

93 Heinrich von Kleist. Darstellung des Problems, Heidelberg 1911, 14.

94 Die Marionette in der deutschen Dichtung vom Sturm und Drang bis zur Romantik, Leipzig 1924, 43. — Eine völlig gegenteilige Deutung des Marionettengedankens bei Kleist findet sich bei Rudolf Majut, Lebensbühne und Marionette, Berlin 1931.

95 Kleists Aufsatz über das Marionettentheater, Euph. 28, 1927, 218—33.

konsequent gefolgert, daß die Aufsätze Kleists keine klaren Gedankengänge enthielten und zur Deutung der Dichtungen nicht herangezogen werden dürften [96]. Die neuere Forschung geht das Problem insgesamt vorsichtiger an [96a]. Helmut Riethmüller hat für das Auftreten des Marionettengedankens bei Kleist eine Entwicklung nachgewiesen von dem pessimistischen Verständnis des Symbols, das — im Sinne des Sturm und Drang — die frühen Briefe und die ‚Familie Schroffenstein' zeigen, zu der im ‚Käthchen' erreichten Stufe hin, die etwa der im Essay dargelegten Auffassung entspräche [97].

Die Bedeutung Rousseaus für Kleists geistigen Werdegang erkannte man früh, doch sind Dauer und Stärke der Einwirkung Rousseauschen Gedankenguts auf Kleist und seine Dichtungen umstritten. Cassirer hielt es für ausgeschlossen, daß Rousseau vor der Kantkrise einen bestimmenden Einfluß auf Kleist gehabt haben könnte, „denn der Satz ‚le tout est bien' gilt für Rousseau, wie er für Leibniz gegolten hatte" [98]. Ayrault sah in seiner sorgfältigen Untersuchung die Einwirkung Rousseaus auf die Zeit der Würzburger Reise und auf die zwischen dem 22. März und dem 15. August 1801 beschränkt; bei keinem anderen der großen Namen, die Kleist erwähne, sei ein vergleichbares Maß persönlichen Anteils spürbar [99]. Eine solche zeitliche Beschränkung ist sicher richtig, wenn man überhaupt den brieflichen Erwähnungen einen Zeugniswert zusprechen will. Die deutsche Forschung nahm jedoch von Ayraults Veröffentlichung kaum Notiz. Xylander sah bald darauf in seiner umfänglichen Arbeit Kleists gesamtes Werk als von Rousseauschen Gedanken bestimmt an und bezeichnete Kleists ganzen Weg als den eines Kämpfers gegen den Rationalismus. Aber es dürfte eine starke Vereinfachung darstellen, wenn man die Gewinnung der „Selbstgewißheit des

---

[96] Karl Schultze-Jahde, Kleists Gestaltentyp, ZfdPh 60, 1935, bes. 229 f.; 230 Anm. 1 heißt es, daß es keine Kleistsche Gestalt gebe, „deren Schicksalsverlauf ein Belegbeispiel für das ‚Marionettentheater' im vollen Sinne sein könnte".

[96a] Das kommt auch in den entsprechenden Teilen der von Helmut Sembdner im Auftrag der Kleist-Gesellschaft herausgegebenen Aufsatzsammlung zum Ausdruck, die während der Drucklegung meiner Arbeit erschien (Kleists Aufsatz über das Marionettentheater, [Berlin 1967]). Zur Geschichte der Forschung und zur heutigen Problemlage vermittelt die Sammlung einen instruktiven Überblick; darüber hinaus bezeugt sie das Fortleben des Kleistschen Aufsatzes in der neueren deutschen Dichtung.

[97] Helmut Riethmüller, Wunder und Traum bei Heinrich von Kleist, Mschr. Diss. Tübingen 1955.

[98] aaO. 30 f.

[99] Heinrich von Kleist, Paris 1934, 286—303.

Gefühls als einzige Möglichkeit, sich gegen alle Mächte der Verwirrung zu behaupten", ausschließlich auf Rousseau zurückführt [100]. Maßvoller urteilte bald darauf Rudolf Buck, wenn er einräumte, daß Kleists Werk von Rousseauschen Antithesen (Gefühl und Verstand, Herz und Satzung, Natur und Gesellschaft) durchzogen sei, gegenüber Xylander aber betonte, daß Kleists geistige Entwicklung wieder aus der Nähe Rousseaus fortführte, nachdem er seinen Weg im Glauben an seine dichterische Bestimmung gefunden hatte [101]. Eine neuerliche Simplifizierung stellt demgegenüber die These Hans M. Wolffs dar, daß die Rousseauschen Elemente im Werk Kleists lediglich als eine „Jugenderscheinung" anzusehen seien, zumal er gleichzeitig in einem Zirkelschluß alle Werke, die derartige Merkmale tragen, für Jugendwerke erklärte [102].

Kann man dieser Frage einen gewissen von der Forschung gesicherten Bestand — etwa in der These Bucks — annehmen, so ist demgegenüber die Bedeutung Adam Müllers für Kleists Entwicklung wenig aufgehellt. Es ist kaum einmal gelungen, auch nur einen Satz bei Adam Müller zu finden, der klärlich eine Brücke zu Kleist schlüge, alles Beigebrachte bleibt unverbindlich. Andererseits sind Anklänge durchaus vorhanden und eine tatsächliche Berührung zwischen Müller und Kleist erweisen briefliche Erwähnungen des letzteren als zweifellos, wenngleich Anzeichen dafür vorliegen, daß Kleist sich keineswegs mit Müllers Anschauungen identifizierte. — Zumeist bringt man Müller mit einer 1808 vollzogenen Wende in Kleists politischer Haltung in Verbindung [103], eine Wende, die eine Ablösung Rousseaus durch die Romantik bei Kleist bewirkt haben soll [104]. Dieser Umschwung wird durch die neueren Forschungen Samuels über die Königsberger Zeit jedoch stark relativiert. — Größtes Gewicht hat dem Einfluß Adam Müllers Stefansky zugesprochen, der darin „den wichtigsten Wendepunkt und die grundlegende Voraussetzung für die Auffassung seiner Dichtung vom Jahre 1807

[100] Oskar Ritter von Xylander, Heinrich von Kleist und J. J. Rousseau, Berlin 1937, 375.

[101] Rudolf Buck, Rousseau und die deutsche Romantik, Berlin 1939, 137.

[102] Hans M. Wolff, Heinrich von Kleist, Bern [1954], 188.

[103] So etwa Kayka aaO. 120. — Viel vorsichtiger aber urteilte Friedrich Meinecke, Weltbürgertum und Nationalstaat, München und Berlin 1928 (7. Aufl., zuerst erschienen 1907), 129 f., der sogar meinte: „Müllers beste Zeit war jedenfalls die der Freundschaft und des Umgangs mit Kleist." Böx, noch zurückhaltender, sah nur Berührungspunkte (aaO. 63).

[104] Anton Lütteken, Die Dresdener Romantik und Heinrich von Kleist, Diss. Münster 1917, 64 und 73.

ab"[105] sah. Wenn wirklich eine wesentliche Beeinflussung vorliegt, dann kommt sie jedoch allenfalls für die Zeit etwa ab Mitte des Jahres 1808 in Betracht, denn daß der ironisch-skeptische Geist der ‚Lehre vom Gegensatz' in Wahrheit eine Tragödie unmöglich macht, hat schon Cassirer gesehen[106].

Ein negatives Kennzeichen der nach dem ersten Weltkrieg so sehr in Fluß gekommenen Kleistforschung ist die mangelnde Bemühung um das dichterische Kunstwerk. Schon Kluckhohn beklagte, daß „die Erforschung der dichterischen Gestaltung und des sprachlichen Ausdrucks allzusehr im Hintertreffen geblieben" sei[107]; „cette critique idéologique, où l'Allemagne se complait actuellement", wie Ayrault es 1934 kritisch formulierte[108], drohte allmählich die besondere Seinsweise von Dichtung überhaupt aus den Augen zu verlieren, um so mehr, als die geistigen Voraussetzungen des Kleistbuches Frickes, das die nächsten drei Jahrzehnte der Kleistforschung bestimmt, entscheidend angeregt und zugleich gelähmt hat, durchaus mit denen der anderen spekulativen Kleistbilder der zwanziger Jahre verwandt sind. Fricke sah in Kleists vordichterischer Phase eine rationalistische Pseudomorphose, in der Kleist mit zunächst inadäquaten Mitteln aber mit gleichen Zielsetzungen wie in seiner Dichtung sein eigenes Ich zu gestalten suchte. Kleists Entwicklung läßt sich somit auf die Grundfigur reduzieren: Gewinnung und Festigung der Gewißheit des Ich und seiner Bestimmung im Gefühl; eine erste Epoche mit der ‚Familie Schroffenstein', „die durch den Lebensplan und durch dessen Scheitern gekennzeichnet ist"[109], geht der eigentlichen Grundfigur voraus. Vom ‚Amphitryon' an ist für Fricke das Gefühl der Schlüssel zum Verständnis der Kleistschen Gestalten. ‚Penthesilea' stellt dann das tragische Scheitern des Ich dar. In der Folge nimmt die sinngebende Kraft des Ich in der endlichen Welt immer mehr zu, sein Verhältnis zur Gemeinschaft löst das zum Du ab, und der ‚Prinz von Homburg' stellt schließlich den kategorischen Imperativ der Subjektivität in reinster Form dar, in ihm zeigt sich „die ewige Herrlichkeit des freien Ich"[110]. — In die-

---

[105] Ein neuer Weg zu Heinrich von Kleist, Euph. 23, 1921, 664. (Im Original gesperrt.)

[106] aaO. 33.

[107] Kleistforschung 1926—1943, DVjS 21, 1943, Referatenheft, 77.

[108] La légende, aaO. 110.

[109] Gerhard Fricke, Gefühl und Schicksal bei Heinrich von Kleist. Studien über den inneren Vorgang im Leben und Schaffen des Dichters, Berlin 1929, 45.

[110] aaO. 197. An dieser ‚Homburg'-Deutung hat Fricke festgehalten, vgl. seine Darstellung in: Studien und Interpretationen, Frankfurt a. M. [1956], bes. 261 ff.

sem Bild von Kleists Entwicklung bleibt nur die Spanne eines kurzen Bogens; es ist daher verständlich, daß das von uns verfolgte Thema in allen stark von Fricke abhängigen Arbeiten eine geringe Rolle spielt, mit einigem Recht können wir sie hier übergehen.

Frickes Studie nahm ihren Ausgang von einem aus Kierkegaard gewonnenen religiösen Existenzbegriff und behandelte folgerichtig den „inneren Vorgang im Leben und Schaffen des Dichters", nicht primär das dichterische Kunstwerk. Merkwürdig ist, daß dieser Existenzbegriff nie eine methodische Präzisierung oder überhaupt eine philosophische Fundierung erfahren hat und daß man ferner — abgesehen von Ayraults vehementem Protest [111] — die Anwendbarkeit dieses Existenzbegriffs auf Kleist nie grundsätzlich untersucht hat. Man hat zwar gemeint, die Kierkegaardsche Terminologie bei Fricke entbehren zu können [112], doch handelt es sich dabei um mehr als eine Einkleidung. Anders war der bedeutende Gewinn, der in Frickes Darstellung der zentralen Problematik des Gefühls bei Kleist liegt, wohl nicht zu erreichen, das zeigen schon die zahlreichen Vorwegnahmen in der Forschung [113]. Fricke selbst hat in seinem Ansatz nicht mehr als einen unter anderen möglichen gesehen, seine Verabsolutierung erfolgte zunächst durch die Nachfolger. Die sehr ungleichgewichtige Behandlung der Werke Kleists bei Fricke hätte jedoch unbedingt damals schon gesehen werden können. Das „Gefühl" ist ganz sicher nur e i n Aspekt im Werk Kleists; die Zentralfrage Kleists nach Recht und Gerechtigkeit, mithin die nach dem Ordnungsgefüge der Welt überhaupt, ist von Fricke einseitig behandelt worden und andere Richtungen der Forschung kamen neben der seinen nicht zur Geltung.

Aus chronologischen Gründen seien an dieser Stelle einige Bemerkungen zu den schon erwähnten Arbeiten Roger Ayraults angefügt, die in Deutschland praktisch keine Resonanz gefunden haben — sehr zum Schaden der deutschen Kleistforschung. Ayrault hat in den übereinandergelagerten Schichten seiner Monographie, die Biographie, Gedankenwelt und Dichtung zum Gegenstand haben, die Abfolge der verschiedenen Stufen von Kleists Weg deutlich sichtbar gemacht, vor allem in den

---

111 La légende, aaO. 110 ff.

112 Vgl. Kluckhohn, Kleistforschung 1926—1943, aaO. 56 ff.

113 Dem Begriff des Lebensplans wurde schon von Maria Kruhoeffer (JbKG 1921, 63 f.) ein religiöser Charakter zugesprochen. Eine erstaunlich weitsichtige Deutung von „Gefühl" gab Röbbeling (aaO. 35 und 56—59), außerdem Hart (aaO. 483). Vgl. aber auch Cassirer (aaO. 34), ferner Böckmann (aaO. 245 f.).

Unterabschnitten des letzten Teils. Hauptsächlich umreißt Ayrault hier die Entwicklung von Kleists dramatischer Technik, beginnend mit der Suche nach einer Idealform des Dramas. Als zweite Stufe schließt sich die Schulung Kleists durch Molière an, als dritte die schöpferische Fortentwicklung des griechischen Dramas, besonders in ‚Penthesilea' und ‚Zerbrochnem Krug'. Ein vierter Abschnitt behandelt ‚Käthchen' und ‚Hermannsschlacht', zwischen denen Ayrault insofern einen formalen Zusammenhang sieht, als beide ihre Einheit nur durch die Hauptfiguren erhalten; in einem fünften Abschnitt erscheint der ‚Prinz von Homburg' als die tatsächliche Schöpfung des von Kleist immer erstrebten idealen Dramas. Hier wären wohl leise Zweifel darüber angebracht, ob der ‚Homburg' tatsächlich das gleiche formale Prinzip verfolgt wie etwa der ‚Guiskard'. Ein eigenes Kapitel über Kleists Stil schließt das Werk ab.

Die Kleistforschung der Nachkriegszeit

Die Diskontinuität der Kleistforschung zeigt sich exemplarisch an den nach dem zweiten Weltkrieg im Ausland erschienenen Publikationen und an ihrer — ausgebliebenen — Wirkung. Das umfängliche Werk Uyttersprots ist ungleich weniger systematisch angelegt als das Ayraults. Hier wird der Begriff „Entwicklung" überhaupt abgelehnt, da man es mehr mit Sprüngen als mit Evolutionen zu tun habe [114]. Das ist fraglos ein ernstzunehmender Hinweis zumindest auf die besondere Art von Kleists Entwicklung. Uyttersprot befindet sich mit einem Großteil der neueren Forschung in Übereinstimmung, wenn er sagt, „dat er bij hem van geen evolutie in den stijl spraak is — in dit in tegenstelling tot nagenoeg alle anderen, Hölderlin, Goethe, Nietzsche . . ." [115]. Letzteres mutatis mutandis zugegeben, kann man doch feststellen, daß sich in den formalen Prinzipien der Werke Kleists eine Entwicklung vorfindet, mag auch der Begriff als solcher dabei der Modifizierung bedürfen.

Die sehr direkt von psychoanalytischen Prämissen aus deduzierende Studie von Stahl enthält auch eine Theorie über die Entwicklung des Dramatikers Kleist. Leider ist Stahl ein Datierungsfehler unterlaufen, der gerade für die Chronologie von entscheidender Bedeutung ist [116].

---

[114] H. Uyttersprot, Heinrich von Kleist, Brugge 1948, 73 und 81 ff.

[115] aaO. 577.

[116] E. L. Stahl, Heinrich von Kleist's Dramas, Oxford 1948. Stahl hat Kleists Ausleihungen aus der Dresdner Bibliothek vom 17. und 18. Juni 1803, die mutmaßlich mit der Arbeit am ‚Guiskard' in Zusammenhang stehen, irrtümlich um zwei Jahre vorverlegt. Zur gleichen Zeit im Jahre 1801 befand sich Kleist auf der Reise von Göttingen nach Straßburg.

In der deutschen Kleistforschung nach dem zweiten Weltkrieg zeigt sich zumindest ein methodisch neuartiger Ansatz in der Hinwendung zum Stil und den sprachlichen Mitteln. Der Stilanalyse fehlt oft der historische Aspekt [117], auch scheint der auf das einzelne Kunstwerk ausgerichtete Blickwinkel meist zu eng, um die Frage nach einer Entwicklung aufkommen zu lassen. Wo sie jedoch auftaucht, verneint man im allgemeinen eine stilistische Entwicklung im engeren Sinne bei Kleist.

Den kritischen Punkt, an dem die neue sprachlich-stilistische Betrachtung entstand, bezeichnet der 1929 erschienene Aufsatz von Zeißig, der noch versucht, zuerst die Denkform als Substrat der sprachlichen Form, dann den Umsetzungsprozeß und schließlich sein Ergebnis herauszuarbeiten [118]. Den anderen Weg, nämlich vom sprachlichen Erscheinungsbild auszugehen, verfolgte 1933 Bruneder, der auch eine Fortentwicklung des Sprachrhythmus in den Dramen Kleists beobachtete [119]. Kleists Sprachrhythmus hat später Beißner musterhaft untersucht [120]. Allerdings ging es ihm dabei zunächst nur um die Ermittlung eines Grundtypus, so daß keine Aussage zum Thema Entwicklung erfolgte. Das ist auch bei Staiger nicht der Fall, dessen Interpretation des ‚Bettelweibs' die erste Stilanalyse im modernen Sinne bei einem Text Kleists ist [121]. Die jüngsten Beiträge zur Erforschung des Kleistschen Individualstils betonen die Konstanz der sprachlichen Erscheinungen [122]. — Im Anschluß an Beißners Aufsatz ist Kleists Sprachrhythmus getrennt für Prosa und gebundene Dichtung in zwei Dissertationen erforscht worden. Irene Kahlen, die Verfasserin der älteren (über die Prosa), nahm von vornherein an,

---

117 Wichtige stilgeschichtliche Hinweise enthalten die Arbeiten von August Langen (in: Deutsche Philologie im Aufriß, Berlin 1952, Bd. I, Sp. 1357—61) und Friedrich Kainz (in: Deutsche Wortgeschichte, hg. von Maurer und Stroh, Bd. II, 2. Aufl. Berlin 1959, 379—81). Zu Unrecht vergessen ist die reichhaltige Sammlung, die Otto Brahm unter dem unscheinbaren Titel ‚Tendenzen der Genieepoche' zusammenstellte (Das deutsche Ritterdrama des 18. Jahrhunderts, Straßburg 1880, 168 ff.).

118 Gottfried Zeißig, Heinrich von Kleists Dramensprache, Zeitschrift für Deutschkunde 1929 (ZfdU 43), 121.

119 Hans Bruneder, Persönlichkeitsrhythmus — Novalis und Kleist, DVjS 11, 1933, 387 ff.

120 Unvorgreifliche Gedanken ..., aaO. 444.

121 Zuerst erschienen DVjS 20, 1942, 1—16.

122 Vgl. z. B. Gerhard Rudolph, Die Epoche als Strukturelement in der dichterischen Welt, GRM 40, 1959, 123: „Kleists Sprache kennt keine Entwicklung". Freilich sollte man dann auch nicht die Sprache des ‚Findlings' als Früh- und Ausgangsstufe bezeichnen, wie Rudolph es tut (aaO. 125).

daß „Wandlungen der rhythmischen Physiognomie . . . — wegen der kurzen Schaffensperiode Kleists — keine überragende Rolle spielen“ [123]. Das Ergebnis der Untersuchung besteht darin, daß sich die rhythmische Grundgebärde Kleists zunehmend profiliert und daß ihre Variationsbreite im gleichen Maß abnimmt. Den Briefen und auch dem ‚Aufsatz, den sichern Weg des Glücks zu finden‘ eignen erst kaum merkliche Ansätze zur Herausbildung des rhythmischen Grundtypus [124]. Daraus ergibt sich dann die für unsere Untersuchung bedeutsame Folgerung, daß die Erzählkunst Kleists, die ja stärker als seine dramatische Dichtung auf eigene Formprinzipien angewiesen ist, viel später als die ersten Versuche in gebundener Dichtung, jedenfalls kaum vor 1806, anzusetzen ist. — War Beißner vom Satz als Einheit ausgegangen, innerhalb derer der Rhythmus zu beobachten sei, so bezog sich sein Schüler Hubberten auf den Vers als Grundeinheit. Hervorzuheben ist Hubbertens Analyse der Gedichte, in deren Rhythmus sich ebenso wie in dem der Dramen eine ganz klare, auch qualitative, Höherentwicklung zeigt. „Die Fabel vom ungebändigten Kleist . . . hätte bei einer gerechten Bewertung seiner Lyrik nie entstehen können“ [125]. Leider geht Hubberten bei der Behandlung der Dramen von den Druckdaten aus, so daß differenzierte Ergebnisse zu unserem Thema ausbleiben, doch wurde nachgewiesen, daß das erhaltene ‚Guiskard‘-Fragment seiner sprachlichen Gestalt nach zu den späteren Werken, also etwa ins Jahr 1808, gehört.

Zu diesen Ansätzen einer Erforschung von Kleists Stil liefern die Untersuchungen zur B i l d l i c h k e i t in seinem Werk einige Ergänzungen. Das gilt vor allem für die Dissertation von Marie-Luise Keller, kaum für die Arbeiten von Paula Ritzler und Hans Albrecht [126]. Das Ergebnis der erstgenannten Arbeit unter dem Aspekt unseres Themas läßt sich folgendermaßen zusammenfassen. In der ‚Familie Schroffenstein‘ ist die Gesamtzahl der Bilder ungewöhnlich hoch, insbesondere fällt ein Verfließen religiöser Bildersprache mit der Welt der Idylle auf. In der

---

[123] Irene Kahlen, Der Sprachrhythmus im Prosawerk Heinrich von Kleists, Mschr. Diss. Tübingen 1952, 8.

[124] aaO. 96 und 110—24.

[125] Hans-Günter Hubberten, Form und Rhythmus in der gebundenen Dichtung Heinrich von Kleists, Mschr. Diss. Tübingen 1952, 110.

[126] Marie-Luise Keller, Die Bildlichkeit in der Tragödie Heinrich von Kleists, Mschr. Diss. Tübingen 1959. Paula Ritzler, Zur Bedeutung des bildlichen Ausdrucks im Werk Heinrich von Kleists, Trivium 2, 1944, 178—94. — Hans Albrecht, Die Bilder in den Dramen Heinrich von Kleists, Mschr. Diss. Freiburg 1955.

‚Penthesilea' treten häufiger als sonst „großflächige, weitverzweigte, tief in der dramatischen Gesamtanlage verwurzelte Bildzusammenhänge" auf [127]. Im ‚Käthchen' wuchere eine zügellose Rhetorik, die zur Verflachung und Verharmlosung führe, in der ‚Hermannsschlacht' sei der bildliche Ausdruck einseitig pathossteigernd, im ‚Homburg' sei schließlich der frühere Stil ganz verschwunden und eine nahezu klassische Vollendung erreicht. Der Untertitel der Arbeit („Bilder als Phänomene des Tragischen") deckt allerdings eine heuristisch hinderliche Petitio principii auf, denn die Frage, ob die Bildlichkeit in den Dramen Kleists ein tragisches Weltverhältnis spiegelt, hätte sich allenfalls am Schluß stellen lassen. Es ist symptomatisch, daß der ‚Zerbrochne Krug' in der Untersuchungen ganz fehlt.

Fassen wir die Sachbereiche Sprachstil, Sprachrhythmus und Bildlichkeit unter dem Stichwort „Stil" zusammen, so zeigt sich, daß die Behauptung, Kleists Dichtung durchlaufe in stilistischer Hinsicht keine Entwicklung, zumindest voreilig war. Mit einer kleinen Beobachtung zum späten Prosastil Kleists sei dieser Abschnitt abgeschlossen. Sembdner hat einmal auf die Adjektivpaare hingewiesen, die Kleist „flektionslos einem Hauptwort (auch wenn dieses nicht im Nominativ steht) nachsetzt" [128]. Die Belege, die Fries für die gleiche von ihm schon früher gemachte Beobachtung gibt [129], stammen aus dem ‚Zweikampf' und dem Schluß des ‚Kohlhaas', so daß sich diese Eigentümlichkeit eventuell der letzten Zeit zuweisen ließe.

Innerhalb der neueren Kleistforschung überwiegen jedoch immer noch die auf den G e h a l t ausgerichteten Untersuchungen. Hier zeigt sich bisweilen und das ganz im Gegensatz zur existentialistisch bestimmten Deutung eine recht kritische Einstellung zu Kleist, und es ist wenig von der allgemeinen Aufhellung des Kleistbildes zu spüren, die sich in den letzten Jahrzehnten vollzogen hat. Blume sprach wieder von Kleist als dem τραγικώτατος der deutschen Dramatiker und meinte zur Frage der Entwicklung, daß Kleist nach den beiden Lustspielen eine Rückwendung zur Tragödie vollzogen habe, so daß ‚Penthesilea' und ‚Michael Kohlhaas' „gleichsam die Mittelachse seines dichterischen Werks" darstellen [130]. Eines der Hauptthemen in neuerer Zeit ist die Entgegensetzung des dichterischen Ichs zu einer ganz verschiedenartig bestimmten „Wirk-

---

127 Keller aaO. 144.
128 Haydns Tod, JbKG 1933/37, 82.
129 Miszellen zu Heinrich von Kleist, StverglLg 4, 1904, 245.
130 Bernhard Blume, Kleist und Goethe, Monatshefte 38, 1946, 151.

lichkeit". Die Klarheit über diesen Begriff, die noch bei Lugowski anzutreffen ist, der die im dichterischen Werk gestaltete Wirklichkeit ihrer Struktur nach analysierte [131], hat sich leider nicht bewahren lassen. Das gilt zunächst für die mit unzulänglichem wissenschaftlichen Rüstzeug verfaßte Dissertation von Günther Ulbricht [132]. In dieser Arbeit, die sich auffällig an Hotho und Hegel anschließt, werden die Krisen in der Entwicklung Kleists — wenn überhaupt erwähnt — verharmlost und jede Entwicklung wird somit negiert [133]. Das Verhältnis von Ich und Wirklichkeit spielt auch in den Dissertationen von Paul Dreykorn, Therese Gasse und Friedrich Koch eine große Rolle [134].

Das Fehlen einer gesicherten Chronologie macht sich auch bei Koch störend bemerkbar. Nach seiner Auffassung scheitern die Gestalten Kleists infolge einer voreiligen Festlegung der Wirklichkeit im Bewußtsein [135]. Nur umrißhaft wird dabei die Möglichkeit eingeräumt, daß gegen Ende des Kleistschen Schaffens auch das Gelingen auftaucht [136], jedoch nur in dem Sinne, daß Kleist lernt, Bewußtseinswelt und Wirklichkeit auseinanderzuhalten. Kleist sei, so meint Koch, am Ende erlahmt und sein Tod als eine Selbstzerstörung sei Folge mangelnden Wirklichkeitsbezuges [137]. Diese inzwischen recht kritisch aufgenommene Studie [138] leidet außer an einem zu einfachen psychologischen Bewußtseinsbegriff auch daran, daß sie die im Kunstwerk gestaltete Wirklichkeit übersieht und nur mit der dem Dichter vorgegebenen realen Wirklichkeit rechnet.

---

131 Clemens Lugowski, Wirklichkeit und Dichtung, Frankfurt a. M. 1936.

132 Vgl. etwa folgende Sätze zu Kleists ‚Käthchen' (aaO. 119): „Er [Kleist] gibt sich ganz seiner endlosen und gestaltungsunfähigen Phantasie hin. Ohne diesen Bezug" zur Wirklichkeit aber „... ist überhaupt kein Kunstwerk möglich. So wird bestätigt, was schon der erste Eindruck vermittelt, daß nämlich das ‚Kätchen [so] von Heilbronn' nichts mehr mit Kunst gemein hat; ja, diese Beziehungslosigkeit ... ist nachgerade kennzeichnend für das Spektakelstück und den Kitsch überhaupt."

133 aaO. 34 und 99.

134 Paul Dreykorn, Studien über Hölderlin und Kleist vom Problem der Schuld in ihrem Drama aus, Mschr. Diss. Erlangen 1949. Therese Gasse, Die dramatische Grundspannung bei Kleist, Mschr. Diss. Leipzig 1952. Friedrich Koch aaO.

135 Koch aaO. 45.

136 aaO. 178 und 268.

137 aaO. 298.

138 Vgl. außer der Rezension von Conrady (WW 10, 1960, 251 f.) die skeptischen Bemerkungen von Müller-Seidel (aaO. 33 Anm. 82, 66 Anm. 59, 110 Anm. 18) und Hans-Peter Herrmann (Zufall und Ich, GRM 42, 1961, 82 Anm. 50 und 97 Anm. 74).

Als dritter Komplex in der neueren Kleistdeutung wäre die Nachwirkung der Kleistdeutung Frickes zu nennen. Sie zeigt in Abwandlungen, wie bei Ingrid Kohrs [139], oder sogar in einer Radikalisierung, wie bei Heinz Ide [140], eine zähe Lebenskraft. — Die Grundgedanken Frickes hat zum Teil auch Benno von Wiese wieder aufgegriffen [141]. Auch in seiner Deutung steht die tragische Gefährdung des Menschen stark im Vordergrund. Nun ist aber nur eine Minderheit der Dramen Kleists mit der Kategorie des Tragischen faßbar; die beiden Lustspiele, das ‚Käthchen' und die beiden letzten Dramen stellen nicht nur ersehnte Erfüllungen dar. Für das ‚Käthchen', das bei von Wiese sehr hinter der ‚Penthesilea' zurücksteht, hat das Edith Blaesing in einer noch von Kommerell angeregten Dissertation nachgewiesen [142]. Die Entwicklung Kleists wird bei von Wiese nicht explizit untersucht. Für die letzte Phase, die Zeit nach dem Dresdner Aufenthalt, konstatiert von Wiese ein positives Verhältnis zu den „geschichtlichen Mächten" [143]. Der Begriff des Geschichtlichen ist bei Kleist wohl mit Vorsicht zu handhaben, man trifft seine Intentionen genauer, wenn man vom Politischen spricht. Auch der Wirklichkeit im ‚Prinzen von Homburg' geht das Spezifikum des Historischen ab, es handelt sich auch dort um die Einkleidung einer vaterländischen Gegenwart.

Auf forschungsgeschichtlich viel ältere Grundlagen, auf die sogenannte philologische Kritik des Positivismus, griff 1954 Hans Matthias Wolff zurück [144]. Wolff fragte nach dem geistigen Weg Kleists, den er aus den Werken erschloß. Hierfür stellte er zunächst eine Chronologie her. Anhaltspunkte für diese bildeten schlecht verknüpfte Teile der Dichtungen, von denen jeweils wenigstens einer eine Parallele in Kleists frühen Briefen besitzt. Daraus schloß Wolff, daß Kleist — offenbar mit einem nur über wenige Tage reichenden Gedächtnis begabt — das betreffende Werk gleichzeitig mit dem Brief konzipiert habe. Allerdings behauptete er nicht die gleichzeitige Ausarbeitung, denn durch deren zeitlichen Abstand sollten gerade die Brüche plausibel gemacht werden. So ergibt sich der seltsame Tatbestand, daß ein Dichter am Beginn seines Schaffens in

---

[139] Das Wesen des Tragischen im Drama Heinrichs von Kleist, Marburg 1951.
[140] Der junge Kleist, Würzburg [1961]. Auf dieses Buch geht unser II. Kapitel ausführlicher ein.
[141] Die deutsche Tragödie von Lessing bis Hebbel, 2. Aufl. Hamburg [1952].
[142] Kleists Käthchen von Heilbronn, Mschr. Diss. Marburg 1944. Vgl. besonders 11 ff., 53 und 99.
[143] aaO. 333.
[144] Heinrich von Kleist. Die Geschichte seines Schaffens, Bern [1954].

knapp drei Jahren (vom Sommer 1799 bis zum Frühjahr 1802) alle seine Werke konzipiert und sie in weiteren neun Jahren bei ihrer Ausarbeitung ausnahmslos wieder verdirbt. Es bleibt eine offene Frage, warum gerade der Dichter von diesen Unstimmigkeiten nichts bemerkt hat. Die Unbrauchbarkeit der Methoden Wolffs im Hinblick auf Kleist ist — das wird immer übersehen — längst erwiesen. Sie wurden schon in den neunziger Jahren des vorigen Jahrhunderts von Johannes Niejahr zuerst angewandt und später, jedoch auch bereits nach ihrer Widerlegung, von anderen für den ‚Kohlhaas' adaptiert [145]. Niejahr schloß in gleicher Weise wie Wolff aus „Brüchen" im Aufbau auf verschiedene Entstehungsphasen. Seine Argumente erwiesen sich durchweg als nicht stichhaltig; am vernichtendsten war wohl Kluckhohns Hinweis, daß der für die von Niejahr postulierte ‚Urpenthesilea' entscheidende Vers erst in der dritten Fassung (im Erstdruck) eingefügt wurde [146]. Es ist nicht ganz verständlich, wie sich die Sagen über entstehungsgeschichtlich bedingte Brüche in Kleists Dichtungen bis in die jüngste Zeit halten konnten, wenn man die teilweise ergötzliche Polemik liest, die Roetteken, Jellinek und Carl von Kraus mit Niejahr führten [147]. Obgleich es an Einspruch nicht gefehlt hat, bedürfen die Thesen des Niejahr redivivus Wolff freilich immer noch der Widerlegung durch eine klare Aufarbeitung des faktisch-philologischen Materials.

Kleists Erzählungen in der Forschung

Der Übelstand des Fehlens einer gesicherten Chronologie ist bei den Novellen Kleists am augenfälligsten. In Ermangelung fester Daten sah man sich hier stets auf den Weg verwiesen, aus Gesichtspunkten, die man in der Interpretation gewonnen hatte, Schlüsse auf die Entstehung der Werke zu ziehen. Welche Verwirrung auf diese Weise entstehen konnte, mag eine Gegenüberstellung der extremen Beurteilungen des ‚Findlings'

---

[145] J. Niejahr, H. v. Kleists Prinz von Homburg und Hermannsschlacht, VjSfLg 6, 1893, 409—29; ders., Heinrich von Kleists Penthesilea, ebda. 506—53. — Vgl. auch Meyer-Benfey, Die innere Geschichte des ‚Michael Kohlhaas', Euph. 15, 1908, 99—140 und Karl Wächter, Kleists Michael Kohlhaas, Weimar 1918. — Eine Wiederaufnahme dieser Methode neuerdings bei F. Heber (WW 1, 1950/51, 98—102).

[146] ‚Penthesilea', GRM 6, 1914, 279.

[147] Nach den beiden genannten Studien Niejahrs ist die Polemik in folgenden Aufsätzen weitergeführt worden: Roetteken, ZsfverglLg N. F. 7, 1894, 28—48. Ders., ZsfverglLg N. F. 8, 1895, 24—50. — Niejahr, Euph. 3, 1896, 653—92. — Roetteken, Euph. 4, 1897, 718—55. — Jellinek und Kraus, ebda. 691—718.

zeigen: Zeuge eines Verfalls der dichterischen Kraft in der manieristischen Spätphase (Tieck bis Erich Schmidt) — unvollkommene Anfängerleistung (Günther) — neben dem ‚Kohlhaas' Kleists reifste Novelle (Thomas Mann).

In der von Kurt Günther aufgestellten Theorie über Kleists novellistische Entwicklung [148] gehört der ‚Findling' — wie auch ‚Verlobung' und ‚Erdbeben' — einer ersten, „realistisch-tragischen" Periode an. Auf sie folgen eine „künstlerisch-optimistische" (mit der ‚Marquise'), eine „patriotische" (Abschluß des ‚Kohlhaas') [149] und eine „schicksals-mystische" (‚Bettelweib', ‚Cäcilie' und ‚Zweikampf'). Für diese im Grunde auf recht subjektiven Werturteilen beruhende Linie — namentlich abwertenden gegenüber ‚Findling' und ‚Verlobung' — ist u. a. die Voraussetzung maßgebend, daß Kleist ein „realistischer" Erzähler sei [150]. — Einen anderen Weg schlug Hermann Davidts ein, wenn er die Novellen in die Entwicklung des Dramatikers Kleist einzubauen versuchte; auch hier gehen gehaltliche Kriterien der Formanalyse vorauf [151]. Neu gegenüber Günther ist die im Anschluß an Meyer-Benfeys Dramenkompendium entwickelte Gruppe „charakterologischer" Novellen (‚Findling' und ‚Kohlhaas'-Fragment). Meyer-Benfeys eigene Novellenchronologie fällt insofern etwas aus dem Rahmen, als er keine Novellen vor 1805/06 ansetzte [152]. — Eine Kritik aller bis dahin vorliegenden Chronologisierungsversuche gab 1920 Kurt Gassen [153]. Sein eigener Versuch, lediglich gestützt auf qualitätsfreie Stilmerkmale eine Entwicklung der Kleistschen Erzählweise zu ermitteln, ergibt einige Hinweise, doch besitzen diese für sich genommen keine Beweiskraft. Gerade scheinbar ganz äußerliche sprachliche Merkmale können sich ja am ehesten etwa bei der Redigierung für eine Drucklegung einschleichen. Zudem wird heute niemand mehr sagen, daß es stilistische Erscheinungen gebe, die dem Gestaltungswillen des Autors entzogen sind.

---

[148] Die Entwicklung der novellistischen Kompositionstechnik Kleists bis zur Meisterschaft, Diss. Leipzig 1911, 14.

[149] Zwei andere Fassungen des ‚Kohlhaas', im Anschluß an Meyer-Benfey unterschieden, werden auf die vorhergehenden Perioden verteilt.

[150] Vgl. bes. Günthers Aufsätze über den ‚Findling' (Euph., 8. Ergänzungsheft, 1909, 119—53) und die ‚Verlobung' (Euph. 17, 1910, 68—95 und 313—31).

[151] Die novellistische Kunst Heinrichs von Kleist, Berlin 1913. Vgl. die Übersicht auf S. 10.

[152] Kleists Leben und Werke, aaO. 162 ff.

[153] Die Chronologie der Novellen Heinrich von Kleists, Weimar 1920.

Faßt man die auf relativ identischen methodischen Voraussetzungen beruhenden Arbeiten von Günther, Meyer-Benfey, Davidts und Gassen zusammen [154], so lassen sich einige Beobachtungen festhalten, die vielleicht auch unter anderen Prämissen fruchtbar sein könnten. Da ist einmal der Realismusbegriff. Daß sich in Kleists Erzählungen eine zunehmend „realistischere" Darstellung von Vorgängen und Charakteren bemerkbar mache, ist so lange unbewiesen, wie nicht eine auf anderem Wege gewonnene Chronologie hinzutritt; inzwischen stünde dieser Gesichtspunkt aber auch für eine Verwendung per contrarium zu Verfügung. Allerdings kann der damals geprägte Begriff, wie Richard Brinkmann gezeigt hat [155], auch nicht ohne vorherige Klärung übernommen werden. Zum zweiten gibt es einige gesicherte Erkenntnisse über den Aufbau. ‚Erdbeben' und ‚Marquise' ähneln sich insofern, als beide an einem Krisenpunkt der Haupthandlung einsetzen und eine oder mehrere Vorgeschichten nachholen, bevor der eingangs markierte Punkt der Erzählung wieder aufgegriffen wird. Die anderen Novellen dagegen führen auf verschiedenartige Weise durch eine allgemeine Einleitung oder durch eine vorbereitende Nebenhandlung, die zugleich die Vorgeschichte oder einen Teil davon bringt, auf die Haupthandlung hin. Dieser gemeinhin als locker aufgefaßte Aufbau ist von der älteren Forschung im entwicklungsgeschichtlichen Betracht und zugleich auch in der Wertung gegenüber dem gestraffteren analytischen immer zurückgesetzt worden. Es fragt sich aber, ob die gleiche Beobachtung nicht auch unter anderen Vorzeichen von Wert ist.

Erst nach dem zweiten Weltkrieg wurde wieder versucht, die in den Erzählungen Kleists sich zeigende Entwicklung als ganzes zu behandeln [156]. In die von Anfang an bestehende Problematik führt Karl Otto Conradys Dissertation mitten hinein. Conrady plädiert für den Mut zu einem Ignoramus in der strittigen Frage und beruft sich selbst „auf einige hinlänglich anerkannte Festpunkte" der Chronologie [157]. Diese anerkannten Festpunkte gibt es aber einfach nicht. Conradys Ergebnisse weichen nicht entscheidend von denen der älteren Forschung ab. Die Begründungen für seine These, daß der ‚Findling' — wegen seiner breiten

---

[154] Die Arbeit von Karl Ewald, Die deutsche Novelle im ersten Drittel des neunzehnten Jahrhunderts, Diss. Rostock 1907, kann übergangen werden, da der Verfasser einfach Druck- und Entstehungsdaten gleichsetzt.

[155] Wirklichkeit und Illusion, Tübingen 1957.

[156] Die Dissertation von Hans Ungar, Der Aufbaustil in den Novellen Heinrich von Kleists, Jena 1939, geht auf unser Thema nicht ein.

[157] Die Erzählweise Heinrichs von Kleist, Mschr. Diss. Münster 1953, 92.

Anlage und geringen Dynamik — eindeutig Kleists erzählerischer Erstling sei, hat Dietmar Nedde mit guten Gründen widerlegt, ohne jedoch weiter Schlüsse daraus zu ziehen [158]. Auf ‚Findling' und ‚Verlobung' folgen bei Conrady ‚Erdbeben' und ‚Marquise'; beide werden vorsichtig vom Beginn des ‚Kohlhaas' abgehoben, der ähnlich angelegt sei [159]. Für die späten Novellen (‚Bettelweib', ‚Cäcilie' und ‚Zweikampf') nimmt Conrady eine Hinwendung zum Göttlichen als Grundthema an [160]. Damit ist nun für den ‚Zweikampf' die hergebrachte Bewertung völlig umgekehrt worden und gleichzeitig noch ein Schritt über Horst Oppel hinaus getan, der gesagt hatte, daß sich in diesem Werk der Individualismus der Frühzeit Kleists „dem Anspruch der menschlichen Gemeinschaft erschließt" [161]. Das Hauptkennzeichen der Entwicklung besteht nach Conrady in „Verstärkung von Dynamik und Konzentrierung" [162], eine Ansicht, die kurz darauf auch von Arx äußerte [163]; es fragt sich nur, ob die chronologischen Befunde dafür hinreichend sicher sind. —

Die Absicht unserer kritischen Sichtung bestand darin, in die Beschaffenheit des Problems einzuführen und einen Überblick über den Stand der Diskussion zu geben. Es existieren zweifellos bereits eine ganze Reihe von Anhaltspunkten für die Frage nach Kleists dichterischer Entwicklung, sie sind jedoch ungleichmäßig verstreut und ermangeln vielfach einer philologischen Fundierung. Wenn in unserer Übersicht auch ein guter Teil der bisherigen Kleistforschung und ein Stück Forschungsgeschichte überhaupt zur Sprache kam, so sollte damit auch der Rahmen des weiteren Vorgehens in unserer Untersuchung abgesteckt werden.

---

158 Untersuchungen zur Struktur von Dichtung an Novellen Heinrich von Kleists, Mschr. Diss. Göttingen 1954, bes. 59 Anm. 1. Der ganze erste Teil dieser Arbeit stellt indirekt eine Widerlegung dieser Ansicht dar. Nedde hielt eine Datierung überhaupt für unmöglich, allerdings auch für bedeutungslos (aaO. 6). Die entgegengesetzte These, der ‚Findling' gehöre in die Zeit kurz vor Kleists Tod, hatte übrigens Albert Heubi aufgestellt, er konnte sie jedoch nur mit „tieftragischen Stimmungen" begründen, in denen sich Kleist befunden habe (vgl. Heinrich von Kleists Novelle ‚Der Findling', Diss. Zürich 1948, 26).

159 aaO. 97.

160 aaO. 156.

161 Horst Oppel, Kleists Novelle ‚Der Zweikampf', DVjS 22, 1944, 105.

162 aaO. 204.

163 Bernhard von Arx, Novellistisches Dasein. Spielraum einer Gattung in der Goethezeit, Zürich [1953], 78.

II. Die geistige Welt des vordichterischen Kleist

Dieses und das folgende Kapitel suchen Antwort auf die beiden Fragen, wann Kleist zu dichten begonnen hat und auf welche Weise er seine schöpferischen Kräfte endeckte. Ohne den Anspruch, ein Gesamtbild der geistigen Entwicklung Kleists bis zum Einsetzen seiner Dichtung zu geben, wollen wir vornehmlich an Hand der in Kleists Briefen auftretenden zentralen Begriffe, die in der Folge „Leitbegriffe" genannt seien, die Frage nach der Kontinuität seiner Gesamtentwicklung aufwerfen. Da heute in der Forschung keine Übereinstimmung darüber herrscht, ob es bei Kleist eine gesonderte Entwicklungsphase vor dem Einsetzen der Dichtung gegeben hat, muß die Frage nach ihrer Existenz noch einmal geprüft werden. Die Thesen Hans M. Wolffs etwa würden dazu zwingen, die Vorstellung von einer vordichterischen Phase ganz aufzugeben.

Vorweg sei zunächst noch einmal die Hypothese genannt, die zu prüfen wäre: neben der ziemlich genau im Lauf eines Jahrzehnts entstehenden Dichtung haben wir eine wie auch immer geartete voraufgehende Epoche zu beachten, in der Kleist bei angespanntester geistiger Bemühung und bei aller Neigung, ja bei allem Zwang zur schriftlichen Äußerung jedenfalls doch nicht d i c h t e t. Von dieser Phase können wir die letzten zweieinhalb Jahre überblicken. Aus ihnen besitzen wir außer einer Handvoll Gedichte — ihre Sonderstellung innerhalb der Kleistschen Dichtung wird zu zeigen sein — ein zahlenmäßig nicht großes Corpus zumeist umfangreicher Briefe, die häufig als Vorformen oder Vorstufen der Dichtung angesehen werden [1]. Da beide Entwicklungsabschnitte sich an einer verhältnismäßig scharf gezogenen Grenze scheiden, erhebt sich die Frage nach dem Zusammenhang zwischen der Dichtung und der geistigen Welt der Briefe. Sehen wir zunächst davon ab, daß die vordichterische Phase in sich selbst noch gegliedert sein könnte — ein Gedanke, der bislang zu wenig in Erwägung gezogen worden ist —, so erweist sich die Art der Verknüpfung beider Phasen als der Kardinalpunkt. Neben einem vereinzelten Versuch, das Problem von der stilistischen und formal-analytischen Seite her anzugehen, der im nächsten

[1] Vgl. Uyttersprot aaO. 56.

Kapitel aufgenommen und weitergeführt werden soll [2], haben sich die bisherigen Untersuchungen fast ausschließlich auf die Erforschung der Weltanschauung des jungen Kleist konzentriert. Der derzeitige Forschungsstand läßt sich dabei als Gegeneinander zweier klar geschiedener Positionen charakterisieren. Auf der einen Seite hat zuletzt Ludwig Muth im Anschluß vor allem an Cassirer den Dichter wieder an die geistige Welt der Aufklärung angenähert. Anderseits hat Heinz Ide Kleist im Sinne der existentialistischen Deutung Frickes noch einmal völlig aus ihm selbst heraus zu deuten versucht [3]. Die Vorstellung von einem „Stand" der Forschung ist dabei mehr eine Hilfskonstruktion, denn Muth schenkt der existentialistischen Deutung keinerlei Beachtung, wohingegen Ides Buch ohne gründliche Kenntnis der Aufklärung zustandegekommen ist [4]. Die zugleich über Kleists geschichtlichen Ort überhaupt entscheidende Frage, nämlich ob er ein „Aufklärer" gewesen ist — wobei wir uns bewußt sind, wie wenig präzise eine solche Kennzeichnung wäre —, der eine völlige Wandlung erfahren hat, oder ob der anfängliche „Rationalismus" nur eine ablösbare Einkleidung eines geschichtlich jüngeren, seinem Wesen nach letztlich weder ableitbaren noch einzuordnenden Kerns bildet, ist heute wieder so offen wie je. Eine dritte Möglichkeit, nämlich die, daß Kleists geschichtlicher Ort weitgehend noch im Bereich des 18. Jahrhunderts, genauer in den synkretistischen Strömungen der Spätaufklärung, zu suchen ist, und daß seine geistige Haltung trotz aller Transformationen vieles davon bewahrt hat, muß wenigstens hypothetisch als offen angesehen werden.

Bevor wir uns der Formanalyse der Briefe und stilistischen Kriterien, wie etwa dem zentralen Bereich der Bildlichkeit und ihrer Struktur zuwenden, soll noch einmal versucht werden, den geistigen Standort des

---

2 Hans Horst Brügger, Die Briefe Heinrich von Kleists, Diss. Zürich 1946. — Die ältere Arbeit von Hans Strodel (Heinrich von Kleist als Briefschreiber, Mschr. Diss. Frankfurt/M. 1923) enthält gute Beobachtungen, faßt jedoch den formalen Gesichtspunkt nicht explizit ins Auge.

3 Muth, Kleist und Kant, aaO.; Ide, Der junge Kleist, aaO.

4 Ide präzisiert seine Stellung zur Forschung, d. h. zu Fricke S. 15 f.; an keiner Stelle läßt er die Kenntnis auch nur einer der in Betracht kommenden Quellen aus dem 18. Jahrhundert glaubhaft erscheinen. Das Beispiel, das er S. 142 aus den ‚Kosmologischen Betrachtungen' (recte ‚Unterhaltungen'!) von Wünsch anführt, stammt als einziges ausgerechnet von Hume. Er unterstellt Muth (aaO. 257), sich an Fricke angelehnt zu haben, ohne zu bedenken, daß dieser Fricke völlig außer acht läßt. — Ides Aufklärungsbegriff ist auch von Hans Mayer kritisiert worden (Heinrich von Kleist. Der geschichtliche Augenblick, [Pfullingen 1962], 20).

jungen Kleist in knapper Form zu umreißen. Hierfür bietet die Gruppe der vielerörterten Leit- und Kernbegriffe aus den Briefen den günstigsten Anhalt. Es sei zum voraus Verzicht getan auf den Anspruch, eine „neue Sicht" des Problems zu eröffnen, vielmehr wird sich zeigen, daß vorhandene Positionen, in diesem Falle ungefähr die von Cassirer — Muth [5], noch auf fruchtbare Weise erhärtet werden können. Die Forderung Ides, „daß wir uns hüten müssen, die von Kleist gebrauchten Worte so zu verstehen, wie seine Zeit sie meinte" [6], stellt für uns ein Unding dar. Unser Versuch, den Komplex der Leitbegriffe darzustellen, legt außer auf eine deutliche Hervorhebung des Zusammenhangs dieser Begriffe untereinander vor allem bei der Definition der Inhalte besonderes Augenmerk auf den bedeutungsgeschichtlichen Aspekt. Leider gibt es zu wenig Voruntersuchungen und Hilfsmittel für ein derartiges Vorgehen, als daß hier Abschließendes gesagt werden könnte. Es ist auch nicht möglich, ein festes Schema der Begriffe aufzufinden und zu beschreiben. Man hat gelegentlich von einer terminologischen Unschärfe Kleists gesprochen. Sie ist zweifellos vorhanden und sie erschwert das Geschäft des Interpreten bedeutend. Man sollte jedoch noch einen Schritt weitergehen und feststellen, daß es nicht angängig ist, die Vorstellung von einer Terminologie als einem logisch kohärenten System festumrissener Begriffe überhaupt an Kleist heranzutragen. Die „Begriffe" Kleists sind teilweise variabel und austauschbar; schwerer noch fällt die Tatsache ins Gewicht, daß die Schlüsselworte Kleists überhaupt nur in einer relativ kleinen Anzahl von Fällen in prägnanter Bedeutung, die zu analysieren verlohnte, auftreten.

In der geschichtlichen Darstellung im vorigen Kapitel diente der Begriff „Rationalismus", der seinerseits kaum eine zureichende Kennzeichnung abgibt, zunächst nur einer groben Orientierung. Selbst wenn es möglich wäre, eine sehr weitgehende geistige Abhängigkeit Kleists beispielsweise von seinem Frankfurter Universitätslehrer Wünsch eindeutig zu beweisen, wäre damit noch keine rein rationalistische Wurzel für Kleists Denken gefunden, denn die Gedankengänge Wünschs [7] zeigen in erster

---

[5] Seine grundsätzliche Übereinstimmung mit Cassirer betont Muth aaO. 74 ff.

[6] aaO. 22.

[7] Besser vielleicht „Wünschens"; vgl. S. 5 des Vorberichts zu Bd. II der ‚Kosmologischen Unterhaltungen' in der 2. Aufl. von 1794: „Sollte im übrigen etwa einst ein Gelehrter diesen Unterhaltungen die Ehre erzeigen, sie schriftlich irgendwo anzuführen: so wäre wenigstens zu wünschen, daß er sie lieber Wünschens, als Wünschs Unterhaltungen nennen möchte. Denn auch sogar die Sprach-

Linie starke religiöse Komponenten. Eine Lokalisierung von Kleists geistigem Standort im Bereich der Aufklärung bedeutet noch keineswegs, daß man ihn damit ausschließlich für den „Rationalismus" reklamieren könnte. Die weitgehende Vermischung rationalistischer und irrationalistischer Strömungen in der zweiten Hälfte des 18. Jahrhunderts ist bekannt, in anderem Zusammenhang hat Gerhard Kaiser darauf hingewiesen [8].

Modernes methodisches Ressentiment hat das Aufspüren der zahlreichen, wenn auch lückenhaften Materialien für die Verbindungen des jungen Kleist mit dem 18. Jahrhundert als „Parallelenjägerei" in Mißkredit gebracht. Das Problem wurde dabei jedoch eher als unbequem beiseitegeschoben denn gelöst. Tatsächlich gibt es keinerlei Überlegungen zum Aneignungsverfahren Kleists, die über Wert oder Unwert solcher Suche entscheiden könnten. Wenn man im Gegenzug diesen Bemühungen unterstellt hat, eine „völlige geistige Abhängigkeit des jungen Kleist von Wieland, Wünsch, Rousseau, Lessing, von einem durch Schiller vermittelten idealistischen Gedankengut und vor allem und in erster Linie von der aufklärerischen Popularphilosophie" nachweisen zu wollen [9], so ist eine derartige Vereinfachung weder sachlich zutreffend noch ermöglicht sie ihrerseits Einsicht in den Problemzusammenhang. Das Verfahren, das Kleist bei der Übernahme fremder Gedanken und Gedankenprägungen übt, muß geklärt werden, bevor man eine Feststellung über Aneignung überhaupt als entweder sinnvoll oder nutzlos bezeichnen kann.

Es hat nun ganz den Anschein, als ob Kleists Entlehnungen immer in einer höchst speziellen, gar nicht sogleich einsichtigen Weise erfolgten. Die Feststellung einer Parallelität mit einem Gedanken, der sich bei

---

organe eines Deutschen können Wünschs nicht aussprechen, ohne dabei gewissermaßen in Konvulsion zu gerathen; und einem delikaten Ohr muß der Klang dieser fünf beisammenstehenden Konsonanten gar unerträglich vorkommen."

8 Pietismus und Patriotismus im literarischen Deutschland, Wiesbaden 1961. Kaiser verweist besonders auf die unterirdischen Berührungen zwischen Pietismus und Aufklärung. „Im Grunde ist eben doch der Unterschied gering, ob der Mensch Gott in der Ferne eines anonymen Weltgesetzes oder in der Innerlichkeit der eigenen Seele auflöst und ob sich sein Selbstbewußtsein im Erlebnis der Selbstbestimmung oder im Gefühl der Erwählung und Berufung äußert. Zumindest sind die Übergänge fließend, und sowohl im Pietismus wie in der Aufklärung entsteht letzten Endes ein anthropozentrisches Weltbild" (aaO. 13 f.). Auf das Verfließen der Grenzen zwischen Empfindsamkeit und Aufklärung hatte schon Albert Köster hingewiesen (Die deutsche Literatur der Aufklärungszeit, Heidelberg 1925, 147).

9 Ide aaO. 12.

einem anderen Autor wiederfindet, bedeutet keineswegs, daß auch die allgemeine Bedeutung, so wie sie der Urheber im Sinne hatte, mitverstanden und übernommen wurde. Kleist wählt bei seinen Übernahmen sehr eigenwillig aus, so daß es manchmal erstaunt, daß ihn gelegentlich viel auffälligere und auch wesentlichere Dinge überhaupt nicht berührt zu haben scheinen. Um Kleists Aneignungsverfahren zu veranschaulichen, sei ein typisches Beispiel ausgewählt. Die Entlehnung eines Bildes (im ‚Aufsatz, den sichern Weg des Glücks zu finden') verbürgt uns seine Lektüre des Dramas ‚Sappho' von Franz von Kleist. Es ist nun interessant zu sehen, wie die sehr erotische Atmosphäre des stark von Wieland bestimmten, im übrigen unverächtlichen Werks bei dem Jüngeren keinerlei Spuren hinterläßt. Das Zitat stammt aus einem an sich schon etwas fremdartigen und aus dem Rahmen fallenden Trostgespräch zwischen Sappho und Alcäus — über die Tugend [10]. Diese vereinseitigende, aber selbständige Verwendung einer Anregung ist charakteristisch für das Aneignungsverfahren Kleists, sie zeigt aber auch, wie voreilig es ist, die „Parallelen" als belanglos beiseitezuschieben. Dieses eigentümliche Verfahren Kleists werden wir uns vor Augen halten müssen, wenn wir im folgenden mögliche oder tatsächliche Anregungen für Kleists zentrale Begriffe in Betracht ziehen.

Man hat sich seit geraumer Zeit daran gewöhnt, die vordichterische Periode Kleists pauschal als die Periode des „L e b e n s p l a n s" zu bezeichnen. Fricke, von der Existenzproblematik des Ich ausgehend und die besonneneren Erwägungen seines Lehrers [11] entfaltend und zugleich über sie hinausgehend, ordnete ihr sogar noch die ‚Familie Schroffenstein'

---

[10] Franz von Kleist, Sappho. Ein dramatisches Gedicht, Berlin 1793, 134:

> Die Tugend macht in allen Welten glücklich;
> in ihren Thränen reift die höh're Freude,
> in ihrem Kummer liegt ein neues Glück,
> der Sonne gleich, die nie so göttlich schön
> den Horizont mit Flammenröthe mahlt,
> als wenn des Donners Nächte sie umlagern.
> Wer ungestört im Schooß der Tugend ruht,
> wird nie der Götter Tyranney beseufzen.

Vgl. Kleist, VII, Kl. Schr. 9. Die Übereinstimmung wurde nach Sembdner Bd. II, 920 zuerst von Paul Hoffmann festgestellt. Nicht uninteressant ist das Anklingen des Palingenesiegedankens im ersten der zitierten Verse. — Die Gedanken über die ästhetische Erziehung des Volkes als Weg zur politischen im Anhang ‚Über dramatische Dichtkunst' (aaO. 155 ff.) haben Kleist offenbar nicht berührt.

[11] Unger, Herder, Novalis und Kleist, aaO. 94 und 111.

zu [12]. Wir müssen aber darauf hinweisen, daß wir über die ersten 21 Jahre von Kleists Leben blutwenig wissen, daß Kleist für uns erst im Frühjahr 1799 plötzlich ins Licht tritt, in ein Licht, das zudem, bedingt durch die fast ausschließlich vorliegenden brieflichen Eigenäußerungen, nicht einmal das hellste ist. Wir müssen uns eingestehen, daß die nahezu gänzliche Unkenntnis von Kleists Jugendjahren ein schweres Hindernis für das Verständnis seiner erst in der Universitätszeit faßbaren Gestalt bedeutet. Wir vermögen nicht einmal zu sagen, ob die nun reichlich fließende Quelle seiner Briefe den Anfang schlechthin der schriftlichen Äußerung, ja vielleicht der Reflexion überhaupt, darstellt, oder ob wir in einer solchen Annahme nur von den Zufällen der Überlieferung getäuscht werden. Der einzige Name, der aus dieser so wenig kenntlichen Epoche deutlich hervortritt, ist der Wielands: einmal durch das schwer datierbare Albumblatt [13], das vielleicht für Luise von Linckersdorf bestimmt war (VII, Gedichte 62), und dann in der späteren Rückschau (I, 221 und II, 35). Wenn wir uns vor Augen halten, daß es in keinem Falle um den Dichter Wieland geht, sondern nur um den gedanklichen Gehalt seiner Frühschriften, so haben wir zunächst einen Anhaltspunkt für die damalige Art von Kleists Verhältnis zur Dichtung. Hinzu kommt, daß Fouqués auf den Dresdner Aufenthalt im Sommer 1803 gemünzte Feststellung, Kleist habe der „Wielandschen Schule" angehört [14], in diesem begrenzten Sinne durchaus zutrifft. Da wir die nachträglich von Kleist selbst als so bedeutsam bezeichnete Begegnung mit den Frühschriften Wielands schon in die erste Hälfte der neunziger Jahre verlegen müssen, ergibt sich für einen wesentlichen Bestandteil der in der Kantkrise erschütterten Weltanschauung, daß er älter ist als die sogenannte Lebensplan-Periode. Ferner: eine eigentliche Definition des Begriffs „Lebensplan" wird ausschließlich in dem als Nr. 5 unter die Briefe eingereihten für Ulrike bestimmten Aufsatz vom Sommer 1799 gegeben [15], im Brief an Martini ist diese Klarheit entgegen Frickes Inter-

[12] aaO. 45. Das wird S. 59 dahingehend präzisiert, daß die Lebensplan-Epoche in der ‚Familie Schroffenstein' schon im Stande der Krise erscheine.

[13] Das ‚Gesicht von einer Welt unschuldiger Menschen', dem es entnommen ist, erschien zuerst in der ‚Sammlung einiger prosaischer Schriften von C. M. Wieland', Zürich 1758; warum Kleist mit dem Zitieren auf eine „deutsche Ausgabe"(?) von 1798 warten sollte, wie Sembdner möchte (Bd. I, 916), ist nicht ersichtlich.

[14] LS 105, S. 76.

[15] Eine genaue Datierung des Aufsatzes ist nicht möglich. Sie hängt an der Wendung „gestern" (I, 36), die ein Beisammensein der Geschwister, und dem

pretation noch gar nicht vorzufinden. Sind also die Lebensplan-Periode und der unter Einwirkung von Wieland vermittelten Gedankenguts stehende Lebensabschnitt keineswegs identisch, so ist eine weitergehende Charakterisierung der ganzen Frühzeit durch das Stichwort „Lebensplan", wenn schon nicht geradezu falsch, so doch nicht sehr aufschlußreich.

Im Brief an Martini bedeutet „Lebensplan" nichts weiter als den Entschluß, zu demissionieren und sich „den Wissenschaften zu widmen" (I, 15), er wird ausdrücklich als n e u e r Lebensplan (I, 16) bezeichnet; die Idee eines solchen Plans ist also nicht auf diesen speziellen Fall beschränkt. Die Definition Frickes, „der Lebensplan war ihm das Mittel, mit dem er den Stoff des eigenen Lebens gestaltend aus der Welt des Zufalls in die des Ewigen und Notwendigen erheben zu können glaubte" [16], enthält folgenschwere Einseitigkeiten, denn diese Definition trifft nur die F o r m des Gedankens, ohne seinen konkreten Inhalt näher zu beleuchten. Das führt Fricke dann dazu, das zugrunde liegende Motiv Kleists in der Nähe des Idealismus zu sehen. Wenn Kleist sich von dem Lebensplan distanziert, den ihm Vormund und Familie nahelegen (I, 29), so handelt es sich dabei um einen inhaltlich anders bestimmten Lebensplan. Ein Lebensplan, der „eine Art fix und fertiger Entwurf zum rationalen Aufbau des empirisch-bürgerlichen Daseins" [17] ist, hat noch keine als aufklärerisch qualifizierbare Züge. Eher schon ließe sich das von einem Lebensplan sagen, der so viel statisch-rationalen Kalkül und Glauben an eine unendliche Perfektibilität enthält wie der Kleistische. Zum andern beinhaltet Frickes Deutung des Lebensplans das Mißverständnis, daß dieser nicht allein religiösen Charakter habe, sondern von Kleist geradezu als Religion angesehen worden sei [18]. Gewiß e n t h ä l t der 1799 von Kleist entworfene Lebensplan Derivate von weitgehend säkularisierten religiösen Vorstellungen, die Annahme aber, daß er durch und in sich selber religiös sei, ist nicht zu begründen.

---

nächsten Brief vom 12. November, der eine mehrmonatige Abwesenheit Ulrikes von Frankfurt voraussetzt. Die von Minde-Pouet (1. Aufl. V, 447) vorgeschlagene Datierung, die auch den zweiten Gesichtspunkt heranzieht, verliert durch die Reise ins Riesengebirge, die Kleist und Ulrike zusammen mit Gleißenberg, Rühle und Schlotheim in der zweiten Julihälfte unternahmen (vgl. P. Hoffmann, Euph. 18, 1911, 442), an Gewißheit; der bis dahin angenommene terminus ante quem verschiebt sich bis gegen Mitte Juli.

[16] aaO. 8.

[17] aaO. 9.

[18] aaO. 18 Anm. 13.

Der Begriff „heilig“, auf den Fricke sich dabei stützt, hat bei Kleist eine abgebrauchte Bedeutung, die die Bereiche ganz vergessen läßt, von denen her das Wort mit dem Anbruch der Kultur des Gefühls um die Mitte des 18. Jahrhunderts auf Profanes übertragen wurde. Er ist einfach eine Art Superlativ, der durch andere Ausdrücke ersetzbar wäre, ohne daß wesentlich mehr als eine Steigerungsform verloren ginge [19].

Die genauere Explikation des Begriffs „Lebensplan“, die Kleist im Aufsatz für Ulrike (I, 35 ff.) gibt, lenkt den Blick in eine ganz andere Richtung. Danach ist die Idee des Lebensplans als solche keine allein auf das Ich Kleists bezogene Entdeckung. Er vollzieht die damit verbundene persönliche Entscheidung nur beispielhaft, er verlangt sie aber von jedem Menschen, so auch von Ulrike. Für den jeweiligen Lebensplan maßgebend ist das „Glück“, das von der „Vernunft“ gewählt wird. Die zusammen mit dem Begriff „Vernunft“ häufig auftretenden Possessivpronomina haben dabei zu Mißdeutungen Anlaß gegeben. „Die“ Vernunft ist für Kleist immer die je eigene [20]. Dahinter steht nichts weiter als das „sapere aude“ Kants, das „Habe Mut, dich deines eigenen Verstandes zu bedienen“; die Annahme eines „personalen Vernunftbegriffs“ [21] bei Kleist geht fehl, zumal Kleist im gleichen Sinne von „meiner“ wie von „der“ Vernunft spricht. — Der Entwurf seines Lebensplanes ist der erste Akt der Selbständigkeit des (nämlich eines jeden) Menschen, Zeichen seiner Mündigkeit; es fallen die Stichworte Konsequenz und Ziel. Der Lebensplan stellt den Menschen außerhalb von Zufall und Schicksal (I, 37) [22].

---

19 Vgl. I, 23: die „moralische Ausbildung“ war eine der „heiligsten Pflichten“ Kleists. Er bezieht sich dabei auf seine Militärzeit, zudem legt der Plural eine abgeschwächte Bedeutung nahe. Vgl. ferner I, 38 (Gesetze der Vernunft). 41 (Pflicht, Mutter zu werden). 44. 51. 191. 209. 221. 222. 225. — Besonders deutlich II, 37 „durch irgendeine Erinnerung heilig“. 53. 63. 145 (als kuriale Bekräftigung, desgl. 195). — Die Belege nach der Kantkrise liegen noch eindeutiger außerhalb der Deutung Frickes. Auf die zentrale Stelle I, 44 wird noch einzugehen sein.

20 Vgl. besonders I, 15: „... so müßte man eigentlich Niemand um Rath fragen, als sich selbst, als die Vernunft; denn Niemand kann besser wissen, was zu meinem Glücke dient, als ich selbst“; ferner I, 30. 35. 38. — II, 64. 175. —

21 Ide aaO. 47 ff. Vgl. dagegen I, 30: „Man kann für jeden Augenblick des Lebens nichts anderes thun, als was die Vernunft für ihren wahren Vortheil erkennt.“

22 Hier taucht zum ersten Mal die Marionettenmetapher auf, ganz im Sinne der tragisch-nihilistischen Deutung des Sturm und Drang; vgl. dazu E. Rapp aaO. 9 ff.

Wie lange sind diese Überzeugungen leitend für Kleist? Schon im Herbst 1799, nach dem ersten Semester in Frankfurt, ist ein Ermatten spürbar. Erste Anzeichen eines Antagonismus von Verstand und Gefühl melden sich (I,42), der später eine im Bereich der brieflichen Äußerung nicht mehr deutlich faßbare Sprengkraft beweist. Das Wort „Lebensplan" taucht erst am 15. Februar 1801 wieder auf — aber dann s u c h t Kleist einen Lebensplan, der ursprüngliche ist zerbrochen (I, 212). Einen Nachhall vernehmen wir noch am 29. Juli 1801, als Kleist aus Paris davon schreibt, er solle dort studieren, „so will es ein jahrelang entworfener Plan, dem ich folgen muß, wie ein Jüngling einem Hofmeister, von dem er sich noch nicht loß machen kann" (II, 42). Diese Zitate legen die Annahme nahe, daß die Kantkrise maßgeblichen Anteil an der Zerstörung der Vorstellungen hatte, die mit dem Lebensplan verbunden waren, darüberhinaus erlauben sie zwar eine Grenzziehung, da sie Beginn und Ende einer Epoche angeben, besagen aber wenig über den Charakter dieser Epoche. Halten wir also fest, daß auch die zeitliche Begrenzung nach vorwärts es nicht rechtfertigt, die gesamte vordichterische Periode unter dem Stichwort „Lebensplan" zusammenzufassen. Es zeichnet sich zunächst eine Zwischenstufe zwischen Kantkrise und Dichtung ab.

Es ist eine auffällige Erscheinung, daß die Schlüsselworte, um deren Deutung sich die Kleistforschung wieder und wieder bemüht, in den Briefen nicht in regelloser Streuung auftreten, sondern immer in gewissen Zusammenballungen. Eines zieht meist ein ganzes Geflecht nach sich, sie bilden symbiotische Gruppen, ohne daß dabei feste Konstellationen und ein systematischer Hintergrund vorhanden wären. So finden wir bei der genannten Definition des Lebensplans auch gleich zum ersten Male das Stichwort für sein Telos [23], die Bestimmung (I, 37). Diese enge Interdependenz der Leitbegriffe des jungen Kleist muß man sich jeweils vor Augen halten, wenn man die Bedeutung eines einzelnen von ihnen zu erfassen sucht.

Der zugleich mit dem Lebensplan auftretende Gedanke der „B e s t i m m u n g" [24] ist seit Fricke mit einem eigentümlichen Ichbegriff verquickt worden, der sich weder bei Zeitgenossen noch in diesem Intensitätsgrad beim jungen Kleist nachweisen läßt. Zunächst muß festgehalten werden,

---

[23] Norbert Thomé hat eine in der Richtung unserer Untersuchung weisende Ansicht geäußert, wenn er („Kantkrisis oder Kleistkrisis", Diss. Bonn 1923, 34) meinte, daß der Begriff Lebensplan nicht definierbar ist, weil er eine bloße, von allem Inhalt leere Vorstellung sei.

[24] Frickes Ansicht aaO. 18, daß letzterer später hinzutrete, ist irrig.

daß „Bestimmung“ bei Kleist ausschließlich im teleologischen Sinne vorkommt; diese, von Adelung schon 1793 nur als letzte von vier Möglichkeiten angegebene Bedeutung [25] wird von Fichte bereits promiscue mit der heute im philosophischen Bereich allein üblichen definitorischen oder prädizierenden gebraucht [26]. Die Forderung, die höchste Bestimmung zu erfüllen, erhebt Kleist grundsätzlich auch gegenüber anderen, so gegenüber Schwester und Braut, doch liegt dabei kein persönlich-einmaliger Gedanke vor, sondern es handelt sich um eine gattungshafte Bestimmung, nämlich die, Frau und Mutter zu werden [27]. Dabei ist die traditionelle Einschätzung der Frau als sexus sequior unüberhörbar (I, 40); die Zeit, in der man Dissertationen über das alte Thema „an femina homo“ schrieb, ist noch nicht gänzlich versunken. Die einzige klare Definition, die Kleist selbst gegeben hat, sagt über die Frage, ob individuelle oder allgemeine gattungsmäßige Bestimmung, gar nichts, sie stellt nur einen Begründungszusammenhang her, in dem das Individuum steht, wenn es seine irdische Wirksamkeit be- und ergreift [28]. Der religiöse Zug in den Worten Kleists berührt dabei ebensosehr diesen Zusammenhang an sich, wie das Ich und seine Position in diesem Zusammenhang.

Ruhe und Sicherheit, anfänglich mit der Gewißheit der Bestimmung wesensmäßig verbunden, geraten bereits im Herbst 1800 nach der Würzburger Reise in Gefahr, als die praktische Notwendigkeit, seine Ziele beruflich zu konkretisieren, Kleist ängstigt (I, 160). Für die folgenden Monate, aber nur für sie, trifft Uyttersprots Ausdruck „Beschwörungsformel“ [29] für das Wort „Bestimmung“ in den Briefen zu. Im Winter 1800 auf 1801 nämlich durchläuft der Gedanke der Bestimmung eine krisenhafte Phase; nach der Erschütterung in den ersten Monaten des neuen Jahres geht die Ruhe verloren (I, 228). Von da an hören wir nur

---

[25] Grammatisch-kritisches Wörterbuch ... 2. Aufl., Bd. I, Sp. 932: „Der Endzweck, wozu etwas bestimmt ist.“

[26] Vgl. ‚Bestimmung des Menschen‘, hg. v. A. Messer, Berlin 1922, 40: „... indem du des Sehens dir bewußt bist, bist du dir einer Bestimmung oder Modifikation deiner selbst bewußt?“ und „Sehen, Schmecken und dergleichen, sind nur höhere Bestimmungen wirklicher Empfindungen“ (aaO. 56).

[27] I, 38 ff. und 137.

[28] „Bestimmung unseres irrdischen Lebens heißt Zweck desselben, oder die Absicht, zu welcher uns Gott auf diese Erde gesetzt hat. Vernünftig darüber nachdenken heißt nicht nur diesen Zweck selbst deutlich kennen, sondern auch in allen Verhältnissen unseres Lebens immer die zweckmäßigsten Mittel zu seiner Erreichung herausfinden“ (I, 136 f.).

[29] aaO. 89.

noch — und das häufig — von Sehnsucht nach Ruhe oder nach ruhigem Selbstbewußtsein [30]. Das Bild des in seiner Bahn wankenden Planeten tritt für das früher gewöhnlich verwendete des Weges ein [31]. Erst im August 1801 zeichnet sich wieder eine positive Wende ab (II, 45), die mit dem Gedanken der von der Natur vorgeschriebenen Bestimmung verknüpft ist. Aber es fällt nur der Abglanz einer erträumten Idylle auf diese Vorstellung; nicht zu Unrecht gibt es in Kleists gesamter Dichtung nicht ein einziges Mal einen Zustand vollkommener Ruhe, er kennt nur die scheinhafte Idylle [32]. Neben diese Zeichen der Angst, die richtige Bestimmung zu verfehlen, tritt die Überzeugung, daß die Bestimmung eines einzelnen Menschen grundsätzlich nicht erkennbar sei (II, 48), bis Kleist dann im Juli 1803, ganz unvermittelt, von der Dichtung als der „großen Bestimmung" (II, 107) seines Lebens spricht. Aber dies geschieht erst in dem Augenblick, als er sie bereits ergriffen hat, und ohne daß vorher ein Anzeichen für diese Lösung des Problems gegeben war [33]. Der Augenblick, in welchem Kleist die Überzeugung aufgeben mußte, daß das Telos eines Lebens erkennbar sei und in rationaler Planung direkt erstrebt werden könne, fällt in die Übergangszeit zwischen Kantkrise und Dichtung. Die Aufgabe des Glaubens an die durchgehende Verstehbarkeit des Ordnungsgefüges der Welt (bei gleichzeitiger Anerkenntnis des Vorhandenseins einer Ordnung) ist eine fundamentale Voraussetzung für die Dichtung Kleists.

Weder der Lebensplan an sich noch sein Telos, die Bestimmung, sind für sich betrachtet inhaltlich definiert. Fraglos hat der Gedanke der Bestimmung an sich schon bei Kleist einige Eigenheiten, die ihn in charakteristischer Weise von den üblichen zeitgenössischen Auffassungen abheben.

---

30 I, 234. 238. — II, 4. 10. 16. 28.

31 Das Bild von der exzentrischen Bahn (I, 234) findet sich angedeutet bereits in Wielands ‚Sympathien', wo ein Geschöpf, das von den Gesetzen edlerer Seelen abweicht, einem Planeten verglichen wird, „der aus seiner Bahn getreten ist, und in seinen eigenen Untergang auch diejenigen verwickelt, die er in seinem wilden excentrischen Lauf antrifft" (ed. Gruber, Bd. 30, 68). Das Bild der exzentrischen Bahn, für Kleist nur in dieser Zeit als Zeichen des Selbstverständnisses faßbar, hat bei Hölderlin eine weit umfassendere Bedeutung. Vgl. W. Schadewaldt, Das Bild der exzentrischen Bahn bei Hölderlin, in: Hellas und Hesperien, Zürich und Stuttgart [1960], 666—680.

32 Etwa im ‚Erdbeben' (vgl. Müller-Seidel, Versehen und Erkennen, aaO. 138 ff.), aber auch in ‚Penthesilea', 14. und 15. Szene.

33 Das Wort verschwindet dann in seiner alten Bedeutung aus Kleists Briefen; zweimal wird es im Sinne von „Anordnungen" gebraucht (II, 116. 175), dreimal für eine ganz bestimmte berufliche Stellung (II, 140. 144. 276).

Nicht spezifisch Kleistisch jedoch ist die Vorstellung, daß Art und Wahl der Bestimmung vom Individuum und seinen konkreten personalen Bedingungen abhängen. Ganz allgemein gilt auch für die Aufklärung die Vorstellung, daß der Mensch seiner Bestimmung dann gerecht wird, wenn er den Platz, den er auszufüllen vermag, einnimmt und dabei darauf achtet, daß Übereinstimmung zwischen dem Ziel, nämlich der Erreichung von Vollkommenheit und Glückseligkeit, und seinen individuellen Gegebenheiten besteht [34]. „Der Mensch in den natürlichen Bedingungen seines Daseins bildet den Ausgang, sein eigenes Sein und nicht das von einem Höheren ihm vorgeschriebene Soll“ [35]. Der Mensch wird dadurch nicht ohne Transzendenz gesehen, es werden nur die Gewichte verlagert, „der besondere Mensch in seinem einmaligen Wesen“ steht im Vordergrund. Das dem Menschen angeborene Verlangen nach Vollkommenheit und Glückseligkeit führt — etwa bei dem vielgelesenen Anthropologen Ernst Platner, dem Kleist ja auch persönlich begegnet ist (II, 14), — zu einer Gleichsetzung von Bestimmung und Glückseligkeit [36]. Selbst der Gedanke einer besonderen und sehr ernsten Schwierigkeit bei der Feststellung der eigenen Bestimmung ist dem 18. Jahrhundert nicht fremd [37]. Die Verbreitung des Gedankens von der Bestimmung in der zweiten Hälfte des 18. Jahrhunderts kann kaum überschätzt werden. Mit Recht wird Wieland von seinem Editor und Biographen für dieses Problem bevorzugt in Anspruch genommen. „Der Punkt um den sich alles bey ihm dreht, ist die Bestimmung des Menschen“ [38]. Die Kleistische Nuance liegt nun darin, daß Kleist nicht nur den Zustand der Ruhe, sondern den ganzen Begriff der Bestimmung auf den irdischen Bereich beschränkt, während Wieland die Seelenruhe ganz am Ende des Entwicklungsprozesses, jedenfalls nicht mehr im Endlichen,

---

[34] Vgl. Franz Volkmar Reinhard, ‚System der christlichen Moral‘: „Was ... ein wahres Mittel zur Erreichung der Absicht werden kann, auf welches das ganze Triebwerk eines Geschöpfes gerichtet ist, das ist demselben gut, das stimmt mit seiner Neigung überein.“ (Zitiert nach Dessoir, Geschichte der neueren deutschen Psychologie, Bd. I, 2. Aufl. Berlin 1902, 183).

[35] Max Wundt, Die deutsche Schulphilosophie im Zeitalter der Aufklärung, Tübingen 1945, 278 f.

[36] Vgl. Wundt aaO. 308 ff.

[37] Vgl. Johann Georg Feder: „Aber kann der Mensch auch sicher seine wesentliche Natur und Bestimmung kennen lernen oder wird er sich selbst ein beständiges Rätsel bleiben?“ (Zit. nach Dessoir aaO. 251).

[38] Johann Gottfried Gruber, Vorbericht S. VII im 1. Bd. der Göschen-Ausgabe von 1818—28.

sieht [39]. Kleist nimmt damit bewußt eine Beschränkung vor, so daß man sagen kann, sein Bestimmungsbegriff zeige den älteren im Status einer Privation, die nicht allein die Bedeutung des irdischen Ich akzentuiert, sondern vielmehr seine Stellung in einem Ordnungszusammenhang unterstreicht, eben dadurch, daß sie diesen voraussetzt. Seine Bestimmung „erfüllen" meint bei Kleist den Vorgang, nicht sein Ergebnis.

Bei Kleist fehlt das in diesem Bereich sonst ganz selbstverständliche Element der christlichen Religion. Die Neologie der Sack, Spalding, Semler und Jerusalem hätte es Kleist, dessen Gottheit kaum mehr als eine deistische war, nicht verwehrt, sich mit ihren Überzeugungen zu identifizieren. Man vergleiche aber einen zeittypischen und zugleich sachlich naheliegenden Text wie die ‚Bestimmung des Menschen' des auch von großen Geistern der Zeit sehr geschätzten, ja verehrten Spalding, und man wird sehen, daß bei Kleist trotz aller Übereinstimmung, die z. T. bis in den Wortlaut hineinreicht, sämtliche Anklänge an den biblischen Offenbarungsglauben fehlen. Spalding bekräftigt nach dem Prinzip des auch von Wünsch geübten kosmologischen Gottesbeweises lediglich eine Übereinstimmung zwischen der Vernunfterkenntnis und den Aussagen der Schrift [40].

Auch im Bereich der teleologischen Denkweise, die Kleist sonst mit allen in Betracht kommenden Autoren teilt, werden christliche Vorstellungen ausgeklammert. Mag es sich um selbständige Denker wie Shaftesbury oder um kompilierende Eklektiker wie Wünsch handeln: immer wird als Telos über allen Erscheinungen und Ideen Gott gedacht. Gerade für Wünsch verdient das hervorgehoben zu werden, zumal dieser wegen seiner rationalistischen Kritik der Offenbarung Johannis [41] in einen heftigen Streit mit der Theologie verwickelt wurde. Wünsch läßt kaum eine Gelegenheit vorübergehen, an seine Ausführungen physikotheologische Betrachtungen zu knüpfen; sein Hang, auch banalste physikalische Tatsachen in verweisendem Bezug zur göttlichen Vollkommenheit zu sehen, steht in klarem Kontrast zur Behandlung der physischen Welt durch Kleist. Die Art, in der Kleist solche Gedanken berücksichtigt, steht trotzdem nicht ganz für sich. Es besteht nämlich eine augenfällige Ähn-

---

39 Vgl. Karl Hoppe, Der junge Wieland, Leipzig 1930, 27.

40 Spaldings Bestimmung des Menschen (1748) . . . , hg. v. Horst Stephan, Gießen 1908. — Auch Spalding stellt sich die Forderung, „für mich selbst nach dem richtigsten Wege zu forschen" (aaO. 15).

41 ‚Horus oder astrognostisches Endurtheil über die Offenbarung Johannis und über die Weissagungen auf den Messias wie über Jesum und seine Jünger', Halle 1783.

lichkeit mit Kants Gewohnheit, das Element des Glaubens als nicht essentielles Superadditum der vernunftmäßigen Reflexion anzufügen, es sich gewissermaßen als erlaubten Genuß noch zu gestatten [42].

Man hat mit Recht bezweifelt, daß die Anwendung des Begriffs „Bestimmung" auf den Bereich der Dichtung überhaupt statthaft sei [43]. Das Argument zwar, daß der Begriff nach der Kantkrise nicht mehr vorkomme [44], verfängt nicht, denn die theoretische Reflexion verschwindet später überhaupt aus den Briefen. Es wäre eher zu sagen, daß der Begriff aus seinen Verflechtungen mit den übrigen Vorstellungen des jungen Kleist nicht gelöst werden kann, und daß, wenn etwas aus diesen Gedankenkreisen die Erschütterung des Frühjahrs 1801 und die klärende Übergangszeit bis zum Beginn der Dichtung überdauert, es sicher nicht die rational-formalen Bestandteile der Überzeugungen sind, die der junge Kleist konkret zu verwirklichen hoffte.

Das Verlangen nach „Glück" als ein Zentrum aller geistigen Bestrebungen des jungen Kleist bildet die Ergänzung zu der bisher erörterten formalen Seite. Von diesem Ausgangspunkt her lassen sich die Bestandteile seiner Weltanschauung erfassen und verstehen. Der Ursprung des neuen Lebensplans war der Wunsch, glücklich zu sein (I, 17). Dieses Bestreben schließt Kleist eng an den Bereich der Aufklärung, für die „Glückseligkeit" ganz allgemein das vornehmste Lebensziel bildet [45]. Kleist gebraucht immer „Glück"; „Glückseligkeit" nur für „himmlische" und als Gegensatz dazu auch für „irdische" Glückseligkeit (I, 128), sonst nur einmal für die Lehre Epikurs (I, 131) [46]. Der ‚Versuch über den Menschen' Popes spricht die Ansicht, daß die Glückseligkeit der wahre Zweck des Menschen sei, mehrfach aus [47]. Glück ist aufs engste mit „Tugend" verknüpft, d. h. mit dem Bereich des Sittlichen überhaupt: „So übe ich mich unaufhörlich darin, das wahre Glück von allen äußeren Umständen zu trennen und es nur als Belohnung und Ermunterung an die Tugend zu knüpfen" (I, 17). Das Verhältnis beider Begriffe

---

[42] Eine „Ausschweifung ... in das Feld der Phantasie" (Kant ed. Weischedel, I, 393). Vgl. besonders den „Beschluß" der ‚Allgemeinen Naturgeschichte und Theorie des Himmels', aaO. 395.

[43] Müller-Seidel, Versehen und Erkennen, aaO. 162 ff.

[44] Hans Rieschel, Tragisches Wollen ..., Diss. Göttingen 1937, 92.

[45] Dessoir aaO. 156.

[46] Im Gegensatz dazu definiert Adelung „Glückseligkeit" als „Wohlfahrt in dem gegenwärtigen Zustande in der sichtbaren Welt" (aaO. II, Sp. 732).

[47] In der Übersetzung Brockes', Hamburg 1740, aaO. 17, 87 und 123.

ist so zu denken, daß an sich die Tugend als Mittel zum Zweck (des Glücks) dient.

Das Kennzeichen des Begriffs Glück auf dieser Stufe ist, daß er allein auf den Bereich des Inneren beschränkt bleibt. Der auf weiten Strecken mit dem Martini-Brief parallel verlaufende ‚Aufsatz . . .' bietet hierfür noch eine zusätzliche religiöse Begründung [48]. Es stellt sicher eine Unterschätzung der Aufklärung dar, wenn Fricke meinte, die Begründung des Glücks im Inneren des Menschen bedeute, daß Kleist damit die „aufklärerische Naivität . . . überschritten" habe [49]. Man wird gut daran tun, der Aufklärung nicht in erster Linie Naivität zu unterstellen. Cassirers Darstellung der Philosophie dieses Zeitalters, die bald nach Frickes Kleist-Buch erschien, setzte sich die Überwindung dieses alteingewurzelten Vorurteils ausdrücklich zum Ziel [50]. Die Geringschätzung einer angeblich „platten" Aufklärung, die im Grunde aus dem Ressentiment der Romantik gegen die von ihr überwundene Epoche und später von einer einseitigen Bevorzugung des geniezeitlichen Irrationalismus lebte, ist heute nicht mehr angängig. Es heißt nicht Kleist verkleinern, wenn man ihn geschichtlich sieht, und das bedeutet bei der vielfältigen Verflochtenheit der geistesgeschichtlichen Strömungen in der zweiten Hälfte des 18. Jahrhunderts ja nicht, daß man ihn ausschließlich für eine nur rationalistisch verstandene Aufklärung in Anspruch nehmen kann. Wenn für Kleists Auffassung von Glück etwa Wieland und auch Pope [51] Parallelen bieten, so sind damit auch andere verwandte Auffassungen als rein rationalistische genannt.

Die Stellung der Begriffe Glück und Tugend zueinander ist bei Kleist nicht ganz eindeutig. Abgesehen von der Relation Mittel — Zweck werden sie einmal gleichgestellt (I, 18 und VII, Kl. Schr. 5), was leicht dazu führt, daß der Wertakzent auf die Tugend allein fällt: „die Tugend

[48] Vgl. I, 17 f. 31. 38. 42. — VII, Kl. Schr. 4: „. . . was mit der Güte und Weisheit Gottes streitet, kann nicht wahr sein."

[49] aaO. 9 f. und 10 Anm. 4.

[50] Die Philosophie der Aufklärung, Tübingen 1932, XV.

[51] Vgl. Pope aaO. 89:

„. . . das Glück kann jeder Zustand fassen,
Ein jeder Mensch kann es besitzen. Es stellt sein Gut sich bey uns ein,
Nur muß es nicht im äussersten verlanget und gesuchet seyn.
Man braucht nur, im Gemüth Vernunft, und Redlichkeit in unsrer Seelen,"

Brockes' zahlreiche Sperrungen gebe ich grundsätzlich nicht wieder.

macht nur allein glücklich" (VII, Kl. Schr. 6)[52]. Einen Primat der Sittlichkeit lehnte Kleist damals noch ab (I, 18); später, in Würzburg, erfolgt doch eine merkliche Gewichtsverlagerung, als er das ganze Problem auf den Satz „erfülle Deine Pflicht" (I, 135) zu reduzieren suchte; eine deutliche Annäherung an Kant.

Die Herkunft dieser Auffassung aus dem 18. Jahrhundert mag eine anonyme Rezension in der ‚Allgemeinen deutschen Bibliothek' bezeugen, die deshalb interessant ist, weil sie gegen den Kantischen Primat der Sittlichkeit ausdrücklich vom traditionellen Standpunkt her polemisiert[53]. Da wir bei Kleist in der Zeit der Würzburger Reise eine wenigstens ungefähre Kenntnis größerer Teile der Kantschen Philosophie voraussetzen können, liegen vergleichbare Voraussetzungen vor. Während Kleist damals mit der ausschließlichen und diesseitigen Belohnung durch das eigene Gewissen (I, 136) schon eine Annäherung an Kant vollzog, ist die Verknüpfung der Begriffe Glück und Tugend im Brief an Martini zwar inniger, aber auch problematischer. Jener Anonymus nun hält den Kantischen Primat der Sittlichkeit keineswegs für sicher, die Glückseligkeit ist für ihn — wie für den Kleist des Martini-Briefes — ein mindestens ebenso hohes Prinzip, beide Endzwecke sind vom Schöpfer in Harmonie gebracht[54]. Die übrigen Bestandteile der Kleistschen Vorstellungen bietet der Anonymus ebenfalls, wenn er sagt, „ . . . daß Tugend eine natürliche Abzweckung zur Glückseligkeit, und das Laster zur Unglückseligkeit habe, oder daß der Mensch in seiner sittlichen Natur dies Gesetz finde: wenn du wahrhaft glückselig seyn willst, so mußt du ein vernünftiger, sittlicher und tugendhafter Mensch seyn — und daß ein solches Gesetz oder eine wechselseitige Beziehung und Harmonie zwischen sittlich handeln und wohlbefinden wirklich vorhanden ist, dieß

---

[52] Im Original gesperrt. Vgl. Pope aaO. 117:

Nimm diese Wahrheit denn in acht (die auch für uns genug zu wissen:)
Daß wir, für unser wahres Glück, nur bloß die Tugend halten müssen."

[53] ‚Prüfung der Mendelssohnschen Morgenstunden, oder aller spekulativen Beweise für das Daseyn Gottes in Vorlesungen von Ludwig Heinrich Jakob ... Nebst einer Abhandlung vom Herrn Professor Kant. Leipzig 1786.' Rezensiert von einem Anonymus „Sg.", Allgemeine Deutsche Bibliothek. 1788/2, 427—470. — Das Sigelverzeichnis von Gustav Friedrich Parthey (Die Mitarbeiter an Friedrich Nicolais Allgemeiner Deutscher Bibliothek nach ihren Namen und Zeichen in zwei Registern geordnet, Berlin 1842) war mir leider nicht zugänglich.

[54] aaO. 465 f.

wird wohl niemand leugnen, der wahre innere Glückseligkeit kennt; . . ." [55].

Eine gesonderte Analyse des Begriffes Tugend bei Kleist verlohnt nicht. Besonders angesichts der interpretatorischen Mühen, die Ide bei der Isolierung des Begriffs auf sich genommen hat [56], scheint mir dies zu betonen notwendig, denn Kleist verwendet den Begriff nur im Frühjahr 1799 und nur in Verbindung mit „Glück" in einer bemerkenswerten Weise. Der Unfähigkeit im Martini-Brief, ein Bild für die Tugend aufzustellen (I, 18), entsprechen im ‚Aufsatz . . .' wieder recht dezidierte christliche Züge. Das Bild des Gekreuzigten (VII, Kl. Schr. 9), das dort die über das Schicksal erhebende Macht der Tugend versinnbildlicht, zeigt, daß die Kleistische Position auch das Ergebnis eines Säkularisationsprozesses ist. In der Folge tritt der Begriff entweder im Plural auf, vorzügliche Eigenschaften bezeichnend [57], oder Kleist spricht von der Tugend als von einer allgemeinen unpersönlichen Wesenheit, wobei keine auffälligen, ihm allein angehörenden Bedeutungsnuancen feststellbar sind [58]. Zugleich mit dem Entwurf des Lebensplans verliert der Begriff Tugend sein Interesse für Kleist.

Der Glücksbegriff in den Briefen Kleists erfährt nach dem skizzierten theoretischen Entwurf von 1799 eine sich in fünf z. T. einander überlagernden Phasen vollziehende, allmählich abklingende Konkretion. Die Definition von Glück als erfüllter Bestimmung tritt nur singulär auf (I, 40 f. und II, 63). Anfangs wird das Glück in der Liebe begründet [59]; das Ideal eines freien Menschen (I, 55) und das Höchste der Vereinigung von Liebe und Bildung [60] gehören in den gleichen Umkreis. Die zweite Stufe reicht vom Dresdner Aufenthalt im Mai 1801 bis zu dem bedeutsamen Brief an Wilhelmine vom 10. Oktober 1801; ihr gehört die idyllenhafte Vorstellung von der naturgemäßen Bestimmung, vom Landleben an [61]. Gleichzeitig wird die Vorstellung vom Glück aber schon

---

[55] aaO. 467 f. — Anon. betont auch, daß sich nur vom äußeren, nicht vom inneren Glück behaupten lasse, es sei mit der Tugend nicht verbunden.

[56] aaO. 59—65.

[57] I, 34. 202. 203. 205. — II, 68.

[58] I, 36. 57. 155. 162 (164 in prägnanter Bedeutung).

[59] I, 53 („daß ich mein höchstes Glück in Ihre Liebe ... setze"), ferner 148. 149. 152 („das ... Ziel, nach dem wir beide streben, ... sei das Glück der Liebe"). 159. 163. 178.

[60] I, 147 („Liebe und Bildung das ist alles, was ich begehre"). 161 f. 178. 183.

[61] II, 10 („Ja wer erfüllt eigentlich getreuer seine Bestimmung nach dem Willen der Natur, als der Hausvater, der Landmann?"). 59. 63. 64.

grundsätzlich fragwürdig; diese Phase reicht von der Ankunft in Paris bis zur Abreise von Chalons [62]. Der Glaube an die Möglichkeit des Glücks bleibt 1801 bestehen, er erscheint nur im Futur: „Ich verdiene nicht unglücklich zu sein, und werde es nicht immer bleiben“ (II, 30) und „Wir werden glücklich sein!“ (II, 174). Dazwischen identifiziert Kleist — in der Berliner Übergangszeit in der zweiten Hälfte des Jahres 1804 — Glück mit dem Dichterberuf (II, 116 und 126). Eine letzte Periode wird bezeichnet durch die Leugnung des Glücks und seiner Möglichkeit überhaupt in den Verhältnissen der augenblicklichen irdischen Welt [63], sie umfaßt den Zeitraum vom Sommer 1806 bis zum Sommer 1807. Darin wirkt die Erschütterung des Jahres 1806 nach, die Kleist, wenn auch auf eigene Weise, mit den Romantikern teilt. Das Kernstück der Weltanschauung des jungen Kleist zeigt also einen merklichen Wandel. Von anfänglicher beziehungsloser Reflexion über das Stadium ebenfalls weitgehend unwirklicher Wunschbilder gelangt Kleist in einem Prozeß fortschreitender Desillusionierung zu einem größeren Realismus. Der Gedanke vom Glück ist ein Entwurf in die Zukunft hin; er meint nie ein Sein, einen Zustand, sondern immer ein Woraufzu.

Der Zielpunkt des Glücksstrebens ist die Erreichung von Vollkommenheit. Nur das Streben danach, der Vorgang der allmählichen, stufenweisen V e r v o l l k o m m n u n g tritt in Erscheinung. Wenn einmal das erfreuliche „Anschauen der moralischen Schönheit unseres eigenen Wesens“ (I, 19) auch mit Glück bezeichnet wird, so ist das eigene Wesen dabei als ein schon vervollkommnetes gedacht, gemeinhin sind für Kleist nur die Bedingungen, unter denen das Ziel erreicht werden soll, von Bedeutung. Die geistige Welt des jungen Kleist besteht weitgehend aus Entwürfen auf etwas Zukünftiges hin.

Die Vorstellungen des jungen Kleist haben ein Gemeinsames in ihrer Zielgerichtetheit. Dieses Kennzeichen stellt bei Kleist eine ausgeprägte Denkform dar, die auch im sprachlichen Bereich ihren Niederschlag findet. Einige Beispiele mögen das verdeutlichen. Kleist sieht sich nicht in einem statischen, sondern in einem teleologischen Verhältnis, wenn er sich als Schüler „für die Weisheit“ (nämlich auf einen als künftig gedachten Zustand hin), statt einfach als Schüler der Weisheit bezeichnet (VII, Kl. Schr. 11). Er fragt auch nicht, ob ein Satz wahr oder falsch ist, sondern er fragt nach seiner Wirkung, mithin wieder nach einem Bezugspunkt

---

[62] II, 20 („Ach, . . . , wer ist glücklich?“). 25. 29.

[63] II, 148 f. 151 („Wer wollte auf dieser Welt glücklich sein“). 169. — Zum Abschluß sei noch ein Beleg von Glück = Fortuna erwähnt (II, 179).

außerhalb der Sache selbst, wenn er alle Religionsgrundsätze „unfruchtbar und unnütz“ (I, 135) nennt außer dem einen „erfülle Deine Pflicht“. Er fordert von seiner Braut, niemals an einer Sache um ihrer selbst willen Genüge zu finden, sondern immer auf ihre Nutzbarmachung für den „höchsten“ Zweck (I, 151) zu sehen. Wilhelmine hat gesagt, Kleist habe sie „zum Ideal umschaffen“ wollen [64], und dieser schrieb ihr selbst, er wolle aus ihr „einst ein vollkommnes Wesen“ (I, 150) bilden. Auf dem Hintergrund dieser Denkform gesehen, liegt der Akzent dabei auf dem Bilden auf ein Ziel hin, das, wie sich noch zeigen wird, durchaus nicht im irdischen Bereich liegt, während der Vorgang der Bildung sich rein im irdischen Bereich vollzieht. Dieses Bilden ist, soweit es sich im gegenwärtigen Leben ereignet, selbst nur Teil eines unendlichen Bildungs- und Vervollkommnungsprozesses.

Auch das Auffinden von Ähnlichkeiten zwischen den Erscheinungen der „physischen und moralischen Welt“ hat immer die Frage „worauf deutet das hin?“ (I, 171) im Gefolge, die Natur existiert nur in Beziehung auf den Menschen (I, 175). Aufschlußreich ist auch, daß Kleist für den Titel der ‚Kosmologischen Unterhaltungen‘ die Übersetzung „weltbürgerliche“ (I, 174) angibt. Die Anmerkung Sembdners, „Kleists Übersetzung . . . ist falsch“ [65], geht ganz fehl. Es soll ja gar nicht gesagt werden, was das Wort „kosmologisch“ an sich bedeutet, sondern es wird der Zweck angegeben, dem das Buch dient. Abgesehen davon, daß „kosmologisch“ nicht nur die Lehre vom Weltall betrifft, sondern schon die Stellung des Menschen darin miteinbegreift, bedeutet es für Kleist in diesem Falle: das Studium dieses Buches erzieht zum Weltbürger, oder: es ist ein Buch für zukünftige Weltbürger. Ganz auf der gleichen Linie liegt der Vergleich des Menschen mit einem Klavier (I, 187): er ist Instrument, er ist zu einem Zweck da. Noch 1801 bemißt Kleist den Wert eines Buches danach, ob es „seinen Zweck erreicht“ (II, 46). Auffälliger und sprechender aber ist in den Pariser Briefen die Frage nach der Erkennbarkeit von Gut und Böse, der jeweils der Zusatz angefügt wird, „der Wirkung nach“ (II, 48 und 60). Auch darin spiegelt sich jenes Denken in Beziehungen, das die Dinge in der Spannung auf ein Telos hin sieht. Noch viel später, im Sommer 1807, denkt Kleist, nun in Bezug auf das Kunstwerk, in der gleichen Weise. „Denn nicht das, was dem Sinn dargestellt ist, sondern das, was das Gemüth, durch diese Wahr-

[64] LS 38, 21.
[65] Bd. II, 968.

nehmung erregt, sich denkt, ist das Kunstwerk" (II, 170). Man muß sich als äußersten Gegenpol Goethes ‚Nachlese zu Aristoteles' Poetik' von 1827 vor Augen halten, um zu erkennen, wie sehr Kleist hiermit noch im Umkreis der geistesgeschichtlich älteren Wirkungsästhetik des 18. Jahrhunderts steht. Ähnlich hatte Blanckenburg das Kunstwerk unter den Bedingungen der im Leser erregten Empfindungen betrachtet [66].

Kant, der das teleologische Weltbild Kleists erschütterte, hat auf teleologische Prinzipien schon früh kritisch Bezug genommen. Einmal auch unter ausdrücklicher Apostrophierung eines der sogenannten „Popularphilosophen" (Mendelssohn), mit denen man Kleist gern ebenso unbesehen zusammenbringt, wie man ihn indigniert von ihnen fernhält [67]. Kleist seinerseits hat, wie seine Verbindung mit der Wirkungsästhetik ausweist, an dem Denken in Beziehungen festgehalten. Was in der Kantkrise zerbrach, ist die vorher als selbstverständlich mitgegebene Überzeugung, Wissen über das wahre Sein der Dinge zu besitzen. Das Erkenntnisproblem zerstört diese Einheit.

Ebensowenig wie die teleologische Denkweise ist der Vervollkommnungsglaube etwas, das Kleist allein angehört. Schon Moses Mendelssohn hatte — in den Briefen ‚Über die Empfindungen' — den Trieb zur Vollkommenheit als ein menschliches wie göttliches Wesen gleichermaßen einschließendes Grundprinzip der Welt angesehen [67a]. Im Bereich der von uns in Betracht gezogenen Quellen äußert Wünsch auf der Ebene der lehrhaften Anweisung die Aufforderung, „in Erlernung nützlicher Wissenschaften und in Ausübung tugendhafter Handlungen täglich vollkommner zu werden, und hierdurch die hohe Würde" der Seele, „das Ebenbild Gottes, täglich noch mehr in sich zu veredeln" [68]. Spalding sieht das größte Vergnügen des menschlichen Geistes darin, sich selbst vollkommener zu machen [69]. Auch in die angeblich empirisch verfahrende Psycho-

[66] Vgl. ‚Versuch über den Roman', Leipzig und Liegnitz 1774, 288 f. u. ö.

[67] Vgl. ‚Einige Bemerkungen von Herrn Professor Kant (aus Ludwig Heinrich Jakobs Prüfung der Mendelssohnschen Morgenstunden oder aller spekulativen Beweise für das Dasein Gottes)', ed. Weischedel, Bd. III, 289: Kant zitiert Mendelssohn selbst: „Wenn ich euch sage, was ein Ding würkt und leidet, so fragt nicht weiter, was es ist? Wenn ich euch sage, was ihr euch von einem Ding für einen Begriff zu machen habt: so hat die fernere Frage, was dieses Ding an sich selbst sei? weiter keinen Verstand" und hält ihm vor, eine ungeprüfte Maxime, ein „Kunststück" anzuwenden, um sich der Prüfung der Bedingungen, unter denen etwas von Dingen an sich ausgesagt werden könnte, zu entziehen.

[67a] Vgl. Gesammelte Schriften Bd. I, hg. von Fritz Bamberger, 284 und 257.

[68] aaO. Bd. I, 2.

[69] aaO. 18 f.

logie drangen diese einfachen Grunddogmen, gemischt aus christlich-religiösen Restbeständen und anthropozentrischem Vernunftglauben ein, wie u. a. die Auffassung Blanckenburgs lehrt, „daß alles, was unserm Triebe zur Vollkommenheit schmeichelt, die anziehendste aller Bewegungen in uns erzeugt. Wie konnt' auch die weise Vorsicht, wenn es ihr nicht mit unsrer Vervollkommnung ein bloßes Spiel war, anders, als daß sie in uns für solche Thaten und Empfindungen die mehrste Theilnehmung legte, die die möglichste Vollkommenheit solcher Geschöpfe, wie wir sind, enthalten?" [70]. Befragen wir nun gar Wieland, so finden wir diesen Gedanken, ähnlich wie den der Bestimmung des Menschen, auf Schritt und Tritt vor, etwa in der Formulierung, daß der Mensch „nur dann seiner Natur gemäß lebe, wenn er immer empor steige; daß jede höhere Stufe der Weisheit und Tugend, die er erstiegen hat, seine Glückseligkeit erhöhe; daß Weisheit und Tugend allezeit das richtige Maß sowohl der öffentlichen als der Privatglückseligkeit unter den Menschen gewesen" [71].

Somit gelangen wir von der Form zum konkreten Kern der Überzeugungen Kleists. Das Problem ist, wie sich die Vervollkommnung zur Endlichkeit des menschlichen Lebens verhält. Der schon zitierte Anonymus aus der ‚Allgemeinen deutschen Bibliothek' vertritt eine allgemein verbreitete Ansicht, wenn er den Tod als eine Geburt „zu einem künftigen Lebenszustande" ansieht. „Überhaupt würde auch ein zukünftiger Lebenszustand nur ein Theil des allgemeinen Laufs der Dinge, oder wenn man will, ein Theil derjenigen Vorsehung seyn, vermöge der . . . die Menschenwelt sich nach und nach zu immer höhern Stufen der Aufklärung, der Sittlichkeit und Glückseligkeit hinanarbeitet" [72]. Damit ist die „von Kleist selbst gegebene Prämisse" der Erschütterung von 1801 [73]

---

[70] aaO. 30 f. — Mehrfach bezeichnet Blanckenburg die Beförderung dieser Vervollkommnung als die Aufgabe des Dichters; aaO. 41. 288 f. 432.

[71] Der Beleg hierzu ist mir leider verlorengegangen. — Vgl. ferner ‚Agathon', Buch 16, Kap. 3, ed. Gruber, Bd. 11, 364 und 375. Dieses Kapitel, die ‚Darstellung der Lebensweisheit des Archytas', scheint von Bedeutung für Kleist gewesen zu sein. — Vgl. auch, außer dem ganzen V. Buch der ‚Natur der Dinge', Wielands ‚Platonische Betrachtungen über den Menschen' von 1755 (aaO. Bd. 30, 139): „Aber wie vortrefflich ist diese Vernunft, an sich selbst betrachtet, und wie groß macht sie den Menschen, da sie das Reich der Wahrheit vor ihm aufschließt und ihn in den ewigen Gesetzen der Ordnung und Vollkommenheit unterweiset! Sie führt ihn von Stufe zu Stufe bis zum unendlichen vollkommenen Wesen."

[72] aaO. 470. Im Text „hineinarbeitet".

[73] Muth aaO. 17.

genannt, soweit sie mit zeitgenössischen Anschauungen identisch ist, nämlich der Palingenesiegedanke, dem Rudolf Unger auch im Zusammenhang mit Kleist wertvolle Studien gewidmet hat [74]. Diese mit der Unsterblichkeitsfrage zusammenhängende und nicht nur eine Prämisse für die Kantkrise darstellende Überzeugung meinte Kleist in Wahrheit, wenn er von „meiner Religion" (I, 44) sprach. Daß die Verknüpfung von Bildungsproblem einerseits und Erkenntnis- oder Wahrheitsproblem anderseits in dieser Intensität nur ihm selbst eigen ist, hindert nicht, daß er seine „Religion" aus den Elementen aufgebaut hat, die seine Zeit ihm bot [75]. Es ist übersehen worden, daß Kleist „meine Religion" lediglich sagt, weil er sie von der kirchlich-zeremoniellen seiner Umgebung, insbesondere Wilhelmines, abheben wollte. Das lehren auch die späteren Ausführungen über die Religionstoleranz (I, 134) [76], es ging ihm vorzugsweise darum, von den Zeichen auf das Innere zu kommen. Dabei war er sich der Eigenständigkeit seiner Überzeugungen sehr wohl bewußt, denn er sagt später selber: „aus diesen Gedanken bildete sich so nach und nach eine eigne Religion" (I, 221). Diese „Religion" schloß nach dem Kontext dieses Zitats außer dem auf die Unsterblichkeit gerichteten Vervollkommnungsstreben auch den Gedanken von einer Stufenleiter der Wesen ein, die nach jedem ihrer Tode auf immer anderen Sternen eine fortschreitende Höherentwicklung durchlaufen.

---

[74] Herder, Novalis und Kleist, aaO. 112 ff.; Zur Geschichte des Palingenesiegedankens im 18. Jahrhundert, in: Gesammelte Studien II, Berlin 1929, 1—16; „Der bestirnte Himmel über mir ...", ebda. 40—66.

[75] Die Ansätze Ungers sind ausgeführt worden in der Arbeit von Friedhelm Pamp: „Palingenesie" bei Charles Bonnet (1720—1793), Herder und Jean Paul, Mschr. Diss. Münster 1955, in der die Verbreitung des Palingenesiegedankens im 18. Jahrhundert nachgewiesen wird. Leider bleibt auch hier das von Unger begründete und in gewisser Weise typisch germanistische Vorurteil bestehen, daß es sich beim Palingenesiegedanken um eine rein irrational-mystische Strömung handle. Das ist höchstens die halbe Wahrheit, denn zumindest überall dort, wo das Bild von der „Kette der Wesen" auftaucht, haben wir mit Gedanken zu rechnen, die von Pope ausgehen (auf seinen ‚Essay on Man' beziehe ich mich in diesem Kapitel mehrfach). Bei Pope aber wird die bekannte aurea catena Homeri „eine poetische Chiffre für das Weltbild der klassischen Physik" im Sinne Newtons. Vgl. Bernhard Fabian, Pope und die goldene Kette Homers, Anglia 82, 1964, 153.

[76] Zur Religionstoleranz neigte Kleist selbst damals nun aber gar nicht. Die Pfaffenschelte, besonders auf der Würzburger Reise, zeigt recht deutlich die außerordentliche Enge seines damaligen Weltbildes.

Es genügt nicht, diesen Gedanken Kleists bei Wieland alleine zu suchen, noch fragwürdiger aber ist es, eine „Lebenswende" Kleists, die in der Aneignung dieses Gedankens bestanden habe, auf die Lektüre der ‚Sympathien' zurückzuführen [77], denn im Brief an Adolphine von Werdeck ist von den ‚Sympathien' lediglich in Verbindung mit dem Gefühl der Freundschaft die Rede (II, 35). Das ist auch verständlicher und schließt nicht aus, daß Kleist damals von Wieland noch mehr als dieses Werk gelesen hat. Es trifft zudem gar nicht zu, daß die ‚Sympathien' „das Bild einer sich vervollkommnenden Schöpfung, die sich nach dem Willen der absoluten Vernunft höher und höher entwickelt", wie Muth gemeint hat [78], zeigen. Bei allen Übereinstimmungen [79] fehlt den ‚Sympathien' doch der Gedanke einer u n e n d l i c h e n Höherentwicklung. Sie vertreten rein christliche Vorstellungen und sprechen nur von e i n e r Stufe der Vervollkommnung, nämlich vom Übergang zum ewigen Leben [80]. Den hier ganz fehlenden Palingenesiegedanken enthält aber Wielands Erstling ‚Die Natur der Dinge'. Hier spricht Wieland von dem Fortleben der höherentwickelten Wesen auf anderen Sternen [81] und von der Stufenreihe der Wesen, die bis zu Gott hinaufreicht [82]. Diese in den Grundzügen längst bekannte Beziehung der Kleistschen Anschauungen auf die des frühen platonischen und „seraphischen" Wieland [83] zeigt hinsichtlich ihrer Unterschiede weniger einen Gegensatz von religiösen auf der

---

77 Diese Verkürzung bei Muth aaO. 27. — In erster Linie wäre zunächst an Herders Schrift ‚Über die Seelenwanderung' zu denken (Werke Bd. XV, ed. Suphan, 243—303). Die Leibnizschen Wurzeln des Gedankens und seiner Zusammenhänge sind hier deutlich sichtbar.

78 aaO. 28.

79 Vgl. aaO. Bd. 30, 37: „... wenn wir traurig in tausend leere verscherzte Stunden zurück sehen, die uns nicht in die Ewigkeit begleiten, weil sie mit keiner g u t e n That bezeichnet sind ..."; „Der Mensch ist auch hier schon nicht m e h r werth, als er seyn wird, wenn er, vom Leib entblößt, entweder mit seiner Tugend oder mit dem Bewußtseyn eines übel geführten Lebens, in die unsichtbare Welt eingehen wird" (aaO. 59).

80 Wenn die Erde als „Pflanzschule des Himmels" (aaO. 47) bezeichnet wird, so ist das zwar auch teleologisch, vor allem aber eschatologisch gedacht, denn weiter unten heißt es: „d a s W e l t g e r i c h t — ein Triumf der göttlichen Gnade und der erneuerten Unschuld; d i e E w i g k e i t — eine unendliche Aussicht in Licht und Wonne" (aaO. 49).

81 Buch IV, Vs. 493—576, aaO. Bd. I, 139 ff.

82 Buch V, Vs. 435—438, aaO. 177.

83 Vgl. dazu die ausgezeichneten Ausführungen von Röbbeling, Kleists Käthchen . . . , aaO. 61 ff.

einen und ethisch-moralischen Zügen auf der anderen Seite [84], sondern es ist das bei Kleist fehlende christliche Element, das ihn von Wieland scheidet.

Der Umkreis, aus dem die Gedanken der Vervollkommnungsreligion für Kleist stammen, läßt sich noch nach einer anderen Richtung erweitern. Bei Christian Ernst Wünsch kehren sie deutlich und auf einer breiteren Grundlage wieder, worauf Muth hingewiesen hat [85]. Wünschs Lehre in den ‚Kosmologischen Unterhaltungen' ist aber ebenfalls stark christlich getönt [86]. Er führt die Entstehung aller Religionslehren auf die Beobachtung der Gestirne zurück [87] und gelangt von daher zu der Auffassung, daß diese von einer „Kette" von Wesen bewohnt seien, womit wieder der Anschluß an den Leibnizschen Palingenesiegedanken gewonnen wird [88]. Als Quellen nennt er dabei drei Dichter: aus Kästners Gedicht über die Kometen führt er drei Stellen an [89], ferner zitiert er Pope und Haller. Das von Wünsch aus Pope ausgehobene Zitat stammt aus dem ‚Essay on Man', der an anderer Stelle im gleichen, unverkennbar Leibnizschen Sinne von den Bewohnern der Gestirne spricht [90]. Das Haller-Zitat, das Wünsch anführt, ist besonders bemerkenswert, denn es stammt aus ‚Über den Ursprung des Übels' und deckt das Korrelat des Palingenesiegedankens auf: das T h e o d i z e e p r o b l e m [91]. Die Zu-

---

[84] So Xylander, Kleist und Rousseau, aaO. 195.

[85] aaO. 45 ff.

[86] Der Mensch „ist immerdar [sc. im ewigen Leben] desto glücklicher, je größer seine Tugend, je edler sein Herz in diesem Leben gewesen, und genießt Freude die Fülle ewiglich; denn unser künftiges Glück ist unmittelbare Folge unseres gegenwärtigen guten Verhaltens, oder unserer Tugenden, so, wie Unglück, Scham, Gewissensbisse, und alle Strafen dem Laster Fuß vor Fuß bis in die Ewigkeit nachfolgen, und es über lang oder kurz gewiß einholen" (aaO. Bd. I, 663).

[87] aaO. Bd. I, 473.

[88] aaO. Bd. I, 643. — Auf Leibniz geht letztlich der gleiche Gedanke auch bei Mendelssohn zurück (aaO. 244).

[89] aaO. Bd. I, 632 und 634.

[90] Wünsch aaO. Bd. I, 659. — Vgl. Pope aaO. 5.

[91] Albrecht von Hallers Gedichte, hg. v. Ludwig Hirzel, Frauenfeld 1882, 118—142. — Von der Stufenleiter der Wesen spricht Haller I, 21 ff. 75 ff.; II, 199 ff. Als Auflösung der Frage der Theodizee wird die Möglichkeit eines Fortlebens auf anderen Sternen angedeutet (III, 195—202):

Vielleicht ist unsre Welt, die wie ein Körnlein Sand
Im Meer der Himmel schwimmt, des Uebels Vaterland!
Die Sterne sind vielleicht ein Sitz verklärter Geister,
Wie hier das Laster herrscht, ist dort die Tugend Meister,

sammenstellung von Pope und Haller wäre an sich wohl nicht weiter von Interesse, wenn sie nicht an einer Stelle wiederkehrte, die vielleicht sogar die direkte Vorlage für Wünsch abgegeben hat. Die gleichen Verse aus Haller, die Wünsch zitiert,

> Die Sterne sind vielleicht ein Sitz verklärter Geister,
> Wie hier das Laster herrscht, ist dort die Tugend Meister [92]

führt auch Kant am Ende seiner ‚Allgemeinen Naturgeschichte und Theorie des Himmels' an, unmittelbar vorher Verse aus Pope, die auf die „Kette" der Wesen Bezug nehmen [93]. Kant zitiert das Werk Popes in der Brockesschen Übersetzung häufig in dieser Schrift, vor jedem ihrer drei Teile und auch sonst im Text verstreut stehen Zitate daraus, darunter auch das von Wünsch (allerdings nach einer anderen Übersetzung) ausgezogene. Auf Haller verweist Kant dabei gern unter Betonung der besonderen Hochschätzung, die er für ihn hegt [94]. Kant behandelt im 3. Teil (‚Anhang, Von den Bewohnern der Gestirne') diese Lehre zwar durchaus als „eine Ausschweifung . . . in das Feld der Phantasie" [95], hält aber daran fest, daß die Gestirne bewohnt seien [96], und daß auf den entfernteren auch vollkommenere Wesen leben, wobei der Erde „ein mittlerer Stand der physischen sowohl, als moralischen Beschaffenheit zwischen den zwei Endpunkten" zukommt [97]. In der für ihn charakteristischen Art („Es ist erlaubt, es ist anständig, sich mit dergleichen Vorstellung zu belustigen; allein niemand wird die Hoffnung des Künftigen auf so unsichern Bildern der Einbildungskraft gründen") läßt Kant in hypothetischer Form die Möglichkeit eines mit der Vervollkommnung der Wesen Hand in Hand gehenden Palingenesiegedankens zu. „Nachdem die Eitelkeit ihren Anteil an der menschlichen Natur wird abgefordert haben: so wird der unsterbliche Geist, mit einem schnellen Schwunge, sich über alles, was endlich ist, empor schwingen, und

---

> Und dieses Punkt der Welt von mindrer Trefflichkeit
> Dient in dem großen All zu der Vollkommenheit;
> Und wir, die wir die Welt im kleinsten Theile kennen,
> Urtheilen auf ein Stück, das wir vom Abhang trennen.

[92] Kant, Werke ed. Weischedel, Bd. I, 661.

[93] aaO. Bd. I, 393 f.

[94] aaO. 335: „... der erhabenste unter den deutschen Dichtern ..." und 343: „...was der philosophische Dichter von der Ewigkeit saget ...".

[95] aaO. 393.

[96] „Indessen sind doch die meisten unter den Planeten gewiß bewohnt und die es nicht sind, werden es dereinst werden" (aaO. 381).

[97] aaO. 393 f.

in einem neuen Verhältnisse gegen die ganze Natur, welche aus einer näheren Verbindung mit dem höchsten Wesen entspringet, sein Dasein fortsetzen" [98]. Auf diesem Glauben beruht der berühmte Satz aus der ‚Kritik der praktischen Vernunft': „Der bestirnte Himmel über mir, und das moralische Gesetz in mir" [99]. Auch in der ‚Allgemeinen Naturgeschichte' bildet der gleiche Glaube den Beschluß: „In der Tat, wenn man mit solchen Betrachtungen . . . sein Gemüt erfüllet hat: so gibt der Anblick eines bestirnten Himmels, bei einer heitern Nacht, eine Art des Vergnügens, welches nur edle Seelen empfinden" [100]. Von hier aus fällt Licht auf einige Stellen in Kleists Briefen, an denen er davon spricht, daß er, wenn ihm das Glück auf Erden versagt bleibe, vielleicht auf einem anderen Stern (I, 162 und II, 26) einen besseren Platz finden wird, Stellen, an denen auch einfach die tröstende Wirkung des Sternenhimmels erwähnt (I, 188) oder, noch unauffälliger, überhaupt nur von dessen Anblick gesprochen wird [101]. Bekanntlich hält Kleist auch später an dieser seiner Religion im Kern fest [102], wenn sich auch eine ihrer Hauptbedingungen in der Kantkrise wandelt. Noch in den Abschiedsbriefen vor dem Tode ist etwas davon zu spüren [103].

Mag nun entweder Kants ‚Allgemeine Naturgeschichte' eine direkte Quelle für Wünsch darstellen, oder mag man annehmen, daß bereits eine Lektüre des vorkritischen Kant in breiterem Umfange vor der Kantkrise zur Formung von Kleists Weltbild beitrug, auf jeden Fall erweist das zweimalige Beieinanderstehen der genannten Zeugen, daß auch ohne direkte Abhängigkeit eine gemeinschaftliche Teilhabe an einem größeren Traditionstrom vorliegt. Schon die Verwendung der Vokabeln und Elemente des Palingenesiegedankens mit seinen weiteren Zusammenhängen zeigt, daß Kleist festes Traditionsgut annimmt. Damit wird

---

[98] Beide Zitate aaO. 395. Vgl. auch ebda.: „Vielleicht bilden sich darum noch einige Kugeln des Planetensystems aus, um nach vollendetem Ablaufe der Zeit, die unserem Aufenthalte allhier vorgeschrieben ist, uns in andern Himmeln neue Wohnplätze zu bereiten."

[99] Werke IV, 300 (im Original gesperrt). Mit der Nacht und dem Anblick des Sternenhimmels verband Kant das Gefühl des Erhabenen, vgl. ‚Beobachtungen über das Gefühl des Schönen und Erhabenen', Werke I, 827.

[100] aaO. 396. — Gleiches wird von Christian Jakob Kraus, dem Kollegen Kants, dessen Hörer Kleist später war, berichtet (Unger, „Der bestirnte Himmel über mir . . .", aaO. 62, Anm. 25).

[101] I, 171. — II, 25. 26. 56.

[102] II, 139. 149. 151 f.

[103] Vgl. Walter Silz, On Homburg and the Death of Kleist, Monatshefte 32, 1940, 331.

ferner klar, daß die von Muth nur ungefähr bezeichnete Basis für die Überzeugung des jungen Kleist verbreitert werden muß. Es genügt nicht, sie an die ‚Sympathien' und ‚Kosmologischen Unterhaltungen' anzuknüpfen, zumal Kleist selbst im sogenannten „Kantbrief" nach seinen eigenen Worten „den Ursprung und den ganzen Umfang dieses Gedankens, nebst allen seinen Folgerungen" (I, 221) beiseiteläßt. Wir bleiben zwar im gleichen Umkreis (nicht zufällig war Wieland der Lieblingsdichter Kants), legen aber Wert darauf, einerseits die Grundlagen der Kleistschen Weltanschauung beim jungen Wieland in größerem Umfang und genauer anzugeben und anderseits die zweite Wurzel, für die Wünsch allenfalls als Vermittler in Frage kommt, beim vorkritischen Kant aufzuzeigen.

Ein anderer Traditionsstrom in der Bildungsgeschichte des jungen Kleist ist bisher teils unbeachtet geblieben, teils einseitig gesehen worden. Die wenigen Spuren, die darauf hinweisen, seien kurz zusammengestellt. — Unter den französischen Schriftstellern, deren Lektüre für Kleist bezeugt ist, hat lediglich Rousseau in der Kleistforschung Beachtung gefunden. Abgesehen von einer mehr beiläufigen Zitation eines d'Alembertschen Satzes (II, 156) nennt Kleist in seinen Briefen — und zwar an ausgezeichneten Stellen — auch noch Voltaire und Helvetius. Damit geraten wir in den Kreis der um die Enzyklopädisten zentrierten französischen Aufklärung. Voltaire wird dabei zugleich mit Rousseau und Helvetius genannt (II, 46), Helvetius noch einmal zusammen mit Rousseau (II, 174). Das sollte davor warnen, den Einfluß Rousseaus auf Kleist zu isoliert zu betrachten; die meisten der Rousseauschen Hauptgedanken paßten durchaus noch in die Bestrebungen der deutschen Aufklärung. Ulrike war hierin Kleists Geistesverwandte, denn ihr schlägt Kleist am 14. Juli 1807 das Zusammenleben u. a. mit den Worten vor: „Du liesest den Rousseau noch einmal durch, und den Helvetius . . ." (II, 174).

Diese Spuren werden ergänzt durch einen merkwürdigen Satz in dem Brief Maries von Kleist vom 10. Dezember 1811, in dem sie ihrem Sohn eine Art Rechtfertigung für ihr Verhältnis zu Kleist gibt. „Französische Literatur, Umgang mit Freigeistern hatten leider Zweifel in ihm[!] gebracht" (LS 563, S. 392). Nun wird der Ton dieses Satzes durch die Grundhaltung der offenbar sehr religiösen Frau erklärt [104], unerklärt bleibt nur, was wir mit der Wendung „Umgang mit Freigeistern" anfangen sollen. Hier hilft ein Satz in Kleists Brief vom

104 Vgl. den Brief an den König vom 26. Dezember 1811 (LS 566).

28. Juli 1801 an Frau von Werdeck weiter: „Von Bahrdten hörte sie [Ulrike] einst, er habe den Tod seiner geliebten Tochter am Spieltische erfahren, ohne aufzustehen. Der Mann schien ihr beneidens- und nachahmungswürdig“ (II, 40). Der hier gemeinte Theologe Karl Friedrich Bahrdt war das letzte Haupt des Illuminatenordens. Dieser Orden nahm durchaus auch Anregungen von Rousseau auf, so sehr sich seine Bestrebungen sonst auf das Naturrecht und die Vernunft gründeten. Zwar können wir Kleist keine Verbindung zu den Illuminaten oder zur Freimaurerei überhaupt nachweisen, doch wird der Kreis einigermaßen dadurch wieder geschlossen, daß Wieland dieser geistigen Welt nahestand; in seinem ‚Peregrinus Proteus‘ (1791) sind solche Ideen gestaltet, insbesondere spiegelt sich auch die Neigung der Zeit zur Geheimbündelei darin wieder. Wieland hatte schon zu Anfang der siebziger Jahre seiner „Freigeisterei“ halber Schwierigkeiten. Ein damals aus Erfurt verjagter Pater Simon Jordan legte in Wien dem Kaiserlichen Hofe eine Anklageschrift vor, in der es hieß, Bahrdt, Joh. Georg Meusel, vor allem Wieland und der Ästhetiker Friedrich Justus Riedel „seien zügellose Freigeister und Epikuräer; sie hätten in den sächsischen Fürstentümern viel Skandal erregt“ [105]. — Es wäre wichtig zu wissen, ob der Brief, den Georg Christian Wedekind 1804 aus Mainz an Wieland richtete, und den dieser so ausführlich beantwortete, auch auf einer derartigen Verbindung beruht, denn Wedekind war Mitglied einer Freimaurerloge [106]. — Dies alles mag zeigen, wieweit man, das Vorhandensein von Quellen vorausgesetzt, ausgreifen müßte, um die geistige Welt des jungen Kleist annähernd beschreiben zu können, und auf wie schmalem Grat wir uns mit den wenigen Nachrichten, die wir auswerten können, bewegen, schließlich aber auch, wie gefährlich es ist, auch diese noch beiseite zu schieben.

Jenes so charakteristische zielgerichtete Streben, das wir schon für das Glücksverlangen hervorhoben, zeigt sich auch darin, daß im Hinblick auf die Vollkommenheit alles, was im empirisch-irdischen Bereich geschieht, auf ein im Unendlichen liegendes Ziel bezogen ist. Die reale Bedingung nun, unter der sich Vollkommenheits- wie Glücksstreben vollziehen, ist die „Bildung“. Der Bildungsbegriff des jungen Kleist kann umschrieben werden mit den Worten „Ausbildung“ oder, in der Sprache des 18. Jahrhunderts, „Kultur“. Dabei wird ein vorgegebener Kern ent-

[105] Friedrich Sengle, Wieland, Stuttgart 1949, 268.

[106] Vgl. Karl Zimmermann, Heinrich v. Kleist am Rhein 1803—04, Rhein. Vierteljahrsblätter 21, 1956, 369 f.

wickelt (I, 131), und zwar wird Entwicklung als telosbestimmt aufgefaßt, nicht etwa im Sinne einer Entelechie. Wie der Auffassung von der Persönlichkeit, so fehlen auch der vom Vorgang der Entwicklung alle organologischen Vorstellungen. Viel später kennt Kleist auch ein unbewußtes Wachstum (II, 138), aber er versucht nicht, es deutlich zu begreifen, sondern begnügt sich damit, eine Kraft der Persönlichkeit anzuerkennen, die allen Wandlungen zugrunde liegt, deren Wirken man jedoch nur den plötzlich vorhandenen Resultaten abnehmen kann.
Dem Begriff Bildung fehlt ein eigentliches Leitbild, ausgenommen der in der Dimension des Unendlichen gedachte „Weise“ als Idealbild der Vollkommenheit. Bildung ist eine geradlinig-stetige Zunahme von Kenntnissen und positiven Eigenschaften (Tugenden). Alle dabei erreichbaren Stufen sind nur Näherungswerte auf die der Vollkommenheit hin, ohne diese als Ziel haben sie keinen Sinn, Bildung ist ein unendlicher Prozeß (I, 183. 221). Auf Erden erreichen wir nur einen relativ höheren Grad von Bildung, keinerlei abschließendes Ergebnis. Ein Vergleich zeigt, daß Wünsch den Begriff Bildung nicht kennt. Er spricht von verschiedenen Graden oder Stufen „der Ausbildung des menschlichen Herzens, der Aufklärung des Verstandes, der Liebe gegen unsere Mitmenschen“ [107]. Bildung und Ausbildung sind ihrem Objekt nach durch einen feinen Unterschied gekennzeichnet: das von Kleist so gern verwendete Wort „Ausbildung“ bezieht sich auf einzelne Fähigkeiten, etwa die Beobachtungsgabe, während „Bildung“ auf die Ganzheit der Persönlichkeit zielt [108]. Das schließt naturgemäß aus, daß Kleist unter Bildung konkrete Ziele und Zwecke mitversteht. Mit dem sogenannten Kant-Brief verschwindet der Begriff fast gänzlich. Der als vergeblich erkannte Wunsch, in einer „rein-menschlichen Bildung“ (II, 43) fortzuschreiten, findet in der Kantkrise sein Ende. Da Kleist den erklärenden Zusatz beifügt: „das Wissen macht uns weder besser, noch glücklicher“, weist er damit selbst darauf hin, daß Bildung für ihn im intellektuellen Bereich zentriert war [109]. Darüber hinaus hatte sich innerhalb der Zweiheit von Intellekt und Gefühlskräften inzwischen eine Verschiebung der Gewichte vollzogen. Die Denkübungen für Wilhelmine waren beispielhafte Fälle einer zweckfreien allgemeinen „Bil-

[107] aaO. Bd. I, 53.
[108] Anfänglich nennt Kleist noch seine „moralische Ausbildung“ eine seiner heiligsten Pflichten (I, 23), dabei wird die Ausbildung „als Mensch“ von der des Offiziers (d. h. des Bürgers) abgehoben.
[109] Vgl. VII, Kl. Schr. 7: „... seitdem ich denke, und an meiner Bildung arbeite ...“.

dung für das Leben". Von daher betrachtet scheint auch jedes Spezialstudium, etwa das der Mathematik, weniger einen Eigenwert zu besitzen als vielmehr einen Zugang zu einem Allgemeinen, „Wahrheit", eröffnen zu sollen. Die spätere Kritik am praktischen Spezialistentum des Gelehrten deutet bereits an, daß Kleist etwas die Einzelwissenschaften Übergreifendes sucht. So stellt seine Hinwendung zur Dichtung durchaus eine Fortsetzung jenes allgemeinen Bildungs- und Wahrheitsstrebens dar, nur daß gerade der Charakter des Wissenschaftlichen im Totalitätsanspruch dieses früheren Strebens erst zerbrechen mußte, bevor Dichtung möglich war. Die Suche nach den Ausdrucksmitteln ist dann eine weitere, ganz andere Sache.

In der Rückschau bringt Kleist Bildung mit „Wahrheit" in engste Verbindung. Mit dem Erwerben von Wahrheiten (oder Wahrheit) vollzieht sich Bildung, die das Ziel oder der Zweck dieses Sammelns ist: so wäre Kleists eigene Darstellung dieses Miteinanders der beiden Begriffe (I, 221. 225) zu paraphrasieren. Wie notwendig es ist, den Kleistschen Wortgebrauch möglichst genau zu analysieren, zeigt die Schwierigkeit, in die Ide geriet, als er den Kleistschen Wahrheitsbegriff zu definieren suchte, indem er die Frage stellte, ob Kleist die Wahrheit oder vielmehr Wahrheiten meine [110]. Prinzipiell muß man als möglich zulassen, daß die Wortbedeutungen bei Kleist nicht präzise festgelegt sind, daß also auch mehrere Bedeutungen innerhalb ein und desselben Textes vorkommen können, und gerade beim Begriff Wahrheit muß man sich hüten, eine Bedeutung ermitteln zu wollen. Kleist kennt deren wenigstens drei. Einmal verwendet er „Wahrheit" im Sinne von Richtigkeit, wobei Irrtum als Gegensatz verstanden wird. So spricht Kleist von der „Wahrheit" einer Meinung (I, 15), oder sagt, daß man „unter vielen Irrthümern nothwendig auch manche Wahrheit" entdecke (I, 23) [111]. In einer einzelnen Erkenntnis wird also ein Teil eines zugrunde liegenden Zusammenhangs deutlich. Weiter kann „Wahrheit" wahrer Satz oder Sentenz heißen, z. B. I, 27: „Solche Wahrheiten muß man sich hüten, auszusprechen" [112]. Schließlich ist „Wahrheit" (gewöhnlich ohne Artikel, die Wahrheit als Inbegriff der einzelnen Wahrheiten ist bei Kleist nir-

[110] aaO. 90 ff.

[111] Vgl. auch I, 40. Hierher gehört als vereinzelter Beleg noch: Wahrheit eines Bildes (VII, Kl. Schr. 7) = Deutlichkeit, Genauigkeit. Vgl. Adelung: „Die Übereinstimmung eines Satzes mit andern bekannten Wahrheiten ..." (aaO. IV, Sp. 1346).

[112] VII, Kl. Schr. 9; I, 39. 214. — II, 63. — Adelung: „Ein wahrer Satz, ein wahrer Ausspruch" (aaO. Sp. 1347).

gends gemeint) soviel wie Wissen überhaupt [113], und zwar zweckfreies Wissen, auch Gelehrsamkeit. Damit ist auch der Begriff Wahrheit seinem Wesen nach im intellektuellen Bereich beheimatet und wird in dem Augenblick fragwürdig, in dem die Verbindlichkeit dieses Bereiches zu Ende geht. Die Zerstörung des Glaubens an die Wahrheit als Kern der Kantkrise hängt, wie die Kleistforschung schon immer annahm, mit dem Erkenntnisproblem zusammen. Muths Deutung, in der Kantkrise gehe eine ursprünglich geglaubte Einheit von Bildung und Wahrheit verloren [114], trifft nicht ganz. Primär ist es die Erkennbarkeit des Wahren im Bereich des Konkret-Irdischen, die verlorengeht — daß es Wahrheit gibt, steht für Kleist auch weiter außer Zweifel [115] — und zwar genauer seine Erkennbarkeit mit den Mitteln des Intellekts, des Wissens und der Wissenschaft. Sie wird im Sommer 1801 von einem noch nicht näher kenntlichen „menschenfreundlicheren Zweck" (II, 50) abgelöst. Erst die Wortschatzuntersuchung deckt auf, daß nicht die Verknüpfung von Wahrheit und Bildung in der Kantkrise sich löst und deren eigentlichen Kern ausmacht, sondern daß beide ihren Sinn verlieren. Nachdem sich die Wahrheit als unerreichbar entzogen hat, steht auch die auf ihrem gesicherten Besitz basierende Bildung nicht mehr im Mittelpunkt. Damit fällt die reale Bedingung der Religion Kleists dahin, die Möglichkeit ihrer „Ausübung" auf Erden.

Die Kleistschen Lieblingswörter „Ziel" und „Zweck" treten häufig als verschlüsselnde Synonyma für inhaltlich genauer Bestimmbares ein. Sie sind Kleist so geläufig, daß er sie gelegentlich grammatikalisch verwechseln kann (I, 152: „so laß uns . . . unserm Ziele entgegen gehen, jeder dem seinigen, der ihm zunächst liegt, . . ."). Getrennte Bedeutungskreise zu unterscheiden erübrigt sich. Unter Ziel oder Zweck ist zunächst die Verfolgung des Lebensplan-Programms zu verstehen: „Ich habe mir ein Ziel gesteckt, das die ununterbrochene Anstrengung aller meiner Kräfte . . . erfordert, . . ." (I, 41). Später vertreten sie als Synonyma die Bestimmung, so, wenn „Bestimmung" des „irdischen Lebens" und „Zweck" des „ganzen ewigen Daseins" nebeneinandergestellt werden (I, 131), oder wenn Kleist definiert: „Bestimmung unseres irrdischen Lebens heißt Zweck desselben, oder die Absicht, zu welcher uns Gott auf diese Erde gesetzt hat"

---

113 I, 33. 183. 215. — II, 46 f.

114 aaO. 18 und 77.

115 Vgl. den Wortlaut „daß hienieden keine Wahrheit zu finden ist" (I, 222); „daß wir hienieden von der Wahrheit nichts . . . wissen" (I, 225).

(I, 136). Der Zweck kann auch in der Vervollkommnung des Menschen bestehen (I, 53).

An dieser Stelle ergibt sich die Gelegenheit zur Korrektur der verbreiteten Ansicht, daß, wie Fricke gesagt hat, schon in der vorkantischen Epoche das „Vertrauen" für Kleist die einzige Brücke zum Du dargestellt habe [116]. Die brieflichen Aussagen lassen am Verhältnis zum Du kaum Unbedingtes entdecken. Vielmehr besteht die Liebe für Kleist aus einem höchst beziehungsreichen System von Bedingungen und Bedingtheiten. Das Du wird geliebt als Träger von Vollkommenheiten, und da es weitgehend nur als solches geliebt wird, wird es kaum personal verstanden. Die Aufforderung an die Braut, sich seiner Liebe durch die eigene Vervollkommnung wert zu machen und sie auf diese Weise zu erhalten (I, 191), zeigt dies komplizierte Abhängigkeitsverhältnis klar. Liebe ist an den Begriff des Wertes gebunden, davon spricht schon die Frage: „Bin ich nicht ein edler Mensch, Wilhelmine?" (I, 52). Ich und Du sind weitgehend ausgeschaltet. „Denn so wie meine Liebe Dein Werk, nicht das meinige war, so ist auch die Erhaltund derselben nur Dein Werk, nicht das meinige" (I, 218). Auch hier zeigt sich wieder das Übergewicht der Beziehung über das Sein. Die Vervollkommnung als Zweck der Liebe — das ist von „existentieller" Lebenshaltung recht weit entfernt. Zumal in der Frühzeit ist Liebe in Kleists Briefen eine an der Glücks- und Vervollkommnungsreligion orientierte, weitgehend intellektualistische Konstruktion (I, 176). Es ist doch kaum zu verkennen, daß ein wärmerer, persönlicher Ton, kurz, etwas das auf Liebe schließen läßt, überhaupt erst nach dem Abschied vom Frühjahr 1801 auftritt, praktisch also in einem Augenblick, in dem Kleist sich von Wilhelmine bereits endgültig getrennt hat. Damals war der Glaube an die irdische Verwirklichung des Vollkommenheitsstrebens bereits gescheitert.

Bildung als Zweck des Daseins, das ist der Ton, der die Briefe Kleists vom Ende des Würzburger Aufenthalts an und im Berliner Winter 1800/01 durchzieht. Doch widersprüchliche Aussagen verraten die beginnende Unsicherheit. Wir lesen, daß die Bildung zur Mutter Wilhelmines Ziel sei (I, 150 ff.), die zum Bürger das seine, über beide führe der gemeinschaftliche Weg zum Glück der Liebe (I, 152). Zur gleichen Zeit spricht Kleist aber, unter Ablehnung einer Anstellung, von dem eigenen Zweck, dem er ausschließlich folgen müsse; hierunter müssen

---

[116] aaO. 25.

wir seine „rein-menschliche“ Bildung verstehen (I, 160. 212. 217). Dieser Zwiespalt brachte ihn schnell an einen Punkt, an dem eine Entscheidung für ihn unausweichlich wurde. Anfang Februar 1801 ist spätestens die Krisensituation da. „Zwei ganz verschiedne Ziele sind es, zu denen zwei ganz verschiedne Wege führen. Kann man sie beide nicht vereinigen, welches soll man wählen? Das höchste, oder das, wozu uns unsre Natur treibt? — Aber auch selbst dann, wenn bloß Wahrheit mein Ziel wäre, — ach, es ist so traurig, weiter nichts, als gelehrt zu sein“ (I, 215). Wahrheit und Bildung — das höchste von beiden Zielen (vgl. I, 222 und 225), das auch seinem Wesen nach ein höchstes ist — auf der einen Seite, und Liebe, die mit ihrem konkreten Ziel, der Heirat, auch all die praktischen Notwendigkeiten, die Kleist so verhaßt sind, wie wissenschaftliche Spezialisierung, Anstellung und Beruf, im Gefolge hat, auf der anderen, stehen gegeneinander. Wilhelmine gegenüber hält Kleist noch im Anfang des Kant-Briefes (I, 218) die Fiktion aufrecht, daß beide zu vereinen seien. Mit dem Verlust des Zieles „Wahrheit und Bildung“ verschwindet die Vorstellung des Telos [117].

Wenn dieser Endpunkt noch einmal überlagert wird von der Scheinwirklichkeit der erträumten ländlichen Idylle als neuem Ziel (II, 12 und 61), so darf man in diesem letzten Ausweg, bevor Kleist den Weg zur Dichtung findet, nicht den ganz neu einsetzenden Einfluß Rousseauscher Gedanken vermuten. Gewiß liegt in der Empfehlung Rousseaus für die Braut beim Abschied (I, 220) auch ein Rückzug auf die Kräfte des Gefühls vor, aber wenn dann Kleist meint, daß „die reine Natur“ das Ziel weise (II, 12), daß sie zur Vortrefflichkeit einlade (II, 38), daß s i e ihm „das Maas von Glück zumessen“ werde, das ihm zukomme (II, 59), und wenn er wünscht, „seine Bestimmung g a n z nach dem Willen der Natur zu erfüllen“ (II, 63), so geht das auf Grundvorstellungen zurück, die wir ex ovo in Kleists Briefen finden. Schon 1795 kennt er Besseres als die „Freuden der Stadt“ (I, 12) und äußert später gegen Wilhelmine oft und unverhohlen seine Abneigung gegen die Stadt; auch die Abneigung gegen Paris entspringt gleichem Boden [118]. Diese Grundvorstellung mag durch Rousseau, eventuell auf dem Umweg über Wieland, geweckt worden sein, aber doch nicht, wie die 1801 z. T. recht reservierten Äußerungen lehren (II, 25 und 47), in diesem Augenblick. Die Übereinstimmungen zwischen diesen Wunschträumen und analogen

[117] „Mein einziges, mein höchstes Ziel ist gesunken, und ich habe nun keines mehr —“ (I, 222). Vgl. auch I, 223. 225. 231. — II, 11. 28 f.

[118] I, 70 f. 111. — II, 17. 21. 66.

in den Briefen von der Würzburger Reise beweisen ebenso weiter zurückreichenden Rousseau-Einfluß, wie sie den scheinhaften Charakter der jüngeren Beispiele unterstreichen. Auch das Schwärmen für das pays de Vaud (I, 166), drei Jahrzehnte ältere Äußerungen der Stürmer und Dränger wiederholend [119], deutet auf lebendige Einwirkung Rousseaus.

Die Hervorhebung des intellektuellen Bereichs und seiner Bedeutung für die Entwicklung des jungen Kleist vor dem Beginn seiner Dichtung führt zwangsläufig dazu, nach der Gegenseite, die man mit dem Stichwort „Gefühl" zu kennzeichnen sich gewöhnt hat, zu fragen. Mit der Aufstellung einer einfachen Alternative Gefühl — Vernunft ist dabei nicht viel getan. Die Zeichnung eines klaren Dualismus, wie sie Fricke unternahm, geht von der Voraussetzung aus, daß beide Bereiche deutlich voneinander getrennt werden können, was den Tatsachen, wie sich zeigen wird, nicht entspricht. Erst nach der Klärung dieser Frage wird man zu der sich anschließenden fortschreiten können, ob es sich dabei um zwei grundsätzlich verschiedene „Einstellungen zum Dasein" [120], die existentielle und die theoretische, handelt. Fricke hatte von einer „ursprünglichen harmonischen Gleichsetzung beider Begriffe" gesprochen und gemeint, daß sie dann zunehmend in Gegensatz zueinander träten. Nach Frickes eigenen Belegen gibt es beides im gleichen Zeitpunkt [121]. Seine These für den Umbruch in der Entwicklung des jungen Kleist: „im Gefühl liegt der Protest des in der rationalistischen Pseudomorphose . . . übergangenen . . . subjektiven Elements, des Ich gegen die falsche Allgemeinheit der Ratio" [122] geht von Vorstellungen aus, die allenfalls in Teilen der Dichtung Kleists Raum hätten, die Eigenständigkeit des Verfassers der Briefe wird so überdeckt. Die klaren Linien der Frickeschen Konzeption lassen sich auch in diesem Punkt nicht bewahren. Fricke hatte die nun einmal nicht wegzuleugnenden aufklärerischen Züge als bloße Denkformen bezeichnet, die als Einkleidung einem geistesgeschichtlich von ihm als idealistisch angesehenen Ziel des jungen Kleist im Grunde unangemessen gewesen seien. Die Teilhabe an diesen Denkformen fordert jedoch einfach, daß auch substantialiter eine Identität vorliegt — zumal es ja durchaus auch um die Denkinhalte geht. Wir

---

119 Vgl. Erich Schmidt, Richardson, Rousseau und Goethe, Jena 1875, 179.
120 Fricke, Gefühl und Schicksal, aaO. 30.
121 aaO. 30, Anm. 3. — Das Zitat aus dem ‚Aufsatz . . .' (VII, Kl. Schr. 11) steht zu seiner Entsprechung im Martini-Brief in völligem Gegensatz, es bezieht sich somit auf Rühle als den Empfänger des Aufsatzes.
122 aaO. 30.

dürfen keineswegs eine Zweigleisigkeit von Form und Inhalt dieses Denkens postulieren.

Eine Analyse des Gefühlsbegriffs bei Kleist ist für sich genommen ohne Sinn. Es ist vielmehr unumgänglich, diesen Begriff innerhalb des gesamten Bereichs der Innerlichkeit zu betrachten. Nur so tritt die relativ komplizierte Verzahnung von Gefühls- und Verstandesbereich ans Licht, nur so gewinnt man das rechte Maß für den Bedeutungsgehalt des als Schlüsselbegriff in der Kleistforschung eine so große Rolle spielenden Wortes „Gefühl“. Unsere Untersuchungen des Kleistschen Sprachgebrauchs müssen also auf die Kräfte des Inneren überhaupt ausgedehnt werden. Untersuchungsfeld ist der Komplex der Briefe allein, der Bereich der Werke ist eine Sache für sich.

Der zentrale Oberbegriff für den Bereich der Innerlichkeit, zugleich auch der am häufigsten auftretende ist „Seele“. Es ist von der größten Bedeutung, daß damit bis auf seltene Ausnahmen [123] niemals der emotionale Bereich (Empfindung, Gefühl) alleine gemeint ist, dagegen häufiger der rationale überwiegt. So spricht Kleist etwa von der „denkenden Seele“ (I, 36) oder sagt von sich: „ . . . in meiner Seele regt sich kein Gedanke“ (I, 52), von Wilhelmine: „ . . . wenn Deine Seele diese Gedanken bestätigt“ (I, 194) [124]. Diese letzteren Belege reichen auch zeitlich noch weiter als die ersteren. Die große Mehrheit der Fälle kennt jedoch eine solche Scheidung überhaupt nicht, so daß „Seele“ definiert werden muß als zusammenfassender Begriff für den Gesamtbereich der Innerlichkeit, für die Denk- und Vorstellungsvermögen in ihrer Gesamtheit. Aber nicht nur das Umfassende, sondern zugleich auch das Unbestimmte dieses Wortgebrauches ist wichtig. Kleist spricht zwar mit Vorliebe vom Inneren des Menschen, aber zunächst ohne dabei verschiedene Bereiche zu trennen. Das Innere wird räumlich aufgefaßt, wie die zahlreichen Präpositionen (meist „in“, „hinein“, „aus“, „hinaus“, seltener „vor“, „an“, „durch“) zeigen [125]. Diese räumliche Vorstellung lebt auch in Verbindungen mit dem Verbum “(er)fül-

---

[123] I, 17 („weil ich mit ganzer Seele fühle“). 79 („Empfindungen . . . in Deiner Seele lebendig“). 192 („daß Dir jetzt ein Gefühl die Seele bewegte“). 193. — II, 45 f. Vgl. Adelung aaO. IV, Sp. 11: „Das Vermögen, die Kraft, zu empfinden und zu begehren.“

[124] Vgl. ferner I, 181. 185. 194. 222. 223(2). 225(2). 233. — II, 34. 59. 62.

[125] Vgl. Adelungs dritte Bedeutung: „Das Wesen, welches in uns denkt, Verstand und Willen hat, ein mit einem organischen Körper verbundener Geist“ (aaO. IV, Sp. 11).

len“ [126], mit der Vorstellung, daß die Seele sich erweitere [127], und mit der von ihrer Offenheit [128]. Äußerlich würde dies Vokabular es durchaus nahelegen, eine enge Verbindung zur Sprache der Geniezeit anzunehmen, doch steht dem die Einheit von Vernunft und Herz bei Kleist entgegen [129]. Anderseits kommt der Begriff nicht rein im Bereich rationalen Raisonnements vor. Nur ein einziges Mal (II, 48) ist von der Seele d e s Menschen die Rede. Kleist benutzt beinahe jede Gelegenheit, „Seele“ synekdochisch zur Bezeichnung einer Person zu verwenden, und zwar zumeist in Bezug entweder auf das sprechende Ich oder das angeredete Du. Er sagt, daß er „von e i n e r Seele wenigstens“ (I, 42) verstanden werden möchte, statt „von einem Menschen“; er spricht davon, daß etwas ihm „die ganze Seele erfüllt“ (I, 123), statt „mich ganz erfüllt“. Von Brockes heißt es: „Frei war seine Seele und ohne Vorurtheil“ (I, 203), statt „frei war er . . .“ [130]. Diese scheinbare Zwitterform von allgemeinem und ichbetontem Gebrauch ist noch deutlicher und verwirrender erkennbar an der Verbindung von Personalpronomen und dem Wort „ganz“ („meine ganze Seele“), die bei keinem Begriff aus dem Bereich der Innerlichkeit sonst so häufig ist. Wenn Kleist die Unterscheidung trifft: „ . . . daß . . . der Mann n i c h t m i t a l l e n seinen Kräften für seine Frau, die Frau hingegen mit ihrer g a n z e n S e e l e für den Mann wirkt“ (I, 63), so zeigt das eindeutig, daß mit diesem Wort die Vereinigung a l l e r Kräfte des Inneren gemeint ist [131]. Nun hat „ganz“, ebenso wie etwa „innig“ und „Innigkeit“, bei Kleist eine lediglich bekräftigende Bedeutung, es ist eine bloße Steigerungsform (= sehr, stark), ohne besonderen Bedeutungsakzent wie in der Sprache des vorromantischen Irrationalismus [132]; es kommt denn auch bei Kleist fast gar nicht als Adverb vor. Hat selbst diese Steigerungsform keinerlei veränderte Bedeutung, so ist mit aller Vorsicht der Schluß zu ziehen: da der Begriff „Seele“ nicht auf die Erzielung einer Verschmelzung von

[126] I, 44 („was meine ganze Seele erfüllt“). 45. 46(2). 123.

[127] I, 70. 193.

[128] I, 98. 193 („mit offner, empfänglicher Seele“).

[129] Vgl. II, 50: „. . . bis Vernunft und Herz mit aller Gewalt meiner Seele einen Entschluß bewirken —“.

[130] Vgl. ferner I, 106. 151. 191. 192(2). 203. 206. 213. 221. 222. 223. 225. 233. — II, 45. 66. 70. 128. 158. 195. — Sembdner II, 883—885. 888.

[131] Vgl. I, 164. 191. 202. 208. 234. — II, 25. 127.

[132] Vgl. August Langen: „Eine Grundforderung der irrationalistischen Lebenshaltung ist die T o t a l i t ä t “, die ihre sprachliche Spiegelung in den Worten a l l (fehlt bei Kleist!) und g a n z finde (Der Wortschatz des 18. Jahrhunderts, in: Deutsche Wortgeschichte, hg. v. Maurer-Stroh, 2. Aufl., Bd. II, 111).

rationalem und irrationalem Bereich ausgeht — beide werden ja von vornherein nicht als geschieden vorgestellt —, müssen wir ihn seinem Charakter nach letztlich als einen Terminus der Unbestimmtheit auffassen. Bei seiner exponierten Stellung — er ist den anderen Begriffen des Inneren eindeutig übergeordnet [133] und bezeichnet das wesensmäßige Zentrum des Menschen [134] — ist die Feststellung, daß Kleist hier eine sprachliche und ausdrucksmäßige Grenze erreicht und das Eigentlichste mit einem allgemeinen Begriff eher verschlüsselt als bezeichnet, von einiger Bedeutung. Eine solche Verschmelzungstendenz hatte Rudolf Hildebrand 1897 in seinem berühmten Artikel „Gefühl" im Grimmschen Wörterbuch gerade für das Wort „Gefühl" in der Zeit um 1800 festgestellt: „ . . . es geht also auf eine geahnte und gesuchte verschmelzung der thätigkeit von k o p f und h e r z hinaus, die man eben erst im 18. Jahrhundert so genau zu scheiden sich gewöhnt hatte" [135]. Die Verschmelzung aller Kräfte des Inneren, wenngleich nicht in einem einzelnen Wort, betont auch Schiller in den Sätzen, mit denen er am 12. Juni 1795 Herder für die Humanitätsbriefe dankt [136]. Um so bedeutsamer ist die übergeordnete Stellung von „Seele" beim jungen Kleist.

Ähnliches zeigen die höheren Intensitätsgrade des gleichen Begriffs, „Innerstes, Heiligtum, Natur der Seele" [137]. Es sind Steigerungsformen, die zwar größeres Gewicht gegenüber der einfachen Form, aber keinen prägnanteren Sinn haben; auch hier wird eine gewisse Schwelle nicht überschritten und die höhere Ausdrucksintensität läßt die Bestimmtheit der Vorstellung nur um so geringer erscheinen.

Für die ausdrucksmäßige Steigerung dessen, was Kleist mit „Seele" bezeichnet, dient auch der unbestimmtere Ausdruck „ I n n e r e s " (oder „Innerstes"), meist mit Possessivpronomen verbunden und auf Ich oder Du bezogen, zur besonderen Auszeichnung auch „heiligstes" genannt. Früh schon taucht bei Kleist die Wendung auf, daß er in seinem Inner-

---

133 Das Herz ist zwar „liebenswürdiger", die Seele aber „ehrwürdiger" (I, 190).

134 I, 205 (innerste Seele), übrigens ohne personalen Bezug. Die Seele ist das Zentrum der Haltung und Bewegung (I, 199), eine bedeutsame Vorwegnahme einer Grundidee des Marionettentheater-Aufsatzes (vgl. VII, Kl. Schr. 41).

135 Deutsches Wörterbuch IV, 1, 2; Sp. 2183.

136 „Das eben ist das so sehr Auszeichnende darin (und was auch das Prädicat der Humanität eigentlich ausdrückt), daß Sie Ihren Gegenstand nicht mit i s o l i r t e n Gemüthskräften anfassen, nicht bloß d e n k e n , nicht bloß a n s c h a u e n , nicht bloß f ü h l e n , sondern zugleich fühlen, denken und anschauen, d. h. mit der ganzen Menschheit aufnehmen und ergreifen." (Schiller-Nationalausgabe, Bd. 27, 191, 19 ff.)

137 I, 211. 225. — II, 28. 98. 150.

sten unverstanden sei [138]. Er ist in seinem „heiligsten Innern" (I, 191) von etwas überzeugt; sein „Innerstes" (I, 212) ist erschüttert; ein „Hauptgedanke" ergreift sein „Innerstes" (I, 221) [139]. Der Ausdruck kommt aber nach dem Pariser Sommer 1801 nicht mehr in bedeutsamer Weise vor [140]. Der Stimme des „Inneren" gebührt kein uneingeschränktes Vertrauen, täuschbar und täuschend sind beide. Der gern zitierten Stelle im Brief an Karoline von Schlieben vom 18. Juli 1801, an der von dem Menschen die Rede ist, „dem ein Gott in seinem Innern heimlich anvertraut, was r e c h t ist" (II, 20), widerspricht die wenig spätere vom 15. August: „Man sage nicht, daß eine Stimme im Innern uns heimlich und deutlich anvertraue, was Recht sei" (II, 48). Ein ungebrochenes Vertrauen in die Stimme des Inneren kennt Kleist nicht. — Anders als bei dem Komplex der an Lebensplan und Vervollkommnungsglauben sich anschließenden Begriffe, ist die Übereinstimmung mit älteren Autoren bei den Begriffen des Inneren wesentlich geringer. So spricht Wieland etwa vom „Inneren" gewöhnlich noch mit dem erklärenden Zusatz „meiner Seele" oder „meines Gemüts". Bezeichnenderweise gebraucht Kleist in seinen Briefen so gut wie nie die bei Wieland so häufige Wendung „mein ganzes Wesen", der gegenüber „meine ganze Seele", mehr noch „mein ganzes Herz" (beide bei Klopstock und Wieland verbreitet) eine weit engere, weniger ausgezeichnete Bedeutung besitzen. Während diese Wendung in der Sprache von Empfindsamkeit und Sturm und Drang häufig als Klimax der Ergriffenheit am Ende einer Kette sich steigernder, auf das Innere bezogener Vorgänge erscheint [141], bedeutet „Wesen" bei Kleist entweder Gebaren, Gestus, oder aber veranlagungsbedingter Kern der Person. Einmal, und da im offenkundigen Rückgriff auf Wieland, hat „mein ganzes Wesen" auch den ganzen Bedeutungsumfang der empfindsamen Sprache (II, 36).

In der Häufigkeit des Auftretens folgt nach „Seele" das Wort „H e r z", das nun an sich die Kräfte des Gefühls bezeichnen müßte.

---

[138] I, 44. 211.

[139] Vgl. auch I, 109. 199. 219. 220. 222. 223. — II, 36. 44.

[140] Das spätere „im Innersten meiner Seele" (II, 150) ist dem förmlichen Stil der Briefe an Altenstein zuzuschreiben (vgl. an Rühle das einfache „im Innern" II, 151), wie auch sonst manche gesteigerten Ausdrücke, die nur in den frühen Briefen bis 1801 vorkommen, in Briefen an Höhergestellte der kurialen Schreibweise angehören.

[141] Als besonders schönes Beispiel vgl. noch im ‚Ofterdingen' den Höhepunkt des Liebesgesprächs zwischen Heinrich und Mathilde (edd. Kluckhohn-Samuel, 2. Aufl., Bd. I, 289).

„Herz" meint aber keineswegs alleine Wesen und Kern des Ich, sondern nur eine Teilfunktion der Seele, es steht in einem eigentümlichen Wechselverhältnis zu den Verstandeskräften. Hinzu kommt noch eine Beschränkung des Anwendungsbereiches, da in der Mehrheit der Fälle die Liebe im Zusammenhang mit „Herz" auftritt. Diese Einschränkung scheidet Kleists Wortgebrauch scharf vom Vokabular des Sturm und Drang, mit dem nur selten Übereinstimmung vorliegt. Abgesehen von wenigen konventionellen Wendungen [142] gibt es sie nur im Wertbewußtsein des eigenen Herzens [143]. Wie „Seele" so wird auch „Herz" häufig für das Innere gebraucht, jedoch ohne einen besonderen Bedeutungsakzent in Richtung auf das isolierte Gefühl, das etwa zum Verstand in Gegensatz träte. Im allgemeinen steht „Herz" einfach als Synekdoche für die gemeinte Person. „Wie sehnt sich mein Herz nach einem Paar freundlicher Worte von Deiner Hand, . . ." (I, 129); „Dein Herz wird Dir beben, . . ." (I, 139); auf einem Balle setzen „das Herz . . . und der Verstand den Pulsschlag ihres Lebens ganz aus . . ." (I, 152) [144]. Besonderes Gewicht kommt dem Wort selten zu [145]. Es wäre nicht richtig, es mit einer frühen Entdeckung des Glaubens an die Macht des Gefühls in Verbindung zu bringen, denn die wenigen Stellen, an denen „Herz" in Gegensatz zu „Geist" tritt [146], sind durchweg älter und fallen nicht

---

[142] So „fühlbares" (= fühlendes) Herz (I, 12 und II, 21).

[143] „. . . ein Herz, das sich mit dem beßten messen kann . . ." (I, 78); „. . . was Ihnen Ihr Herz sagt, ist Goldklang, und der spricht es selbst aus, daß er ächt sei" (II, 20); „Kenntnisse, was sind sie? Und wenn Tausende mich darin überträfen, übertreffen sie mein Herz?" (II, 62). — Vgl. den berühmten ‚Werther'-Satz: „. . . dies Herz, das doch mein einziger Stolz ist, das ganz allein die Quelle von allem ist, aller Kraft, aller Seligkeit und alles Elendes. Ach, was ich weiß, kann jeder wissen — mein Herz habe ich allein." (Artemis-Gedenkausgabe IV, 455).

[144] Vgl. ferner I, 11. VII, Kl. Schr. 17. I, 34. 125. 145. 146. 149. 159. 176. 178. 193. 200. 201 f. 205. 216. 218. 222. 235. — II, 16. 17. 18. 33. 53. 59. 60. 63. 66. 68. 81. 84. 103. 115. 124. 126 f. 129. 141. 149. 169. 178. 196. 216. 258. 280. — Sembdner II, 883. 884.

[145] Allenfalls an folgenden Stellen: I, 99 („wobei mein Herz und mein Gefühl noch mehr genießt"). 189. 201. — II, 8. 10. 18—21. 28. 30. 43 („Ach, ich trage mein Herz mit mir herum, wie ein nördliches Land den Keim einer Südfrucht"). 165.

[146] In Klammern die Kontrastbegriffe: I, 42 (Kopf, Verstand). 54 (Vernunft). 119 (Verstand). 204 (Verstand; es verdient erwähnt zu werden, daß die scharfe Trennung von Herz und Verstand hier Brockes zugeschrieben wird, sie war Kleist sichtlich auffällig und wurde zumindest in diesem Ausmaß nicht von ihm geteilt). 227 (Verstand; die Trennung impliziert hier keinen einseitigen Wert-

ins Gewicht gegenüber den überaus zahlreichen Belegen, die beide als Komplementärbegriffe für eine zwar pluralisch, aber doch harmonisch aufgefaßte Doppelheit der Seelenkräfte ausweisen. Der Brief an Martini soll „eine möglichst vollständige Darstellung" von Kleists „Denk- und Empfindungsweise enthalten" (I, 14); „die Natur würde . . . das Gefühl und den Gedanken" in Wilhelmine „erwecken" (I, 106); diese soll immer fortschreiten in ihrer „Bildung mit Geist und Herz" (I, 131); im Pariser Sommer 1801 fragt Kleist: „Habe ich nicht Talent, und Herz und Geist, . . ." (II, 30); wenn Kleist noch 1811 von einem Menschen sagt, „mich dünkt er hat Herz und Verstand, . . ." (II, 283), so ist das ausdrücklich lobend gemeint[147]. Immerhin bezeigt die größere Häufigkeit der Belege nach der Kantkrise eine gewisse Akzentverschiebung, die jedoch durch das Fortbestehen der pluralisch-harmonischen Doppelformen weitgehend neutralisiert wird. Noch späte Belege aus der Königsberger Zeit kennen keinerlei Primat eines der beiden Bereiche, beide zusammen bilden erst ein Ganzes[148]. Diese Neigung zum gleichgewichtigen Doppelausdruck wird bei Kleist begünstigt durch die häufigen zweigliedrig-formelhaften Wendungen, die ebenso wie seine intensiven Komparationsformen darauf zurückgehen, daß ihm die Sinnbeschwerung des Einzelworts nicht möglich ist. Auch dies ein Zug, der ihn von der Geniesprache trennt.

Von den beiden terminologisch eng verwandten Begriffen „Empfindung" und „Gefühl" spielt der erstere bei Kleist eine geringe Rolle. Es sind meist ganz bestimmte und benannte Empfindungen ge-

---

akzent). — Nur II, 42, im Brief an Frau von Werdeck, sagt Kleist vom Herzen: „Ich will es nicht mehr binden und rädern, frei soll es die Flügel bewegen, . . ."; ähnlich dann wieder im Mai 1811 (II, 261).

[147] Vgl. ferner folgende Stellen (die komplementären Begriffe bzw. beide in Klammern): I, 30 (Kopf). 31 („meine Vernunft bekräftigt, was mein Herz sagt"). VII, Kl. Schr. 8 (Vernunft). 14 (Geist). — I, 51 (Witz und Scharfsinn und Gefühl des Herzens). 109 (innerstes Bewußtsein). 167 und 190 (Gedanken und Empfindungen). 180 (Geist). — II, 6 und 24 (denken und empfinden). 36 (Geist). 50 (Vernunft). 190 (Gedanke). 283 (Verstand). Vgl. auch ‚Ein Satz aus der höheren Kritik' (VII, Kl. Schr. 57), wo „Verstand und Empfindungen", also beide Seelenvermögen, den wahren Kritiker ausmachen.

[148] „. . . zwischen Herz und Vernunft eine ewige Eintracht zu stiften" ist schon für Moses Mendelssohn das Ziel eines wahren denkenden Geistes (aaO. 258). — Von einem Aufsatz, „in welchem sich eine ganz schöne Natur ausgesprochen hat", sagt Kleist noch 1805: „Mit Verstand gearbeitet, aber soviel Empfindung darin, als Verstand" (II, 137), und den Menschen nennt er ein Jahr später „ein edles Wesen, ein denkendes und empfindendes" (II, 148 f.).

meint [149], unter Annäherung an den in diesem Bereich sehr konservativen Adelung [150]; nur an wenigen Stellen wird das Wort (dann auch im Plural) absolut gebraucht [151]. Empfinden und Gefühl gehen bei Kleist, wie übrigens auch im 18. Jahrhundert [152], ihrer Bedeutung nach ineinander über [153]. Ausschlaggebend bei einer Analyse des Wortes „Gefühl" ist, daß „Gefühl" fast immer ein bestimmtes einzelnes ist, das mit näherer Angabe versehen wird, oder doch wenigstens als „ein" Gefühl auftritt (und nicht als „das" oder „mein" Gefühl) [154], nicht selten auch im Plural [155]. Ein bedeutungsmäßiger Unterschied zu Empfindung, die ebenso konkret bestimmt sein kann, ist nicht ersichtlich, Kleist zieht lediglich das dem Intensitätsgrad nach höher stehende Wort vor [156]. Unterscheidet sich Kleist vom älteren Sprachgebrauch durch den Fortfall des noch bei Wieland üblichen Attributs „inneres", so löst er sich doch nur äußerst selten von der Vermögenstheorie des 18. Jahrhunderts, die das Gefühl als eine Teilfunktion der Seele, etwa neben Vorstellungsvermögen und Willen, begriff. Erst ab 1807 könnte in Kleists Briefen von Gefühl als von einer selbständigen Wesenheit im Menschen die Rede sein, die als Richtschnur und schöpferische Kraft in seinem Handeln gilt [157]. So k ö n n t e man den Satz: „Folge deinem Gefühl" (II, 153) auslegen. Im Brief an Ulrike ist 1807 von „Forderungen" die Rede, die

---

[149] I, 12. 79 (Vertrauen und Ruhe). 150. 212. — II, 190. — Sembdner II, 884 ist körperliche Empfindung gemeint.

[150] Vgl. II, 215 „kam die ganze Empfindung meiner Mutter über mich" und Adelung aaO. I, Sp. 1800: „Die Vorstellung einer gegenwärtigen Sache selbst, die Wirkung, welche dadurch in der Seele hervorgebracht wird". Die Wendung hat also den Sinn: „ich sah meine Mutter vor mir".

[151] VII, Kl. Schr. 9. — I, 197. — II, 45. 70.

[152] Dessoir aaO. 433. Als Beispiel vgl. auch Wünsch, ‚Kosmologische Unterhaltungen', aaO. III, 304 f., der eine schwankende Haltung gegenüber dem ganzen Bereich einnimmt.

[153] Vgl. II, 128 und 141.

[154] I, 20 („das Gefühl ... unserer Würde"). 68 (Gefühl der Pflicht). 151. 192. 206 („verlassen zu sein"). 219 („ein stilles, süßes ..."). 234 („Dich betrogen zu haben"). — II, 19. 20 f. („ein Gefühl"). 22 („ein verstohlnes"). 28. 61 („Abhängigkeit von dem Urtheile Anderer"). 81 („mein krankhaftes"). 82 („ein vorübergehendes"). 141. 146 („unüberwindlichen Unvermögens"). 147. 174. 199. 281 („der Freundschaft"). — Sembdner II, 884.

[155] I, 16. 193(2). 195. — II, 34. 96. 127.

[156] Vgl. Adelung aaO. II, Sp. 477, s. v. „Gefühl": „Figürlich, eine jede lebhafte Empfindung, und in weiterm Verstande auch eine jede Empfindung". Sp. 342 s. v. „fühlen": „Von der innern Empfindung, so daß f ü h l e n einen lebhaftern Grad bezeichnet als e m p f i n d e n."

ihr „innerstes Gefühl“ (II, 173) an sie stelle. Als wirklich gewichtiger Beleg kann nur der Satz im Brief an Marie von Kleist vom 10. November 1811 gelten, daß er [Kleist] „so empfindlich geworden“ sei, „daß“ ihn „die kleinsten Angriffe, denen das Gefühl jedes Menschen . . . hienieden ausgesetzt ist, doppelt und dreifach schmerzen“ (Sembdner II, 883). Aber hier käme man ebenso wie in dem Satz, daß Ulrike nach „ihrem eigenen Gefühl“ (Sembdner II, 885) entscheiden solle, mit einer konkreten Bedeutung aus; im ersten Fall etwa „Empfindungsvermögen“, im zweiten „Urteilsfähigkeit“.

Man hat gemeint, daß das Erkenntnisvermögen des Gefühls — zum ersten Male von Röbbeling 1913 herausgestellt [158] — eine „spezifisch Kleistsche Wendung“ [159] sei. Die Zugehörigkeit des Gefühls zu den Erkenntnisvermögen, seine Auffassung als Vis cognoscitiva ist aber alt [160]; sie ist ohne weiteres einsichtig, wenn man sich die allmähliche Scheidung des Gefühls als positiver Vis animae von der sinnlichen Empfindung vergegenwärtigt [161]. — Gewiß gebraucht Kleist bisweilen „Gefühl“ auch als Synonym zu „Herz“ [162], doch ist von irgendeiner Unmittelbarkeit des Gefühls in der Frühzeit nichts zu spüren. Die Spontaneität des gerne zitierten „ersten Gefühls“ ist nur scheinbar, Trieb und Instinkt sind im Gegenteil „dunkel“, was bei Kleist durchaus negativwertend zu verstehen ist. Erst nachdem die Überlegung: „wie könntest Du hier am Edelsten, am Schönsten, am Vortrefflichsten handeln?“ als Barriere errichtet ist, ergeht die Frage an das Gefühl [163]. Dabei ist doch das Zutrauen zu seiner Unfehlbarkeit nur sehr bedingt. Man hat auch in der Werkdeutung gelegentlich übersehen, daß das Gefühl fehlbar ist, daß es keine ruhige Gewißheit darstellt, sondern eine Zuflucht, die

---

[157] Bei dem Beleg II, 242 wäre durchaus auch ein anderes Wort, wie etwa „Überzeugung“, möglich.

[158] Kleists Käthchen . . . , aaO. 57 ff.

[159] Blöcker aaO. 163.

[160] Vgl. Dessoir aaO. 433.

[161] Vgl. Cassirer, Philosophie der Aufklärung, aaO. 167 f. und Dessoir aaO. 388. — Schon Rudolf Hildebrand hatte 1897 in seinem Artikel „Gefühl“ im Grimmschen Wörterbuch (Bd. IV/1, 2. Hälfte, Sp. 2182) als Übersetzungen im neueren Sprachgebrauch Bewußtsein, Überzeugung und Erkenntnis angegeben.

[162] I, 99. 106. 119 f.

[163] Vgl. die ganze Stelle im Zusammenhang (I, 194). Bei der späteren Wiederholung (II, 81), bei der es ausdrücklich heißt „nichts gedacht“, ist Kleist seinem vorherigen eigenen Verhalten nach nicht in der Lage, eine ideale Forderung zu stellen.

keine Gewähr der Sicherheit in sich birgt. Die Aufforderung „Folge Deinem Gefühl" wird nicht ohne Grund mit dem Wurf im Glücksspiel verbildlicht (II, 153). Trotz aller Bereitschaft, diese Gefährdung des Gefühls zu sehen, hat die Kleistforschung sich mit der Zeit an die Überzeichnung einer Gefühlsreligion gewöhnt und dabei nicht geprüft, wieweit eigentlich die Tragkraft der Belege dafür reicht. Der vordichterischen Phase ist diese Gefühlsreligion jedenfalls fremd.

Der Begriff „Gemüt" tritt erst spät (im Dezember 1801) auf (II, 79) und bezeichnet ziemlich genau das Ende der vordichterischen Periode. Am 12. Januar 1802 wird dann die berühmte Gleichsetzung von „Schicksal" und „Gemüth" ausgesprochen (II, 88). Sie stellt eine für Kleists Entwicklung bedeutsame Metamorphose des im Martini-Brief ausgesprochenen Glaubens dar, daß das Schicksal mittels des Vervollkommnungsglaubens im eigenen Inneren aufgehoben werden könne. Dort hieß es: „In mir und durch mich vergnügt, o, mein Freund! wo kann der Blitz des Schicksals mich Glücklichen treffen, wenn ich es fest im Innersten meiner Seele bewahre?" (I, 31). Das Versagen der formal-intellektualistischen Elemente in der Weltanschauung des jungen Kleist spiegelt sich nunmehr in der Reduktion der Sprache der Innerlichkeit auf die Gefühlsschicht [164]. Aber auch das Gemüt denkt bei Kleist (II, 170). Es ist vielleicht kein Zufall, daß fast alle Belege für dieses Wort ausgesprochen depressiven Stimmungen entstammen [165].

Es geht also nicht an, für die vordichterische Phase Kleists einen Führungsanspruch des Gefühls als antirationaler Kraft einseitig hervorzuheben, da der Dualismus zwischen Gefühl und Ratio weit geringer ist, als man gewöhnlich annimmt. Darüber hinaus wird zweifelhaft, ob das Gefühl tatsächlich eine metapsychologische Realität, Urwirklichkeit des existierenden Ich, bedeutet. Darauf wird noch einzugehen sein. Zunächst einmal handelt es sich um eine Verschiebung innerhalb der bisher als Totalität aufgefaßten Kräfte des Inneren, die in der Krise des Winters 1800 auf 1801 Stillstand und nachfolgenden Zusammenbruch aller bisherigen Bestrebungen bewirkt. Der formale Zusammenhalt der Vorstellungen und Ziele des jungen Kleist löst sich in dem Augenblick, in dem ihre intellektualistischen Bestandteile fragwürdig werden. Die Ge-

---

[164] Adelung definiert Gemüt als Seele, „in Ansehung der Begierden und des Willens, so wie sie in Ansehung des Verstandes und der Vernunft oft Geist genannt wird", aaO. II, Sp. 556.

[165] II, 111. 143. 145. 261.

fühlssphäre ist ein Restbestand, bei dem Zuflucht gesucht, nicht immer aber auch gefunden wird.

Der Vorgang, der die krisenhaften Umwälzungen des Jahres 1801 auslöste, wird sich nie ganz klären lassen. Wenigstens eine zeitliche Fixierung ist einigermaßen möglich mit Hilfe des Briefes vom 4. Mai, der von vier seither vergangenen Monaten spricht, was gut zu Stimmung und Inhalt des Briefes vom 5. Februar paßt, der sachlich bereits viel vom zweiten Teil des Kantbriefes vorwegnimmt. Schwer begreiflich, aber wohl nicht zu leugnen ist, daß Kants Analyse der apriorischen Bedingungen jeder menschlichen Erkenntnis auf Kleist in eben der Weise wirkte wie auf die ersten Leser der ‚Kritik der reinen Vernunft' zwei Jahrzehnte zuvor. Die allgemeine Bedeutung Kants war Kleist spätestens im Herbst 1800 klar, wie die Pläne für eine philosophische Lehrtätigkeit in Frankreich beweisen. Die unbezweifelbare Erschütterung Kleists setzt aber voraus, daß seine Kantkenntnis vor dem Jahre 1801 nur unvollständig gewesen sein kann, und daß ihm die seitherige allgemeine Rezeption der Kantischen Gedankengänge unbekannt geblieben sein muß.

Niemand wird mit einer Herleitung aus Quellen dieses Weltbild selbst schon erfassen. Gleichwohl ist seine Übereinstimmung mit vielem Bekannten aus dem 18. Jahrhundert nicht bedeutungslos. Wir haben versucht, durch Analysen von Wortschatz und Sprachgebrauch diejenigen Bestandteile der Kleistschen Weltansicht zu ermitteln, die von der Krise ergriffen wurden, und dadurch, daß sie in Bewegung gerieten, die Weiterentwicklung provozierten. Wir haben sie im Bereich des Intellekts gefunden, im formalen Gerüst eines festen Weltbildes. Die „Bücher" werden Kleist zum Symbol seiner Verzweiflung (I, 225). Er sagt klar und deutlich, daß nicht sein Gemüt, sondern seine Ratio getroffen sei. „Aber der Irrthum liegt nicht im Herzen, er liegt im Verstande und nur der Verstand kann ihn heben" (I, 227). „Es war im Grunde nichts, als ein innerlicher Eckel vor aller wissenschaftlichen Arbeit" (I, 231). Wenn er die Wissenschaften aufgibt, so sieht er darin das unwiderrufliche Fazit der Erschütterung (II, 43).

Die zuletzt von Ide bekräftigte Communis opinio der existentialistischen Deutung, die Aussagen des jungen Kleist müßten in der Weise verstanden werden, daß Kleist diese an sich (d. h. bei anderen) intellektualistischen Gedanken eben nicht rational aufgefaßt, sondern existentiell ernst genommen habe, die Behauptung also, daß Kleists Sprache, anders als es Sprach- und Begriffsgeschichte fordern, einen geheimen, nur ihm eigenen

Sinn besitze, ist ein interpretatorisches Kunststück, das jeder Beliebigkeit Tür und Tor öffnet. Dem liegt eine im Kern eminent geistfeindliche Haltung zugrunde, der es nicht möglich scheint zu glauben, daß die Ratio als eigenständige und werthafte Komponente des menschlichen Inneren, die n e b e n dem Gefühl besteht, so ernst genommen werden kann, wie es in den Briefen des jungen Kleist nun einmal geschieht. Das verzerrt zunächst die Chronologie: Kleist wendet sich erst spät, nur allmählich und nie restlos der Seite des Gefühls zu. Auf diese Weise verkennt man ferner die Doppelpoligkeit, die im Ursprung gar keinen Antagonismus enthält. Zweifellos darf eine solche notwendige Korrektur nicht dazu führen, nun im Gegenteil Kleist als Rationalisten anzusehen; diese Alternative vermöchte die sehr komplexen Verhältnisse auch nicht zu erklären, die sich nicht in einem einfachen Entweder — Oder einfangen lassen. Die Paradoxien der gestalteten Welt in Kleists Dichtung sind bereits in der frühesten Zeit auch in seinen brieflichen Äußerungen ausgeprägt.

Nun erfaßt derjenige die Erschütterung, die Kleist erfuhr, sicher nicht richtig und nicht vollständig, der sie als ein ausschließlich inneres Erlebnis begreift. Die äußere Zwangslage angesichts der auf ihn gerichteten beruflichen Erwartungen verschärft auch in der Pariser Zwischenzeit die inneren Konflikte. Es ist eine Zeit des Tastens und Suchens. Eine Lösung der im Spätwinter 1801 voll ausbrechenden Krise erfolgt erst nach der krankhaften Abspannung in der Schweiz, von der der Brief an Lohse (Nr. 58) zeugt. Vorher wird man trotz leiser andeutender Hinweise in den Briefen an Wilhelmine vom 16. August und 10. Oktober 1801 auch keine Gewißheit über die Bestimmung zum Dichter annehmen dürfen, obwohl das deutlich erwachte Interesse an der Kunst, besonders auch an der Antike, schon in eine solche Richtung weist. Es läßt sich geradezu als Gesetzmäßigkeit in Kleists Entwicklung ansprechen, daß jedem Schritt, jeder deutlichen Stufe eine äußerste Anspannung aller inneren Kräfte, jeder Lösung eine starke Abspannung voraufgeht.

Überblicken wir das bisher Erörterte, so finden wir noch keinerlei Anhaltspunkte dafür, daß aus der geistigen Problematik des jungen Kleist der Dichter hervorgehen mußte. Aus ihr allein läßt sich die Hinwendung zur Dichtung nicht verstehen. Gewiß enthält sie viele Voraussetzungen für die Dichtung, aber es gibt keine Brücke, die beide direkt verbände. Die Kantkrise, über deren relatives Gewicht verglichen mit späteren Krisen man nicht streiten sollte, trug zum guten Teil nur durch den Abbau bestehender Überzeugungen dazu bei, den Weg zu bahnen.

Man kann ihr auch keine direkt auslösende Funktion zusprechen, denn sie bildet nur eine Zwischenstation. Der Zusammenbruch des aufklärerisch-teleologischen Weltbildes macht Kleist noch nicht zum Dichter; er versucht zunächst noch eine Realisierung seiner Glücksvorstellungen aus den Trümmern des durch Kant umgestoßenen Gedankengebäudes. Mit dem Zweifel am Sinn des Glücks- und Vollkommenheitsstrebens ist aber der archimedische Punkt angegriffen, aus dem heraus Kleist alles bewegte. Der Verlust des formalen Gerüstes der Anschauungen des jungen Kleist bahnt sich schon früh an, so ist etwa der Lebensplan-Gedanke keinesfalls über die Würzburger Reise hinaus von Bedeutung. Auch die Begriffe Bestimmung und Bildung verlieren notwendig an Lebenskraft, nachdem der Sinn des endlichen Bestrebens sich verdunkelt hat. Eine gewisse Kontinuität der Kleistschen Anschauungen ist im Weiterleben ihres materialen Kerns gegeben. Der Wandel eröffnet als thematischen Bereich der Dichtung Kleists das weite Reich der Frage zwischen dem Glauben an Sinn und Ordnung und dem Zweifel, der durch ihre fehlende Erkennbarkeit wachgehalten wird. Das untrennbar mit dem Palingenesiegedanken verbundene Theodizeeproblem bleibt für Kleist weiterhin lebendig.

Wir haben gesehen, daß die Begriffssphäre der Innerlichkeit beim jungen Kleist ihr ursprüngliches harmonisch-pluralisches Aufeinanderbezogensein von Gefühl und Intellekt verliert, aber wir haben keine Anzeichen dafür gefunden, daß es sich um mehr als eine Akzentverschiebung handelt. Beiläufig sei auf zwei sehr viel spätere Aussagen Kleists verwiesen, in denen die Polarität von Intellekt und Gefühl klar zum Ausdruck kommt. Am 7. Januar 1805 heißt es in einem Brief an Pfuel: „Ich kann ein Differentiale finden, und einen Vers machen; sind das nicht die beiden Enden der menschlichen Fähigkeit?“ (II, 128) und noch am 10. Dezember 1810 erscheint in den ‚Abendblättern‘ folgendes ‚Fragment‘: „Man könnte die Menschen in zwei Klassen abteilen; in solche, die sich auf eine Metapher und 2) in solche, die sich auf eine Formel verstehen. Derer, die sich auf beides verstehen, sind zu wenige, sie machen keine Klasse aus“ (Sembdner II, 338). Diese Sätze dürfen durchaus als Selbstaussagen des Dichters angesehen werden.

Wenn wir uns bemüht haben, Kleist im Zusammenhang mit der synkretistischen Spätaufklärung zu sehen, so sollte das Eigene in der Anverwandlung des Fremden dabei nicht geleugnet werden, doch war diese Betonung nötig angesichts der vielfach noch lebendigen ungeschichtlichen existentialistischen Betrachtungsweise. Die Einschränkung der Kleistdeutung auf die Wirklichkeit des Gefühls, die beim jungen Kleist schon gar nicht am Platze ist, stammt aus einem bisweilen übertriebenen Antipsychologismus, der auch Metapsychologisches sehen wollte, wo es nicht nottat. Insbesondere die in ihrer Eigenständigkeit nicht genügend gewürdigte vordichterische Periode hatte unter dieser egalisierenden Einformung zu leiden. Die um Vernunft, Tugend, Glückseligkeit kreisenden stoizistischen Vorstellungen des jungen Kleist haben als auffälligstes Kennzeichen die Zielgerichtetheit alles irdischen Tuns auf ein im Unendlichen liegendes Ziel. Als Denkform betrachtet ist das letztlich eine Reststufe christlicher Überzeugung. Das Denken in Beziehungen bleibt Kleist auch weiterhin eigentümlich, nur eignet diesen nach der Kantkrise die Wesensbestimmung, daß ihr letzter Zusammenhang unerkennbar bleibt.

Exkurs: Der Wortschatz der Innerlichkeit in Kleists Dichtung

Unsere bisherige Untersuchung legt die Frage nahe, wie es um die „Leitbegriffe" Kleists innerhalb seiner Dichtung bestellt ist. Für den Wortschatz der Innerlichkeit sei eine solche Übersicht hier noch angeschlossen. Wir haben festgestellt, daß der existentialistische Ansatz bei dem Ichgefühl Kleists nur Teile der Weltansicht des jungen Kleist traf, daß er an wesentlichen Gehalten vorbeiging und zu einer Verkennung der Eigenständigkeit dieser vordichterischen Phase geführt hat.

Die Richtung, in die unsere Untersuchung des Wortschatzes der Innerlichkeit in Kleists Dichtungen weist und deren Ergebnisse hier abgekürzt vorgeführt werden, sei vorweg an einem Beispiel veranschaulicht. Zu der entscheidenden Stelle in der „Marquise von O. . . .", an der die Marquise, ganz auf sich allein gestellt, sich ihrem Schicksal aussetzt und aus ihrem eigenen Inneren heraus entscheidet und später mit Hilfe des „ihr innerstes Gefühl" (275, 13) verletzenden Mittels der Annonce die Peripetie der Handlung bewirkt, äußert Fricke: „ . . . — da bricht aus einer geheimnisvollen Tiefe ihres Wesens eine Kraft hervor, die, unerklärbar aus ihrem bloß empirisch-psychologischen Dasein, sich stärker erweist als die ganze furchtbare Wirklichkeit. Nun spürt sie plötzlich, wie inmitten der verwirrenden Endlichkeit e i n e s ewig und unzerstörbar in ihr lebt: Die unzerstörbare Einheit mit sich selbst und mit Gott in der heiligen Gewißheit des reinen Gefühls, — und spürt, wie dieses Gefühl sie trägt:" (es folgt als Zitat der das Alinea einleitende Satz,

274, 8)[166]. Das trifft den Text nur unvollkommen. Dort heißt es nämlich: „Ihr Verstand [von mir gesperrt], stark genug, in ihrer sonderbaren Lage nicht zu reißen, gab sich ganz unter der großen, heiligen und unerklärlichen Einrichtung der Welt gefangen. Sie sah . . . ein, . . . begriff, . . .“ (274, 15). Unzweifelhaft sieht sich der Verstand hier auf seine Grenzen verwiesen, trotzdem bleibt er das Richtmaß des Urteilens und — soweit er das in seiner Selbstbeschränkung vermag — des Handelns. Das Wort Gefühl fällt überhaupt nicht.

Diesem Exkurs liegt die im 4. Kapitel entwickelte Chronologie zugrunde. Der chronologische Gesichtspunkt ist aber von geringerer Wichtigkeit, da er sich vornehmlich auf die Erzählungen auswirkt, bei denen der ganze Wortschatz der Innerlichkeit ohnehin eine untergeordnete Rolle spielt[167]. — Die folgenden Ausführungen zielen nicht zuletzt darauf ab zu zeigen, daß diese Leitworte kaum je eine Basis abgeben, die für die Interpretation eines ganzen Werkes ausreicht. Wir können nur Hinweise und Hilfen von ihnen erwarten.

Der Begriff „Seele“ bleibt der übergeordnete Zentralbegriff für das Innere des Menschen, nur daß die Belege sehr viel dünner gesät sind als in den Briefen. Er besitzt weiterhin allen anderen gegenüber die größere Allgemeinheit, damit aber auch größere Unbestimmtheit. Am häufigsten ist „Seele“ — wie auch „Herz“ und „Gefühl“ — in ‚Amphitryon‘ und ‚Penthesilea‘ anzutreffen, ferner noch im ‚Käthchen‘ bis einschließlich der Szene II, 1 — vielleicht ein entstehungsgeschichtlicher Hinweis, denn soweit reicht gerade das erste ‚Phöbus‘-Fragment. Nur ein Versuch kann unsere Scheidung in einen „synekdochischen“ und einen rein auf das Innere abzielenden Gebrauch sein; wollte man in Fällen synekdochischen Gebrauchs den Tropus auf seinen vermeintlich zugrunde liegenden Sinn reduzieren, ginge alle Farbe und Tiefe verloren[168].

In der ‚Familie Schroffenstein‘ ist „Seele“ mit besonderer Bedeutungsbeschwerung selten (1269). Das Wort tritt meist mit ausgesprochen

---

[166] Fricke, Gefühl und Schicksal, aaO. 138.

[167] Die Reihenfolge lautet also — ich verwende Sigeln —: Schro. — Am. — (ZK.) — Pe. — Gui. — Käth. — He. — Ho.; Eb. — MO. — MK. — (Bw.) — HC. — VD. — Find. — Zwk. Die Reihenfolge der beiden letzten ist nicht mehr feststellbar. ‚Krug‘ und ‚Bettelweib‘ kommen in diesem Zusammenhang nicht vor, der ‚Guiskard‘ ist nach der Entstehung des uns vorliegenden Fragments eingeordnet.

[168] Alle konventionellen Wendungen wurden weggelassen, so „ihrer Seelen Seligkeit“, „zerrissen an Leib und Seele“, „hauchte seine schwarze Seele aus“ etc.

rationalem Beiklang auf [169] und verweist somit auf eine innere Beziehung zum Wortschatz der Briefe. Das hat sich im ‚Amphitryon‘ schon geändert: nur einmal noch tritt der rationale Beiklang auf (1393 „So soll's die Seele denken? Jupiter?“). Zugenommen haben dagegen die auf das gesamte Innere zielenden Stellen [170], neben ebenfalls gesteigerter Anzahl der Synekdochen [171]. Im ‚Zerbrochnen Krug‘ fehlt das Wort wie alle anderen hier in Betracht kommenden, ausgenommen die Beteuerung „mein Seel'“. Ist er nun das bloße Virtuosenstück, wie Gundolf meinte (womit Fricke, der das Werk ja praktisch übergeht, von unerwarteter Seite gestützt würde), oder schlägt die Kritik einen falschen Weg ein, wenn sie ständig nach dem Inneren der Dramengestalten fragt? — In der ‚Penthesilea‘ setzt sich die Tendenz zur Häufung des Worts fort. Es steht an zahlreichen zentralen Stellen, wie auch an vielen weniger bedeutsamen, und bezeichnet den Sitz der „Vis motrix“, die jedoch keine eindeutigere Benennung erfährt [172]. Auf diese Weise deuten die Stellen auf das Rätsel, das Penthesilea ihrer Umgebung wie dem Leser bleibt. Häufig ist auch der synekdochische Gebrauch [173]. — Im ‚Guiskard‘ wird „Seele“ nur einmal im Sinne von „Überlegung“ verwendet (276), also mit rationalem Einschlag. — Der verblüffende Befund beim ‚Käthchen‘ wurde schon genannt: fast sämtliche Belege stammen aus dem ersten ‚Phöbus‘-Fragment, nach unseren Vermutungen (vgl. das 4. Kapitel) dem einzigen Überbleibsel der ältesten Fassung. Danach folgen nur noch zwei unwesentliche Synekdochen [174] und schließlich die Szene V, 7, die nur einen kurzen Monolog des Grafen enthält, beginnend:

> Nun, du allmächt'ger Himmel, meine Seele,
> Sie ist doch wert nicht, daß sie also heiße!
> Das Maß, womit sie, auf dem Markt der Welt,
> Die Dinge mißt, ist falsch; . . . (300, 23 ff.)

---

[169] Schro. Vs. 894 (dazu 896 f.) und 1958 f.; als Bezeichnung für das gesamte Denk- und Vorstellungsvermögen 515 und 753.

[170] Am. Vs. 1185 f. 1257. 1397. 1409. 1502. 1524. 2171. 2255. 2306.

[171] Am. Vs. 59. 643. 988. 1318. 1841. 2262.

[172] Angeführt seien vor allem die Stellen Pe. Vs. 637. 680. 1232 f. 1237 (mit dem biblischen Anklang „tristis est anima mea usque ad mortem“). 1536. 1812. 1993.

[173] Pe. Vs. 666. 674. 725. 830. 873. 1315. 1574. 2176. 2789.

[174] Käth. 288, 20 und 294, 13. — Die Hauptstellen: 182, 9. 191, 18. 193, 6. 197, 2. 212, 12. (182, 9 „meiner Seelen Gefühl“ lautete in P „meiner Seelen Haut“).

Das darin sich aussprechende Bewußtsein des eigenen Wertes ist eines der bedeutsamen Grundmotive Kleists, von Rupert Schroffenstein bis Friedrich von Homburg, bei dem es seine höchste Steigerung erfährt. — Die ‚Hermannsschlacht' bietet „Seele" nur in ausgesprochen täuschend-gespielt gemeinten Bedeutungen, nämlich in Reden des Ventidius [175], daneben einmal „Wie sich's die freie Seele glorreich denkt" (235). — Im ‚Homburg' finden wir das Wort nur in der Eingangsszene, in der Klimax der Traumerzählung des Prinzen:

Er stellt sich dicht mir vor das Antlitz hin,
Und schlägt, mir ganz die Seele zu entzünden,
Den Schmuck darum, der ihm vom Nacken hängt,
. . . (160 ff.)

Der Gebrauch in den Erzählungen ist bei weitem sparsamer und weicht im einzelnen ab. Im ‚Erdbeben' finden wir nur synekdochische Belege [176], was einen sehr sachlichen, distanzierten Erzählstil spiegelt. — Die Belege in der ‚Marquise' dagegen sind im ganzen verinnerlichter [177], kaum anders deutbar als ausschließlich das gesamte Innere bezeichnend. — Der ‚Kohlhaas' steht hierin dem ‚Erdbeben' nahe, nur daß er spürbar am Wort „Seele" die Verschleierung der eigentlichen inneren Vorgänge sichtbar werden läßt [178]. Einmal wird von dem einzigen „Fall" gesprochen, „in welchem seine, von der Welt wohlerzogene, Seele auf nichts, das ihrem Gefühl völlig entsprach, gefaßt war" (159, 6). Hier ist deutlich die Überordnung von „Seele" über „Gefühl" greifbar („nach dem Gefühl seiner Seele" im gleichen Sinne VD. 325, 29). „Von der Welt wohlerzogene" heißt aber „erworbene Erfahrung" und geht auf das Denk- und Urteilsvermögen, gehört also in den mehr rationalen Bereich. Die übrigen Fundstellen verschleiern Kohlhaasens Denken, so etwa: „Aber wer beschreibt, was in seiner Seele vorging, als er das Blatt . . . erblickte: . . ." (181, 21) [179]; die der Erzählhaltung Kleists angemessene Behandlung des alten Unsagbarkeitstopos. — Die ‚Heilige Cäcilie' greift einmal (380, 12) mit „Seele" zurück auf einen ‚Schroffenstein'-Vers (25 f.), wo jedoch bezeichnenderweise „Herz" zu finden ist. — Die ‚Verlobung' bietet einen belanglosen Beleg (330, 5) und einmal „Seele" an entschei-

175 He. Vs. 567 „Abgott meiner Seelen" und weiter 588. 2296. 2308 (Betrug Thusneldas).
176 Eb. 296, 31. 299, 6. 303, 23.
177 MO. 257, 14. 270, 19. 277, 33. 282, 14. 285, 8. 286, 20.
178 In distanzierter Weise angewandt: MK. 180, 22. 218, 28. 229, 28.
179 Die weiteren Belege gleichen Charakters: MK. 160, 5. 200, 26. 239, 18.

dender Stelle, als nämlich die Neigung, zunächst nur Aufmerksamkeit, Gustavs für Toni erwacht: „eine entfernte Ähnlichkeit, . . . die seine ganze Seele für sie in Anspruch nahm“ (327, 10). Im ‚Findling‘ wird „Seele“ nur einmal formelhaft angewendet (373, 1); im ‚Zweikampf‘ zumeist typisierend [180]. Das berühmte Wort „bewahre meine Seele . . . vor Verwirrung“ (419,12) fordert unbedingtes Festhalten am Glauben, der zur Erreichung des gesetzten Zieles gerade bei eintretender Erkenntnis des (scheinbar) wahren Sachverhalts nötig ist, ganz analog dem Worte Hermanns „Verwirre das Gefühl mir nicht!“ (2285).

Im Vergleich mit den Briefen ist der Gebrauch von „Seele“ nicht lediglich eingeschränkt, sondern vor allem präzisiert. Die Bedeutung des Wortes ist eindeutiger, auch und gerade wenn man bedenkt, daß in den Werken noch weniger als in den Briefen die Aufstellung einer Terminologie möglich ist. Reste einer eindeutiger rationalen Bedeutung finden sich noch, wohingegen eine überwiegend gefühlsmäßige nach wie vor fehlt.

Von den weiteren Ausdrücken Kleists aus der in Rede stehenden Sphäre ist „I n n e r e s“ ein Rarissimum. ‚Schroffenstein‘ 756 wäre es durch „Seele“ ersetzbar, dann treffen wir es erst wieder in der ‚Penthesilea‘ an. An zwei miteinander korrespondierenden Stellen, die auf den inneren Vorgang in Achill und Penthesilea jeweils beim ersten Anblick des andern hinzielen, finden wir es, beide Male mit dem Fühlen eng verbunden:

> Fühl' ich, . . .
> . . .
> Bei dieses einz'gen Helden Anblick mich
> Gelähmt nicht, in dem Innersten getroffen,
> . . . ? (646 ff.)

fragt Penthesilea. Achill hat der Verwundeten „das kriegerische Hochgefühl“ verwirrt (641). Er selbst dagegen wehrt die bogenspannenden Amazonen, als er zu Penthesilea in der Schlacht vorgestoßen ist, mit den Worten ab:

> Ich fühle mich im Innersten getroffen,
> Und ein Entwaffneter, in jedem Sinne,
> Leg' ich zu euren kleinen Füßen mich. (1416 ff.)

Wie im ganzen Szenenaufbau, scheint auch hier die spiegelbildliche Bezogenheit der Achill- und der Penthesilea-Szenen bis zu dem großen

---

[180] Zwk. 395, 22. 403, 29. 408, 9. 416, 10.

Gespräch im 14. und 15. Auftritt durch. Das „Innerste“ ist gleichbedeutend mit „Herz“ und „Gefühl“. Es umschreibt das Betroffensein durch die Liebe.

Nur zwei Belege, ähnlich in der Bedeutung, finden sich noch in den Dramen. Sie stellen beide Steigerungen und zugleich weitergehende Verschleierung des mit „Seele“ Bezeichneten dar. In der ‚Hermannsschlacht‘ spricht Thuiskomar seine Reue über das Bündnis mit den Römern in den Worten aus: „Gewiß, ich fühl's mit Schmerz, im Innersten der Brust“ (200), das ist jedoch attributivische Abhängigkeit. — Sehr wichtig ist folgende Stelle im ‚Homburg‘, an der der Kurfürst eingesteht:

> Die höchste Achtung, wie dir wohl bekannt,
> Trag' ich im Innersten für sein Gefühl: (1183 f.)

Das ist keine Unterlegenheit des Kurfürsten gegenüber dem „Gefühl“ des Prinzen, worauf die Interpretation Frickes letztlich hinausläuft, sondern zeigt nur, daß der Kurfürst, ebenso wie in der Schlacht der Prinz durch sein Handeln, in eine Lage geraten ist, aus der er nur durch das Zusammenspiel mit dem Prinzen befreit werden kann.

Die Bedeutung von „Inneres“ hat sich gegenüber den Briefen nicht wesentlich verändert. Das gilt auch für die Erzählungen. In der ‚Marquise‘ heißt es (an der Peripetie der Handlung): „Sie beschloß, sich ganz in ihr Innerstes zurückzuziehen, . . .“ (274, 23). Der Entschluß, „in ewig klösterlicher Eingezogenheit zu leben“ (275,2), führt aber keineswegs zur Lösung des Konflikts, denn gerade aus dieser Haltung wird die Marquise ja langsam durch die des Grafen herausgeführt und erlöst. Man sieht also wieder, daß sich Kleists Dichtungen nicht erschließen, wenn man allein den Wesenskern einzelner Personen deutet, sondern nur, wenn man auch die handlungsmäßige Verflechtung der Gestalten erforscht. — „Inneres“ findet sich noch zweimal in der ‚Cäcilie‘. Nachdem die Brüder unter der Wirkung der Musik betend zu Boden gesunken sind, wird über ihr Inneres gar nichts mehr gesagt, sondern Kleist gibt nur noch das Geschehen spiegelnde Berichte der Zeugen. „Durch diesen Anblick tief im Innersten verwirrt, steht der Haufen der jämmerlichen Schwärmer, . . .“ (383, 23), so beginnt die ganze Kette. Auf der gleichen Linie liegt, daß von der Mutter der Brüder gesagt wird, sie sei „durch diesen Bericht tief im Innersten erschüttert, . . .“ (387,4).

Eine eigentümliche Bedeutung von „Gemüt“ läßt sich in Kleists späteren Werken feststellen [181]. Das Auftreten von „Gemüt“ als Begriff

---

[181] Hier wurden alle Wortverbindungen beiseitegelassen wie „Gemütsbewegung“ oder „Gemütszustand“.

für alle Kräfte des Inneren in den Briefen bezeichnete nach unserer Untersuchung ungefähr das Ende der vordichterischen Epoche. Es überrascht daher nicht, das Wort in der ‚Familie Schroffenstein' in gleicher Bedeutung anzutreffen [182]. In ‚Erdbeben' und ‚Marquise' wird „Gemüt", entsprechend dem grundsätzlich distanzierteren Stil der Erzählungen, nur synekdochisch verwandt [183]. Der Einschnitt liegt vor der ‚Hermannsschlacht'. Die beiden Belege aus ihr seien zunächst genannt.

> Mein Gemüt
> War von der Jagd noch ganz des wilden Urs erfüllt. (537 f.)
> Was für Gründe, sag' mir,
> Hat dein Gemüt, so grimmig zu verfahren? (1684 f.)

Beider Bedeutung liegt auf der Hand: „Gemüt" bezeichnet die θυμός-Schicht im Inneren des Menschen, wie sie der Platonische ‚Phaidros' darstellt. Und in diesem Sinne verwendet Kleist das Wort in seinen späten Erzählungen [184]. So hat Bertrand in der ‚Verlobung' ein „ehrgeiziges und aufstrebendes Gemüt" (323, 16), Elvire im ‚Findling' „hatte einen stillen Zug von Traurigkeit im Gemüt" (361, 26). Piachi nannte den Namen Colinos nie, „weil er wußte, daß es ihr schönes und empfindliches Gemüt auf das heftigste bewegte" (363, 2). Nicolo ging „in der Unruhe des Gemüts, die sich seiner bemeisterte" (368, 10) zur Tartini. Wenn schließlich im ‚Zweikampf' die Gemüter der Mutter und der Schwester Friedrichs „in die lebhafteste Besorgnis" geraten (408, 5), so haben wir auch hier eine ganz ähnliche Bedeutungsnuance. — Wenn „Inneres" so selten in Kleists Dichtung vorkommt, „Gemüt" ebenfalls selten und dann später in einem sehr speziellen Sinn, so deutet diese strenge Auswahl darauf hin, daß Kleist in den früher so randunscharfen Allgemeinbegriffen nun Präzises sieht und demzufolge den direkteren Ausdruck vorzieht. Mit dem Wort „Herz" müßte, vorausgesetzt daß dieser Weg gangbar ist, das Innere der Person gemeint sein. Es gilt jedoch zu fragen, ob die Belege nicht auch speziellere Bedeutungen haben. Im ganzen zeigen die folgenden Belege wieder, daß nur Teilbereiche sich einem solchen Ansatz erschließen. — In der ‚Familie Schroffenstein' finden wir außer

---

182 Alle Belege stehen bedeutungsmäßig in engem Zusammenhang mit „Seele". Vgl. Vs. 685. 848. 1250.

183 Eb. 298, 18. 303, 15. 305, 9, 28. — MO. 286, 12.

184 Auszunehmen ist lediglich die ‚Cäcilie', in der „Gemüt" Synonym von „Inneres" ist; „ihr innerstes Gemüt ... umzukehren" (384, 21) und „die Gewalt der Töne ..., die, ..., das Gemüt ... zerstört und verwirrt habe: ..." (388, 31).

einer ganz konventionellen Stelle (458) nur einmal „Herz" in der Bedeutung „Totalität des Inneren":

Denkst du,
Ich werde dein verfälschtes Herz auf Treu
Und Glauben zweimal als ein echtes kaufen? (673 ff.)

In allen anderen Fällen bezieht sich „Herz" ganz eindeutig auf „Liebe"[185]. Dies erweist sich überhaupt als die wichtigste Spezifikation. Besonders im ‚Amphitryon' ist das der Fall, bei dem fast alle derartigen Belege aus der Szene Alkmene — Jupiter (II, 5) stammen[186]. Der synekdochische Gebrauch, der bei „Herz" relativ leicht isoliert werden kann („Seele" ist in seinem Bedeutungsgehalt zu total hierfür), tritt zweimal auf (1880 und 2014), zweimal auch als Name für das Wesensinnere (1432 und 1645). Bei Jupiters Worten

Steigst du nicht in des Herzens Schacht hinab
Und betest deinen Götzen an? (1432 f.)

(mit Vorwegnahme von ‚Penthesilea' 3025 f.) geht allerdings die Frage auch wieder auf die Liebe. Das Gleiche gilt für die komische Travestie bei Charis (1645).

In der ‚Penthesilea', die die meisten Belege bietet, ist der Befund völlig eindeutig. „Herz" bezieht sich ein einziges Mal, in Odysseus' Munde, auf „Kampf" (352), sonst fast ausnahmslos auf „Liebe"[187]. Das gilt zum guten Teil auch für die Synekdochen[188]. Die beiden einzigen Sätze, in denen vom Herzen als vom gesamten Inneren die Rede ist, werden von Prothoe gesprochen[189]. Dabei ist zu bedenken, daß die Liebe, in der das wesensmäßige Zentrum des Menschlichen erscheint, im Gesamt des Dramas nur eine der beiden tragischen Antinomien ist, in denen Penthesilea steht. Nirgendwo ist die Möglichkeit eines Rückzugs auf ein Absolutes gegeben; die Analyse von „Gefühl" wird das bestätigen.

Eine demgegenüber bedeutsamere Stellung nimmt „Herz" im ‚Käthchen'

---

185 Vgl. Schro. Vs. 61. 429. (830).

186 Am. Vs. 1405. 1437. 1460. 1498. 1563. Außerdem im gleichen Sinne nur noch 2097.

187 Die wesentlichsten Stellen: Pe. Vs. 1281 ff. 1522 und 1674; ferner 1076. 1155. 1197. 1834. 1899. 2016. 2085. 2192.

188 Pe. Vs. 1269. 1308. 1436. 1659. 2906.

189 Pe. Vs. 669 und 2800, von Kleist zitiert im Brief an Goethe, II, 199.

ein, insofern, als neben den häufigen Synekdochen [190] immerhin siebenmal „Herz“ als Terminus für das gesamte Innere auftritt. Allein viermal wieder im Bereich des ersten ‚Phöbus‘-Fragments [191], einmal außerdem als offenbare Lüge im Munde Kunigundes [192]. In Verbindung mit dem Begriff „Liebe“ dreimal innerhalb des ersten ‚Phöbus‘-Fragments [193], schließlich aber auch an der Stelle, an der Graf Wetter die Einsicht in seinen Irrtum selbst bekundet (308, 19). — Es ist schwer abzuschätzen, wie der Befund ausfiele, besäßen wir das ganze ‚Käthchen‘ in der ursprünglichen Fassung, von der uns, wie wir vermuten, nur im Anfang des Dramas ein Rest erhalten ist. — Die Belege in der ‚Hermannsschlacht‘ [194] gipfeln vor allem in Hermanns Ausbruch:

> Er hat, auf einen Augenblick,
> Mein Herz veruntreut, zum Verräter
> An Deutschlands großer Sache mich gemacht! (1719 ff.)

Eine Deutung des ‚Homburg‘ ließe sich geradezu von hier aus beginnen. Die auf den Helden bezüglichen Stellen weisen so eindeutig auf die oben schon einmal bemühte θυμός-Schicht, daß wir „Herz“ hier im Gegensatz zu „Geist“ sehen müssen [195]. Das bedeutet aber keineswegs, daß nun der Ablauf des ganzen Dramas von daher verständlich würde. Man darf nicht vergessen, daß sich in dem antithetischen Verspaar 1389/90

> . . . wenn du deinem Herzen folgst,
> Ist's mir erlaubt, dem meinigen zu folgen,

die ganze inzwischen erfolgte Umkehr des Prinzen (schon 1363) widerspiegelt. Die einzige Stelle, an der von „Herz“ als gesamtem Inneren die Rede ist (1638), wird bezeichnenderweise lange nach der Umkehr von Hohenzollern gesprochen. Dreimal taucht auch die Verbindung mit „Liebe“ auf [196]. Obgleich sowohl Kurfürst (1442) wie Kottwitz (1595) innerlich auf des Prinzen Seite stehen, hat er doch, n a c h seiner Um-

---

[190] Käth. 229, 5. 231, 28. 237, 15. 240, 19 (die letzten beiden Belege in kurialem Höflichkeitsstil). 244, 13. 257, 3. 266, 14. 305, 21 ff.

[191] Käth. 187, 13. 191, 20. 195, 2. 197, 25. Ferner 231, 19. 300, 32. 307, 11 (vgl. Pe. 2800).

[192] Käth. 239, 17.

[193] Käth. 191, 12. 192, 3. 194, 8. Ferner 291, 10.

[194] Synekdochen: He. Vs. 2014 und 2093. Aufs totale Innere abzielend He. Vs. 1326 und 1487.

[195] Vor allem Ho. Vs. 475 f. und 821, dann 551. 784. 831. 938. 1060. 1114. 1155. 1242. 1344.

[196] Ho. Vs. 608. 1084. 1805.

kehr, eine ganz andere Position gewonnen, die den Konflikt lösen hilft und eine andere Bedeutung von „Herz“ anzeigt; eine die sich zu „Geist“ eher komplementär verhält, eine Haltung, die die θυμός-Schicht überwunden hat (1771). Das Herz des Prinzen hat sich gewandelt. Vor allem, wenn man den inneren Zwiespalt des Kurfürsten bedenkt (1442), muß deutlich werden, daß sich das Sinngefüge des Dramas nicht vom Prinzen allein her verstehen läßt, sondern daß nur das ganze Zusammenspiel aller Figuren und auch aller Aktivität den durch die anfangs einseitige Haltung des Prinzen geschürzten Knoten entflechten hilft.

Die Erzählungen treten mit Zahl und Bedeutung der Belege stark hinter den Dramen zurück. Das erklärt sich schon aus der jeweiligen Prävalenz von Geschehen und Sprechen bzw. direkter und indirekter Darstellung. Im ‚Erdbeben‘ ist „Herz“ ganz selten [197], ebenso in der ‚Marquise‘ [198]. Im ‚Kohlhaas‘ finden wir neben zwei unbedeutenden Belegen [199] nur die Wendung „was ihm sein Herz, immer auf die trübsten Ahndungen gestellt, schon gesagt hatte“ (170, 18) und die, daß das Herz „zerrissen“ sei (244, 13 f.), was auch in der ‚Cäcilie‘ vorkommt [200]. — Eine deutliche Ausnahmestellung kommt der ‚Verlobung‘ zu. Neben einer Synekdoche (339, 32) und der Stelle [201]: „ . . . so legte sich ein Gefühl der Unruhe wie ein Geier um sein Herz, . . .“ (326, 24) wird „Herz“ dreimal sehr prononciert in Verbindung mit „Liebe“ gebraucht [202] und gleich viermal sehr wesentlich zur Bezeichnung des ganzen Inneren [203]. Erklären können wir diese Besonderheit nicht.

Demgegenüber bleibt der ‚Findling‘ wieder beim alten Brauch, denn „Herz“ bietet er nur ephemer (365, 13), einmal bei Nicolos „Liebes“-Werben um Elvire (369, 25), außerdem wird dessen Herz im gleichen Zusammenhang „verwildert“ genannt (370, 12). Im ‚Zweikampf‘ schließlich ist nur ein einziger Beleg (= Inneres) zu erwähnen (409, 4).

Wie „Herz“ bedarf auch „G e f ü h l“ in Kleists Werken keines eigentlichen Gegenbegriffs, weder eines komplementären noch eines gegensätzlichen. Das bedeutet aber noch nicht, daß es völlig für sich alleine stünde,

---

197 Eb. 298, 12 und 308, 12.

198 MO. 270, 16 und 285, 20 f. („Ehrfurcht und Liebe“).

199 MK. 191, 17 und 208, 18.

200 HC. 384, 25.

201 Belege, die sich auf rein körperliche Empfindung beziehen, wie etwa jenen vom „Roßkamm, dem das Herz schon von Ahndungen schwoll“ (146, 24) habe ich trotz ihrer Häufigkeit beiseitegelassen.

202 VD. 327, 15. 328, 17. 331, 11.

203 VD. 337, 30. 344, 12, 17. 351, 17 („zerrissen“).

ein Absolutum wäre. Vielmehr haben wir es mit einer Präzisierung zu tun, denn wie sich zeigen wird, ist das Wort auf recht spezielle und in den meisten Fällen gut faßbare Vorstellungen gemünzt [204].

Zunächst gilt es, zwei grundsätzlich verschiedene Bereiche auseinanderzuhalten, den, in welchem von einem ganz bestimmten Gefühl die Rede ist und den, der von d e m Gefühl schlechthin spricht — in letzterem allenfalls wäre das „absolute“ Gefühl zu finden. Eine große Zahl von Belegen der erstgenannten Art hilft jedoch sogleich, das Untersuchungsfeld einzugrenzen.

In der ‚Familie Schroffenstein‘ ist von dem „Gefühl des Rechts“ (141 ff.) und analog vom „Rechtgefühl“ (1814) die Rede, ferner von dem Gefühl „der Seelengüte andrer“ (1357) und ebenso von dem „der Rache“ (2056). Selbst im ‚Amphitryon‘ bedeutet „dieses innerste Gefühl, . . . das mir sagt, daß ich Alkmene bin“ (1155 ff.) nur in einem äußeren Sinn das der Ich-Identität; ferner kann es auch einmal heißen „ein unsägliches Gefühl . . . meines Glücks“ (1193). Die ‚Penthesilea‘ bietet das „kriegerische Hochgefühl“ (641), das aber „verwirrt“ ist. „Gefühl“ geht in der ‚Penthesilea‘ sonst meist in eine ganz andere Richtung [205]. Im ‚Käthchen‘ steht der Satz „Der Mensch wirft alles, was er sein nennt, in eine Pfütze, aber kein Gefühl“ (220, 10 f.), ferner eine ganze Reihe von Stellen, an denen Kunigunde in täuschender Weise „Gefühl“ gebraucht [206] (ganz ähnlich die ‚Hermannsschlacht‘ „Gefühl“ im Munde der Römer) [207]. Im ‚Homburg‘ spricht Natalie davon, daß neben dem Kriegsgesetz „die lieblichen Gefühle auch“ (1130) herrschen sollten.

Das ‚Erdbeben‘ bietet einmal „ein“ (= unbestimmtes) Gefühl (304, 9), die ‚Marquise‘ das der Dankbarkeit (252, 20) [208], der ‚Kohlhaas‘ „ein bitteres“ (146, 12) und das „seiner Ohnmacht“ (147, 5), ferner „ganz überwältigt von Gefühlen“ (247, 14). Ganz ähnliche Stellen in der ‚Verlobung‘, im ‚Findling‘ und im ‚Zweikampf‘ [209].

---

[204] Es seien wiederum alle auf ein körperliches Gefühl gehenden Belege fortgelassen; diese können gelegentlich — vor allem in der ‚Marquise‘ — den Interpreten irreführen.

[205] Gleicher Wortgebrauch noch Vs. 1587 f.: „nicht ein Gefühl, das sich in Wellen mir erhob“. 2158 und 2688 (Plural). 3027 („ein vernichtendes“). Vgl. auch Prothoe, 1492: „Wenn ein Gefühl den Busen dir bewegt.“

[206] Käth. 229, 12. 236, 18. 239, 2, 27. 249, 5.

[207] He. Vs. 548. 560. 1717 (Thusnelda). 2214 („des Rechts“).

[208] Häufiger „mütterliche(s)“: 270, 4. 271, 32. — Ferner 279, 8. 283, 8.

[209] VD. 326, 7 („ein widerwärtiges und verdrießliches“). 25 („der Unruhe“). 330, 16 („ein menschliches“). 349, 3 (mancherlei Gefühle). 350, 27 („gemeinen

Mustern wir nun die Belege der zweiten Kategorie. Da stehen zu Anfang die berühmten Worte Eustaches:

> Nun, über jedwedes Geständnis geht
> Mein innerstes Gefühl doch. — (1617 f.)

Dies Gefühl wird aber schon in den nächsten Versen durch ihre eigenen Worte widerlegt. — Schwieriger wird es beim ‚Amphitryon'. In der Jupiter — Alkmene-Szene (II, 5) stehen die beiden entscheidenden Sätze:

> Doch seit ich diesen fremden Zug erblickt,
> Will ich dem innersten Gefühl mißtrauen: (1250 f.)

> . . . Ihn
> Hat seine böse Kunst, nicht dich getäuscht,
> Nicht dein unfehlbares Gefühl! . . . (1288 ff.)

Die rettende Kraft des Gefühls rettet aber Alkmene nicht, jedenfalls nicht alleine, die Heiligung durch den Gott muß hinzukommen. Faktisch ist Alkmene keineswegs „unsträflich", denn sie hat zumindest mit einem „ins Göttliche" verzeichneten Amphitryon die Ehe gebrochen, wie sie umgekehrt ihr religiöses Fühlen menschlich trübte. Wenn aber das Gefühl — das ja mehr ein Fühlen ist als eine metaphysische Wesenheit — Alkmene nicht rettet, ist nur eine tragische Deutung des ganzen Stückes und des Schluß-„Ach" möglich — es sei denn, man nimmt den Schluß tatsächlich religiös ernst. Darin hat Adam Müller Kleist ganz recht verstanden, wenn er auch mit seinem Irrtum über den Begriff der unbefleckten Empfängnis viel Unheil angerichtet hat; Kleist legte, Amphitryon' 2335 f. diese Deutung durch den wörtlichen Anklang an Lukas I, 31 f. selbst nahe. Damit fällt das Stück aus Kategorien wie „Tragödie", „Lustspiel" heraus: in allen diesen Auffassungen bleibt der Schluß mit Goethe zu sprechen immer „klatrig". Das im ‚Amphitryon' gemeinte Gefühl ist in den meisten Fällen Liebe. Darin findet Alkmenes Fühlen seine Einheit. Das Verständnis von „Gefühl" als Bestandteil einer Existenzreligion kann vermieden werden, wenn man nicht das Innere einer einzelnen Gestalt alleine interpretiert, sondern das Gewebe der ganzen

---

Mitleidens"). — Find. 369, 5 („das bittere Gefühl der Eifersucht"). 370, 8 („mit den bittersten und quälendsten Gefühlen"). 375, 25 („der Reue"). — Zwk. 409, 9 („des Mitleids"). 419, 5 („türme das Gefühl, das in deiner Brust lebt, wie einen Felsen empor" — ein ganz bestimmtes nach allem Vorhergehenden, nämlich das ihrer Unschuld). 426, 2 („dieser wunderbaren Rettung"). 13 („des Mitleidens").

Figurenkonstellation und ihre Bewegung im Drama beachtet [210]. In der ‚Penthesilea' ist der Befund so eindeutig, daß sich Beispiele erübrigen. „Gefühl" bedeutet immer Liebe, entweder bei Penthesilea oder bei Achill [211]. Das Gefühl ist ganz wie „Herz" eine der beiden tragischen Antinomien, in denen Penthesilea steht. Es ist die aktive und handlungstragende von beiden, während die andere eine vorgegebene Wesensbestimmung Penthesileas ist. Letztere verschuldet dann auch das tragische Mißverständnis am Schluß und seine Form, nämlich Achills Eingehen auf Penthesilea die Amazone, sein Versuch, ihre Seele „zu berechnen".

Die Belege in den anderen Dramen deuten sich leichter. Der einzige Beleg im ‚Guiskard' relativiert das Wort stark dadurch, daß dem Gefühl die berechtigte Überlegung zur Seite tritt [212]. Im ‚Käthchen' (198, 14; 1. ‚Phöbus'-Fragment) ist Liebe gemeint, in der ‚Hermannsschlacht' allein das Gefühl der Rache:

> Hinweg! — Verwirre das Gefühl mir nicht! (2285)

Hermann fürchtet die Rührung. ‚Homburg' 1041 bedeutet „Gefühl" eindeutig „Liebe". Wenn der Kurfürst (1184) die Entscheidung, nämlich ob er die Satzung des Kriegsrechts völlig aufheben soll — das ist der Sinn der Worte „Kassier' ich die Artikel" — dem „Gefühl" des Prinzen anheimstellt, so antwortet dessen Wertbewußtsein:

> Pah! Eines Schuftes Fassung, keines Prinzen. — (1334)

Deutlicher noch 1374 f.:

> Er handle, wie er darf;
> Mir ziemt's hier zu verfahren, wie ich soll!

Der Souverän kann entscheiden; der Adel des eigenen Wesens, den Homburg erst durch den Aufruf des Kurfürsten wahrhaft findet, kennt nur eine Richtschnur des Handelns.

In den Erzählungen erscheint die Bedeutung von „Gefühl" stärker zurückgenommen, ein Beweis mehr dafür, daß nur Teilgebiete des Kleistschen Werks von der Kategorie des Gefühls erfaßt werden — ein Um-

---

210 Die Belege Vs. 1442 („Gebrodel des Gefühls"). 1450. 1560 können hier übergangen werden.

211 Vgl. Pe. Vs. 1188. 1772. 1836. 2013 ff. 2201 (Anspielung auf Briseis, die schon 2123 erwähnt worden war). 2218.

212 Gui. Vs. 87 ff.

stand, dessen sich Fricke viel stärker bewußt war [213] als seine Nachfolger. Auch in der ‚Marquise' kommt „Gefühl" im Sinne von Wertbewußtsein an entscheidender Stelle vor (275, 14), daneben in abgeblaßten Bedeutungen [214]. Die „von der Welt wohlerzogene Seele" Kohlhaasens ist, auch wenn „Gefühl" hinzutritt, nur eine Modifikation von rationaler Einsicht. Eine Ausnahme bildet die ‚Verlobung', wenn Toni sagt: „Die Unmenschlichkeiten, . . . , empörten längst mein innerstes Gefühl" (333, 17), d. h. sie in ihrem Innersten. Aber dann urteilt Gustav wieder „nach dem Gefühl seiner Seele" (325, 29), d. h. nach Maßgabe seines Urteilsvermögens.

Als Fazit halten wir fest: „Gefühl" kommt nur in einem Ausschnitt des Kleistschen Werkes vor und dort nur selten in zentraler Position. Viel gewichtiger ist, daß es fast ausnahmslos eine scharf eingegrenzte, ganz spezielle Bedeutung besitzt. Die Kategorie des Gefühls ist daher kaum geeignet, ein ganzes Werk völlig aufzuschließen. — In den Werken sind nur noch Spuren der in den Briefen anzutreffenden Rationalität vorhanden, stärker am Anfang des Schaffens. Die Frage nach Komplementär- oder Kontrastbegriffen stellt sich nicht mehr: Kleist kennt nur noch relativ festumgrenzte Begriffe. Auch die Frage, ob eine Akzent- oder Wesensverschiebung vorliegt, wird durch die genaue Beziehung des Anwendungsbereichs auf ganz bestimmte Vorstellungen relativiert. Wenn nun, wie nicht zu verkennen, diese Sprache in der Dichtung eine andere Anwendung findet, dann doch nicht eine solche, die völlig neue Bereiche auftäte. Fricke schrieb seine Studie aus einer historisch notwendigen Frontstellung gegen den Psychologismus in der Literaturwissenschaft. Nun sind die Kategorien eines hermeneutischen Vorverständnisses a priori methodisch wertfrei; ob Freud oder Kierkegaard, ist keine Wertfrage. Unsere „Historisierung" Kleists durch den Rückgriff auf das, was man, da nun einmal kein anderes Wort zur Verfügung steht, „psychologisch" nennen muß, stellt keinen Rückschritt hinter Fricke dar, denn hier ist von zwei Arten Psychologie die Rede. Wenn Fricke „psychologisch" sagte, meinte er Tiefenpsychologie, Psychoanalyse und Individualpsychologie, deren Adaptierung für die literaturwissenschaftliche Methodik bisher selten glücklich verlief. Demgegenüber darf nicht verkannt wer-

---

[213] Vgl. aaO. 6: „Die vorliegende Arbeit will ... auf ein Element des Kleistschen Geistes aufmerksam machen ..." und „Es ist ... nicht der ganze Kleist ...., der im folgenden dargestellt wird."

[214] MO. 264, 16 (Unentschiedenheit der Marquise). 266, 3 (Liebe des Grafen). 294, 11 (= ungefähre Meinung, wie Ho. Vs. 868).

den, daß das 18. Jahrhundert und noch die Goethe-Zeit ein leidenschaftliches Interesse an der Erforschung der menschlichen Seele hatten. Dabei näherten sich die Auffassungen von der menschlichen Seele auch damals bisweilen einem wenn auch rudimentären System. Innerhalb eines solchen ganz einfachen Gedankengefüges haben wir Kleists Gefühlsbegriff zu sehen, d. h. das Wort „psychologisch“ muß ganz in jenem ursprünglichen allgemeinen Sinne des 18. Jahrhunderts verstanden und von modernen Überlagerungen befreit werden.

III. Vorstufen der Dichtung

Eine Untersuchung der vordichterischen Phase in der Entwicklung Kleists bleibt unvollständig, solange man nicht auch, vom Faktum des dichterischen Jahrzehnts ausgehend, die allmähliche Herausbildung der gestalterischen Kräfte beim jungen Kleist verfolgt. Kleist sucht das Ziel seines Lebens, seine Bestimmung, nun nicht mehr auf dem Wege der rein wissenschaftlichen Erkenntnis; der Wille zur Gestaltung löst allmählich den Erkenntnis- und Bildungstrieb ab. Auch wenn mit einem relativ plötzlichen Einsetzen der dichterischen Gestaltung zu rechnen ist, erscheint es doch geboten, voraufgehende Spuren und Hinweise möglichst genau zu verfolgen, und sei es nur, um auch auf diesem Felde die vordichterische Phase in ihrer Eigengesetzlichkeit zu erfassen.

Die Nachrichten aus der Zeit vor 1802 erlauben kaum den Schluß, daß Kleist sich in überdurchschnittlichem Maße für die Dichtung interessierte. Dreieinhalb Jahrzehnte nach seinem Tode fiel es leicht, von ihm zu sagen, er sei in seiner Militärzeit „den Wissenschaften und der Poesie mit Leidenschaft ergeben“ gewesen [1]; daß ersteres zutrifft, wissen wir, für das zweite fehlen Beweise. Szenische Einrichtungen von Sprichwörtern [2] gehören unter die gesellschaftlichen Talente. Es ist nicht einmal ausgeschlossen, daß das kleine Dramolett im Wielandschen Ton, das Bülow unter starken Bedenken seiner Sammlung einfügte [3], tatsächlich von Kleist stammt und aus der Frankfurter Studentenzeit rührt. Die zahlreichen, rhythmisch überaus lockeren Enjambements teilt das Werkchen mit Kleists frühen Versen bis hin zur ‚Familie Schroffenstein‘, und ein eigener Ton ging ihm damals mit Sicherheit noch ab. Auch die szenischen Wechselreden, die gelegentlich in den Briefen vorkommen [4], machen noch lange keinen Dramatiker und zeigen auch keine ursprüngliche Veranlagung dazu. Sie scheinen eine ausgeprägte Familieneigentümlichkeit gewesen zu sein, da sie sich selbst in der späten Aufzeichnung von

[1] LS 20.
[2] LS 35, S. 17.
[3] aaO. 256—59.
[4] Briefe I, 75. 112. 128. — II, 53.

Ulrikes Erinnerungen an den Bruder erhalten haben [5]. Sie stellen kleine Dialoge dar; wie weit aber der Weg zur erzählten Szene im Stile Kleists noch ist, zeigt das berühmte Gespräch mit dem General von Köckeritz 1804 (II, 113): erst hier ist die so ausdrucksstarke gedrängte Kontrapunktik von Rede und Gestik erreicht. Bei der Enge der Anschauungen, die wir Kleists Familie unterstellen müssen, ist es nicht verwunderlich, daß er einen Teil seines Schrankes, „worin die Schreibereien" (I, 158), absperrte. Das Vorhandensein dichterischer Entwürfe wird damit nicht bewiesen. Dunkel ist, für was wir ein „Buch worin Gedichte stehn" ansehen sollen, das Kleist 1801 in Berlin zurückließ und das zufällig in Wilhelmines Hände gelangte, zusammen mit Porträts Luise von Linkersdorfs [6]. Nur vermuten können wir, daß auf diese, gewisser thematischer Beziehungen halber peinliche Weise einer „seiner ersten dichterischen Versuche Ariadne auf Naxos" [7], der später bei Tieck verschollen ist, in Wilhelmines Besitz geriet. Leider wissen wir darüber nichts Näheres.

Wir brauchen aber die Existenz Kleistscher Gedichte gar nicht zu bezweifeln. Sehen wir von einigen Glückwunsch-Distichen ab — eine metrische Form, deren Eigenprägung und Differenziertheit Kleist auch später Schwierigkeiten bereitete —, so besitzen wir drei Gedichte aus der frühen Zeit. Von dem ältesten, dem auf dem Rheinfeldzug entstandenen ‚Der höhere Frieden' (VII, 23), wissen wir nicht, ob es für die Veröffentlichung im ‚Phöbus' noch überarbeitet wurde. Doch kann eine solche nur in glättenden Eingriffen bestanden haben. Das Gedicht zeigt in jeder Zeile poetische Konvention, namentlich gemahnt die Metaphorik der ersten Strophe stark an Schiller. Können wir Wieland als geistigen Lehrer des jungen Kleist ansehen, so ist Schiller sein poetisches Vorbild. — Die in Sembdners neuer Ausgabe zu Unrecht als Albumblatt an den Rand gedrängte ‚Hymne an die Sonne' (VII, 3), eine Kontrafaktur der ‚Hymne an den Unendlichen' aus Schillers ‚Anthologie auf das Jahr 1782' [8], zeigt das am deutlichsten. Ohne Frage ist Kleist formal hier

---

[5] Vgl. den vollständigen diplomatischen Abdruck der Erinnerungen durch Hoffmann, Euph. 10, 1903, 105—152.

[6] Sembdner II, 723. — Die Erklärung, die Sembdner (aaO. 977) für das „L." gibt („Heinrich Lohse?") ist verfehlt. Gerade die Diskretion, mit der man verfahren zu müssen glaubte, zeigt, daß man die Bilder mit einem Herzensgeheimnis des Verstorbenen in Verbindung brachte. Es waren also Mädchenbilder und sie gehörten Kleist.

[7] LS 702, S. 482.

[8] Nationalausgabe Bd. I, 101.

ganz von Schiller abhängig, aber man sollte doch auch sehen, wo die eigenen Züge Kleists beginnen. Er wendet das Gedicht vom Inneren dem Sichtbar-Gegenwärtigen und Gegenständlichen zu; konsequent wird Schillers akustische „Bilder"-Sprache ins Optische umgesetzt. Wenn auch alle Schauer, alles Unheimliche der Größe verschwinden vor der Heraufkunft des Sonnengottes, so bleibt doch das Tremendum des Göttlichen. Nur unter umgekehrten Vorzeichen: bei Schiller gehören Sprache und Bildlichkeit des Unendlichen zum Bereich der Nacht, sie tragen religiöse Züge und nähern sich rauschhaft-dunklem Charakter, während Kleist die Unendlichkeit nach vorwärts, dem Morgen und Licht zu, geöffnet sieht. Seine Verse atmen Sicherheit. Das Bild der Sonne eröffnet die schon in den Briefen bedeutsame Lichtmetaphorik, deren Verweisungscharakter einen zentralen Bereich freilegt. Die Abhängigkeit Kleists von Schiller liegt rein auf formalem Gebiet, dort ist sie vollkommen [9]. Der Gehalt seiner Umarbeitung gehört ihm dagegen allein an. Das Kontrafakturverfahren Kleists fügt sich ein in die stilistische Übung der Variation, die für Kleist eine bedeutende Rolle spielt, solange er sich auf der Suche nach eigenen Ausdrucksmitteln befindet. Auch sonst haben dabei fremde Vorlagen eine gewisse Bedeutung, wie später die Montesquieu-Paraphrasen im Pariser Brief an Luise von Zenge [10].

Ein gleiches Bild — ausschließliche Verwendung vorgeprägter fremder Stilmittel — bietet das Gedicht ‚Nicht aus des Herzens bloßem Wunsche . . .', das Karl S. Guthke für unecht erklärt hat [11]. Noch eindeutiger als in den anderen beiden Beispielen hat hier Schiller als Vorbild gewirkt, jedoch nicht mehr der der ‚Anthologie'. Besonders e i n e Lieblingsformel Schillers: die Metapher, die das ersetzte Vergleichswort als Genitiv-Attribut bei sich führt, ist bei Kleist fast zur Manier geworden. Die Prämisse des Guthkeschen Athetierungsversuchs („Wir wissen, daß Kleist erst auf der Würzburger Reise der Gedanke kommt, die

---

[9] Mit Recht hat Borcherdt (Schiller und die Romantiker, Stuttgart [1948], 98) Schiller als den stärksten künstlerischen Eindruck bezeichnet, den Kleist in seiner Jugend empfing. Man hat auch auf rhythmisch-stilistische Beeinflussung durch Klopstock verwiesen, vgl. S. Thiem, Kleist und Schiller, ZfdPh. 69, 1944/45, 131. Die Ansicht der Verfasserin, daß die Umarbeitung bis dahin niemand aufgefallen sei, ist unverständlich (aaO. 129).

[10] Vgl. Sembdner II, 972 f.

[11] Karl S. Guthke, Ein pseudo-kleistisches Gedicht, ZfdPh. 76, 1957, 420—424. — Vgl. LS 701: der Herausgeber des ‚Leipziger Musenalmanachs für das Jahr 1850' erbittet sich brieflich das Ms. des Gedichts zurück. Sembdner hat den Wortlaut geändert, um Guthke beitreten zu können.

schriftstellerische Laufbahn . . . einzuschlagen"), ist unhaltbar [12]. Erstens wissen wir gar nicht, ob Kleist Dichtung meint, wenn er in Würzburg von Schriftstellerei spricht, zweitens aber: was dürften wir in diesem Augenblick sonst von ihm erwarten? Die mangelnde oder genauer: noch unentwickelte Fähigkeit zur Gestaltung lesen wir allem ab, was Kleist bis zum Frühjahr 1802 geschrieben hat. Natürlich ist ein Echtheitsbeweis, der ex negativo davon ausgeht, daß ein Kleistsches Gedicht in diesem Zeitpunkt noch gar keine „Kleistischen" Züge tragen kann und eben darum von Kleist stammt, weil es so Schillerisch ist, der Form nach ein Paradox. Gleichwohl fügt sich sein Ergebnis harmonisch in die Linie ein, die die ersten beiden genannten Gedichte vorzeichnen und die in Bezug auf die tastende und noch unkräftige Gestaltungsfähigkeit von den Briefen, wie noch zu erörtern sein wird, voll und ganz bestätigt wird. Kleist bedarf in dieser frühen Zeit fremder Ausdrucksmittel für die eigene Aussage. In der Frage der Echtheit dieses Gedichts hält man sich also besser an die Faktizität der Überlieferung, da wir das Gedicht in eigenhändiger und signierter Reinschrift besitzen.

Auch wenn Kleists Ausdrucksweise, wenn er vom „schriftstellerischen Fach" oder ähnlichem spricht, recht unklar ist, haben wir doch Grund zu der Meinung, daß er damit nicht Dichtung meint. Gewiß könnte die verschlüsselnde Ausdrucksweise gewählt sein, weil die eigene Familie und die der Braut einen derartigen Entschluß nicht gerade begrüßt hätten, doch trifft das auch für jede andere, nicht an einen festen Beruf gebundene Tätigkeit zu. Im Gegenteil läßt sich zeigen, daß „das ganze schriftstellerische Fach" (I, 164) und auch die seltneren Fähigkeiten (I, 163), an die Kleist glaubt — diese Andeutungen werden zum ersten Male nach der Rückkehr von der Würzburger Reise am 13. November 1800 gemacht —, keinesfalls die Dichtung meinen. Sie hängen vielmehr zusammen mit den „geliebten Wissenschaften" (I, 160) und dem höchsten Ziel, der Bestimmung, die mit „Liebe, Bildung und Freiheit" (I, 162) umschrieben wird. Das aber deutet auf eine noch ungebrochene Lebenskraft des Wissenschaftsideals. Der Auffassung, daß die Dichtung Kleists so früh schon einsetzte, zuletzt von Hans M. Wolff vertreten, steht außer den sachlichen Hindernissen des Wortlauts auch entgegen, daß die geistigen Voraussetzungen für alles das, was wir als Kleistsche Dichtung

[12] aaO. 421 f. — Da wir noch in der ‚Penthesilea' manche absonderlichen Betonungen und Namensformen finden, sollte man „Hermeos caducéus" weder hinsichtlich der Namensform noch der Betonung als für Kleist nicht zumutbar bezeichnen. Sembdner druckt das Gedicht zwar nicht ab, nimmt aber eine schwankende Stellung ein, vgl. Bd. II, 965 f.

bezeichnen würden, damals noch gar nicht gegeben waren. Was immer das Ergebnis der Würzburger Reise war: keinesfalls war es die Gewißheit dichterischer Berufung.

Es wäre höchstens zu vermuten, daß Kleist damals an philosophische Lehrdichtung dachte — popularphilosophische Schriftstellerei hatte schon Brahm vermutet —, etwa im Sinne Wielands oder der auch thematisch naheliegenden, obschon durch ihre Panerotik sehr viel fremderen Gedichte Franz Alexanders von Kleist [13]. Das würde dann erklären, warum er „das Talent der Dichter" in Würzburg mit der gedanklichen Reflexion in eins setzte, den Dichter überhaupt als „denkenden Menschen" betrachtete (I, 144) und die Wesensbestimmung des Dichterischen durch das „Interessante" erfüllt glaubte, eine karge und überdies rückständige Definition. Daß er das „Interessante" noch mit dem „Arkadischen" gleichsetzt, ist ein weiterer Hinweis darauf, daß er nicht von eigener Ausdruckssprache ausgeht, sondern von einem festen, geprägten Motiv- und Sprachschatz, der überhöhend und schmückend angewandt werden kann. Kleist wußte aber im Grunde wohl, daß Dichtung wesentlich Erfindung, poietisch, ist. Er setzte anfangs gerade darum die Dichtung gegenüber der Tatsächlichkeit der Geschichte an die zweite Stelle (VII, Kl. Schr. 18 ff.). Darin haben sich seine Anschauungen im Herbst 1800 nicht geändert, das noch lebendige Wissenschaftsideal beweist es, und die frühe Entstehung seiner Dramen und Novellen oder auch nur ihrer Vorstufen gehört ins Reich der Fabel. Da seine schriftstellerischen Pläne immer zugleich mit dem Bildungsideal und der Ablehnung des Amtes auftreten, deuten sie wohl auf die Mittellinie philosophischer oder Lehrdichtung. Auch wenn Kleist seinen Namen als den eines Dichters „hold" klingend nennt oder eine Landschaft als „Dichtertraum" apostrophiert [14], darf man dahinter nichts anderes vermuten. Nicht zu übersehen ist nämlich ein feiner und tiefer Unterschied zwischen diesen im Herbst 1800 gefaßten Plänen und denen, die ein Jahr später die Dichtung nun wirklich ankündigen: während Kleist früher Wilhelmine bittet, durch Beiträge für sein „Ideenmagazin" zu „einem künftigen Erwerb auch etwas beizutragen" (I, 176), scheut er sich später — darin ganz dem jungen Goethe ähnlich [15] — gerade vor

---

[13] So das rousseauistisch-wielandische Epyllion ‚Zamori oder die Philosophie der Liebe in zehn Gesängen', Berlin 1793; ferner die kleineren Lehrgedichte ‚Das Glück der Ehe', Berlin 1796 und ‚Liebe und Ehe in drei Gesängen' (darunter ‚Das Glück der Ehe'), Berlin [1797].

[14] II, 18. — II, 23. 31. 37.

[15] ‚Dichtung und Wahrheit', 16. Buch; Artemis-Gedenkausgabe, Bd. 10, 735.

dem „Bücherschreiben für Geld“ (II, 62). Das Bild von dem ausgearbeiteten „Ideal“ als von dem „heimlich . . . bei dem Schein der Lampe“ aufbewahrten Kind einer Vestalin unterstreicht mit seinem Beiklang des Verbotenen, ja Ungeheuerlichen, daß Kleist jetzt etwas gänzlich anderes meint. Erst Anfang Februar 1802 ringt sich Kleist auch zur äußerlichen Bejahung des Dichterberufes durch. Er hat „die alte Lust zur Arbeit wiederbekommen“ (II, 89) und bestellt dann auch Bücher bei Geßner (II, 90). Es waren schwerlich die politischen Bedenken, die ihn davon abhielten, sich in der Schweiz anzukaufen. Offensichtlich spielte die auch durch Ludwig Wieland, Zschokke und Heinrich Geßner bekräftigte Gewißheit die Hauptrolle, daß er nun durch die Dichtung seinen Lebensunterhalt zu sichern im Stande war (II, 91). Erst in der ersten Februarhälfte 1802 gehen innerer Trieb und äußere Verwirklichungsmöglichkeit wieder zusammen, und Kleist beginnt tatsächlich zu dichten. Man kann keineswegs sagen, daß Kleist bereits in der Kantkrise „die Dichtung als rettende Kraft erschienen“ [16] sei. Die Krise stellt eine unabdingbare Ermöglichung der Dichtung dar, diese selbst aber erscheint als Gewißheit erst nach der Abspannung der Jahreswende 1801 auf 1802.

Die Nachahmung und Adaptierung fremder Vorbilder, angefangen bei den genannten ersten unsicheren Versuchen, reicht bis tief in die dichterische Periode hinein und stellt das vielleicht bedeutsamste Vehikel der eigenen Entwicklung bei Kleist dar. Erst in der Dresdner Zeit nach dem endgültigen Fallenlassen des ‚Guiskard‘ löst sich Kleist gänzlich von der Vorbildlichkeit der Muster.

Das eigentliche Untersuchungfeld für eine Vor- und Frühgeschichte der Kleistschen Dichtung stellen die Briefe dar. Ihre sprachliche Gestalt unterscheidet sich wesentlich von der erzählenden Prosa. Der für Kleist typische rhythmische Satzbau findet sich in den Briefen erst spät, grundsätzlich schwächer ausgeprägt und überhaupt nur an vereinzelten Stellen. Am artifiziellsten geraten später die stark kurialen Briefe an hochgestellte Persönlichkeiten. Auch sie behalten im großen und ganzen jedoch ihren eigenen, verhältnismäßig „normalen“ Stil, der von der Kunstprosa Kleists merklich geschieden ist. Trotz dieser prinzipiellen Scheidung kann man sagen, daß die an den Briefen ablesbare allmähliche Herausbildung und Festigung der rhythmischen Physiognomie des Satzes einen stützenden Beweis für die Annahme eines relativ späten Beginns der Kunstprosa abgibt. Man hat nicht ohne Grund das Jahr

[16] Friedrich Koch aaO. 305.

1806 in diesem Zusammenhang genannt [17]; allererste Spuren finden sich im Sommer 1801 [18].

Die stilistische Entwicklung der Briefe vollzieht sich auf der sprachlichen Ebene ruckartig. Es gibt auch nur einzelne hervorstechende Partien innerhalb einer durchweg gleichförmigen Umgebung. Schon in Würzburg sind gewollte Abweichungen vom Normalsatz erkennbar. So am 19. September 1800 in der Sonnenaufgangsschilderung mit ihrer an die Bibelsprache gemahnenden Wortstellung und den Parallelismen, die dem Psalmenmetrum entsprechen: „... als die Sonne hinter den Bergen heraufstieg, und ihr Licht ausgoß über die freundlichen Fluren, und ihre Strahlen senkte in die grünenden Thäler, und ihren Schimmer heftete um die Häupter der Berge, und ihre Farben malte an die Blätter der Blumen und an die Blüten der Bäume — ja, da hob sich das Herz mir unter dem Busen, denn da sah ich und hörte, und fühlte, und empfand nun mit allen meinen Sinnen, daß ich ein Paradies vor mir hatte" (I, 139 f.). Es ergibt sich aber noch kein Gebilde, das wir einen Kleistischen Satz nennen würden. Nach gewissen Höhepunkten verfällt Kleist immer wieder in die gewohnte Sprache. Die eben beschriebene Eigentümlichkeit der Wortstellung bringt Kleist wieder in eine ganz individuelle Mittelstellung zwischen den stilgeschichtlichen Fronten. Weder befolgt er das plane Normalschema Subjekt — Verb — Objekt, noch geht er so weit, sich die der hebräischen Syntax überhaupt eigene Spitzenstellung des Verbs zu eigen zu machen, das hieße dann: sich der Inversion des Sturm und Drang zu verpflichten. Man kann den fast ausschließlich verwendeten substantivischen Konstruktionen die übergroße Bedeutung des rationalen Elements für die geistige Welt des Briefschreibers ohne weiteres ablesen. Die Fehldeutungen, die die Briefe des jungen Kleist erfuhren, beruhen zum guten Teil darauf, daß sie nach einer Zeit, die im Brief wie in der Dichtung fast nur den Ausdruck des Individuums kannte, in

---

[17] Irene Kahlen aaO. 139.

[18] Vgl. als erste Beispiele für eine ausdrucksvolle Inversion oder überhaupt Satzverwerfung: „Wer es [das Leben] mit Sorgfalt liebt, moralisch todt ist er schon, denn seine höchste Lebenskraft, nämlich es opfern zu können, modert, indessen er es pflegt" (II, 32). „Der Zaun, rief sie, muß abgetragen werden" (II, 40). „Die abgestorbene Eiche, sie steht unerschüttert im Sturm, aber die blühende stürzt er, ..." (II, 43). Die Verwerfung wird hauptsächlich durch Antizipation des Subjekts erreicht. — Noch 1806 ist ein Satz wie dieser: „Der Gen. Rüchel, der dem Könige, daß er hergestellt sei, angekündigt, und seine Dienste angeboten hat, hat seit acht Tagen noch keine Antwort erhalten" (II, 158) eine Seltenheit.

ihrem rational-planenden Charakter einen Anachronismus darstellen. Die Sprache dieser Briefe steht in ihrer strengen und steifen Ordnung eher dem Zeitalter Gellerts nahe als etwa dem geniezeitlichen Stilideal einer Sprache des Gefühls und der Leidenschaft, wenngleich sie von Gellert wieder durch ihre größere Schwere und gröbere Satzkonstruktion getrennt ist, sie besitzt nicht seine ciceronianische Eleganz, ja Anmut.

Die rationalistischen Sprachzüge treten in Gestalt substantivischer Transpositionen anderer syntaktischer Formen zu Tage — wenn man nicht das starke Überwiegen des Substantivs überhaupt an die erste Stelle setzen will. So verwendet Kleist gerne substantivische Wendungen an Stelle eines Adjektivs oder Adverbs, z. B. „Ähnlichkeit haben" (I, 73) statt ähnlich sein oder gar ähneln, oder „mit Freudigkeit und Heiterkeit" (I, 79) statt freudig und heiter. Hierhin gehören auch die bekannten Formeln „auf Art" und „auf . . . Weise". Ferner gebraucht Kleist substantivische Wendungen statt eines finalen oder konsekutiven Nebensatzes, so z. B. „zur Lesung überschickt" (I, 31) oder „zum Behufe der Überlegung" (I, 53 f.). In dieser Art vereinzelt, aber dem Verfahren nach, das verbale Reihungen unter Hinzufügung von Substantiven aufschwellt, doch typisch ist folgende nach dem Gesetz der wachsenden Glieder gebaute Tripelform[19]: „ . . . wie der Gedanke, . . ., jede Lebenskraft in mir erwärmt, jede Fähigkeit in mir bewegt, jede Kraft in mir in Leben und Thätigkeit setzt!" (I, 150). Die schulmäßig nach Regeln der Rhetorik gebildeten Figuren, wie etwa der Chiasmus[20], fallen auf. Auch Mechanismen treten auf, so das Bestreben, jedem Substantiv nach Möglichkeit ein attributives Adjektiv beizugeben. Man vergleiche das Bild des Mains: „Grade aus strömt der Main von der Brücke weg, und pfeilschnell, als hätte er sein Ziel schon im Auge, . . . , als wollte er es, ungeduldig, auf dem kürzesten Wege ereilen — aber ein Rebenhügel beugt seinen stürmischen Lauf, sanft aber mit festem Sinn, . . ." (I, 153). Diese Adjektive haben fast durchweg typisierenden Charakter, wie überhaupt alle Beschreibungen mehr auf das Allgemeine und Kon-

---

[19] Dreigliedrige Ausdrücke: „ewige innige zärtliche Dankbarkeit" (I, 129); „ein . . . Brief, der mir . . . unwillkührlich, unerwartet, überraschend . . . das Bewußtsein, Dich zu besitzen plötzlich hell und froh macht" (I, 191); „. . . ein stilles, süßes, mächtigschwellendes Gefühl Dir sagt, daß Du eine Stufe höher getreten bist . . ." (I, 219). — Vgl. auch II, 111. 129. 157. 174.

[20] „. . . in meiner Seele regt sich kein Gedanke, kein Gefühl in meinem Busen, . . ." (I, 52).

ventionelle ausgehen, nicht das Individuell-Charakteristische hervorheben [21].

Bei der Fügung dieser Wendungen läßt sich dagegen durchaus eine Entwicklung ablesen, auch wenn die Grenze zur erzählenden Prosa nicht überschritten wird. In Würzburg gewinnt der Briefstil eine zunehmende Bewegtheit. Ausrufe, Wunschsätze, Bekräftigungen, Fragen und Bitten treten gehäuft auf, so etwa im Eingang des Briefes vom 13. (—18.) September 1800: „Mädchen! Wie glücklich wirst Du sein! Und ich! Wie wirst Du an meinem Halse weinen, heiße innige Freudenthränen! Wie wirst Du mir mit Deiner ganzen Seele danken! — Doch still! Noch ist nichts ganz entschieden, aber der Würfel liegt, . . .“ (I, 123). Im Spätherbst 1800 wird der Stil immer fahriger, die Perioden werden vielfach von Fragen unterbrochen. Das äußere Bild wird von vielen Gedankenstrichen bestimmt, die zwar nicht Anakoluthe markieren, wohl aber den mangelnden Zusammenhang zwischen den in sich abgeschlossenen Sätzen bezeichnen. Das gilt insbesondere für die Briefe vom November 1800. Die Berliner Briefe vom Herbst und Winter lassen Ruhe und Plan vermissen, ihnen eignet ein beschwörender Ton. Gestaltendformende Eingriffe sind kaum sichtbar. Hierin kommt ohnehin den Reisebriefen die weitaus größte Bedeutung zu. Auf der Parisreise häufen sich als treuer Ausdruck der Ratlosigkeit die Gedankenstriche. Anakoluthe fehlen auch hier: es ist der Gesamtzusammenhang, der fragwürdig erscheint. Adjektiv (vgl. etwa II, 19) und vielgliedriger Ausdruck nehmen spürbar zu, Steigerung und Intensivierung werden also zunächst durch Häufung und Reihung erstrebt [22]. Das ist wiederum ein Indiz dafür, daß Kleists Weg zur Kunstprosa nicht über die Gestaltung des sprachlichen Einzelausdrucks führt, sondern über Zusammenhang und Verknüpfung der Sprachelemente.

All diese Bemühungen sollen im Grunde eine Sprach- und Ausdrucksnot kompensieren, die sich schon in Würzburg ankündigte (I, 150). Sie kommt als Ungenügen an der Sprache zum vollen Ausdruck am 5. Februar 1801 [23] und bleibt lebendig bis in die Zeit der ‚Abendblätter‘ [24]. Der

[21] Vgl. „meine ... ehrwürdige Tante“ (I, 16); meine „hochachtungswürdigen Freunde“ (I, 33); „für diesen höchst strafbaren und verbrecherischen Entschluß“ (I, 39) etc.; die Beispiele ließen sich häufen.

[22] Vgl. die vielen Fragesätze in Nr. 49, aber auch Formen wie die anaphorische Reihung. Sie gehört schon früh zu Kleists Stilmitteln (I, 58), kommt jetzt aber häufiger vor (z. B. II, 51).

[23] I, 211. — Vgl. auch I, 199. — II, 103. 149.

[24] Vgl. ‚Brief eines Dichters an einen anderen‘ (VII, Kl. Schr. 54).

Zweifel an der Mitteilbarkeit durch das Medium der Sprache zwingt Kleist nun, da das Mitzuteilende sich leise verändert, andere Ausdrucksformen zu suchen. Mit Recht hat man daher gesagt, daß Kleist „aus der Verdächtigung der Sprache zur Sprache der Dichtung gelangt" sei [25]. Das geht nicht bis zu einer grundsätzlichen Negierung der Sprache [26], doch sind alle Dinge des Inneren nur andeutend artikulierbar und darum dem Mißverständnis ausgesetzt.

Mit dem Jahresende 1801 vollzieht sich ein weiterer Wandel in den Briefen dadurch, daß die Reflexion überhaupt aus ihnen verschwindet; sie dienen im wesentlichen nur noch sach- und zweckgebundener Mitteilung. Der letzte Brief im alten Stil ist Nr. 55 (an Adolphine von Werdeck). Mangelndes Interesse am Brief als Gestaltungsmöglichkeit ist in ihm schon spürbar; unter Umständen geht das darauf zurück, daß Kleist seine erste Dichtung bereits konzipiert hat. Schon äußerlich spricht die fragmentarische Form des Briefes — er ist nur notdürftig zum Abschluß gebracht — für sich.

In Nr. 103 (23. April 1807) erst beginnt die sonst für die Kunstprosa charakteristische Bepfählung der einzelnen Kola der Periode durch Kommata. Die Komplexität des Geflechtes von temporalen, kausalen und sonstigen Bestimmungen tritt nunmehr im Satzbau auch äußerlich zu Tage. Ein beliebiges Beispiel: „Inzwischen hatten wir, gleich bei unsrer Ankunft, unsre Memoriale an den Kriegsminister eingereicht, und die Abschriften davon an den Prinzen August geschickt. Da unsre Arretierung in Berlin in der That ein bloßes Misverständniß war, und uns, wegen unseres Betragens, gar kein bestimmter Vorwurf gemacht werden konnte, so befahl der Kriegsminister, daß wir aus dem Fort entlassen, und, den andern Kriegsgefangnen gleich, nach Chalons Sur Marne geschickt werden sollten" [27]. Dieser Interpunktionsbrauch greift dann immer mehr auf die Briefe über. Das mag als zusätzliches Beweismittel für einen späten Beginn der Kleistschen Erzählkunst zumindest in der sprachlichen Form dienen, in der wir sie kennen. Ebenso kann dem Wandel, der sich gegen Ende 1801 in den Briefen vollzieht, mit großer Sicherheit abgelesen werden, daß Kleist einerseits anderes zu sagen hatte als vorher, daß ihm aber anderseits das bisherige Ausdrucksmedium nicht

---

[25] Müller-Seidel, Versehen und Erkennen, aaO. 61.

[26] So urteilt Hans Heinz Holz, Macht und Ohnmacht der Sprache, Frankfurt/M. — Bonn 1962, 93: „Die Ursünde des Menschen ist, daß er zu denken und sprechen begann."

[27] II, 165. Vgl. auch eine Seite wie II, 191.

mehr genügte, so daß er es zunächst vollständig beiseitelegte. Nur in der Königsberger Zeit finden wir noch einmal Briefe, in denen er etwas von seinem Inneren auszusprechen versucht.

Der sprachliche Ausdruck Kleists zeigt in den Briefen eine relativ große Einheitlichkeit, was die Ausrichtung auf den jeweiligen Partner angeht. Perspektivische Unterschiede sind durchaus erkennbar, ein grundsätzliches Nebeneinander verschiedener Stilrichtungen, wie etwa Paul Raabe es für Hölderlin bei den Briefen an die Mutter und Schwester einerseits und an die Freunde anderseits festgestellt hat[28], ist jedoch nicht vorhanden. Schwankungen abgerechnet, ergeben sich hinsichtlich der Aussagedifferenzierung sechs Formtypen, die allerdings perspektivisch nicht alle auf jeweils einen Empfänger oder eine Empfängergruppe ausgerichtet sind. (Die im kurialen Stil gehaltenen Briefe an Höhergestellte und die Geschäftsbriefe seien hier ausgeklammert.)

Der erste Typus ist die von Reflexionen durchsetzte Erlebnisschilderung und Reisebeschreibung (Nr. 1, an Frau v. Massow). Er kommt später unter den Wilhelmine-Briefen häufig vor. Deren größerer Teil besteht jedoch aus Lehrbriefen (zweiter Typus), die wenigstens ebenso stark auf das eigene Ich bezogen sind wie auf das der Empfängerin. In ihnen wird das gedankliche Gebäude errichtet, das wir als die geistige Welt des jungen Kleist kennen. Gerade der Entwurfs- und Konstruktionscharakter dieser Briefe erfordert es, die Briefe an die Schwester immer vergleichend danebenzuhalten, wenn man aus dem Bereich der brieflichen Formung der Aussage zur tatsächlichen Überzeugung des Schreibers durchstoßen will. Am deutlichsten zeigt sich das im Winter 1800/1801, als sich die Schreiber beider Komplexe geradezu trennen, da die früheren Ziele und Anschauungen in den Wilhelmine-Briefen viel länger aufrechterhalten werden. Der Komplex der Ulrike-Briefe beginnt ebenfalls mit lehrhaften Aufsätzen (Nr. 5 und Nr. 6), doch wird dieser Typus dann von den — später einsetzenden — Wilhelmine-Briefen übernommen, während die Briefe an die Schwester weitgehend der sachlichen Mitteilung dienen (dritter Typus). Kleist gibt sich in den Briefen an die Schwester viel unbefangener, ist häufig lakonisch; der Überbau seines Bildungsideals fehlt hier weitgehend. Später gibt es auch unter den Ulrike-Briefen solche, in denen er die Empfängerin an seinem Denken teilhaben läßt. Ihre Funktion wird 1811, in der allerletzten Zeit, von den Briefen an Marie von Kleist übernommen — auch dies ein Zeichen für das unheilbar gewordene Zerwürfnis mit der Familie.

[28] Paul Raabe, Die Briefe Hölderlins, Mschr. Diss. Hamburg 1957, 265.

Die Briefe an Marie von 1807 und 1811 stellen einen Sondertypus dar, insofern als sich in ihnen und in ihnen ausschließlich der Dichter Kleist gegenüber einem Partner öffnet. All seine sonstigen Äußerungen über sein Schaffen und sein Werk gehen kaum über karge Fakten hinaus und verbergen sein Inneres eher denn daß sie es enthüllen. — Der fünfte Typus, die Briefe an die Freunde und auch an sonstige männliche Bekannte, zeigt Kleist am offensten und unbefangensten (vgl. etwa Nr. 58 an Lohse).

Der letzte Typus schließlich, die Briefe an weibliche Bekannte, ist für Kleists Entwicklung zum Dichter der wichtigste. Kleist gibt gerade den fernerstehenden Frauen gegenüber (Karoline von Schlieben, Adolphine von Werdeck und Luise von Zenge) am leichtesten seine Bildungspläne auf und ist in der Verwendung von Bildern und anderen keimhaften dichterischen Ausdrucksversuchen am freiesten. Ein innerer Zwang zur schriftlichen Formung dessen, was ihn innerlich bewegte, ließ sich nicht unterdrücken und so wurden für das Tasten und Suchen nach Neuem, das wir vom Frühjahr 1801 ab beobachten, auch neue Adressaten gesucht. Die Gruppe dieser Briefe von 1801 gewinnt ihre Einheit mehr in chronologischer Hinsicht als durch individuelle Ausrichtung [29].

Bevor wir uns nun der Form der Briefe zuwenden, muß unterstrichen werden, daß eine gewisse Unsicherheit aus unserer Betrachtung deshalb nicht eliminiert werden kann, weil beträchtliche Teile der Gesamtkorrespondenz Kleists verlorengegangen sind. Das Bild, das wir von Kleists Verhältnis zu Wilhelmine haben, wäre vielleicht weniger einseitig, wenn letztere nicht einen Teil der Briefe vernichtet hätte, mit einiger Sicherheit gerade den, der dieses Bild zu korrigieren geeignet wäre [30]. Trotzdem reicht das Erhaltene wohl hin, einen Formwandel in Kleists Briefen zu beobachten und zu beschreiben.

Um eine klare Abgrenzung und Fixierung des eigenen Standpunkts zu erzielen, seien zunächst die Ergebnisse der Arbeit von Hans Horst Brügger [31] zusammengefaßt, soweit sie sich auf formale Kriterien der Briefe beziehen. Gleichgültig, ob man ihnen zustimmt oder nicht, muß doch anerkannt werden, daß Brügger als erster auf den Brief als lite-

---

[29] Der Einschnitt von 1802 zeigt sich auch in diesen Briefen, man vgl. die Briefe Nr. 48 und 81 sowie das allmähliche Nachlassen in den drei Werdeck-Briefen Nr. 50, 55 und 114.

[30] LS 702, S. 482.

[31] Hans Horst Brügger, Die Briefe Heinrich von Kleists, Diss. Zürich 1946, 73. — Wenig sinnvoll ist es, wenn sich Brügger (aaO. 7) über die Lückenhaftigkeit des Briefmaterials beklagt und dabei die kritische Ausgabe von 1905 benutzt.

rarisches Genus bei Kleist aufmerksam gemacht hat. Brüggers Ergebnisse lauten in Form von Thesen:

1. Kleists Briefe zeugen von Anfang an von einem bewußten Streben nach Form. Hinsichtlich der formalen Abrundung sind deutliche Fortschritte erkennbar.

2. Den Briefen der Frühzeit eignet der Charakter eines „Werks", vorzugsweise jedoch den Briefen an Wilhelmine, die auf den Lebensplan bezogen sind. In ihnen liegt die bewußteste sprachliche Gestaltung vor.

3. Die Briefe der Frühzeit haben die Form von Aufsätzen oder haben doch die Tendenz zur Angleichung an den Aufsatz.

4. In der Zeit von April 1801 bis Mai 1802 — während der Beschäftigung mit den ersten Dramen — zeigt sich eine Änderung der Grundhaltung Kleists, jedoch noch kein radikaler Umsturz der Form, der Brief bleibt zunächst bewußtes „Werk". Der Brief als Aufsatz gehört der Zeit des Planens an, mit dem Brief vom 15. August 1801 ist beides überwunden: „Mit der Überwindung des Planens hat auch der Brief als Werk zu bestehen aufgehört, und damit auch der Brief als Form" [32].

Nun ist ein formales Gestaltungsstreben bei Kleist durchaus vorhanden, doch wird die tatsächliche Gestaltung außer in einigen exzeptionellen Randfällen gar nicht geleistet, die einheitliche und abgeschlossene Form eines „Werks" fast nie erreicht. Zwischen der Briefform und der des Aufsatzes besteht dabei ein eigentümliches Wechselspiel. Wenn sich die Briefe bisweilen, wenn auch meist nur näherungsweise, der Form des Aufsatzes bedienen, so haben umgekehrt Kleists Aufsätze die Form eines fiktiven Briefes, man denke an den ‚Aufsatz . . .', an ‚Über die allmähliche Verfertigung der Gedanken . . .', ‚Allerneuester Erziehungsplan', ‚Brief eines Malers . . .', ‚Brief eines jungen Dichters . . .' und den ‚Brief eines Dichters . . .'. In beidem äußert sich eine ursprünglich dialogische Veranlagung, in den Briefen unter energischer Wahrung der gestaltenden Führung von seiten des Urhebers. Die typologische Scheidung von Brief und Aufsatz muß schärfer gefaßt werden. Einige Briefe sind in Wahrheit Aufsätze. Für den Brief an Martini trifft das nur partienweise zu, wenn auch der mangelnde innere Zusammenhang darauf beruhen mag, daß er an mehreren Tagen entstand. Nr. 5 aber könnte oder sollte sogar außer im Briefcorpus auch in den ‚Kleinen Schriften' erscheinen, ebenso ist Nr. 10 ein datierter Aufsatz, der sich der Fiktion der Briefform bedient. Die Überschrift in Nr. 28 („Für Wilhel-

---

[32] aaO. 73.

minen“) macht ersichtlich, daß es sich gar nicht um einen Brief handelt, sondern um einen Teil der größeren Arbeit (oder ihrer Vorstufe), zu der das Würzburger Aufsatzfragment über die Bestimmung des Weibes wie auch einzelne Partien aus anderen Briefen gehören[33]. Wie in der später beibehaltenen Neigung, kleine Aufsätze gedanklichen Inhalts in Briefform zu kleiden, so äußert sich in der Freiheit bei der Verwandlung des Briefes in den Aufsatz ein ursprünglicher Formtrieb, eine Neigung zum fiktiven Medium; Brief und Aufsatz fließen keineswegs ineinander, sondern es wird die jeweils andere Form benutzt, eben weil Aussage auf dem Weg über die Form erfolgen muß. Mehr als der Formtrieb weist jedoch nicht von hier zur Dichtung hinüber. Neben den stark geformten Briefen gibt es ebenso reine Mitteilungsbriefe, wenngleich deren spätere Zunahme schon ein absinkendes Interesse an der Form anzeigt[34].

In ganz anderer Hinsicht sind die Reisebriefe bedeutsam, insofern als sich in ihnen die „Bildersammlungen“ finden, von denen ein direkterer Weg zur Kleistschen Dichtung führt. Von Brief Nr. 18 ab, in Dresden geschrieben, häufen sich die Metaphern und Vergleiche. Sie sind durchaus an sachlichen Bericht und Beschreibung geknüpft, verselbständigen sich jedoch an ganz bestimmten Punkten, auf die noch einzugehen sein wird. Beide Medien, Aufsatz und Bild, sind aber nicht in selbständigen Briefformen getrennt, vielmehr ist der Kleistsche Brief der Frühzeit eine Mischform. Er besteht aus einer losen Reihung ganz verschiedenartiger Bestandteile, von denen nur einige, voneinander unabhängig, bewußtem Gestaltungswillen unterliegen. Es hat den Anschein, als gelänge die formale Abrundung nur im abgeschlossenen Aufsatz und auf nicht zu weitem Raum. Ein gutes Beispiel dafür bietet die Ausführung der Denkübung C (I, 58 f.). Ihre gehäuften typisierenden Metaphern, die aus lyrischer Sprache stammen, haben bei Verwendung in der Prosa deutliche Schmuck- und Ornamentfunktion, wenn auch der Ernst, der hinter ihnen steht, nicht zu verkennen ist. Das führt uns wieder auf den schon bei den Gedichten beobachteten Mangel einer eigenen Sprache, die hier noch durch rhetorische Kunstgriffe ersetzt wird, so durch die anaphorische

---

[33] So die Reflexion über die Güte des Weibes: I, 145, ferner 149—152, schließlich der genannte Abschnitt 168—171. Wenigstens Teile der geplanten Ausführung im größeren Rahmen (vgl. I, 149) sind uns also damit erhalten. — Das Aufsatzfragment (I, 133—37) hat Sembdner 1961 bereits unter die ‚Kleinen Schriften‘ aufgenommen (II, 315—18).

[34] Vgl. Nr. 27, Nr. 30, besonders abrupt Nr. 40.

Reihung von Inversionen [35], kunstvoll durch einen bekräftigenden Parallelismus beschlossen. Aber das ist nur ein Teil eines Briefes, der Brief als ganzes ist wieder ein Konglomerat [36]. Die Briefe von der Würzburger Reise bestehen teils aus unpersönlichen — d. h. den Adressaten nicht als Individuum einbeziehenden — Beschreibungen, teils aus reflexionsreichen Partien, die an die Bildung des eigenen Ich wie an die des Partners gebunden sind. An einzelnen Tagen geschriebene Teile sind in sich halbwegs einheitlich, wobei eine Trennung auffällt zwischen den auf den Bildungsplan ausgerichteten Aufsätzen und den Gleichnissen und Bildern. Gegenüber Brügger muß betont werden, daß der Brief als ganzes keineswegs den Charakter eines Werks besitzt, er enthält lediglich bewußt ausgestaltete Teile neben ungestalteten. Das Vermögen zur formalen Durchbildung eines Briefes geht Kleist — noch — ab. Schließlich ist auch die übermäßige Länge einzelner Briefe nur daraus erklärbar, daß sie aus heterogenen Elementen zusammengestellt sind. Das Nebeneinander ganz verschiedener Haltungen des Schreibers gegenüber dem Problem der Gestaltung, das sich auch im sprachlichen Ausdruck verfolgen läßt, zeigt nirgends ein übergreifendes Ordnungssystem. Die disparaten Ansätze stehen unverbunden nebeneinander. Kleist hat im Brief weder eine eigene Form gefunden noch war er fähig, eine bestimmte durchzuhalten.

Mit dem Brief an Karoline von Schlieben vom 18. Juli 1801 setzt ein neuer, ein Übergangstypus, ein. In vielem, so vor allem in der Bildlichkeit, auf Ansätze in den Würzburger Briefen zurückgreifend, zeigt sich in diesem und in den Briefen Nr. 50 und 52 (an Frau von Werdeck und an Luise von Zenge) eine zunehmende Einheitlichkeit der Sprache und des Inhalts. Obgleich viele Versatzstücke, vermutlich Zitate aus dem Ideenmagazin, locker eingefügt werden, sind diese Briefe doch nicht mehr so sprunghaft in den Übergängen. Das beruht, wie schon Brügger gezeigt hat, darauf, daß die um den Lebensplan kreisenden Gedanken fehlen. Sie fehlen aber insofern nicht ganz, als dafür die Klage um ihren

[35] aaO.: „... nicht mit allen seinen Forderungen ...", „... nicht murren wird ...", „... nicht mit bitterm Groll ...", „... nicht zürnen auf ...". Das Vorkommen der Metaphern einerseits, das rhetorische Element anderseits verhindern in ihrem Zusammenwirken, Kleist sowohl der älteren, durch Gellert und theoretisch durch Adelung vertretenen Stilrichtung zuzuweisen, wie der neueren, deren theoretischer Begründer Herder ist. (Über diese Zweiteilung vgl. Erich Schmidt, Richardson, Rousseau und Goethe, aaO. 261 ff.)

[36] Auch der Kant-Brief vom 22. März 1801 gehört unter diese Mischform. Julian Schmidt (aaO. XXI) sprach von Steigerung, in Wahrheit hat der Brief zwei weitgehend voneinander unabhängige Teile.

Verlust einsetzt. Diese Einschübe sind jedoch nicht mehr so selbständig, sie fügen sich in ihre Umgebung besser ein — besonders in Nr. 52 — und bewirken somit, im Gegensatz zu den Würzburger Briefen, keine totale Dekomposition des Ganzen mehr. Diese Zwischenstufe, hervorgegangen aus der früheren Mischform, ist nur ein Übergang zur gänzlichen Aufgabe der Briefform als Objekt des Gestaltungswillens. Der radikale Abbruch, der sich hierin am Ende des Jahres 1801 zeigt, ist ein weiteres Indiz dafür, daß erst in diesem Augenblick der Brief durch die Dichtung ersetzt wird.

Schließlich sei noch die Bedeutung des rhetorischen Elements in den Briefen Kleists erwähnt. Es erfreut sich bisher weder besonderer Schätzung noch überhaupt einiger Aufmerksamkeit. So hat denn auch Brügger die Rhetorik „völlig überflüssig" gefunden, von „Kunststück" und „Phrasen" gesprochen und vermißt, daß der Leser „innerlich" mitschwinge, „. . . das Gefühl war nicht beteiligt . . ." [37]. Nun ist aber die Behauptung, daß das Gefühl a priori etwas „Echteres" sei als der Verstand, Erbstück aller irrationalistischen Strömungen im deutschen Geistesleben seit dem Sturm und Drang, nicht alleine für den heutigen Betrachter sondern für jedes historische Bewußtsein überhaupt eine falsche Prämisse. Wie bedeutsam gerade die Rhetorik für die Entwicklung des vorromantischen Irrationalismus war, hat für die englische Dichtung Klaus Dockhorn gezeigt [38] und unter Hinweis auf die bisherige Vernachlässigung der „der Literarästhetik homonomen Traditionen, nämlich der Rhetorik mit ihrem Sprößling Poetik" [39] eine „Umschaltung unserer ästhetischen Fragestellung vom Wahrheits- und Wirklichkeitsproblem (Imitatio, Mimesis, Verismus, Kosmos- und Organismusästhetik) wie auch vom Ausdrucksproblem (Originalgenie, Schöpfertum, Individualität) auf das Wirkungsproblem" [40] gefordert. Stellvertretend für die vielen rhetorischen Formen in Kleists Briefen sei auf ein Element hingewiesen, auf die Neigung zu ganz bestimmten Exordialformeln.

Bei etwa zwei Fünfteln aller Briefe bis zur Abreise von Paris im Herbst 1801 hat Kleist sein Augenmerk auf eine besondere Ausgestaltung des Anfangs gerichtet. Durch Fragesätze, Exklamationen oder Konditional-, Kausal- und Temporalsätze wird eine Spannung, mithin eine bewußt

---

[37] aaO. 43.

[38] Die Rhetorik als Quelle des vorromantischen Irrationalismus in der Literatur- und Geistesgeschichte, Nachrichten von der Akademie der Wissenschaften in Göttingen, 1949, Phil.-hist. Klasse, 109—150.

[39] aaO. 109.

[40] aaO. 149.

gestaltete Haltung gegenüber dem Leser erzielt. Diese Spannung stellt eine Erhöhung der normalen Sprechhaltung dar, eine Intensivierung der gefühlsmäßigen Anteilnahme des Lesers. Schon der Einsatz mit einer Inversion oder der Konjunktion des Nebensatzes schafft einen Spannungszustand [41] und eine gewisse Präzipitation, besonders wenn die Nebensätze in Reihung auftreten (Nr. 5). Häufiger sind emphatische Ausrufe zu Beginn eines Briefes oder Briefabschnitts [42]. Am stärksten jedoch wirken die einleitenden Fragesätze, weniger wenn sie einzeln [43] als wenn sie in ganzen Ketten, oft über mehrere Absätze hin sich erstreckend, auftreten. Das beginnt schon mit dem allerersten Brief und kehrt bei zwei Wilhelmine-Briefen 1800 wieder [44]. Natürlich ist diese Intensivierung durch Häufung einer Konstruktion ein rationales, eben rhetorisches Verfahren, aber damit ist in dieser Zeit, in der Kleist noch keine eigene und keine angemessene Sprache besaß, noch gar nichts über Stärke und vor allem Echtheit des Ausdrucks gesagt. Mehr als das Streben zur Form ist diesen Erscheinungen ohnehin nicht anzusehen. Bei den schon einmal als Übergangsformen charakterisierten Briefen an Karoline von Schlieben und Frau von Werdeck [45] wird diese Fragekette wieder aufgegriffen, sogar in verstärktem Maße. Dieser Rückgriff zeigt noch einmal, daß Kleist auch im Sommer 1801 noch keine grundsätzlich neuen Ausdrucksformen hinzugewonnen hatte. Nicht nur die Exordialformeln, sondern auch die sonstigen rhetorischen Kunstmittel gemahnen wiederum an das Zeitalter der Wirkungsästhetik .

Die einzige der Stationen Kleists auf seinem Wege zur Dichtung, die in der Forschung breitere Beachtung gefunden hat, ist die Welt der B i l d e r u n d V e r g l e i c h e in den frühen Briefen. Ayrault erkannte die Bedeutung der auf der Würzburger Reise einsetzenden Suche nach Bildern und Vergleichen richtig, wenn er in ihr den Ursprung auch der Bildlichkeit der Dichtung sah [46]. Damit wird aber noch keineswegs behauptet, daß diese Bilder auch schon „dichterisch" seien; ein naheliegender, jedoch die Stufen der Entwicklung Kleists verkennender Irrtum.

---

[41] „Kaum genieße ich . . ., so . . ." (I, 77); vgl. ferner Nr. 15 und Nr. 32.

[42] Vgl. Nrn. 3, 21, 22, 25, 27, 31, 41; dazu Abschnitte innerhalb von Nrn. 19, 22, 23 (Bd. I, 110. 129 und 145).

[43] Nrn. 14, 24.

[44] Nrn. 8, 23.

[45] Nrn. 48 und 50. Nicht sicher, obgleich wahrscheinlich, auch Nr. 55, wo der Anfang äußerlich verstümmelt ist.

[46] Heinrich von Kleist, aaO. 167.

Einer gerechten Bewertung oder sachgemäßen Beschreibung des Bildes bei Kleist hat die Gewohnheit vieler Interpreten geschadet, Kleist als Zeitgenossen Goethes nun auch mit Goethischen Maßstäben messen zu wollen. Da nun einmal der Wiedergabe der Wirklichkeit durch das Bild bei Kleist jede Unmittelbarkeit, dem Bild selbst die organische Einheit mangelt, ist es zwecklos, dies immer als Fehler hinzustellen, man sollte vielmehr nach Gründen dafür suchen. Es führt nicht weit, um ein Beispiel zu geben, wenn man ein angenommenes extremes Auseinanderfallen von Ich und Welt bei Kleist und die in Kleists Dichtung überwiegenden Formen von Vergleich, Allegorie und Personifikation auf den Einfluß Kants zurückführt, wie Paula Ritzler es versucht hat [47], denn die besonderen bildlichen Formen bei Kleist sind älter und entspringen vollkommen eigenen Gesetzlichkeiten. Dabei ist vor allem an die Strombilder zu denken, die eine Sonderstellung einnehmen und nicht ohne weiteres mit den anderen vermengt werden dürfen.

Der die Bilder mitbetreffende Stilwandel der Briefe, der sich im Herbst 1801 abzuzeichnen beginnt, hätte verhindern sollen, daß eine Parallelität zwischen Dichtungen und diesen Bildern angenommen werden konnte. Das spätere Verschwinden der Bilder ist gerade ein Indiz dafür, daß es sich dabei um V o r f o r m e n der Dichtung handelt. Nach dem Vorgang Wilbrandts, der in den szenisch eingerichteten Sprichwörtern, den Scharaden und Gelegenheitsgedichten die ersten dichterischen Versuche sah und dann bereits in den Würzburger Briefen und ihren Naturschilderungen „den erwachten dichterischen Trieb“ [48] zu erkennen glaubte, hatte bereits Wukadinović das in mehreren Variationen auftretende Bild des Stromes ganz real auf die Schwierigkeiten bei der Vollendung des ‚Guiskard‘ bezogen [49]. Solche biographischen Rückschlüsse treten dann wieder bei Stahl auf, der meint, „... an indication of Kleist's beginnings as a writer may be sought in those passages in his letters ..., in which he describes the course of certain rivers in similar, if not identical terms“ [50]. Verschiedene Bildtypen miteinander vermischend leitet Stahl

---

47 Zur Bedeutung des bildlichen Ausdrucks im Werke Heinrich von Kleists, Trivium 2 [1944], 178 ff. Die Verfasserin spricht von einer „erzwungenen“ Vereinigung von Ich und Welt in diesen Formen (aaO. 184) und bewertet folgerichtig die spätere Zunahme der Metaphern positiv. In den letzten Dramen sei dann das Objekt „gesicherter Besitz geworden“, aaO. 118.

48 aaO. 73

49 Kleist-Studien, aaO. 78.

50 aaO. 13. — Die von Eva Rothe in ihrer Kleist-Bibliographie (JbSchG 5, 1961) als Nr. 363 angeführte Studie eines Edmund Stahl über das Stromsymbol

aus ihnen zwei dramatische Archetypen Kleists ab, die „reine Jungfrau" und den „siegenden Helden" [51]. Auf Grund der Bilder verlegt er die Arbeit am ‚Guiskard' bereits in das Jahr 1801. Nun ist der ‚Guiskard' kaum vor der ‚Familie Schroffenstein' begonnen worden, und bezüglich der Ansicht, daß Kleist so früh, etwa gar schon in Würzburg, gedichtet habe, hatte Martin Schütze 1919 u. a. darauf verwiesen, daß Kleists Schätzung für Gellert im Jahre 1800 einen derart rückständigen Grad literarischer Bildung anzeige, daß sie eine gleichzeitige eigene Dichtung ausschließe [52]. Schütze hat in einer sorgfältigen Untersuchung der Briefe gezeigt, daß nicht einmal im Herbst 1801 mit einer abgeschlossenen Dichtung zu rechnen ist [53].

Der Vergleich des Strombildes bei Kleist mit motivisch verwandten Bildern bei Hölderlin und Goethe liegt nahe [54]. Richard M. Müller hat mit vollem Recht hervorgehoben, daß Kleist in der Geschichte des Strommotivs innerhalb der deutschen Klassik eine Stellung einnimmt, die ihn von Goethe und Hölderlin trennt [55], ohne daß wir uns deshalb seiner Definition des Klassikbegriffs anzuschließen vermögen [56]. Eine gewisse Verwandtschaft Kleists mit der durch Klopstock — Goethe — Hölderlin repräsentierten Tradition besteht zweifellos, da auch bei ihm der Strom ein heroisches Schicksal verbildlicht. Nun ist jedoch die Tatsache nicht hinwegzudisputieren, daß das Stromsymbol in Kleists Dichtung kaum je an ausgezeichneter Stelle wiederkehrt. Mag es sich also um wesensnot-

---

bei Kleist ist eine französische Übersetzung von S. 12—17 des Kleist-Buches von Ernst Leopold Stahl.

[51] aaO. 16.

[52] Studies in the mind of romanticism, Modern Philology 16, 1918/19, 505. — S. 293 ff. tritt Schütze ausführlich der Theorie Wilbrandts entgegen.

[53] aaO. 523 f.

[54] Vgl. Uyttersprot aaO. 217 und Stahl aaO. 15. — Wenn Blume (Kleist und Goethe, aaO. 22) aus dem vereinzelten Bild des fallenden Stromes bei Kleist (II, 37) einen Gegensatz zu Goethe herauslesen will, so trifft das nicht, denn dieses Bild ist keineswegs typisch für Kleist.

[55] Die deutsche Klassik. Wesen und Geschichte im Spiegel des Strommotivs, Bonn 1959, 10 Anm. 9.

[56] Müller sieht selbst, daß Schiller in seiner Studie eine Randstellung einnimmt, „die seiner Bedeutung nicht entspricht" (aaO. 9). Das aber weist weniger auf eine „Problematik dieses Dichtertums" (aaO. 10) als auf eine problematische Wesensbestimmung der Klassik, die wohl doch nicht mit einer „Rückkehr zum Ursprünglichen" (aaO. 11) zusammenfallen dürfte. Daß gerade Goethes Sonett ‚Mächtiges Überraschen' von 1807 oder 1808 ein Gegenbild für das Stromsymbol in den Hymnen des jungen Goethe enthält, sieht Müller nicht richtig, wenn er es als krisenhaften Stand der motivlichen Entwicklung einschätzt.

wendigen Ausdruck oder um einen Tastversuch handeln, in jedem Falle gehört dieses Bild zu den kennzeichnenden Merkmalen einer frühen Phase in Kleists Entwicklung, die aus einer ganzen Reihe von Gründen als eine der Dichtung voraufgehende bezeichnet werden muß.

Um die Richtung unseres Vorgehens noch deutlicher zu machen, müssen wir uns selbst von den unverdächtig scheinenden Formulierungen Meyer-Benfeys und Rahmers absetzen, daß die Würzburger Briefe, vor allem die Bilder der Landschaft darin, „die frühesten Offenbarungen des dichterischen Genius“ [57] darstellen und als stilistische Übungen [58] gedacht gewesen seien. Im Gegenteil kommt ihnen der Charakter der stilistischen Übung nur allenfalls mittelbar und auf Umwegen zu, da eine Verselbständigung ästhetischer Ziele kaum erkennbar ist, geschweige denn erstrebt wurde. Auch da, wo bewußte Gestaltung am Werk ist, sind die weiteren Zwecke Kleists, Erkenntnis und Ethik, zumindest latent spürbar.

So verschiedenartig die bildhaften Partien in Kleists Briefen auch sein mögen, so sind sie doch fast alle nach gleichen Prinzipien geschaffen. Es ist daher nicht angängig, besonders „schöne“ oder „poetische“ Bilder herauszugreifen und sie als Hinweise auf dichterische Talente auszugeben. Kleist unterscheidet Bild und Vergleich nicht (I, 187), mit anderen Worten: eine kunstmäßige Ausgestaltung des bildhaften Ausdrucks interessierte ihn nicht primär, allenfalls angeregt durch Landschaften oder auch ein gewisses handwerkliches Qualitätsstreben. Beides kann gelegentlich beträchtliches Eigenleben gewinnen, aber grundsätzlich sind Bild oder Vergleich nicht Selbstzweck. Sie stehen vielmehr nach zwei Richtungen hin in einer doppelten Abhängigkeit. Einmal beruhen sie auf Beobachtung, sie sind ausdrücklich an der äußeren Wirklichkeit gewonnen, zum andern erfahren sie eine Ausdeutung, sie sollen auf etwas verweisen. Die zweifache Bedingtheit, in der sie somit stehen, schränkt eine etwaige Eigengesetzlichkeit bedeutend ein. Wir sind bei Kleists Briefen in der glücklichen Lage, außer genauen Beschreibungen seines Verfahrens bei der Schaffung von Bildern und Vergleichen auch noch Beispielsammlungen dazu zu besitzen (I, 170—176). Die Ausbildung der Beobachtung gibt die Grundlage ab. Die Beobachtung ist jedoch ebensowenig wie die Form der Verbildlichung Selbstzweck, vielmehr führen beide zu jenen moralischen Revenuen (I, 173), zu denen Kleist Wilhelmine anhält und

---

57 Meyer-Benfey, Kleists Leben und Werke, aaO. 24 (im Original gesperrt). Vgl. auch Das Drama Heinrich von Kleists, aaO. I, 38.

58 Rahmer, Das Kleist-Problem, aaO. 15 ff.

die die Bildersuche und Bildgestaltung in den großen teleologischen Zusammmenhang des Bildungs- und Vervollkommnungsglaubens eingliedern. Bei aller vielbesprochenen Introvertiertheit Kleists zeigt dieses Verfahren aber auch, daß Kleist anhand der Bilder seine Ausdrucks- und Denkweise sehr stark aus der Umwelt gewinnt, vornehmlich durch die starken Eindrücke der Reisen [59]. Ganz offensichtlich liegen die Vergleichsübungen für Wilhelmine (vgl. I, 195) auf gleicher Linie mit den früheren Denkübungen. Als ein neues Element von fundamentaler Bedeutung für die Entwicklung Kleists zum Dichter ist nun zum formalen Bestreben, das wir zuerst heraushoben, die bildliche Gestaltung hinzugetreten. Ihre Vorbedingung ist die Kultivierung der empirischen Anschauung, wie sie die Reisen mit sich brachten. Die neu hinzugekommenen Gestaltungsmittel werden unter der Hand immer lebendiger und wichtiger, so daß ihr fortschreitendes Wachstum eine Eigenbewegung gewinnt.

Der Übergang zum bildlichen Vergleich unter dem Anstoß der Beobachtung macht klar, daß die Bildwelt der Briefe ihrer Natur nach gleichzeitig ein Akt des Verstehens ist, das Bild ist Bewältigung der Wirklichkeit durch Gestaltung. Daß dabei der Anteil der eigenen innerseelischen Wirklichkeit relativ groß ist, steht auf einem anderen Blatt; prinzipiell ändert das nichts an der allgemeinen Bedeutung des bildschöpferischen Vorgangs.

Die Beschreibung, die Kleist für sein moralisierendes Schlußverfahren gibt, beweist, daß wir die Form des Bildes (oder Vergleichs) als *Analogie* anzusehen haben. „Frage bei jeder Erscheinung entweder: *worauf deutet das hin?* und dann wird die Antwort Dich mit irgend einer nützlichen Lehre bereichern; oder frage wenigstens, wenn das nicht geht: *womit hat das eine Ähnlichkeit?*, und dann wird das Auffinden des Gleichnisses wenigstens Deinen Verstand schärfen“ (I, 171). Beiden Fragen fügt Kleist an einer späteren Stelle noch den Nachsatz hinzu, „wenn man es auf *den Menschen* bezieht?“ bzw. „wenn man es mit *dem Menschen* vergleicht?“ (I, 175). Das Zugrundeliegende ist in beiden Fällen die „Ähnlichkeit“; analoge Verhältnisse also in der empirischen Wirklichkeit einerseits und im verstehenden Geist des Menschen anderseits. Das Vordringen bis zur Wahrheit, d. h. in Kleists Sinne bis zur Erkenntnis einer ethisch-moralischen Lehre, ist dann noch ein weiterer Schritt, der nicht in jedem Fall mög-

---

[59] Man vgl. einen so eindeutig aus der Anschauung geschöpften bildlichen Vergleich wie den des Felsens (II, 34).

lich ist, der dann aber über den Bereich bildlichen Vergleichens wieder hinausführt. Folgerichtig fordert Kleist auf Grund des Analogieverhältnisses „möglichst genaue Übereinstimmung und Ähnlichkeit in allen Theilen der beiden verglichnen Gegenstände ... Alles, was von dem einen gilt, muß bei dem andern irgend eine Anwendung finden" (I, 187). Das schränkt das Eigenrecht des Bildes stark ein und reduziert seine Entfaltungsmöglichkeiten auf ein Minimum. Eine Vorform dieser Prämisse, die allen diesen Vergleichen zu Grunde liegt, hatte Kleist bereits im ‚Aufsatz ...' ausgesprochen, wenn er von der Bildung als Zweck der Lebensreise erwartete, daß sie ihm Einsicht in „die Geheimnisse der physischen wie der moralischen Welt" (VII, Kl. Schr. 15) gewähren sollte, denn über beiden waltet nach seiner Auffassung „ein gleiches Gesetz" (aaO. 12). Es sei erwähnt, daß Herder 1778 in seiner Schrift ‚Vom Erkennen und Empfinden der menschlichen Seele' die Kleistschen Gedanken in einer Art theoretischer Grundlegung teilweise vorweggenommen hat, wenn er dort von der „Ähnlichkeit" zwischen den Erscheinungen der Natur und den Vorgängen in der Seele spricht und die „Bildersprache" gegen die „Weltweisen" verteidigt. „Wie unsre ganze Psychologie aus Bildwörtern bestehet, so wars meistens Ein neues Bild, Eine Analogie, Ein auffallendes Gleichniß, das die größten und kühnsten Theorien gebohren." In dieser „Analogie zum Menschen" liege Wahrheit, „menschliche Wahrheit" zwar, aber das sei die höchste[60]. Beide, Herder wie Kleist, sehen die metaphorische Sprache als etwas an, das analoge Seinsstrukturen wiedergibt und sie verstehen macht.

Aber nicht nur moralischen Nutzen, sondern auch Vergnügen soll die Übung durch Vergleiche bieten, „die unserm ganzen Leben großen Reiz geben, die Wichtigkeit aller uns umgebenden Dinge erhöhen und eben dadurch für uns höchst angenehm werden kann" (I, 173). Das bleibt, wollte man es auf die Zweckbestimmung von Dichtung beziehen, noch im Bereich der ersten Hälfte des 18. Jahrhunderts, da es über das „et prodesse et delectare" nicht hinausgeht — sogar ohne die Horazische Betonung der Kopula. — Wichtig ist wiederum, den Zeitpunkt zu be-

---

[60] Vgl. Herder, ed. Suphan, Bd. 8, 169 f. Mit „Bildwort" verdeutscht Herder „Metapher". Vgl. auch aaO. 171: „Die stille Ähnlichkeit, die ich im Ganzen meiner Schöpfung, meiner Seele und meines Lebens empfinde und ahnde: der große Geist, der mich anwehet und mir im Kleinen und Großen, in der sichtbaren und unsichtbaren Welt Einen Gang, Einerley Gesetze zeiget: der ist mein Siegel der Wahrheit." „Ich ... laufe nach Bildern, nach Ähnlichkeiten, nach Gesetzen der Übereinstimmung zu Einem, weil ich kein andres Spiel meiner denkenden Kräfte ... kenne ...".

stimmen, in dem die Bildersuche aufhört, denn es spricht mit gegen die Auffassung von der dichterischen Natur dieser Bilder, daß sie keineswegs direkt in die Dichtung münden. Sie brechen plötzlich ab im Sommer 1801, auffälligerweise mitten in einem Brief, dem ersten der an Frau von Werdeck gerichteten (28.—29. Juli), dessen zweiter Teil beginnt: „Werde ich Ihnen nicht auch etwas von dieser Stadt schreiben müssen? Herzlich gern, wenn ich nur mehr zum Beobachten gemacht wäre. Aber — kehren uns nicht alle irrdischen Gegenstände ihre Schattenseite zu, wenn wir in die Sonne sehen —? Wer die Welt in seinem Innern kennen lernen will, der darf nur flüchtig die Dinge außer ihm mustern" (II, 41). Das neugewonnene Bewußtsein von der Bedeutung der „Welt in seinem Innern" ist eine Wendemarke auf dem Wege zur Dichtung. War die Zweckbestimmtheit der Vergleiche schon in der Begegnung mit der kritischen Philosophie dahingefallen, so wird nun zugleich mit der programmäßigen Suche und der Aufzeichnung des in der Wirklichkeit Gefundenen auch die zweite der Bedingtheiten aufgegeben. Damit wird das Bild erst frei zu seiner Anwendung im Rahmen einer Dichtung. Hier zeigt sich, daß in dem „wenigstens", mit dem man fragen solle: „womit hat das eine Ähnlichkeit?" eine Sprengkraft steckt, die eine spätere Loslösung und Verabsolutierung des Ästhetischen aus seiner ursprünglichen teleologischen Einbettung in die Bildungsreligion ermöglicht.

Die Bildlichkeit der Briefe kristallisiert sich vorzugsweise und zuerst an den Landschaften; die allgemeinen Vergleichsübungen schließen sich nach der Rückkehr von der Würzburger Reise an. Die ausschließliche Anregung der Beobachtung durch die Natur zeigt, daß Kleist erst eines starken Anreizes bedurfte, und daß seine Empfänglichkeit für die Außenwelt grundsätzlich nicht groß war. Es ist auch nicht das Wesentliche, der Eigencharakter der Landschaft, den Kleist aufnimmt. Mögen manche der Bilder im Detail genau sein, so darf man doch kein unmittelbares Naturgefühl bei Kleist vermuten. Gerade gefühlsmäßiges Erfassen und Eindringen sind ihm fremd. Die Wirklichkeit, die er sieht, ist eine Landschaft der Seele, wobei man, wie die Ergebnisse des vorigen Kapitels zeigen, jeden einseitig emotionalen Bedeutungsakzent nicht streng genug fernhalten kann. Wenn Kleist einmal sagt, daß man ein „Herz" brauche vor der Natur, während die Gegenstände in „Gesellschaften, auf den Straßen, in dem Schauspiele" auf den „Verstand" (I, 109) allein wirkten, so sind beide als Komplementärbegriffe zu denken, wie vor allem die wichtige Parallelstelle I, 106 lehrt, an der „Gefühl" und „Gedanke" in gleichem Zusammenhang gekoppelt auftreten. Auch der Anthropomorphismus vieler Vergleiche, vor allem bei den Strombildern, betont den Innerlichkeitscharakter der im Bilde erfaßten Wirklichkeit.

Besitzt die Natur als empirische Wirklichkeit schon keinen Eigenwert für Kleist, so fehlt auch jede Andeutung, daß sie als eigengesetzliche Wesenheit aufgefaßt wird. „Natur“ ist Außenwelt schlechthin, auch „das gewölbte Thor“ in Würzburg (I, 170) ist „Natur“. Kleist sagt dann auch: alle „uns umgebenden Dinge“, wenn er den Materialbereich der Beobachtung bestimmen will (I, 173). Die Natur ist lediglich ein Verweisendes; ihrer Beobachtung liegt ein ethischer Apriorismus zum Grunde, denn sie wird daraufhin befragt, „was Recht ist, und edel und gut und schön“. In diesem Sinne kann Kleist noch auf der Parisreise sagen, daß „die reine Natur“ dem Menschen sein Ziel stecke [61].

Das Charakteristikum der Landschaftsbilder in den Briefen ist, daß sie so häufig unter den Maßstäben einer Kunstwirklichkeit gesehen werden. Natur und Kunst stehen dabei in einem komplexen wechselseitigen Abhängigkeitsverhältnis. Es scheint zunächst ein innerer Zwiespalt oder doch wenigstens eine Inkonsequenz vorzuliegen, wenn Kleist einerseits die Natur der Kunst eindeutig vorzuziehen scheint, der letzteren überhaupt bis zum zweiten Dresdner Aufenthalt wenig Interesse entgegenbringt [62] und doch anderseits fast jede Landschaft schildert, indem er sie mit einem Gemälde vergleicht. Der Widerspruch löst sich aber auf, wenn man sieht, wie die Natur beschaffen ist, die Kleist der Kunst vorzieht. Es ist die amöne Landschaft, meist ein idyllisches Flußtal, also nur ein festumrissener Ausschnitt, der seines idyllischen Charakters wegen ganz spezifische Bedeutung für ihn hatte, dies auch in Verbindung mit der sozialen Irrealität der Vervollkommnungsreligion. Auf einem Umweg können wir bestimmen, was Kleist als „schöne“ Landschaft ansah. Es ist

---

[61] II, 12. — Die Natur lädt den Menschen ein, „vortrefflich zu sein“ (II, 38). Vgl. ihre Attribute: groß, still, feierlich (II, 57); schön, groß, edel, erhaben (II, 21); „Dreßden hat eine große, feierliche Lage“ (II, 8); in die Adjektive mischt sich deutlich ein ästhetisches Element.

[62] Seine Interesselosigkeit gegenüber der Dresdner Galerie ist erstaunlich (I, 104). Im Mai 1801 hat sich das Blatt völlig gewendet. Es ist deutlich zu sehen, daß sich bereits damals in der Hinneigung zu Raffael ein klassizistischer Einschlag in Kleists Kunstauffassung bemerkbar macht, besonders, wenn man es mit Goethes eindeutiger Bevorzugung der Niederländer bei seinem ersten Besuch in Dresden 1768 vergleicht (‚Dichtung und Wahrheit‘, II, 8, Artemis-Gedenkausgabe, Bd. 10, 355). Jedoch scheint auch Kleist den Niederländern Aufmerksamkeit gewidmet zu haben, jedenfalls erwähnt er sie noch in Paris in einem Atemzug mit den Antiken des Louvre (II, 41).

die Parklandschaft im englischen Stil, während er den französischen Garten elend (I, 128) nennt. In diesem Zusammenhang spricht er auch von „romantisch“, so einmal beim Park des Gutes Steinhöfel (I, 69) und dann bei einem Tal, das aussieht „wie eine englische Anlage“ (I, 110 f.). Starres Regelwesen ist tot für ihn, ohne daß er sich auf der andern Seite für Ungebundenheit entschiede. Die arkadische Kunstwirklichkeit des englischen Parks, deren Natürlichkeit ja auch nur eine scheinbare ist, ist für ihn „nach einer entworfenen Idee des Schönen“ (I, 69) gebildet.

Angesichts der verbreiteten Rede vom mangelnden Wirklichkeitsbezug Kleists, vom Eingeschlossensein ins eigene Ich, erlaubt die Kunstwirklichkeit der Landschaftsbilder eine positive Wendung dieser um der Form der Negation willen unzulänglichen Urteile. Das artifizielle Element erweist sich als bestimmende Formqualität, die die idealistische Frage nach dem Verhältnis von Ich und Wirklichkeit an den Rand drängt. Kleists gesamte Perzeption steht von allem Anfang an unter den leitenden Gesetzen der Kunst. Bereits der erste erhaltene Brief beweist es: „Ich habe nie geglaubt daß es in der Natur so schöne Landschaften geben könne, als ich sie gemahlt gesehen habe; jezt aber habe ich grade das Gegentheil erfahren“ (I, 4). Die allererste Erfahrung der landschaftlichen Wirklichkeit ging bereits durch das Medium der Kunst. Dieses Phänomen ist aber nicht primär als Weltlosigkeit zu erklären, vielmehr zeigt es sich, daß die formgebende Kraft der Kunst es ist, unter der die Erfahrung der Welt steht. Mehrfach vergleicht Kleist darum eine Landschaft mit einem Gemälde [63] oder mit einem Bildteppich [64]. Die Einzelheiten dieser Vergleiche legen an den Tag, daß dabei ein gut Teil eigenes gestaltendes Eingreifen mitspielt, so wenn „ein gewählter Vordergrund“ (I, 113) in eine Aussicht hineingesehen wird. Am deutlichsten spricht das die erste Beschreibung Dresdens (1800) aus. „Es liegt, vielthürmig, von der Elbe getheilt, in einem weiten Kessel von Bergen. Der Kessel ist fast zu weit. Unzählige Mengen von Häusern liegen so weit man sieht umher, wie vom Himmel herabgestreut. Die Stadt selbst sieht aus, als wenn sie von den Bergen herab zusammengekollert wäre. Wäre das Thal enger, so würde dies Alles mehr concentrirt sein. Doch auch so ist es reizend“ (I, 105). Daß die Natur es Kleist nicht recht machen konnte, besagt deutlich genug, mit welchen Augen er sie ansah. Er verlangte von ihr, daß sie seinem Gestaltbedürfnis Genüge tat. Wie sehr er in dem Medium der Kunst lebte, muß ihm später bewußt geworden sein. Zweimal taucht

[63] I, 99. 113. 114. — II, 23.
[64] VII, Kl. Schr. 12. — I, 155. — II, 3.

in den Pariser Briefen die Schilderung des Gesprächsversuchs mit einem Pariser als Illustration für die Beziehungslosigkeit der Großstadtmenschen auf, und beide Male schließt sich in ungefähr gleichen Worten folgende Passage an: „Geschwind laufe ich nach dem Louvre, und erwärme mich an dem Marmor . . . , oder trete unter die italienischen Tableaus, wo Menschen auf Leinwand gemahlt sind —" (II, 53; vgl. II, 41). Den Gedankenstrich muß man hier mitlesen, sinngemäß sagt er etwa: „da es doch wirkliche Menschen hier für mich nicht gibt." Hat man die Bedeutung der artifiziellen Formung in den Landschaftsbildern erkannt, so fordert das den Schluß, daß wir hier weniger an mangelnde Bindung an die Wirklichkeit zu denken haben als daran, daß eine vorgegebene Struktur der Kleistschen Einbildungskraft erkennbar wird. Allerdings sind damit noch keine idiomatischen Stilzüge festgelegt, es ist nur ganz allgemein das Kennzeichen einer Kunstwirklichkeit, ohne individuelle Einzelheiten, das sich hier ausgeprägt findet. Auch auf diesem Wege ergibt sich der Schluß, daß Kleist ein eigener Stil noch fehlte, es ist vorläufig nur eine Prädisposition zur Kunst, von der wir sprechen können [65]. Wenn Kleist aufhört, Bilder in den Briefen zu verwenden, so deutet das an, daß der Bereich der Dichtung mit derart allgemeinen und unpersönlichen Stilzügen nicht mehr auskam [66].

Die Ausformung der vielfach langen und weitverzweigten Bilder wird dadurch begünstigt, daß sie als Ekphrasis aus dem Kontext heraustreten. Eine bestimmte vorhergehende Wendung evoziert sie, danach verselbständigen sie sich [67]. Da die einzelnen Bilder unter sich keinen Zusammenhang haben, tragen sie zur formalen Dekomposition des Briefganzen bei. So wirken Form- und Bildtrieb unverbunden und häufig gegeneinander. Sehen wir genauer auf die Struktur der Bilder, so müssen wir als Erstes feststellen, daß der Zentralpunkt für die Entstehung und weitere Ausformung eines Bildes oder Vergleichs keineswegs in diesem

---

[65] Diese Beobachtungen berühren sich mit denen August Langens zur Rahmenschau als Sehform in der Literatur des Rationalismus (Anschauungsformen in der deutschen Literatur des 18. Jahrhunderts, Jena 1934).

[66] Vgl. Andreas Müller, Landschaftserlebnis und Landschaftsbild [Stuttgart 1955], 203: „Darum benötigte er [Kleist] denn auch solcherlei Aussprachen [Landschaftsschilderungen] nicht mehr, als ihm der Mut oder die Kraft zuteil wurde, diese in der sinnvolleren und ihm auch gemäßeren Weise mit Hilfe menschlicher Gestalten vorzunehmen."

[67] Man vgl. die Schilderung des Sonnenaufgangs (I, 139 f.), die von den Wendungen „wo bald eine Sonne über mich aufgehen wird" und „wenn ich heraufstiege vor Deinen Augen" mitten im vorhergehenden Absatz vorbereitet wird.

selber liegt. Den ordnenden Rahmen für das Bild gibt immer die Wirklichkeit ab, deren angeführten Einzelzügen jeweils ein entsprechender aus der Vergleichssphäre nachgestellt wird, woraus sich dann die Stereotypie der mit „wie" eingeleiteten gehäuften Vergleiche ergibt. Die „möglichst genaue Übereinstimmung und Ähnlichkeit in allen Theilen" (I, 187) setzt dabei keine wesensmäßige Affinität der verglichenen Dinge voraus, sie sieht vornehmlich auf eine funktionale Analogie; daher rührt der scheinbar nüchterne Rationalismus vieler Kleistscher Bilder, z. B. bei dem Vergleich der Seele mit der Echtheit einer Banknote (I, 192). Ein Musterbeispiel für dieses Vergleichsverfahren ist der Denkvorgang, der in allen Einzelheiten mit dem Garnspinnen verglichen wird (II, 11). Die Gebundenheit der Teile eines bildlichen Vergleichs an die stückweise beschriebene Wirklichkeit läßt es ratsam erscheinen, keine Klassifizierung der Bildformen vorzunehmen. Sollte man sich wirklich im Einzelfall zwischen Gleichnis, Vergleich, Bild, Symbol, Allegorie, Personifikation, Metapher etc. entscheiden können, so bleibt doch immer zu bedenken, daß der Formtypus mehr oder weniger zufällig ist. Die Kleistschen Bezeichnungen „Bild" und „Gleichnis", allenfalls „bildlicher Vergleich", scheinen mir deshalb gerade um ihrer Neutralität willen hinreichend. Nicht unwichtig ist schließlich, daß auch die bildlichen Vergleiche nur eine Fortsetzung der anfänglichen Bemühung darstellen, durch Adjektive typisierenden Charakters zu beschreiben. Die Veränderung der sprachlichen Mittel beeinflußt die typisierende Grundhaltung nicht [68].

Die Unselbständigkeit der Teile eines Vergleichs ist Ursache für die katachrestische Struktur so vieler Bilder. Neben diesem mehr technischen Grund ist aber doch das gänzliche Zurücktreten jeder organischen Einheit des Bildes zu Gunsten der bewußten Konstruktion Kleist wesenseigentümlich. Man sehe daraufhin die Beschreibung Würzburgs als Amphitheater (I, 154) an [69]. Sie enthält wenigstens drei disparate Bestandteile. Die bildlichen Vergleiche deuten anfangs auf das Bild des Theaters, wenn auch schon nicht eines Amphitheaters, die Sonne tritt dabei metaphorisch als Kronleuchter in Erscheinung. Dann aber verselbständigt sich die Beschreibung der Stadt wieder, und die Bildlichkeit der Vergleiche wird aus einem völlig anderen Bereich genommen („Schnecke", „Insect", „Heimchen"). Unvermittelt gleitet die Beschreibung dann zum Vergleich

[68] Vgl. den Katalog von Beispielen I, 187 f.

[69] Verwandt ist die Darstellung eines Gewitters als Szene (I, 155 f.) und der Versuch, auch Dresden und Mainz mit der Lage in einem Amphitheater zu vergleichen.

des Sonnenuntergangs mit dem Tod des Helden auf der Bühne über und verliert dabei jede bildliche Einheit. Wenn die Sonne „wie ein Held" stirbt, dann ist die dabei umklammerte Wendung „aber hochroth glühend vor Entzücken" schon einer ganz anderen bildlichen Vorstellung entnommen. Das „blasse Zodiakal-licht" gar bricht als physikalische Erklärung ganz aus dem Zusammenhang, ein Befund, der durch die Poetisierung „umschimmert sie, wie eine Glorie das Haupt eines Heiligen" nur noch verstärkt wird. Der Leser wird von Vorstellung zu Vorstellung geführt, ohne daß ihm dabei irgendeine organische Verknüpfung hülfe. Das Bild ist eine Konstruktion aus vielen Elementen verschiedenartigster Provenienz. Die Variation des gleichen Bildes (II, 36) zeigt erhebliche Fortschritte in Richtung auf die Geschlossenheit, erreicht sie aber auch nur in relativ höherem Grade.

Die Struktur dieser Bilder ist mit der Kennzeichnung „rationalistisch" nicht hinreichend umschrieben. Schon die Tatsache, daß die Briefprosa eine Bildlichkeit entwickelt, zeigt eine darüber hinausgehende Kraft. Fehlt dem Bildganzen auch die organische Einheit, die anders als mit den Kunstmitteln der Rhetorik an das Gefühl des Lesers rühren könnte, wird das Bild von scheinbar störenden naturwissenschaftlichen Erklärungen unterbrochen, so ist doch sowohl bei der Auffindung des einzelnen Bildelements wie bei seiner gedachten Wirkung auf den Leser eine gefühlsmäßige Affiziertheit im Spiel. Die Gesamtstruktur eines Bildes ist auch für die Ratio nicht als einheitlich, als befriedigend, anzusehen. Ebenso wie im Großen, so haben wir auch im Kleinen, in der Form des Bildes, eine Komposition aus heterogenen Elementen vor uns. Grundsätzlich verändert sich diese strukturelle Eigenheit des Bildes bei Kleist auch in der Dichtung nicht, doch haben wir bei den Briefen nicht in gleichem Maße die Möglichkeit, den übergreifenden Gesamtsinn aus der Verwendung im Kontext zu erkennen. Manche Bilder und Vergleiche in den Dramen, besonders viele weitausgesponnene Vergleiche, in denen mehrere Bildvorstellungen katachrestisch ineinandergreifen, lassen sich nur erklären, indem man sich die Entstehung des Kleistischen Bildes in den frühen Briefen vergegenwärtigt.

Abschließend sei noch auf die bereits erwähnten Strombilder eingegangen, denen deswegen eine Sonderstellung zukommt, weil sie in stärkerem Maße Selbstdeutung enthalten. Kleists sonstige Bilder für das eigene Schicksal sind durchweg konventionell [70], wenn auch der Sonnen-

70 Das Lebensschiff: I, 230. — II, 18. 25. 37. — Das Bild des Sterns auf exzentrischer Bahn: VII, Kl. Schr. 13(2) und I, 234. — Lebensreise: II, 78.

und Lichtmetaphorik eine besondere Bedeutung zukommt [71]. — Zwischen September 1800 und Juli 1801 sind die Schilderungen von Flußläufen, in mannigfaltigen Variationen, das am häufigsten wiederkehrende Motiv unter den Bildern in Kleists Briefen. Das Bedeutsame daran ist die bestimmte Art der Bewegung, die der Fluß ausführt. Der Ursprung der Strombilder steckt in einer Beobachtung in einem der ersten Reisebriefe des Jahres 1800. Kleist schildert einen Waldbach. „Das ruht nicht eher, dachte ich, als bis es im Meere ist; und dann fängt es seinen Weg von vorn an. — Und doch — wenn es still steht, wie in dieser Pfütze, so verfault es und stinkt" (I, 101). Bereits dies erste Bild weicht, wie alle folgenden seiner Art, in einer Hinsicht wesentlich vom Brauch der anderen ab. Sein Verweisungskorrelat wird nicht mehr ausgesprochen. Es entsteht zwar auch an der Wirklichkeit, aber worauf es hinweist, bleibt, mit einer Ausnahme, immer zu erraten. Der Fluß und sein Lauf symbolisieren das Leben eines Menschen. Zunächst eines Menschen allgemein, wie die erste Hälfte des Würzburger Flußbildes (I, 152 f.) besagt. „Wenn ich jetzt auf der steinernen Mainbrücke stehe ... und den gleitenden Strom betrachte, der durch Berge und Auen in tausend Krümmungen heran strömt und unter meinen Füßen weg fließt, so ist es mir, als ob ich über ein Leben erhaben stünde." Dann aber, sobald Kleist einmal eine besondere Art der Flußbewegung erfaßt und ständig variiert, ist es ganz eindeutig ein Bild des eigenen Schicksals, das er gibt. Spricht das Bild des ins Meer strebenden Baches noch für den ungebrochenen Optimismus Kleists zu Beginn der Reise, so erfährt das Bild in der Zeit der Resignation in Paris bezeichnende Abwandlungen. Hier wird der fallende Verlauf des Stromes pessimistisch als Zwang des Schicksals aufgefaßt (II, 37) und eine kurze Erwähnung des Rheins im Dezember 1801 wird beschlossen mit dem Satz: „Aber man sagt, er verliert sich im Sande" (II, 78). Ohne daß es uns sinnvoll erschiene, eine Deutung dieser

---

[71] Man wird die ‚Hymne an die Sonne' nicht als Prophetie auf ein eigenes Sendungsbewußtsein auslegen dürfen, dennoch steht dahinter ein ideales Leitbild, wie eine Stelle im ‚Aufsatz ...' zeigt, an der Kleist über „große, seltne Menschen" wie Sokrates, Christus, Leonidas sagt, daß „die Schönheit ihres Wesens wie eine Sonne" aus ihren Verhältnissen „hervorstieg" (VII, Kl. Schr. 19). — An konkreten Beispielen ist zu sehen, wie der Sonnenaufgang als Augenblick starker innerer Erschütterung (schon im ersten Brief: I, 6) zur Einkleidung von Gefühlen inneren Aufschwungs dient (I, 50. 139. 155. 187), während der Sonnenuntergang das Ende anzeigt, das eigene (I, 170) oder das eines nicht klar deutbaren „Helden" (I, 154). Ob späteren einfachen Erwähnungen des Sonnenuntergangs besondere Bedeutung zukommt, ist schwer zu entscheiden (II, 18. 77).

Bilder im Hinblick auf biographische Einzelheiten zu versuchen, ist doch nicht zu verkennen, wie eng der Zusammenhang zwischen diesen Bildern und der gesuchten eigenen Bestimmung ist. Viele dieser Bilder sind ganz einfach Darstellungen der Ratlosigkeit und Unentschiedenheit. Jedenfalls liegt eine tiefe und für die endgültige Entdeckung der dichterischen Berufung und ihren Zeitpunkt wichtige Kluft zwischen der letzterwähnten Apostrophe des Rheins und dem nächsten Vergleich am 12. Januar 1801. Kleist spricht an dieser Stelle davon, daß er „für die üblichen Verhältnisse gar nicht mehr passe. Sie beschränken mich nicht mehr, sowenig wie das Ufer einen anschwellenden Strom" [72]. Dazwischen liegt die Entfaltung des Strommotivs als Bild für den schicksalhaften eigenen Weg zu einer konstanten Grundfigur Kleists. Sie vollzieht sich schrittweise als Variation und hat im wesentlichen drei typische Grundformen. Die erste ist das Bild des abgebogenen Stromes. „Grade aus strömt der Main von der Brücke weg, und pfeilschnell, als hätte er sein Ziel schon im Auge, als sollte ihn nichts abhalten, es zu erreichen, als wollte er es, ungeduldig, auf dem kürzesten Wege ereilen — aber ein Rebenhügel beugt seinen stürmischen Lauf, sanft aber mit festem Sinn, wie eine Gattinn den stürmischen Willen ihres Mannes, und zeigt ihm mit edler Standhaftigkeit den Weg, der ihn ins Meer führen wird — — und er ehrt die bescheidne Warnung und folgt der freundlichen Weisung, und giebt sein voreiliges Ziel auf und durchbricht den Rebenhügel nicht, sondern umgeht ihn, mit beruhigtem Laufe, seine blumigen Füße ihm küssend —" (I, 153). Vorgeformt ist dieses Bild schon in der Schilderung der Weißeritz: „Die Weißritz stürzt sich gegen die Wand eines vorspringenden Felsens und will ihn gleichsam durchbohren. Aber der Felsen ist stärker, wankt nicht, und beugt ihren stürmischen Lauf" (I, 105). Rasche, sich steigernde Bewegung, Hemmung und Stauung, sowie langsames Abklingen der Wucht des Anfangs — das ist der signifikante Ausschnitt aus dem Stromverlauf, den Kleist als seinem Erleben gemäß immer wieder heraushebt. Der sich fremdem Willen beugende Strom wird parallel mit dem zweiten Typ, dem Bild des unentschieden schwankenden Stromes, geschaffen. „Der Main wandte sich bald rechts bald links, und küßte bald den einen, bald den andern Rebenhügel, und wankte zwischen seinen beiden Ufern, die ihm gleich theuer schienen, wie ein Kind zwischen Vater und Mutter" (I, 155).

[72] II, 83; Sperrung von mir.

Zu seinen vielfachen Abwandlungen gehören immer die Merkmale des Flüchtig-Schwankenden, des Fliehens und der Unentschiedenheit [73].

Können die drei Grundtypen auch klar voneinander geschieden werden, so gibt es doch Übergänge zwischen ihnen. So weist eins der Bilder der Elbe schon vom zweiten zum dritten Typ hinüber, dadurch, daß die Vorstellung des Hindernisses, das überwunden wird, in ihm anklingt. „... das rohe Geschlecht [der Felsen] drängt sich, den Weg ihr versperrend, um sie herum, der Glänzend-Reinen ins Antlitz zu schauen — sie aber ohne zu harren, windet sich flüchtig, erröthend, hindurch —" (II, 9). Zeitlich löst der zweite Typ den ersten ab, während der dritte, unter parallel laufender Wiederaufnahme des ersten, die Reihe abschließt. Eine präformierende Zwischenstufe zum letzten Typ, dem des siegenden Stroms, zeigt wieder ein Bild der Weißeritz, „ . . . die, immer an Felsen wie an Vorurtheilen sich stoßend, . . . sich unermüdet durch alle Hindernisse windet, bis sie an die Freiheit des Tages trit und sich ausbreitet in dem offnen Felde und frei und ruhig ihrer Bestimmung gemäß ins Meer fließt —" (II, 22) [74]. Der dritte Typ, der wichtigste, was seine existentielle Bedeutung angeht, kommt nur zweimal vor, beide Male merkwürdigerweise im direkten Anschluß und gewissermaßen als Alternative zu auf den Rhein umgemünzten Bildern vom ersten Typ [75]. Dieses Nebeneinander verstärkt den Eindruck, daß noch keine klare Entscheidung in der Suche nach der eigenen Bestimmung gefallen war, was auch immer der konkrete Hintergrund des einzelnen Bildes sein mag. Gerade die vielfältigen Variationen, die eher wie Gedankenspiele aussehen, erlauben es nicht, allzu konkrete Bedeutungen zu unterlegen.

Der siegende Strom ist Abschluß und Erfüllung dieser Bildreihe. Er wird als Schilderung des Rheins ausgegeben. „Aber still und breit und majestätisch strömt er bei Bingen heran, und sicher, wie ein Held zum Siege, und langsam, als ob er seine Bahn wohl vollenden würde — und ein Gebirge (der Hundsrück) wirft sich ihm in den Weg, wie die Verläumdung der unbescholtenen Tugend. Er aber durchbricht es, und wankt nicht, und die Felsen weichen ihm aus, und blicken mit Bewunderung und Erstaunen auf ihn hinab — doch er eilt verächtlich bei

[73] Vgl. II, 3. 8. 9. 22.

[74] Nur scheinbar eine Vorform ist das von Wilhelmine angeregte Bild der Eisscholle, die trotz der Hindernisse vom Strom ins Meer geführt wird (I, 197), auch hier steht noch der, wenn auch mühsam aufrechterhaltene, Eifer des Bildungsstrebens dahinter.

[75] II, 23. 38.

ihnen vorüber, aber ohne zu frohlocken, und die einzige Rache, die er sich erlaubt, ist diese, ihnen in seinem klaren Spiegel ihr schwarzes Bild zu zeigen —" (II, 23 f.). Gegenüber dem ersten Typ ist hier die ausdrückliche Lösung der Stauung durch die eigene Wucht der Bewegung hinzugekommen, sonst ist das Verhältnis von Stauung und Lösung ähnlich. Was diese Strombilder hauptsächlich von den anderen Bildern trennt, ist, daß die beiden Sphären des bildlichen Vergleichs dadurch in ein anderes Verhältnis geraten, daß die Sphäre der Wirklichkeit selbst bereits Bedeutungsträger wird — sie selbst verweist bereits als beschriebene auf das Gemeinte —, so daß die Vergleiche viel geringeres Gewicht bekommen. Hier ist es nun ganz offensichtlich so, daß Kleist durch Beobachtung das eine Urbild, den ihm gemäßen Bewegungsvorgang entdeckt hat, der die Form seines Erlebens und die innere Form seiner Gestaltungsprinzipien ausspricht. Kleists Dichtung überträgt diese Grundfigur dann konsequent auf die meisten Bewegungsvorgänge. Solange sie an ihren Ursprung, das Strombild, gebunden auftritt, bewegen wir uns im vordichterischen Raum.

Als Ergebnisse unserer Suche nach Hinweisen auf das einsetzende dichterische Gestaltungsvermögen fanden wir neben einem ganz allgemeinen Formsinn, der weder deutliche Umrisse besitzt noch zu wirklich geschlossener Form führt, und neben Grund- und Vorformen der Bildlichkeit, deren Struktur in der Kleistschen Dichtung nur eine graduelle Weiterentwicklung aber keine prinzipielle Umformung erfährt, mit der rhythmischen Grundfigur des Erlebens eine dritte Voraussetzung der Dichtung. In den Briefen tritt diese Grundfigur lediglich im Rahmen jeweils eines abgeschlossenen Bildes in Erscheinung, während sie später die rhythmische Form des Einzelsatzes wie den Gesamtaufbau eines Werkes gestaltet.

IV. Chronologie der Dramen und Erzählungen Kleists und ihrer verschiedenen Fassungen

Gesicherte Erkenntnisse über die Entstehungsdaten der Werke bilden die erste Grundlage für eine Erforschung der Entwicklung eines Dichters [1]. An einem verläßlichen Fundament dieser Art fehlt es bisher bei Kleist. Das liegt einmal natürlich daran, daß uns die Überlieferung nur fragmentarische Nachrichten bietet, die der kombinatorischen Phantasie einen recht weiten Spielraum lassen. Zum andern zeigt sich aber hierin auch eine Verkümmerung literaturwissenschaftlicher Methoden, die in der Isolierung und im Zurücktreten der philologischen Grundlagenforschung besteht. Auch wir können die bestehenden Lücken im biographischen Material nicht durch neue Funde ausfüllen. Man kommt zwar in der Entstehungsgeschichte der Kleistschen Dichtungen nur selten ohne Hypothesen aus, doch ist wahrscheinlich die Tragkraft der Quellen, bestehend im Befund von Handschriften und Originaldrucken sowie direkten und indirekten Zeugnissen, noch nicht völlig ausgeschöpft. Dabei ist es jedoch wichtig, die Grenze zwischen verbürgtem quellenmäßigen Befund und vorsichtiger Ergänzung genau zu bezeichnen. Uns interessiert hier nicht der Entstehungsprozeß als solcher, sondern nur das Werk selbst bzw. seine verschiedenen Fassungen und deren Eigencharakter, auch wenn es sich dabei um Fragmente handelt. Trotz mehrerer Anläufe gibt es bis heute keine zureichende Beschreibung der voneinander abweichenden Fassungen Kleistscher Werke. Eine solche leistet weder die schon bei ihrem Erscheinen 1926 methodisch überholte Arbeit von Charlotte Schilakowski [2] noch die jüngere von Tino Kaiser mit dem irreführenden

---

[1] Im folgenden verwende ich die üblichen Abkürzungen, wie Hs. statt Handschrift, hsl. statt handschriftlich. Original-Hss. werden mit Kapitalbuchstaben bezeichnet, Kopien mit kleinen. Weiter verwende ich die Sigeln: E = Erstdruck, N = Tiecks Nachlaßausgabe von 1821, P = Druck im ‚Phöbus' etc.

[2] Kleists Überarbeitung seiner Dramen. Ursachen und Auswirkungen auf den Gesamtorganismus des einzelnen Kunstwerks, Diss. Kiel 1926. — Die auf den damals längst widerlegten Ansichten Eugen Wolffs fußende Arbeit benutzt die beiden von Weissenfels aufgestellten Stilkategorien „Natürlichkeit" und „Künstlichkeit" und erweitert sie auf einen Gegensatz von „empfindsamen" und „klassizistischen" Stileinflüssen. Den Antagonismus der Begriffspaare sucht die

Titel „Vergleich der verschiedenen Fassungen von Kleists Dramen“ [3]. Aus der Entstehungsabfolge der Dramen und Erzählungen sowie ihrer Fassungen, soweit diese von Bedeutung sind, soll ein Chronologiegerüst aufgestellt werden, das größtmögliche Verläßlichkeit bietet und es notfalls erlaubt, Werke, deren Datierung mit äußeren Hilfsmitteln nicht möglich ist, sinngemäß einzuordnen.

‚Die Familie Schroffenstein‘

Im Brief an Wilhelmine vom 10. Oktober 1801 findet sich der bekannte Satz: „Ich habe mir, da ich unter den Menschen in dieser Stadt so wenig für mein Bedürfniß finde, in einsamer Stunde (denn ich gehe wenig aus) ein Ideal ausgearbeitet; aber ich begreife nicht, wie ein Dichter das Kind seiner Liebe einem so rohen Haufen, wie die Menschen sind, übergeben kann“ (II, 62). Dieses erste Eingeständnis dichterischen Schaffens datiert den ersten Versuch mit Sicherheit auf den Pariser Aufenthalt. Die Frage ist, wie weit das damalige Bemühen geführt hat. Die Wendung „ausgearbeitet“ könnte ein fortgeschrittenes Stadium der Arbeit andeuten, und etwa, da die ‚Familie Schroffenstein‘ das älteste uns bekannte Werk Kleists ist, besagen, daß eine Skizze wie die ‚Familie Thierrez‘ weiter voraufliegen müsse. Dagegen wäre zu fragen, ob nicht das Wort „Ideal“ mit seiner Bedeutung „Wunsch, Gedanke, Möglichkeit“ den Schlüssel für das Verständnis dieses Satzes abgibt. Dann allerdings wäre wirklich nur die Idee des Dramas konzipiert worden, an eine Ausführung wäre nicht zu denken. Soweit das verwendete Papier Aufschluß zu geben vermag, hat das ‚Thierrez‘-Szenar von Anfang an zum Corpus der Hs. der ‚Familie Ghonorez‘ gehört. Damit wäre die Existenz eines detaillierteren Planes ausgeschlossen; natürlich nicht die vorherige Ausarbeitung

---

Verfasserin mit der Erklärung aufzulösen, daß der Schaffensvorgang eben selbst dramatisch sei (aaO. 21). Durchweg werden die hsl. Fassungen höher bewertet. Bei der ‚Penthesilea‘ heißt es demzufolge, daß Kleist sich mit der Überarbeitung von dem ihm Gemäßen entfernt habe (aaO. 78), beim ‚Zerbrochnen Krug‘ wird die (ältere!) hsl. Fassung als die endgültige bezeichnet (aaO. 42), bei der ‚Familie Schroffenstein‘ gar, Wolff folgend, nur die Hs. untersucht, da sie alleine authentischen Text biete.

[3] Bern und Leipzig 1944. Sprache und Dichtung 70. — Die Arbeit untersucht gar nicht die „verschiedenen Fassungen“, sondern die dabei wirksamen Überarbeitungsprinzipien. Selbst wenn gegen diese minder gewichtige Einwände bestünden — sind die Kategorien „Handwerksmäßige Feilarbeit“, „Pathos“, „Rücksichten auf die Gesellschaft“ wirklich zwingend? — ergeben diese Diagonalen doch kein Bild vom Gesamtorganismus einer Fassung.

einzelner Partien und ganzer Szenen. Der Halbbogen, der das ‚Thierrez'-Szenar enthält, hat offensichtlich einmal in der Handschrift Verwendung gefunden. Kleist hat die Ersatzpartie für die S. 108 (nach der von fremder Hand vorgenommenen durchlaufenden roten Paginierung rechts unten am Rand), die der Halbbogen auf seinen Innenseiten enthält, noch einmal abgeschrieben (die jetzige S. 109), den Halbbogen mit dem Szenar aber der Hs. hinten angefügt. Das Papier, auf dem das Szenar geschrieben ist, kommt nach Paul Hoffmanns Beobachtung nur noch bei Briefen vom 12. Januar und 1. Mai 1802 vor [4]. Eine Nachprüfung dieser Angabe ist heute nicht mehr möglich [5], doch wäre dies ein Hinweis, die Niederschrift — wenn auch nicht die Konzeption — des ‚Thierrez'-Szenars in die Schweizer Zeit zu setzen.

Diese Annahme wird gestützt durch Ulrikes spätere Aussage, daß ihr Bruder „nach der Schweiz ging, wo er sich auf einer kleinen einsamen Insel bei Thun auf der Aaar niederließ, seine Familie Schroffenstein auszuarbeiten" (LS 58). Da er nach Thun erst Ende Januar kam, Paris aber schon Ende November verlassen hatte, würde sich zwangsläufig eine Arbeitspause ganz am Anfang ergeben — wenn Kleist überhaupt vor dem Spätwinter 1801/1802 schon zu dichten begonnen hat. Unsere Untersuchungen über die Briefe in den beiden vorangegangenen Kapiteln machen das nicht wahrscheinlich. Allenfalls wäre die Entstehung der chronologisch schwer einzuordnenden (vgl. S. 107) ‚Ariadne'-Dichtung, über deren Gattungszugehörigkeit nichts bekannt ist, in den Pariser Herbst zu setzen — statt der ‚Familie Thierrez'. Über diesen Termin hinaus nach rückwärts kommen wir jedoch auf keinen Fall. Das ‚Thierrez'-Szenar ließe sich dann zwanglos auf Anfang 1802 datieren.

Über die Entstehung des Werkes berichten zwei Quellen, die wohl beide auf Ernst von Pfuel zurückgehen, daß Kleist von der Szene des Kleidertausches her begonnen und das übrige Stück dann hinzuerfunden habe [6].

---

4 Nachwort zum Facsimile der ‚Familie Ghonorez', Berlin 1927, SchrdKG, Sonderband 126.

5 Die zum Vergleich unbedingt erforderlichen Briefe an Ulrike und Wilhelmine, zuletzt im Besitz der Preußischen Staatsbibliothek, gelten laut Auskunft der Deutschen Staatsbibliothek seit der kriegsbedingten Auslagerung als vermißt. Über den Bestand an erhaltenen Kleisthss. vgl. jetzt Eva Rothe und Helmut Sembdner: Die Kleisthandschriften und ihr Verbleib, JbSchG 8, 1964, 324—43.

6 LS 70 (Wilbrandt beruft sich ausdrücklich auf Pfuels Erzählung) und LS 65 (Wilhelm von Schütz). Dieser sollte Nachrichten für Tiecks Lebensabriß von Pfuel einholen (LS 672), doch stellt seine Niederschrift (Facsimile hg. von Minde-Pouet, Berlin 1936, SchrdKG Bd. 16) augenscheinlich eine höchst flüch-

Dafür gibt es weder im Szenar noch in der Hs. Beweise. Zur Not könnte man die Nachricht so verstehen, daß Pfuel eine Äußerung des Freundes zuspitzt, derzufolge für ihn der tragische Untergang des Paares in dieser paradoxen Verflechtung der Umstände im Mittelpunkt gestanden hätte. Daß die Väter ihre eigenen Kinder ermorden, setzt den Aufbau des ganzen Stückes bereits voraus. Die sogenannte „Kleidertauschszene" besteht zudem aus mehreren Motiven, die erst getrennt werden müßten, ohne daß man wüßte, worauf sich dann die Pfuelsche Nachricht beziehen soll. Der eigentliche Kleidertausch ist kein dramatisches Motiv. Die hinzutretenden des Opfertodes Rodrigos und der Irrtümer der Väter sind bereits aufs engste mit der Gesamtfabel verknüpft, ja setzen diese bereits voraus, so daß man dem eigentlichen Kleidertausch kaum eine entstehungsgeschichtliche Priorität zusprechen kann. Die Bemerkung Pfuels hat viel Unheil angerichtet, da man ohne ernsthaften Grund nun auch bei anderen Werken nach den sogenannten „Keimszenen" suchte. Tieck, dem die Schützschen Notizen vorlagen, und für den ein solcher Hinweis interessant genug sein mußte, ließ die Bemerkung ganz unbeachtet. Völlig richtig begann er seine Kritik des Dramas mit dessen wirklichem Beginn: dem Erbvertrag und der auf Zufällen und Irrtümern beruhenden Verfeindung der Häuser.

Zunächst soll die ‚Ghonorez'-Hs. [7] auf Hinweise zur Entstehung des Dramas befragt werden. — Das auffälligste Charakteristikum der Hs. besteht in ihrer Blattanordnung, denn sie kennt keine Lagen. Kleist hat insgesamt 34 halbe Foliobogen (das Szenar mitgerechnet) jeweils in der Mitte zu Doppelblättern im Quartformat gefaltet und aufeinandergelegt. In bzw. zwischen diesen Halbbogen befinden sich außerdem insgesamt 14 Viertelbogen, also Einzelblätter im Quartformat. Diese kamen auf zwei verschiedene Weisen in die Hs.: 8 von ihnen wurden zur Ergänzung der Halbbogen gleich für den ursprünglichen Text verwendet, während die restlichen 6 erst bei einer späteren Überarbeitung eingelegt wurden.

---

tige Niederschrift der Erzählung Maries von Kleist dar, eine Art Diktat. Ausgerechnet der hier angezogene Satz findet sich (aaO. 1) ad marginem notiert, so daß wir eventuell einen Pfuelschen Zusatz vor uns haben.

[7] In der Staatsbibliothek der Stiftung Preußischer Kulturbesitz (Berlin), früher Preußische Staatsbibliothek, Signatur Ms. Germ.Qu. 822 (nicht 882, wie Rothe und Sembdner in ihrem Hss.-Verzeichnis, aaO. 327, angeben). — Die Hs. befand sich, als ich sie benutzte, noch in einem Einband des 19. Jahrhunderts, der infolge seiner Brüchigkeit eine nähere Untersuchung erlaubte.

Kleists eigenhändige Paginierung gibt gewisse Aufschlüsse über die Entstehung der Hs. Sie setzt in jeder Szene neu ein und behandelt Halbbogen und Quartblätter gleich; beide werden jeweils auf der Vorderseite oben mit einer Ziffer versehen. (Zur Veranschaulichung dient das folgende Schema). — Die 6 später eingefügten Blätter sind schon ganz äußerlich am andersartigen Bezifferungsprinzip als solche zu erkennen. In der ersten Szene des ersten Aktes sind sie in der Numerierung jeweils den Halbbogen zugeordnet, denen sie angefügt bzw. eingelegt wurden (das

Schema der Blattlagen in der ,Familie Ghonorez'

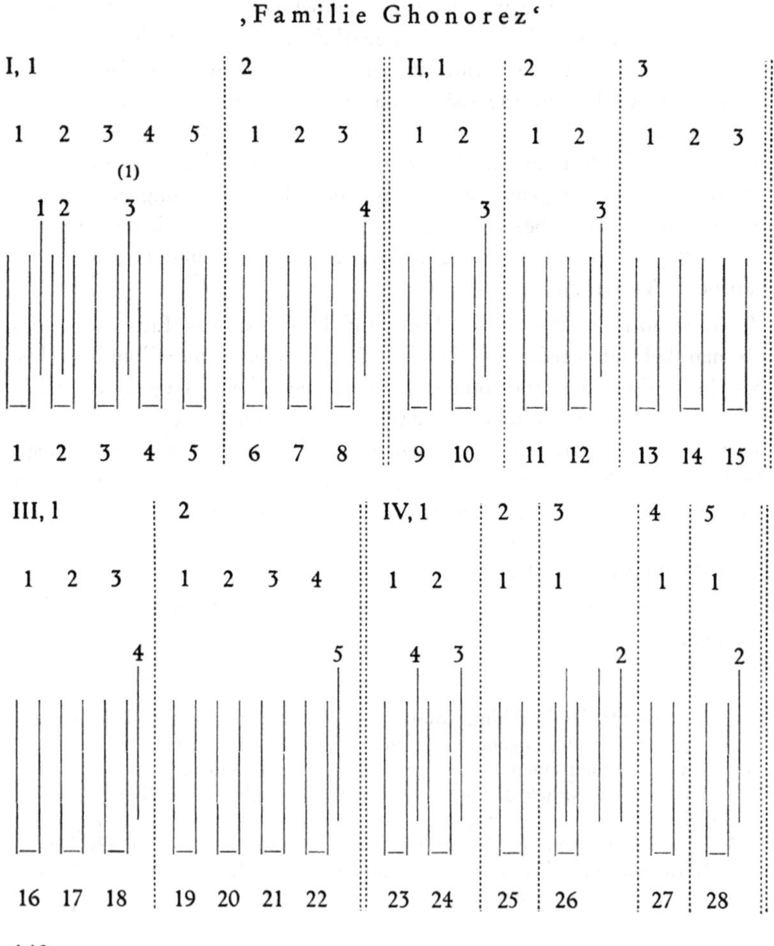

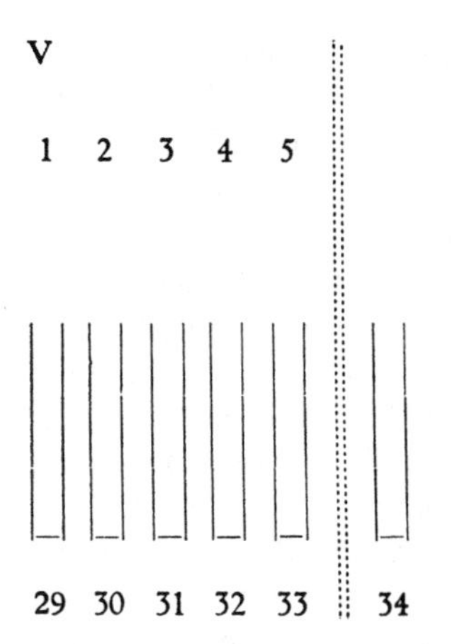

In vorstehendem Schema bedeuten die Zahlen in der obersten Reihe Akt- und Szenennumerierung. In der Reihe darunter steht Kleists Bezifferung der Halbbogen, wieder darunter die der Quartblätter. Die später eingelegten sind hier von den ursprünglich verwendeten nicht zu unterscheiden (vgl. darüber S. 145). In der untersten Reihe eine durchgehende Zählung der Halbbogen, sie findet sich in der Hs. nicht. Zum Papier A gehören die Halbbogen 1, 2, 3, 6, 7 und 34.

dritte trägt sogar eine doppelte Bezifferung). Das vierte dieser Blätter ist als Nr. 4 in die Szene IV, 1 eingefügt — das stimmt in der genetischen Reihenfolge, doch liegt das Blatt nun zwischen den Halbbogen 1 und 2. Das fünfte und sechste Ergänzungsblatt kamen in die Szene IV, 3. Beide sind unpaginiert, eines liegt im Halbbogen 1, das andere zwischen diesem und dem mit 2 bezeichneten Quartblatt.

Diese eigentümliche Paginierweise zeigt, daß der Aufbau des Dramas nicht in allen Einzelheiten von vornherein feststand, denn dann hätte Kleist durchpaginieren können. Er rechnete augenscheinlich mit Einschüben und Änderungen oder auch mit gleichzeitiger Arbeit an mehreren Punkten. Mit dieser Annahme werden zugleich die von Hoffmann postulierten Zwischenglieder zwischen Szenar und Hs. überflüssig, die nach ihm 1800/1801 in Berlin und Paris entstanden sein sollen [8].

In der Hs. kommen zwei verschiedene Papiersorten vor, die in der Reihenfolge ihres Auftretens — es ist zugleich die Reihenfolge der Entstehung der Hs. — mit A und B bezeichnet seien [9]. Das Papier A bezeichnet die ä l t e s t e S c h i c h t der Hs. Ihr gehören an: das ‚Thierrez'-Szenar (34. Halbbogen), sowie der 1., 2., 3., 6. und 7. Halbbogen (das sind die Seiten 1—4, 7/8, 11—16, 27—34). Das Szenar — das dem

[8] Nachwort zum Facsimile, aaO. 128.

[9] Über ihre Unterscheidbarkeit durch Wasserzeichen etc. vgl. Hoffmann aaO. 125—27. Hoffmann spricht an dieser Stelle irrtümlich von drei Papiersorten, die von ihm als zweite und dritte beschriebenen sind jedoch identisch.

Schriftduktus nach für sich steht —, die ersten drei Halbbogen der ersten und die ersten zwei Halbbogen der zweiten Szene gehören also dem Papier nach zusammen. Von hier aus ergibt sich der Schluß, daß Kleist das Stück von den beiden sich bekämpfenden Familien her begonnen hat; die „Säulenordnung" (Görres) des Dramas stand am Anfang.

Die zweite Schicht und Hauptmasse der Hs. bildet ein blasses, blaugrünes Papier (B), auf dem alles übrige geschrieben ist. Daß es sich hierbei tatsächlich um die jüngere Schicht gegenüber A handelt, wird auch durch die Tatsache erwiesen, daß die mit Sicherheit nachträglich eingefügten 3 Quartblätter in der Szene I, 1 ebenfalls zu Papier B gehören. Anderseits rücken erste Fassung und erste Überarbeitung des Dramas zeitlich nahe aneinander, da für beide das gleiche Papier verwendet wurde. Einschneidende Pausen (z. B. Reisen) dürften dazwischen kaum anzunehmen sein. Die Herkunft des gesamten in der Hs. benutzten Papiers aus der Grunerschen Papiermühle in Bern und der Umstand, daß es auch bei Kleists Briefen vom 12. Januar und 1. Mai 1802 vorkommt, mögen die Entstehung der Hs. lokalisieren. Absolute Sicherheit darüber vermöchte aber nur die Prüfung des — augenblicklich unzugänglichen — vollständigen Vergleichsmaterials der früheren und gleichzeitigen Briefe zu geben. Außerdem müßte die Verbreitung des Papiers erforscht werden.

Der erste Akt entstand sichtbar in kleinen Abschnitten, die besonders in den älteren Lagen jeweils eine Seite ausmachen. Das ganze Papier B ist, mit den Anfängen verglichen, zusammenhängender beschrieben. In den ältesten Partien könnte es sich, von Konzepten immer abgesehen, um erste Niederschrift handeln. Das ist sonst sicher nicht der Fall, da der größte Teil der Hs. ursprünglich relativ klar und sauber geschrieben war. Die Szene IV, 3 (Bauernküche) macht eine Schwierigkeit in der Komposition offenbar: in den 26. Halbbogen wurde ein Blatt (S. 123) eingelegt und zwischen ihn und das Quartblatt Nr. 2 ein weiteres (S. 127) eingeschoben. Die ursprüngliche Schrift geht auf der Innenseite des Halbbogens fort bis zu seinem Schluß (S. 126). Das eingelegte Blatt ersetzt lediglich zur Verdeutlichung die Marginalversion auf S. 122, während das angefügte Blatt den Monolog Rodrigos Vs. 2172 ff. einschiebt (in zwei sehr verschiedenen Versionen), der nun einen rhythmischen Stau in den Ablauf der Szene bringt. Außer dem Anfang der Szene I, 1 ist dies die einzige Stelle, die noch erkennen läßt, daß der Bau des Dramas nicht problemlos war. Die Szene IV, 3 war nämlich ursprünglich mit „IV. Akt" überschrieben. Die Frage, wie die ganz zufällige Auffindung des

Fingers zu motivieren sei, ferner die Erklärung für sein rätselhaftes Verschwinden (also der Ursprung der dramatischen Handlung), schließlich die Verknüpfung dieser Vorgeschichte mit den beiden Strängen der Haupthandlung — dem Zwist der verwandten Häuser und der Liebe der Kinder — hat Kleist offenbar Schwierigkeiten bereitet.

Die übrigen drei Szenen des vierten Aktes bieten ein einheitlicheres Schriftbild als die drei ersten Akte. Das gilt auch für den fünften Akt. Gleichgültig, ob Kleist ihn nochmals abgeschrieben hat oder ob er ausführlich vorgearbeitet war — er zeigt jedenfalls nicht die geringste Spur von Eile oder Desinteresse. Einer Abschrift hätte vor allem der erste Akt bedurft.

Eine dritte Schicht und letzte Bearbeitung der Hs. [10] liegt in späteren Einbesserungen in einer sehr flüchtigen bis fahrigen Schrift vor. Sie erscheint auf den sechs eigens eingelegten Blättern, je drei im ersten und vierten Akt [11], dann in quer an den Rand geschriebenen Änderungen auf insgesamt 14 Seiten [12], einmal auf freiem Raum am Ende eines Halbbogens (S. 25), einmal auf freiem Raum eines schon benutzten Halbbogens (S. 162 f.), dreimal am Ende von Einzelblättern, die schon ursprünglichen Text enthielten [13] und schließlich an mehreren Stellen z. T. inter lineas in Gestalt kleinerer Besserungen [14]. Im allgemeinen zeigen sich dabei — und das gilt mutatis mutandis für die Hs. überhaupt — weder für den Aufbau im großen noch für die Gestaltung im kleinsten erhebliche Schwankungen. Nur wenige kleine Wortänderungen in bzw. über der Zeile betreffen den Wortlaut, also die Suche nach dem „treffenden" Ausdruck. Die Wandlungen zielen vielmehr auf Gestaltungszüge von Einheiten kleinerer bis mittlerer Größenordnung, die jedoch Auswirkungen auf die Gestalt der jeweiligen Fassung haben.

Ein besonderes Kapitel stellen die vielberedeten Randnotizen Kleists dar, aus denen man häufig auf einen unvollendeten Zustand der ‚Familie Ghonorez' schließen wollte. Zunächst einmal handelt es sich dabei mit wenigen Ausnahmen um stilistische Besserungen, um Notizen zum reinen Wortlaut. Sie sind fast sämtlich in der Hs. selbst ausgeführt, einige

---

[10] Innerhalb der Hs. selbst; die Fassung E enthält, wie zu zeigen sein wird, noch eine weitere eigenhändige Überarbeitung.

[11] S. 5, 9, 17/18. 109, 123, 127.

[12] S. 4, 21, 22, 34, 48, 56, 76, 92, 93, 94, 96, 122, 126, 144.

[13] S. 86, 103, 126.

[14] Zum Beispiel S. 37, 76 (Zwischenversion), 91, 93, 94 und 111.

arbeiten sogar der in E vorgenommenen Versifizierung vor[15]. Nur wenige deuten auf Änderungen der Handlungsführung. Die meisten davon wurden ausgeführt[16]; ist dies nicht der Fall, dann entweder, weil die Partie, in der sie stehen, als Ganzes gestrichen wurde[17], oder aus anderen deutlich einsehbaren Gründen. Rodrigos Ritterschlag z. B.[18] wäre vielleicht „eine sehr bühnenwirksame Szene"[19] geworden, aber wann hätte sich Kleist um dergleichen dramaturgisch unwirksame Schaustellungen bemüht? — Daß die ‚Macbeth'-Reminiszenz einer schicksalsleitenden Hexe, also eines supranaturalen Wesens, in dieser vom äußeren Geschehens-Zufall bestimmten Welt keinen Platz gehabt hätte, muß Kleist klar gewesen sein, denn der Erstdruck schwächt die in der ‚Ghonorez'-Fassung in dieser Weise deutbaren Worte der Ursula wieder ab. Ihre Beibehaltung hätte gerade die unsachgemäße und schon von Hotho bekämpfte Forderung Tiecks erfüllt, dem Zufall „eine wunderbare Heiligkeit und bedeutende Seltsamkeit" zu geben[20]. In keinem Falle beweisen die Marginalnotizen, daß Kleist die Arbeit an seinem Drama, aus welchem Grunde auch immer, vorzeitig abgebrochen hätte. Sie verweisen also mitnichten auf eine weitere Durchsicht und Überarbeitung, wie Meyer-Benfey und Hoffmann behauptet haben[21].

Die letzte Bearbeitung der ‚Familie Ghonorez' ändert an Einzelheiten der Konzeption, strafft die Handlungsführung und reduziert die den Personen in den Mund gelegte, zuweilen überströmende Selbstaussage zu Gunsten der dem dramatischen Ablauf organisch eingefügten Teile.

---

[15] Vgl. Hs. S. 14 und 52.

[16] Dazu gehören die Bemerkungen S. 66 und 100, die sich auf Juans Umwandlung vom Sohn eines Vasallen zum Bastard Ruperts beziehen; S. 91 „Elmire muß edler dargestellt werden", was eine Reihe von Änderungen nach sich zog; S. 107 der Ersatz des „Schulzen" (in einem spanischen Stück unpassend) durch ein Kammermädchen (das aber auch zunächst den deutschen Namen „Grethe" führt); S. 120: „Großvater muß die Leiche erkennen"; S. 121 und 131: Ursula als Hexe bzw. Schicksalsleiterin, die am Ende ihr Kind sucht; schließlich S. 144 die Verdeutlichung von Rodrigos wahren Absichten beim Kleidertausch. Sie erfolgt sogleich darunter quer ad marginem. Der Bemerkung S. 71 „Es muß noch eines anderen Stammes Ghonorez erwähnt werden" ist im Personenverzeichnis von E Rechnung getragen worden, wenn nicht von Kleist, dann jedenfalls nicht von einem nachlässigen Bearbeiter.

[17] Die drei Bemerkungen S. 24.

[18] Hs. S. 7.

[19] Hoffmann aaO. 133.

[20] aaO. XXXV f.

[21] Meyer-Benfey, Kleists Leben ..., aaO. 66 f. und Hoffmann aaO. 130 ff.

Einige Beispiele sollen das verdeutlichen. — Die Charaktere Alonzos und Franziskas stehen von Anfang an fest. Einschneidend verändert werden aber die Raimonds und Elmires. Die Bemerkung auf S. 91 der Hs.: „Elmire muß edler dargestellt werden“ und die darauf beruhenden Änderungen auf den folgenden Seiten in der Szene mit Antonio betreffen nicht allein die Charakterzeichnung, indem nun eine Schwankung beseitigt wird — denn Elmire klagt ja wenig später den Gatten als Mörder an —, sondern auch die Personenkonstellation. Elmire wird dadurch von der Partei ihrer Familie abgezogen, es tritt eine Trennung des Paares ein, in umgekehrter Analogie zu der des Paares Raimond — Franziska; der schuldhafte Irrtum wird so gleichmäßiger auf beide Häuser verteilt. Dieser Eingriff betrifft ebenso die Zwischentöne wie die Komposition des Dramas. Nicht ganz beseitigt wurde die ursprüngliche Stellung Elmires in der Überarbeitung der Vss. 74 ff., sie wurde nur stark abgeschwächt. Hiermit wie auch durch die Änderung der Antwort Raimonds (Vss. 85 ff.) auf Elmires eben erwähnte Worte [22] wird wiederum deutlich, daß die Komposition nicht in allen Einzelzügen von vornherein ganz klar feststand. Raimonds Charakter wirkt nun erst geschlossen. Seine recht allgemeinen Betrachtungen in der Urfassung passen wenig zu dem wortkargen Tatmenschen, als der er sonst erscheint. Auch wird nun die Bedeutung des Irrtums aus Übereilung unterstrichen.

An Stelle der sechs Verse, in denen Rodrigo Juan fragt, das Mädchen, von dem er den Schleier habe, sei doch nicht etwa Ignez (351 ff.), stehen ursprünglich 33 andere [23]. Das ist nicht nur eine der energischen Raffungen, wie sie auch sonst anzutreffen sind, sondern es fallen nun Verse aus, die eine Selbstaussage monologischen Charakters beinhalten.

> . . . Stets hat das Schicksal
> Auf Händen fast mein Herz getragen, mir
> Wie einem Lieblingskind' fast jede Laune
> Und überschwenglich erfüllt — sogar noch ehe
> Ich seine Gunst erkennen konnte, auf
> Die Wiege alles Herrliche mir gelegt.
> Was meinst Du wohl, Juan, wird es mich nun
> Wohl plötzlich, gleich als wär' ich unächt, ohne
> Verschuldung, als die Schuld der Mutter,
> Des Glückes, mich hinaus an seine Schwelle,
> Dem Elend preißgegeben, setzen? (Hs. S. 22)

---

[22] Beide Stellen Hs. S. 3 f., die Überarbeitung S. 5.
[23] Hs. S. 21 f.

Der Anspruch auf Glück, den Rodrigo hier erhebt, beruht auf der Vorstellung von einem ursprünglichen paradiesischen Zustand. Das steht in Korrespondenz mit dem Gedanken des Erbvertrages, der ebenfalls als Keimzelle der tragischen Verwicklungen den Verlust eines Standes der Unschuld, in dem das Vertrauen noch unmittelbar war, symbolisiert. Aber diese Variation des rousseauistischen Grundgedankens ist dramatisch unbegründet und folgenlos, deshalb wird sie zurückgenommen. Auch dies ein Hinweis auf das allmähliche Entstehen der Hs.; der Anfang ist besonders unfertig.

Die allgemeine Tendenz der Umarbeitung geht darauf hin, direkte Äußerungen der Personen einzudämmen und durch Handlung oder Gebärde zu ersetzen, also auf eine sprachliche Verknappung [24]. — Statt der Vss. 381—384 enthält die ursprüngliche Fassung der ‚Familie Ghonorez' 46 andere, in denen Rodrigo Antonio beschwört, Ignez zu beschützen. Er selbst offenbart dabei, fast in einer Art Rausch des eigenen Untergangs, seine ganze tragische Zerrissenheit durch Liebe und Racheschwur. Der Schluß dieser Partie gar, der wieder den bereits erwähnten Gedanken vom Verlust eines Standes der Unschuld aufgreift, erfüllt überhaupt keine dramatische Funktion mehr [25]. Die Gewißheit über seine Lage und über sein Los bleibt in der zweiten Fassung Rodrigo bis zum Schluß erspart, und er äußert sich nun nicht darüber. Daß Kleist solche Verse zurücknahm, geschah nicht wegen eines übergroßen Reichtums seiner Erfindergabe, sondern aus nüchternem Kunstverstand handwerklicher Art. Er opferte die Verse der Konsequenz der Aktion, in der Ruhepunkte reflektierenden Inhalts keinen Platz haben [26].

---

[24] Vgl. auch die ursprüngliche Gestalt von Vs. 363 f. (Hs. S. 22 f.):

O halte —
Laß mich nicht sinken — Alles wankt und wechselt
Vor meinem Geiste seinen Platz — Mir ist's
Als läg' die Erde auf mir, unter mir
Ein Abgrund ohne Maaß und Licht —

[25] Hs. S. 24:
(Rodrigo:)
(Er umschlingt beide)
O ihr Brüder,
Verstoßene des Schicksals, Hand in Hand
Hinaus ins Elend aus dem Paradiese,
Aus dem des Cherubs Flammenschwerdt uns treibt.

Das ist eher das Finale eines Opernaktes, zu dem die Personen an die Rampe treten.

[26] Im gleichen Sinne fallen auch die 7 Verse nach 2594 fort mit der Klage Alonzos über Ignez' Tod (Hs. S. 152).

Mit dieser Überarbeitung gab sich Kleist aber noch nicht zufrieden, er stellte noch eine letzte Fassung her, die dann im Frühjahr 1803 gedruckt wurde. Hindeutungen auf die Transponierung des Dramas aus seiner sehr äußerlichen spanischen Gewandung in die ebenso vage mittelalterliche deutsche der ‚Familie Schroffenstein' enthält bereits die Hs. in Gestalt gelegentlich vorkommender deutscher Namen. Schon in der ersten Szene erscheinen die Namen Ferdinand (zweimal) und Armgard (dreimal), wofür dann Antonio und Ignez eintraten. Bei der Überarbeitung der Schulzen-Szene wurde ein Bauernmädchen Grethe eingeführt, und in der Szene IV, 5 besserte Kleist sieben deutsche Namen ein [27]. Diese letzteren liegen jedoch, wie die beiden bekannten Nachrichten für den Abschreiber, dem handschriftlichen Befund nach später. Die deutschen Namen der ersten Szene dagegen zeigen zumindest ein anfängliches Schwanken Kleists. Die Aufgabe des spanischen Kolorits ist also kaum den damaligen Freunden zuzuschreiben, diese gaben allenfalls einen Anstoß dazu.

Bis zu welchem Genauigkeitsgrad der Erstdruck der letzten vom Dichter hergestellten Fassung entspricht, ist in Einzelheiten nicht auszumachen, da eine Hs. der Druckfassung fehlt, und überdies der Druck selbst ungewöhnlich fehlerhaft ist. Man wird ihn nur mit großer Vorsicht als Zeugen für die kritische Arbeit am Text der ‚Familie Schroffenstein' benutzen dürfen; er ist mit Sicherheit der unzuverlässigste aller Erstdrucke Kleistscher Werke. Das auffälligste Kennzeichen der Erstdruckfassung ist die Versifizierung der Dienstbotenprosa. Dies ist auch einer der Punkte, an denen immer wieder Zweifel an der Authentizität dieser letzten Fassung erhoben worden sind. Nun ist aber nicht einzusehen, warum die Prosa etwas Unfertiges darstellte, das vor dem Druck, und dann noch durch andere, hätte vollendet werden müssen. Es handelt sich bei E um eine Umarbeitung, auch Besserung, aber im Wesen nicht um eine V o l l e n d u n g. Die sachlich nicht stichhaltige und mehr von einer emotionalen Begeisterung getragene Parteinahme für das „Ursprüngliche" der ‚Familie Ghonorez', kurz hintereinander durch Hermann Conrad [28] und Eugen Wolff [29], hat einen langwierigen Streit heraufbeschworen. Es

---

[27] Rossitz, Santing, Agnes, Jerome und Jeronimus, Rupert, Peter, Sylvester.
[28] Heinrich von Kleists ‚Familie Ghonorez'. Eine literarhistorisch-dramaturgische Studie, PJbb 90, 1897, 242—279. — Conrad glaubte, Kleist gegen seine Bearbeiter in Schutz nehmen zu müssen, indem er das Drama als so anfängerhaft bezeichnete, daß Kleist selbst es nicht zum Druck bringen lassen konnte. Vgl. aaO. 271: „... das Grundmotiv, das blinde Spiel des Zufalls, ist künstlerisch haltlos, ...".

wird dabei leicht vergessen, daß die Arbeiten Conrads und Wolffs in den Punkten, in denen sie sachlich diskutabel waren, mit aller wünschenswerten Genauigkeit von Hermann Schneider widerlegt worden sind, der insbesondere nachwies, daß die bei der Versifizierung entstandenen Verse nicht schlechter sind als die sicher von Kleist stammenden [30], daß Kleist mit Gewißheit an der letzten Fassung noch mitgewirkt hat, und daß schließlich Ludwig Wieland, den Wolff als den Schuldigen ansah, zieht man dessen Produkte in gebundener Rede zum Vergleich heran, als Verfasser der besagten Verse keinesfalls in Frage kommt, was übrigens schon von Zolling angedeutet worden war [31]. — Einen Hinweis auf Eingriffe von fremder Hand hat man auch in den an einigen Stellen der Hs. erkennbaren fremden Schriftzügen sehen wollen, aber diese stammen weder von Zschokke noch von Geßner oder Ludwig Wieland [32]. Will man die Versifizierung trotz allem einem anderen als Kleist zuschreiben, so wird man zur Annahme eines Dunkelsterns von doch beträchtlicher Größe gezwungen. Die Handschrift, man kann es nicht oft genug wiederholen, zeigt keine Spuren erlahmenden Interesses; Kleist hat sie keineswegs einfach liegengelassen. Selbst an der hsl. Urfassung hat er immerhin so gefeilt, daß es ihm nötig schien, an drei Stellen deutlich bezeichnete und keineswegs unleserliche Textpartien noch einmal sauberer auf eigens eingelegten Blättern zu wiederholen [33].

Der ganze Streit über diese Frage geht letzten Endes auf sekundäre Quellen zurück, im Kern möglicherweise allein auf Rühle von Lilienstern. Von ihm stammt vielleicht schon der erste, 1807 erhobene Zweifel am Erstdruck in Dippolds Rezension des ‚Amphitryon' [34]. Von Kleist selbst

---

[29] Inwieweit rührt ‚Die Familie Schroffenstein' von Kleist her? ZsfBfr II, 1, 1898—99, 232—249. III, 1, 1899—1900, 193—210. IV, 1, 1900—1901, 93—103 und 180—190. — Wolff gelangte auf Grund durchweg subjektiver Wertungen zu dem Schluß, „daß die Überarbeitung in allen ihren Teilen das Werk eines fremden, unpoetischen, subalternen Geistes ist" (Bd. IV, 188).

[30] Ghonorez oder Schroffenstein?, in: Studien zu Heinrich von Kleist, Berlin 1915, 51.

[31] Heinrich von Kleist in der Schweiz, aaO. 76. — Geßner scheidet hier wohl ganz aus.

[32] Wie ich durch Vergleiche mit Briefen der Betreffenden feststellte, die im Schiller-Nationalmuseum in Marbach a. N. aufbewahrt werden. Zur Natur dieser Eintragungen vgl. Hs. S. 44, wo zwei Verse, die von Kleist an den Rand geschrieben worden waren, nach dem Erstdruck zur Verdeutlichung der Zeilentrennung, die in der Hs. nicht kenntlich ist, wiederholt worden sind.

[33] S. 5, 9, 123.

[34] LS 175 a, S. 119 f. — Dippold beruft sich offensichtlich nicht auf Kleist selbst. Die im ‚Morgenblatt' erschienene Rezension könnte gut durch Rühles

konnte ein derartiger Vorwurf schon deshalb nicht gut erhoben werden, weil er erwiesenermaßen an der Herstellung der Druckfassung noch beteiligt war; er hat ihn auch, jedenfalls so viel wir wissen, nie ausgesprochen [35]. Die Behauptung konnte anderseits nur jemand wagen, der die ,Ghonorez'-Hs. gesehen hatte. Das wäre bei Rühle möglich, der 1807 mehrere Manuskripte Kleists besaß und sich ja auch mit Erfolg um ihren Verkauf bemühte. Wie er allerdings an d i e s e s Manuskript gelangt sein soll, kann nur vermutet werden [36]. 1816 hat Rühle den Vorwurf wiederholt und gleichzeitig behauptet, die „eigentliche Originalhandschrift von der Familie Schroffenstein" zu besitzen (LS 101). Letzteres ist sehr fraglich, da die Hs. aus dem Nachlaß Dahlmanns direkt an die Preußische Staatsbibliothek gelangte und diesem vermutlich von Kleist geschenkt worden war. Eine Familientradition spricht noch von einer zweiten Hs. „im Besitze von Kleists Bruder Leopold" (LS 71). Heinrich und Leopold von Kleist waren noch 1811 in Berlin zusammen (LS 439). Für die Nachricht von dieser zweiten Handschrift sind zwei Erklärungen möglich: entweder hat sich Dahlmann die ,Ghonorez'-Hs. von der Familie als eine Art Reliquie erbeten, beide Nachrichten beziehen sich also auf e i n e Hs. und eine weitere hat nicht existiert, oder aber Dahlmann bekam die uns erhaltene Hs. 1808/09 von Kleist direkt, was wahrscheinlicher ist. Dann m u ß die zweite (verlorene) eine Hs. der ,Familie Schroffenstein' gewesen sein, da unser ,Ghonorez'-Ms. die Existenz sowohl einer Vorstufe wie einer bloßen Abschrift des gleichen Textes mit größter Sicherheit ausschließt. Das würde aber wiederum beweisen, daß Kleist tatsächlich die ,Familie Schroffenstein' noch selbst hergestellt hat. Wenn nicht noch eine weitere

---

Vermittlung geschrieben worden sein. Zwar stammt der erste erhaltene Brief Rühles an Cotta erst vom 19. Oktober 1807, doch geht aus ihm hervor, daß schon vorher eine Verbindung existierte. Die Bestände von 1807 sind im Cottaschen Archiv äußerst lückenhaft (laut freundlicher Mitteilung von Dr. Liselotte Jünger-Lohrer).

[35] Wenn Kleist über die ,Familie Schroffenstein' einmal sagte: „Es ist eine elende Scharteke" (1. Aufl., Bd. V, 470, Anm. zu 295, 18), den Satz übrigens auch gleich wieder durchstrich, so ist das als Ausdruck des Ungenügens an der eigenen Leistung zu erklären, schwerlich als Vorwurf gegen einen Redaktor.

[36] Entweder im Sommer 1803 in Dresden oder 1805 durch Marie von Kleist, die zumindest den ,Amphitryon' an Rühle weitergegeben hat. Das erstere ist wahrscheinlicher. Kleist nahm 1803 nicht alle seine Sachen auf die zweite Schweizerreise mit, ein Koffer blieb in Dresden (vgl. den Brief vom 24. August 1804, II, 125). Damals kann er das Manuskript Rühle gegeben haben, der auf dem Wege nach Schlesien war.

Kopie (Druckvorlage?) existierte, ist in beiden Fällen hiermit erwiesen, daß Rühle die Hs. spätestens seit 1810 nicht mehr besessen haben kann [37].

Die Möglichkeiten für eine fremde Bearbeitung sind aber noch geringer. Kleist hielt sich von Juni oder Juli bis Mitte Oktober 1802 in Bern auf, so daß genügend Zeit für die Herstellung einer Bearbeitung gewesen wäre, die immer noch flüchtig vor sich gegangen sein mag. Zudem verließ er Bern mit Ludwig Wieland zusammen [38]. Dieser müßte also eine immerhin tiefgreifende Umarbeitung der ‚Familie Ghonorez' unter Kleists Augen angefertigt haben, was selbst dann schwer vorstellbar erscheint, wenn Kleist mit ganz manischer Besessenheit am ‚Guiskard' gearbeitet hätte. Einem anderen kann Kleist das Ms. aber schon gar nicht überlassen haben. Eine ausgesprochene Flüchtigkeit im Erstdruck wie das Stehenbleiben des spanischen Namens Vetorin im V. Akt wäre einem naturgemäß distanzierteren fremden Bearbeiter kaum unterlaufen. Als Fazit stellen wir fest, daß die Sage von der mangelnden Authentizität des Erstdrucks der ‚Familie Schroffenstein' einer plausiblen Grundlage entbehrt, und daß es unberechtigt ist, in dieser Hinsicht Einschränkungen zu machen. Die Druckfassungen der anderen Werke Kleists besitzen wir schließlich auch nicht handschriftlich, ohne daß darum solche

[37] Überaus genau hat er sie auch früher nicht gelesen, sonst hätte er (aus dem Kontext bei Bülow — aaO. 29 — wird nicht ganz deutlich, wer die Behauptung erhoben hat) nicht sagen können, daß die Herausgeber den V. Akt versifiziert hätten (LS 69). Da in ihm nur sehr wenig Prosa vorkam, war da nichts Rechtes zu versifizieren.

[38] Diese gemeinsame Abreise muß vorher geplant gewesen sein, da Christoph Martin Wieland seinen Sohn im Brief vom 9. bis 16. August davon abzuhalten suchte. Vgl. L. Geiger, Aus Alt-Weimar, Berlin 1897, 34. — Ludwig Wieland hatte sich, dem gleichen Brief zufolge, offenbar etwa gleichzeitig mit Kleist entschlossen, sich der „Schriftstellerei" zu widmen (aaO. 28). Der Brief beweist auch, daß die beiden kleinen Stücke, die Eugen Wolff Kleist zusprechen wollte (Zwei Jugend-Lustspiele von Heinrich von Kleist, hg. v. Eugen Wolff, Oldenburg und Leipzig [1898]), von Ludwig Wieland stammen, vgl. aaO. 31: „Wie es scheint, existieren schon 2 Stücke von Dir im Druck. Wie kommt es, daß Du nicht für gut befunden hast, mir ein Exemplar davon zu schicken?" Dann geht es jedoch weiter (aaO. 31 f.): „Zwar mit dem neuesten, daß Du dem guten Geßner aufgehängt hast, bist Du selbst nicht wohl zufrieden; es ist weder k o m i s c h noch s p a s h a f t, und hat also in Deinen Augen keinen Werth." Da 1802 von L. Wieland laut Goedeke nichts weiter erschien, könnte damit die ‚Familie Schroffenstein' gemeint sein, als deren Verfasser L. Wieland in Heinsius' ‚Bücher-Lexikon', in Meusels ‚Gelehrtem Teutschland' und in der ersten Auflage des ‚Goedeke' galt (vgl. E. Wolff, ZsfBfr II, 234).

Bedenken erhoben würden. — Im ganzen haben wohl nur zwei Manuskripte des Dramas existiert, das uns erhaltene der ‚Familie Ghonorez' (ein solcher Titel ist allerdings von Kleist nicht überliefert) und eines der ‚Familie Schroffenstein'. Eventuell gab es noch eine Schreiberkopie, die als Druckvorlage diente; wenn nicht, ist ein Autograph beim Druck benutzt worden [39].

Zwischen den einzelnen Arbeitsphasen liegen nach dem hsl. Befund nicht unbeträchtliche zeitliche Abstände. Die Hinweise auf die Namengebung der Druckfassung im IV. und V. Akt scheinen viel später als das übrige geschrieben zu sein, wenngleich eine solche Behauptung heute nicht mehr sicher zu beweisen ist. Die Wandlung, die Kleists Schrift von kleinen, spitzen und schrägliegenden zu stark gerundeten und wesentlich offeneren, im einzelnen auch gebrocheneren Zügen durchmacht, läßt sich ohne Kleists Briefe nicht genau verfolgen. Es ist bedauerlich, daß Schmidt und Minde-Pouet dieser Frage keine Beachtung geschenkt haben [40]. Eine Untersuchung über die Entwicklung von Kleists Handschrift — wie wir sie etwa für Hölderlin, Grabbe und Novalis besitzen — könnte zur Datierung von Mss. beitragen. Die Randnotizen für den Abschreiber scheinen mir bereits die spätere Schriftform zu besitzen [41], Kleists Briefe lassen bis zum 20. Mai 1802 aber diese Umwandlung nicht erkennen [42]. Zolling wollte die ‚Familie Ghonorez' wegen der Übereinstimmung mit der Schrift der Bräutigamsbriefe wesentlich früher datieren [43], was aber

[39] Die rätselhafte Bemerkung „bis hierher abgeschickt" (Hs. S. 120) kann sich ebensogut auf die eigene Umarbeitung E beziehen wie auf eine Abschrift von H, niemals jedoch auf eine Schreiberkopie, da die betreffende Seite dann ja nicht in Kleists Händen bleiben konnte.

[40] Die einzige zusammenhängende Beschreibung hat Rahmer gegeben (in seiner Ausgabe der Ulrike-Briefe, Berlin 1905, 9 ff.). Er datiert die Wandlung auf den 24. Oktober 1806, was sicher nicht stimmt, denn der Brief aus St. Omer vom 26. Oktober 1803 (facsimiliert bei Rahmer aaO. nach S. 164) zeigt ebenso wie etwa der an Pfuel vom 2. Juli 1805 (Facsimile vor I, 161) bereits runde Buchstabenform. — Der Brief an Henriette v. Schlieben vom 29. Juli 1804 (eine Seite daraus hat die Autographenhandlung J. A. Stargardt in ihrem Versteigerungskatalog der Sammlung Geigy-Hagenbach vom 30./31. Mai 1961 als Tafel 46 reproduziert) paßt sich dieser Linie ein: der Duktus ist noch schräg, die Buchstabenformen — besonders bei Kapitalen — entsprechen bereits den jüngeren, offeneren.

[41] Vgl. Hs. S. 135 und 141, desgleichen die deutschen Namen in Szene IV, 5.

[42] Von diesem Tage stammt der letzte heute zugängliche Brief aus dem Jahre 1802. Eine Photokopie verdanke ich der Freundlichkeit des Freien Deutschen Hochstifts in Frankfurt a. M.

[43] Einleitung zur Ausgabe, aaO. Bd. 149/I, XIV.

praktisch unmöglich ist, da sich Kleists Schrift bis zum Frühjahr 1802 überhaupt kaum verändert; der Duktus der Denkübung A etwa [44] unterscheidet sich nicht wesentlich von dem des V. Aktes im ‚Ghonorez'-Manuskript. Genau den in der ‚Ghonorez'-Hs. vorkommenden Schriftformen entsprechen die Briefe an Zschokke vom 1. Februar und 2. März 1802 [45], von denen der zweite flüchtigere Züge zeigt, so daß u. U. eine genauere Datierung einzelner Partien der Handschrift möglich wäre. Diese Entwicklung setzt sich fort in dem erwähnten Abschiedsbrief an Wilhelmine vom 20. Mai, der in seinem fahrigen Duktus der Überarbeitung der ‚Familie Ghonorez' gleicht. Das würde bedeuten, daß diese Überarbeitung noch vor der Übersiedelung nach Bern erfolgte, selbstverständlich unter dem Vorbehalt, daß es für derlei Feststellungen heute keine absolut sicheren Grundlagen mehr gibt. Im März muß die Vollendung des Dramas schon abzusehen gewesen sein [46]; im April wurde vermutlich eine Abmachung über den Druck getroffen, da Kleist am 1. Mai schreibt, er habe „ein Geschäft . . . bei dem Buchhändler Geßner" gehabt (II, 95). Die 30 Gulden, die er im August brieflich erwähnt (II, 99), können nur das Honorar gewesen sein — auch wenn Kleist, wie sehr wohl möglich, das Geld gar nicht erhalten hat [47].

‚Robert Guiskard'

Kleists Beschäftigung mit seinem nächsten dramatischen Werk, das uns, wenn auch nur als Fragment, erhalten ist, dem ‚Robert Guiskard', können wir mit einer größeren Unterbrechung über sechs Jahre hin verfolgen. Am 5. Oktober 1803 schrieb er aus Genf, er habe „nun ein Halbtausend hinter einander folgender Tage, die Nächte der meisten mit eingerechnet," (II, 110) an das Werk gesetzt. Zählt man von diesem Zeitpunkt zurück, so gelangt man in den Mai 1802, ein Datum, das auch auf anderem Wege gestützt werden kann. Es ist leider aussichtslos, den Zeitplan ‚Schroffenstein' — ‚Guiskard' klären zu wollen. Die Anspielungen des Briefes vom 1. Mai meinen vermutlich bereits den ‚Guis-

---

[44] I, 56; in der Staats- und Universitätsbibliothek Hamburg. Die Schrift ist nur unwesentlich fester und gleichmäßiger.

[45] Photokopien verdanke ich dem Staatsarchiv des Kantons Aarau und dem British Museum, London.

[46] Am 19. Februar meint Kleist, finanziell sei für ihn „in der Zukunft ... zur Nothdurft gesorgt" (II, 91), am 18. März: „... so weiß ich jetzt doch wie ich mich ernähren kann" (II, 94).

[47] Vgl. II, 111 „Geßner hat mich nicht bezahlt, ..." (am 5. Oktober 1803).

kard', insbesondere wegen der Formel vom Sterbenwollen, wenn ihm „drei Dinge gelungen sind: ein Kind, ein schön Gedicht, und eine große That" (II, 97), aber meint Kleist auch die Vollendung des ‚Guiskard', wenn er in „etwa 6 Wochen ... wenigstens ein Dutzend Briefe schreiben" (aaO.) will? Selbst mit dem dramatischen Erstling kann er solche Erfahrungen über die Arbeitsdauer nicht gemacht haben, da dieser ihn wenigstens drei Monate gekostet hat [48]. Also könnten Verlassen der Delosea-Insel und Drucklegung der ‚Familie Schroffenstein' gemeint sein. Das alles bleibt aber ziemlich unsicher, da eine zumindest interimistische Beschäftigung mit ‚Leopold von Österreich' und ‚Peter dem Einsiedler', der als Belagerungsstück wohl nicht zufällig mit dem ‚Guiskard'-Stoff Verwandtschaft zeigt, noch vor der Hinwendung zum ‚Guiskard' selbst immerhin möglich ist. In die gleiche Zeit weist auch das Schützsche Diktat, das ebenfalls das Leitmotiv des Sterbenwollens, das die erste, verzweiflungsvolle Phase des Ringens durchzieht, bereits enthält (LS 65). Es ist hier nicht der Ort, dieses Ringen im einzelnen zu verfolgen. Uns interessiert nur, wie weit Kleist mit der Arbeit kam und wann er an dem Drama arbeitete. Es gibt viele Vermutungen über die Umstände, die die Vollendung verhinderten. Fest steht nur das Eine, daß es dafür keine sicheren Anhaltspunkte gibt. Kleists eigener Seufzer Ende 1802 „O Jesus! Wenn ich es doch vollenden könnte!" (II, 100) scheint auf die Fortführung der Handlung, mithin auf Schwierigkeiten im Bauplan zu gehen. Wenn wir dagegen Wielands Angaben, die sich auf die zweite Winterhälfte und das Frühjahr 1803 beziehen, Glauben schenken dürfen, so hat ein „Plan" für das Ganze damals bestanden, und Kleist hat Wieland Stücke aus dem ganzen Drama, nicht nur aus dem Anfang vorgetragen [49]. Die Art, in der der Deklamationsunterricht bei Kerndörfer erwähnt wird, läßt von speziellen Schwierigkeiten nichts merken (II, 103). — Worin eigentlich die „gewisse Entdeckung im Gebiete der Kunst" (II, 107) bestehen sollte, ist aus Kleists eigenen Äußerungen nicht zu erraten. Die Anspielung auf ein besonderes Verhältnis zur antiken Tragödie [50] kann auf deren nationale Adaptierung oder aber auf eine Vereinigung

---

[48] Gerechnet vom 1. Februar an, an dem Kleist „die alte Lust zur Arbeit wiederbekommen" (II, 89) hatte.

[49] „... einige der wesentlichsten Szenen, und mehrere Morceaux aus andern ..." (LS 89, S. 59). Tatsächlich scheint vor Weihnachten, Kleists Brief vom 9. Dezember zufolge, nur der Anfang ausgeführt gewesen zu sein.

[50] Vgl. II, 110: „Das Schicksal, das den Völkern jeden Zuschuß zu ihrer Bildung zumißt, will, denke ich, die Kunst in diesem nördlichen Himmelsstrich noch nicht reifen lassen."

des antiken mit dem modernen Drama (d. h. dem Shakespeares) gehen, schließlich sogar auf eine Entgegensetzung zur antiken Tragödie. Den Kombinationen sind keine Grenzen gesetzt.

Vollendet war der ‚Guiskard' nicht, als Kleist ihn im Oktober 1803 in Paris verbrannte [51]; den Wortlaut bei dem sonst zuverlässigen Schütz darf man hier also nicht pressen [52]. Danach folgt eine Pause von etwa vier Jahren bis zum Winter 1807, in der Kleist sich mit großer Sicherheit nicht mit dem ‚Guiskard' beschäftigte. — So merkwürdig es klingt: eine tatsächliche Vollendung des ‚Guiskard' in der wahrscheinlich letzten Phase der Beschäftigung mit ihm (1807/08) ist nicht mit völliger Sicherheit auszuschließen. Auf Fouqué [53] wird man hierin gerne verzichten, aber es klingt doch bemerkenswert sicher, wenn Adam Müller am 17. Dezember 1807 an Goethe schreibt, daß Kleist „durch seine beiden Trauerspiele Penthesilea und Robert Guiskard den einzigen Richter gewinnen" will, „auf dessen Urteil es ihm ankömmt" (LS 200). Im Brief an Gentz vom 25. Dezember 1807 rechnet Müller den ‚Guiskard' völlig selbstverständlich zum Fond des ‚Phöbus' [54]. Ebenfalls am 17. Dezember schreibt Kleist an Wieland, daß, nachdem die ‚Penthesilea' fertig sei, „in Kurzem ... auch der Robert Guiskard folgen" solle (II, 192). Am 14. Februar 1808 heißt es gar im Brief an Collin, er sei „im Besitz noch zweier Tragödien" (II, 203), womit nach dem Zusammenhang nur ‚Guiskard' und ‚Zerbrochner Krug' gemeint sein können [55]. Noch am 7. Juni bot er Cotta für das geplante Taschenbuch neben dem ‚Käthchen' wahlweise „auch Eines der andern Stücke, wovon im Phöbus Fragmente erschienen," an (II, 207). Das April/Mai-Heft mit dem ‚Guiskard'-Fragment, das am 7. Mai teilweise ausgedruckt war (vgl. den Brief an Göschen, II, 206), war damals mit einiger Sicherheit schon in Cottas Händen. Die Vollendung stand also zumindest in sehr greifbarer Nähe und wäre wohl durch ein günstiges verlegerisches Angebot zustandegekommen. Anderseits wurde sie sicher auch durch die ein wenig allzu euphorische literarische Betriebsamkeit, der Kleist in Dresden verfiel, mit verhindert. Man muß sich vor Augen halten, daß er gleichzeitig,

---

[51] „... mein Werk, so weit es fertig war ..." (II, 111).

[52] LS 115 „... verbrennt ... den ganzen Robert Guiscard".

[53] LS 644, S. 454.

[54] LS 205, S. 139.

[55] Kleist bezeichnet den ‚Zerbrochnen Krug' als „Tragödie". Dies ist als rein technischer Terminus, unabhängig vom Gehalt des Werks, zu verstehen. II, 199 wird das Stück als „Drama" bezeichnet.

abgesehen von allem anderen, noch an zwei weiteren Dramen arbeitete. Das formale Problem, mit dem er beim ‚Guiskard' gerungen hatte, war ihm zumindest in seiner Einzigartigkeit und Ausschließlichkeit aus den Augen geschwunden. Teile dessen, was Kleist mit dem ‚Guiskard' vorschwebte, sind in der ‚Penthesilea' verwirklicht, und seine Einstellung zu den Problemen der dramatischen Form wandelte sich 1808 grundsätzlich. Sieht man von einer rein äußerlichen Ablenkung durch die politische Dichtung (und auch praktisch-politische Tätigkeit) etwa von der Mitte des Jahres ab, so stellen die drei „deutschen" Dramen — von der ‚Familie Schroffenstein', an der nichts als die Namen deutsch waren, kann füglich abgesehen werden — ja nicht nur in ihrer Thematik eine „nationale Wende" dar, sondern sehen auch in ihrem Aufbau wesentlich anders aus als die früheren, Shakespeare und Sophokles verpflichteten. — Das uns erhaltene ‚Phöbus'-Bruchstück ist nach Sprache, Rhythmus und Sorgfalt des Versbaus mit großer Sicherheit als ein Produkt der Dresdner Zeit anzusehen [56].

‚Der zerbrochne Krug'

Die Anfänge des ‚Zerbrochnen Kruges' reichen, wie vielleicht auch die des ‚Amphitryon', ebenfalls in die Schweizer Zeit zurück. Beider relative Chronologie ist nicht mehr feststellbar. Die bekannte Anregung durch den Stich von Le Veau nach einem verlorenen Gemälde von Debucourt datiert vom Winter 1802, der verabredete poetische Wettkampf jedoch hat nie stattgefunden [57], und Gundolf irrte, als er ihn zur Grundlage seiner Charakteristik und Bewertung des Werks machte, zumal die Gestalt des Lustspiels, die Gundolf interpretierte, erst 1811 entstand. Äußerstenfalls einen Plan nahm Kleist aus der Schweiz mit [58]. In

---

[56] Hubberten aaO. 148 ff., Kahlen aaO. 149.

[57] Vgl. den Wortlaut bei Zschokke 1825: „Ludwig Wieland verhieß eine Satire, Heinrich von Kleist entwarf ein Lustspiel und der Verfasser der gegenwärtigen Erzählung das, was hier gegeben wird" (LS 68, S. 45); 1842: „Für Wieland sollte dies Aufgabe zu einer Satire, für Kleist zu einem Lustspiele, für mich zu einer Erzählung werden" (LS 66, S. 44). (Sperrungen von mir.) — Zschokkes Erzählung erschien 1825; Wielands ‚Ambrosius Schlinge', eine Art stark wässriger Lösung des ‚Tartuffe'-Stoffes, der im Zusammenhang mit dem ‚Krug' immer genannt wird, hat mit diesem gar nichts zu tun.

[58] Bülow, auf eine briefliche Mitteilung Zschokkes gestützt, sagt vorsichtig, „daß die Idee zu dem Lustspiele ‚der zerbrochene Krug' in der Schweiz gefaßt und die Ausarbeitung vielleicht begonnen wurde" (aaO. 29).

Dresden diktierte er 1803 Pfuel den Anfang[59]. Das deutet möglicherweise, wie auch Wielands Bericht über den ‚Guiskard', darauf hin, daß Kleist die Gewohnheit hatte, seine Werke vor der Niederschrift wenigstens partienweise im Kopf auszuarbeiten; wenn die ‚Familie Schroffenstein' hierin eine Ausnahme darstellt, so ist das bei einem Erstling nicht verwunderlich. Ob Kleist vor der Rückkehr nach Berlin im Juni 1804 an dem Stück weitergearbeitet hat, wissen wir nicht, wahrscheinlich ist es nicht. Der terminus ante quem für den Abschluß ist der 23. April 1805, denn an diesem Tage übersandte Kleist das Stück an den Obristen Christian von Massenbach, der Kleists Freund Rühle protegierte und als Mitzögling Schillers — er hat mutmaßlich als erster die Quelle zu den ‚Räubern' bekannt gemacht[60] — für einen Mann von Urteil in literarischen Dingen gelten durfte. Es ist wahrscheinlich, daß Kleist das Stück in Königsberg noch weiter bearbeitete. Die Stelle im Brief an Rühle vom 31. August 1806: „So lange das dauert, werd ich jetzt Trauerspiele und Lustspiele machen. Ich habe der Kleisten eben wieder gestern Eins geschickt ..." (II, 152) klingt ganz so, als sei das Stück bzw. seine Überarbeitung gerade fertig geworden. Es ist nicht ausgeschlossen, daß es sich bei der uns erhaltenen Hs.[61] um das an Marie gesandte Exemplar handelt, das dann 1807 durch Rühle wieder in Kleists Hände gelangt sein müßte[62]. Die Entstehung des ‚Zerbrochnen Krugs' 1804 oder 1805 wird auch durch die Fußnote Kleists zum ‚Phöbus'-Druck erhärtet, in der es heißt: „dieses kleine, vor mehrern Jahren zusammengesetzte, Lustspiel"[63]. Das ungewöhnliche Wort „zusammengesetzt", über das sich Böttiger als Rezensent dann auch aufhielt (LS 253, S. 177), ist als wörtliche Übersetzung von „komponiert" zu verstehen und darf als Beleg dafür gelten, daß Kleist tatsächlich „alles Allgemeine", das er über die Dichtung dachte, „auf Töne bezogen" hat (II, 262). Das wichtige Datum des 23. April 1805 zeigt uns aber vor allem, daß Kleist bereits 1804/05 in Berlin und nicht erst in Königsberg den ‚Guiskard'-Zusammenbruch

---

[59] Nach Bülow „die drei ersten Szenen" (LS 102), nach Kleist selbst „die erste Scene" (II, 152); das Schwanken ist bedeutungslos, da die heutige Szeneneinteilung wohl erst 1811 vorgenommen wurde.

[60] Vgl. H. Stubenrauch, Schiller-Nationalausgabe, Bd. 3, 267.

[61] In der Deutschen Staatsbibliothek zu Berlin (Signatur: Tieck 29). — Facsimile mit Handschriftenbeschreibung von Paul Hoffmann, Weimar 1941.

[62] Adam Müller schrieb am 9. Mai 1807 an Gentz, er „besitze mehrere Manuskripte" Kleists (LS 172, S. 117); diese muß er jedenfalls von Rühle erhalten haben.

[63] Sembdners Neudruck S. 144.

zu überwinden begann. — Goethe erhielt den ‚Zerbrochnen Krug' (zugleich mit dem ‚Amphitryon') in zwei Exemplaren — beide sind verloren — mit einer Empfehlung Adam Müllers am 8. August 1807 durch den Baron von Haza [64] und ließ das Stück am 2. März 1808 in Weimar aufführen. Daraufhin gab Kleist im März-Heft des ‚Phöbus' drei Fragmente aus dem ‚Krug' heraus. Gedruckt wurde das Werk erst im Februar 1811 in einer gegenüber der hsl. erhaltenen stark gekürzten Fassung, die den älteren Schluß als angehängten ‚Variant' enthält. Der Verleger Reimer leistete am 22. Oktober 1810 die erste Honorarvorauszahlung; damit ist die letzte Fassung relativ sicher datiert (LS 494).

Die Hs. bestand ursprünglich aus 138 Seiten Folio, von denen fünf leer blieben, nämlich S. 2 (die Rückseite des Titelblatts) und die — nicht mehr gezählten — vier letzten Seiten. Kleists eigenhändige Paginierung läuft nur bis 131; das beruht darauf, daß er die Seitenzahlen 9, 11 und 12 irrtümlich zweimal verwandte. Nach dem Wasserzeichen stammt das gesamte Papier aus einer ostpreußischen Papiermühle, wie Hoffmann feststellte [65]. Die Entstehung dieser Hs. in Königsberg ist damit wahrscheinlich, obwohl Nachforschungen über Handelswege und Verbreitung des Papiers erforderlich wären, wenn man mit letzter Sicherheit ausschließen wollte, daß die Hs. in der Berliner (1804/05) oder der Dresdner (1807) Zeit entstand. Die Hs. liegt jetzt lose in einem Pappdeckel und ist somit bequem zu untersuchen. Früher war sie geheftet, und zwar in den originalen Lagen. Die erste umfaßt die Seiten 1—87 und besteht aus 21 ganzen Bogen, die aufeinandergelegt und gefaltet wurden. An zwei Stellen liegen Einzelblätter des gleichen Papiers, nämlich die Seiten 14/15 und 16/17 in der linken Hälfte zwischen dem 8. und 9. und die Seiten 60/61 in der rechten Hälfte der Lage zwischen dem 13. und 14. Bogen. Ein besonderer Grund dafür ist nicht ersichtlich, zumal sowohl nach dem Wortlaut des Textes wie nach der Beschaffenheit der Tinte und nach dem Federzustand zu schließen alle drei Blätter von Anfang an einbezogen waren. Auch der Umstand, daß die Einfügung der ersten beiden Blätter (S. 14—17) in der Bogenlage mit der korrigierten Seitenzahl auf S. 72 (verbessert aus 76) korrespondiert, spricht dafür, daß die Blätter zum ursprünglichen Bestand gehören und nicht etwa Korrekturpartien enthalten. — Die zweite erhaltene Lage der Hs. (S. 124—131) ist eine Ternio, von der nur die ersten acht Seiten benutzt wurden.

---

[64] LS 184. — Zu den zwei Exemplaren vgl. LS 239a (2. Dezember: Beginn der Vorbereitungen für die Aufführung).
[65] Nachwort zum Facsimile S. 6 f.

Zwischen diesen beiden Lagen fehlt also mindestens eine weitere, die aus neun Bogen bestanden haben müßte, denn es fehlen 36 Seiten. Es ist nicht zu vermuten, daß hier noch Einzelblätter vorkamen, denn nach Zeilendichte pro Seite in der Umgebung der Lücke entspricht das Fehlende der zu erwartenden Zahl an Versen.

Eine solche Berechnung kann man insofern anstellen, als in der Hs. eine ältere Fassung des Stücks erhalten ist, die den jetzigen ‚Variant', der im Erstdruck etwas flüchtig abgebrochen wird, miteinbezieht, also vermutlich um rund ein Viertel länger war. Von der großen Lücke abgesehen läßt sich auch das Ende dieser Fassung nicht bruchlos rekonstruieren, denn nach dem Vs. 474 des ‚Variant' entsprechenden Verse geht der Text in H noch über 20 Verse weiter, bis er (in der Versgruppe 1954/57) kürzend wieder in den Text des 12. Auftritts einmündet.

Der Text der Hs. ist ursprünglich sauber und großzügig geschrieben. Trotzdem handelt es sich wohl um keine Reinschrift, denn zweimal (S. 28 und S. 83/84) kommen größere Korrekturen innerhalb des Textverlaufs selber vor. Die Hs. enthält — abgesehen von den wenigen während der ersten Niederschrift vorgenommenen Korrekturen — zahlreiche Verbesserungen, für deren zeitliche Trennung in erster Linie die Tinte (der Schriftduktus weniger sicher) Hilfen gibt. Es handelt sich dabei durchweg um ein Ausfeilen des Wortlauts, gelegentlich auch des Versbaus. Die Physiognomie des Werks ändert sich nicht so merklich, daß man den ursprünglichen Wortlaut als selbständige Fassung ansprechen könnte. In diesem Zusammenhang ist auch zu berücksichtigen, daß die Überarbeitung offenbar zu keinem Abschluß gelangte; sie ist im Anfang viel eingreifender und schon deswegen in sich fragmentarisch.

Daß die Korrekturen nicht in einem Zuge entstanden sind, erhellt auch daraus, daß sich nur ein Teil von ihnen in E wiederfindet. Nach einer ersten Variantenschicht muß also eine Abschrift genommen worden sein, auf die dann der Text E zurückgeht. Infolgedessen bietet H in den nach dieser Gabelung der textlichen Überlieferung entstandenen weiteren Varianten einen toten Überlieferungszweig. Daraus muß geschlossen werden, daß Kleist im Spätherbst 1810 bei der Herstellung der Druckfassung eine andere als die uns erhaltene Hs. vorlag.

Auch der Text der ‚Phöbus'-Fragmente ist nur ein Seitentrieb in der weiteren Textgeschichte. Für ihn wurde eine besondere Abschrift von H angefertigt, die ihrerseits unter Benutzung mancher in H schon vorhandener Korrekturen den Text verändert und gewisse Milderungen und

Kürzungen vornimmt. Weder bildete die Hs. die Druckvorlage für P [66], noch stellt P ein Bindeglied zwischen H und E dar [67]. Im dritten Abschnitt des ‚Phöbus'-Textes betreffen die Änderungen fast nur noch die Interpunktion, was die Eile unterstreicht, mit der dieser Text besorgt wurde.

H kann nicht, wie Hoffmann annahm, die Grundlage für E abgegeben haben. Das ist schon deshalb unmöglich, weil Kleist dann wie ein philologischer Editor aus vielen eigenen Korrekturen wieder die gestrichenen ursprünglichen Lesarten herausgesucht haben müßte. Er besserte in E über das ganze Stück hin gleichmäßig in Einzelheiten. In H liegt der Schwerpunkt der Umarbeitung am Anfang, da, wo die P-Fragmente entnommen wurden. Zeugen für diese Ansätze — mehr wird in der Hs. im Grunde nicht sichtbar — zur Umarbeitung sind drei angesiegelte Zettel aus anderem Papier (auf S. 4, 30, 40 — auf S. 26 ist nur noch ein Lackrest erhalten) und des weiteren Kreuze in blasserer Tinte, z. B. auch im Personenverzeichnis vor „Walter", „Eve", „Veit" und „Bedienter". Darin könnten Ansätze zu einer tiefergehenden, aber nicht ausgeführten Umarbeitung stecken, während die Zettel für die Absicht sprechen, die Hs. direkt als Vorlage für den Druck P zu verwenden. Das erwies sich dann rasch als undurchführbar. Diese Anhaltspunkte beweisen einmal, daß die Hs. Kleist in Dresden wieder vorlag und berechtigen ferner zu der Vermutung, daß die Änderungen nach dem Weimarer Debakel gewissermaßen ad hoc begannen.

Diese Auffassung wird durch die Tatsache gestützt, daß das Stück ursprünglich keine Szeneneinteilung kannte. Diese wurde in H erst nachträglich und nur stellenweise angebracht [68]. Sie stimmt nicht mit der endgültigen überein, so daß z. B. der jetzige 6. und 7. Auftritt im ‚Phöbus' als 4. und 5. gezählt werden. Die Fassung H ist also mutmaßlich in Weimar gespielt worden [69], und P stellt einen Rechtfertigungs-

---

66 So irrtümlich Sembdner I, 925.

67 Die Sonderstellung von P wurde bereits von Schmidt gesehen (IV, 318).

68 Daß die Gliederung in H erst nach der Aufführung eingetragen wurde, sah auch Hoffmann (aaO. 8). Das hinderte ihn aber nicht zu sagen, sie werde sich wohl auch in der Weimarer Abschrift befunden haben. — Eine weitere verwegene Behauptung Hoffmanns besteht darin, daß H — der fehlenden Auftrittsbezeichnung wegen — nur eine Vorlage zur weiteren Ausarbeitung sein sollte.

69 Auf anderem Wege kommt Sembdner zu dem gleichen Ergebnis, vgl. Neues zu Kleist, JbSchG 7, 1963, 371—82.

versuch Kleists dar. Als selbständige „Fassung" ist auch P nicht zu betrachten, schon deshalb nicht, weil der Text sichtlich ad hoc umgeformt wurde, dann auch, weil das Fragment nur Stücke aus dem Anfang bietet. Bringt man die beträchtliche Länge der Urfassung in Anschlag, so bleiben, abgesehen von den Mängeln der Bühne und der Aufführung, genügend Gründe, die den eklatanten Mißerfolg der Uraufführung verständlich machen. Seltsam, daß gerade Goethe, der sonst bei Kleist immer nach antikisierenden Zügen suchte, den rein äußeren Zug der Sophokles-Nachfolge nicht sah, der im Fehlen der Einteilung zu erblicken ist. Es wäre denkbar, daß der Verlust von wenigstens einer Lage der Hs. — der sich freilich am natürlichsten aus äußeren Gründen erklärt — bereits auf einen Plan zur Kürzung zurückgeht, denn eine solche war am ehesten in der Partie möglich und zugleich notwendig, in der Adam nicht mehr auf der Bühne ist.

Wieviele Hss. es gegeben hat, wissen wir nicht, auch nicht, wie die einzige erhaltene in Tiecks Hände gelangte. Für die Konstitution eines kritischen Textes ist die Hs. nur sehr bedingt brauchbar, da der Erstdruck als Hauptzeuge auf eine mit Sicherheit zu erschließende, möglicherweise sogar mehrstufige Handschriftentradition zurückgeht, die in H (mit erster Variantenschicht) lediglich einen Ahnen besitzt. Keinesfalls sollte man also, wie verschiedentlich versucht wurde, die überschießenden H-Varianten in einen kritischen Text aufnehmen. Diese Frage ist von Schmidt mit sicherem editorischen Takt — auch unter Hinweis auf die große Lücke in H — dahingehend entschieden worden, daß E als der verbindliche Text anzusehen sei. Die besagten Varianten gehören einer ganz anderen und zudem älteren Bearbeitungsstufe an, die überdies auch nichts Fertiges bildet.

‚Amphitryon'

Der ‚Amphitryon', über dessen Entstehung wir nur höchst spärliche Nachrichten besitzen, reicht im Keim vielleicht auch schon in die Schweizer Zeit, da in Zschokkes Molière-Übersetzung (1805) dieses Stück fehlt [70]. Wir haben über ihn praktisch nur die Notiz bei Schütz, daß er in Königsberg geschrieben sei (LS 148). Das bestätigen indirekt Kleists Briefe an Rühle und Ulrike vom 31. August und 31. Dezember 1806, in denen er von „Manuskripten" spricht, die er nach Berlin geschickt

[70] Darauf hat zuerst Rahmer aufmerksam gemacht (Heinrich von Kleist ..., aaO. 92). — Allerdings ist die Übersetzung Zschokkes auch sonst nicht vollständig.

habe. Der ‚Amphitryon' wurde v o r dem ‚Krug' abgesandt [71]. Sollte das bedeuten, daß er auch früher vollendet wurde, so könnte das die Zeugniskraft des Datums vom 23. April 1805 für die Vollendung des ‚Krugs' entwerten; u. U. ist damals nur ein Fragment an Massenbach gegangen. An diesem Datum hängt aber die Reihenfolge der Dramen in einer Ausgabe, da man sich zumeist nach dem Entstehungs-, nicht nach dem Druckdatum richtet. Die Arbeiten an beiden Dramen müssen sich in jedem Fall zeitweilig überschnitten haben. Durch Rühle, der sich in Dresden an Adam Müller um Vermittlung wandte, gelangte das Werk 1807 bei Arnold zum Druck [72]. So sehr Müllers politische Anschauungen dem Freunde in der ‚Abendblatt'-Affäre auch zum Unsegen ausgeschlagen sind, so sind doch seine früheren Bemühungen um Kleist ganz unschätzbar, und seine Urteile greifen der Einsicht der literarischen Kritik weit voraus [73]. Daß er beim Druck des ‚Amphitryon' wirklich den Versbau geglättet hat, wie der alte Körner in seiner Anfrage an Göschen versprach, ist sehr zu bezweifeln, da Müller selbst sich kurze Zeit darauf gegenteilig äußerte (LS 172). In Ermangelung einer Hs. ist der Erstdruck unser einziger Textzeuge. Da ihm mit hoher Wahrscheinlichkeit ein Autograph zugrunde lag, dürfen wir ihn für verläßlich halten.

‚Penthesilea'

Erst das dritte dramatische Werk nach dem ‚Guiskard'-Zusammenbruch ist wieder eine Tragödie, die ‚Penthesilea'. Sie wurde in Königsberg begonnen. Den ungefähren Zeitpunkt des Beginns bezeichnet der Brief an Rühle vom 31. August 1806, in dem Kleist von der Absendung des ‚Zerbrochnen Krugs' spricht und dann sagt: „Jetzt habe ich ein Trauerspiel unter der Feder" (II, 153). Der Gedanke dazu kann frühestens im Mai 1805 gefaßt worden sein, da Kleist dies seiner Cousine in einem „begeisterten Brief" (II, 187) gemeldet haben will; das setzt die ein-

---

[71] Vgl. II, 152: „Ich habe der Kleisten eben wieder gestern Eins geschickt." Vorher war von Trauerspielen und Lustspielen die Rede; da ein Trauerspiel, das in Frage käme, nicht bekannt ist, bleibt nur die Reihenfolge ‚Amphitryon' — ‚Krug' (für die Absendung der Stücke).

[72] Im Februar 1807 war Körner um Vermittlung bei Göschen bemüht worden (LS 169 und 170), Kleist hatte diese Rolle gleichzeitig Wieland zugedacht (II, 190 f.).

[73] Man vergleiche die Vorrede zum ‚Amphitryon' sowie seine Äußerungen über ‚Marquise' und ‚Penthesilea' (LS 258 und 226). — Die einschlägigen Stellen aus dem Briefwechsel Gentz — Müller sind von Sembdner in der 2. Aufl. der ‚Lebensspuren' dankenswerterweise vervollständigt worden.

getretene Trennung voraus[74]. Die größere Wahrscheinlichkeit spricht dafür, den Beginn ein Jahr später anzusetzen, also nicht allzu weit vor dem Sommer 1806, da vorher ‚Krug' und ‚Amphitryon', eventuell auch schon die ersten Novellen geschrieben bzw. weiterbearbeitet worden sind. Die Ausarbeitung wird kaum vor dem Spätsommer begonnen haben, wahrscheinlich wurde sie während der Deportation fortgesetzt. Beendet wurde das Drama mit Sicherheit erst im Spätherbst 1807 in Dresden[75]. Der terminus ante quem ist der 17. Dezember 1807, weil Kleist an diesem Tage im Brief an Wieland von „einem Trauerspiel, Penthesilea" als von einem fertigen Manuskript spricht (II, 191). Der Satz von der „Tragödie", die Kleist sich „von der Brust heruntergehustet" habe (II, 192), muß übrigens doch wohl auf die Hintergründe des Ringens um den ‚Guiskard' bezogen werden, nicht, wie allgemein üblich, direkt auf die ‚Penthesilea'. Das beweist die Parenthese, „Sie wissen, wie ich mich damit gequält habe". Wieland wußte ja von der ‚Penthesilea' gar nichts; in den beiden Briefen, die Kleist im März 1807 an ihn schrieb, — wohl die ersten seit der verlorengegangenen Empfehlung für Werdecks 1803 — war vom ‚Amphitryon' die Rede. Außerdem hätte Kleist das Drama in anderer Form erwähnt, wenigstens mit Artikel, wenn er voraussetzen konnte, daß Wieland davon wußte.

Dem Stoff, der mit Sicherheit erst in Königsberg gefunden wurde, ging eine allgemeine Idee, wenigstens für den ersten Teil des Dramas, vorauf, wie das Bild vom Sturz in der Rennbahn im Brief an Pfuel vom 7. Januar 1805 beweist (II, 127), und man hat darin auch einen ersten Hinweis auf die ‚Penthesilea' sehen wollen[76]. Das Bild trifft aber nur auf die ersten neun Auftritte zu. Gerade hieraus aber einen Anhalt für eine Urfassung mit anderem Ausgang entnehmen zu wollen, wie sie immer wieder postuliert wird, wäre ganz verfehlt. Der Wortlaut im Brief an Marie („Ich habe die Penthesilea geendigt, von der ich Ihnen damals, als ich den Gedanken zuerst faßte, wenn Sie sich dessen noch erinnern, einen so begeisterten Brief schrieb. Sie hat ihn wirklich aufgegessen, den Achill, vor Liebe". — II, 187), dieser Wortlaut legt unzweideutig fest, daß das Paradox des Mordes aus Liebe von allem An-

[74] Kleist verließ Berlin am 30. April und kam am 2. Mai in Königsberg an. — Theoretisch wäre auch eine Anspielung auf eine frühere Abwesenheit (1802—04) möglich, doch war Kleist damals wohl zu ausschließlich mit dem ‚Guiskard' beschäftigt.

[75] Vgl. LS 191, 198, 199 und den Brief an Marie (Nr. 115): „Ich habe die Penthesilea geendigt ..." (II, 187).

[76] Helene Herrmann, Studien zu Heinrich von Kleist, ZfÄ 18, 1925, 276 Anm. 2.

fang an zur Konzeption des Dramas gehörte. Alle Versuche, eine ‚Urpenthesilea' mit anderem Ausgang zu konstruieren, werden durch diesen Satz ad absurdum geführt. Aus dem gleichen Grunde können auch die Deutungen, die einen Bruch im Aufbau des Dramas feststellen wollen, hierfür zumindest nicht die Scheinkatastrophe des 9. Auftritts anführen. Eine ‚Urpenthesilea' hat es nie gegeben, und die Interpretation muß vom Ganzen ausgehen, unter Einschluß des letzten Auftritts.

Der Beginn der Umarbeitung zur Fassung des Erstdrucks (E), der im Juli 1808 im Verlag Cottas erschien, aber schon vorher in Dresden ausgedruckt worden war, läßt sich genau festlegen. Im Brief an Ulrike vom 17. Dezember 1807 gehört die ‚Penthesilea' zu den „völlig fertigen Manuskripten" (II, 189). Wenn dann im Januar im ‚Phöbus' Bruchstücke erscheinen, die nach dem Lesartenbefund zwischen Schreiberkopie (h) und Erstdruck vermitteln [77], deren Einschnitte überdies mehrfach mit bedeutsamen Erweiterungen, die E bringt, zusammenhängen, so läßt sich der Beginn der Umarbeitung auf die zweite Dezemberhälfte 1807 datieren, der 17. wird gleichzeitig zu einem terminus post quem. Mitte Februar war das Werk bereits im Druck, die Umarbeitung also abgeschlossen [78].

Die Schreiberhandschrift h [79] überliefert uns ein Drama ganz anderen Charakters, ein Drama, in dem der innere Vorgang möglichst gar nicht ausgesprochen wird, das weitgehend unerklärt bleibendes Geschehen enthält. Demgegenüber stellt der endgültige Text trotz vielfacher Erweiterung eine Straffung und Konzentration dar, da sich die Handlungslinien viel ausdrücklicher und ausschließlicher auf die beiden Hauptpersonen beziehen [80], auch tritt der Konflikt Penthesileas nun schärfer her-

---

77 So hat Schmidt das Verhältnis richtig gekennzeichnet (IV, 329). Eine erste Fassung mit T. Kaiser (aaO. 17) noch von h abzusondern, ist unnötig. Die Frage, wieviele Hss. jeweils existierten, besagt noch nichts über wirklich eigenständige Fassungen.

78 Vgl. den Brief an Collin vom 14. Februar 1808 (II, 203).

79 Sembdner hat den bibliophilen Neudruck u n d Schmidts Apparat „fehlerhaft" genannt (Bd. I, 960). Das ist übertrieben, beide enthalten Fehler, sind darum aber nicht „fehlerhaft". Demgegenüber bietet h sinnlose Lesefehler des wahrscheinlich etwas einfältigen Kopisten. — Sembdners Varianten (Bd. I, 856—885) vermitteln keine zureichende Vorstellung von der Urfassung, da das Variantenmaterial zu lückenhaft ist und keinen durchgehenden Vergleich der drei Texte erlaubt.

80 Das wird auch äußerlich herausgearbeitet. In Korrespondenz zu Vs. 616 „Penthesilea naht sich dir, Pelide!" (in h: „Penthesilea naht, ihr Könige") wird nun 2352 so geändert, daß auch der Herold Achills ganz auf Penthesilea bezogen

vor. Bei den Amazonen wurde die Zahl der Führerinnen verringert [81] und deren Charaktere wurden stärker profiliert [82]. Den Mord an Achill zum Beispiel berichtet statt Asteria, die ganz unbefangen-kriegerisch gezeichnet war, die noch nicht so sehr festgelegte Meroe (2601 ff.), statt Prothoe gibt im 24. Auftritt die Oberpriesterin Penthesilea die Aufklärung über ihre Tat (2945 ff.) und spricht den Weheruf über sie aus (2962), ihre Vereinsamung und Lösung von allen menschlichen Bindungen so stärker betonend.

Wenn E Kürzungen gegenüber h vornimmt, so betreffen sie vorwiegend das Herausarbeiten der typisch Kleistischen Sprachgebärde. So entstand z. B. Vs. 1665:

> Freud' ist und Schmerz dir, seh' ich, gleich verderblich,

aus:

> Die Freude, seh ich wohl,
> Ist dir verderblich, Kön'ginn, wie der Schmerz: ...

Für diese Profilierung der Sprachgebärde sei noch ein weiteres Beispiel angeführt. Vs. 371 lautete in h:

> Er führt die donnernde Quadriga selbst!

dagegen in E:

> Selbst die Quadriga führet er heran!

Dies zeigt, wie bei Kleist die rhythmische Gebärde — hier die Inversion — viel ausdrucksstärker ist als ein noch so treffendes Epitheton. Die Wortfügung ist entscheidend, nicht die Wortwahl. Als Kürzung im gleichen Sinne fiel auch der berühmte Hyperbolismus fort, der in h auf Vs. 1369 folgt:

> Den Ida will ich erst auf Pelion
> Und Pelion wieder auf den Ossa wälzen,
> Den Ossa will ich auf den Kaukasus,
> Und Kaukasus auf den Altai thürmen,
> Mir von Altai, Pelion, Kaukasus,
> Den Weltgebirgen, eine Leiter bauen,
> Und auf der Staffeln höchst' empor mich schwingen [82a].

---

wird, und sie selbst sein Auftreten sofort richtig versteht, während es in h noch hieß *Asteria.* „Dort kömmt ein Herold uns." *Prothoe.* „Was bringst du? Rede!"

[81] Eine Führerin Cynthia fällt ganz fort.

[82] Prothoe tritt menschlich-verstehend näher zu Penthesilea. Näheres dazu bei T. Kaiser aaO. 307—10.

[82a] S. 69 des Neudrucks von Charlotte Bühler.

In E (1375/6) ist der Ton, vor allem die Lautstärke, völlig umgewandelt, aber mit der Ratlosigkeit der umgebenden Verse — die Verszerreißung betont hier die Verwirrung — zusammengenommen, ist die Stelle gerade durch die Abschwächung ausdrucksstärker geworden und bereitet so auch Penthesileas Ohnmacht besser vor.

Erweiterungen von h zu E werden meist um der Verdeutlichung des inneren Vorgangs willen vorgenommen. Ganz allgemeine Stilmittel, wie etwa die Verszerreißung, gehören nicht zum Charakter bestimmter Fassungen oder Entstehungsstufen. Solche Ausdrucksprinzipien können an verschiedenen Stellen ganz verschiedene Werte haben [83]. In h sind 14. und 15. Auftritt noch nicht getrennt, was ja auch nicht gerade für die spätere Einfügung des 15. spricht. Die Trennung erfolgte erst bei der letzten Bearbeitung, und zwar während der Herstellung der P-Fragmente, da das Fragment E des ‚Phöbus', das aus dem Anfang des jetzigen 15. Auftritts besteht, diesen noch als 14. bezeichnet, ebenfalls noch das Fragment F den jetzigen 20. als 19., Fragment G aber die Numerierung von h verläßt und den 21. gleichlautend mit der Zählung von E bezeichnet. Die Anfertigung des ‚Organischen Fragments' gab also den Anstoß für die Umarbeitung [84]. Das ‚Phöbus'-Fragment soll uns als

---

[83] Bei der Bearbeitung der Verse 430/31 handelt es sich um Beschleunigung, h 430 lautete:

Ha! Stürzen?

Der Myrmidonier

Stürzen, stürzen, stürzen, Hauptmann, ...

In wesentlich langsamerem Tempo kann es sich aber um Ausdruck der Ratlosigkeit handeln, wie in den in E hinzugekommenen Versen 1238/39. Wenn es der Sinn verlangt, nimmt Kleist dieses Ausdrucksmittel auch wieder zurück, wie in Vs. 2770, wo es in h noch heißt:

Seht, wie er taumelt —

Die Dritte

Klirrt — !

Die Vierte

Und wankt — !

Die Zweite

Und fällt — !

Die Dritte

Nun liegt er still.

Die Stelle wurde mit Rücksicht auf den durch die neu hinzugekommenen Verse 2771/72 betont gleitenden, parataktischen Satzbau vereinfacht.

[84] Das stellt auch Kaisers Annahme richtig, daß Kleist die Arbeit für E „unmittelbar nach Abschluß des Phöbus-Druckes begonnen" habe (aaO. 344).

Ganzes in seinem Eigencharakter nicht beschäftigen [85]. Letzterer wird relativiert durch die Konzeptionsverschiebung von h zu E, die während der Abfassung von P erfolgte. Das ‚Organische Fragment' gibt dies Hinübergleiten wieder. Einige den Aufbau des Dramas berührende Umformungen von h zu E seien später besprochen [86].

‚Das Käthchen von Heilbronn'

Nach der ‚Penthesilea' folgte als nächstes Drama das ‚Käthchen'. Die spärlichen Nachrichten darüber weisen in die Dresdner Zeit [87]. Über eine Quelle und den Beginn der Arbeit wissen wir praktisch gar nichts. Böttiger berichtete zwar 1819 in einer Theaterkritik, daß Kleist ein Flugblatt mit der „Legende vom Käthchen als einer Volkssage" aufbewahrte (LS 276), und es steht auch fest, daß er mit Kleist verkehrte, wenn auch das Verhältnis nur ganz zu Anfang ungetrübt war. Böttigers übrige Aussagen im gleichen Zusammenhang sind aber so, daß man seinem Zeugnis nur ungern Glauben schenken wird [88]. Im Spätherbst 1807 hat Kleist jedenfalls schon am ‚Käthchen' gearbeitet, denn an Marie schrieb er damals: „Jetzt bin ich nur neugierig, was Sie zu dem Käthchen von Heilbronn sagen werden, . . ." (II, 188). Am 14. Februar 1808, im Brief an Collin, ist nur von ‚Guiskard' und ‚Krug' die Rede, also war das ‚Käthchen' noch nicht fertig. Im April- und Mai-Heft des ‚Phöbus' — ausgegeben Anfang Juni — erschien der Anfang (bis einschließlich Szene II, 1). Der 7. Juni ist ein wahrscheinlicher terminus ante quem für die Vollendung, da das Stück an diesem Tage Cotta zum Verlag angeboten wurde (II, 207). Ganz sicher ist aber auch das nicht. Im gleichen Sinne ist dort u. a. nämlich auch vom ‚Guiskard' die Rede, von dem es zumindest fraglich ist, ob er je vollendet wurde. Im Doppelheft für September/Oktober (ausgegeben wohl erst Anfang 1809) erschien ein weiteres Fragment; am 2. Oktober, also vorher, bot Kleist Collin eine Bühnenbearbeitung zur Aufführung an [89]. Er konnte das Stück an die

---

85 Zwar ist P tatsächlich betont zurückhaltend, aber mit „Konzessionen an die Gesellschaft" (Kaiser aaO. 287) ist es nicht beschrieben, die Stellen 2412 ff. und 2439 ff. sind sogar kühner als in h.

86 Zu Einzelheiten vgl. Tino Kaiser aaO. 343—62.

87 LS 191 und 195; auch die unglaubwürdigen, vgl. LS 268 und 276.

88 So soll Kleist dieses Flugblatt „bei seinen militärischen Streifzügen durch Schwaben" gefunden und „die ersten 3 Akte ganz so, wie sie später im ganzen erschienen, als Probe" im ‚Phöbus' abgedruckt haben.

89 II, 212. — Das zweite ‚Phöbus'-Fragment ist kaum der selben Bearbeitung

Wiener Bühne verkaufen — die Aufführung kam erst am 17. März 1810 zustande — und stimmte für diesen Zweck einer Bearbeitung durch Collin zu. Man hat gemeint, daß Kleists Bitte im Brief an Cotta vom 24. Juli, ihm „den äußersten Zeitpunct vor Michaeli zu bestimmen", an dem er „das Manuscript zum Druck in Händen haben" müsse (II, 209), den unvollendeten Zustand des Dramas anzeige [90], doch steht diese Verzögerung, wie aus dem Brief hervorgeht, mit Kleists Wunsch in Verbindung, das Werk erst nach einer Aufführung drucken zu lassen. Daß er dann erst am 2. Oktober das Ms. nach Wien schickte, kann seinen Grund in Kleists politischer Aktivität gehabt haben. Die Verbindung mit Cotta ist danach fast ganz eingeschlafen, und das ‚Käthchen' erschien erst im September 1810 bei Reimer.

Die Abweichungen des Erstdrucks vom ‚Phöbus'-Fragment, der Theaterzettel der Wiener Uraufführung und eine von Bülow überlieferte Äußerung Tiecks (LS 272) haben zu vielen Mutmaßungen über die ursprüngliche Gestalt des ‚Käthchen' Anlaß gegeben, die Kleist später durch Konzessionen verdorben hätte. Genährt wurden sie durch eine allerdings bemerkenswerte Äußerung Kleists aus dem Jahre 1811: „Das Urtheil der Menschen hat mich bisher viel zu sehr beherrscht; besonders das Käthchen von Heilbronn ist voll Spuren davon. Es war von Anfang herein eine ganz treffliche Erfindung, und nur die Absicht, es für die Bühne passend zu machen, hat mich zu Misgriffen verführt, die ich jetzt beweinen mögte" (II, 261). Mit dieser Äußerung ist kein sicherer Beweis für die tatsächliche Existenz einer andersgearteten Urfassung gegeben. „Erfindung" könnte nämlich in diesem Zusammenhang soviel wie „Plan, der ins Werk zu setzen gewesen wäre" heißen, oder aber (was mir wahrscheinlicher erscheint), in Parallele zu einer Äußerung über den ‚Guiskard' (II, 110), eine bestimmte Art der dramatischen Technik. Zwischen dem Satz Kleists und Tiecks Nachricht besteht keine rechte Brücke. Gegen eine Verbindung zwischen beidem, die aus inneren Gründen schon von Röbbeling angezweifelt wurde [91], lassen sich folgende Argumente ins Feld führen. 1. Es ist verwunderlich, daß Tieck selbst seine in diesem Punkt bedeutsame Einflußnahme auf Kleist in seiner ausführlichen Kritik des ‚Käthchen' mit keiner Silbe erwähnt. 2. Ein näherer Verkehr zwischen Kleist und Tieck ist zumindest nicht be-

---

entnommen wie das erste, wie Kaiser (aaO. 19) behauptet. Das wird im folgenden zu klären sein.

[90] Röbbeling aaO. 107.

[91] aaO. 110.

zeugt [92], er ist vielleicht sogar auszuschließen [93]. 3. Wenn Kleist vom Urteil „der Menschen“ spricht, so meint er dem Kontext nach jede Rücksichtnahme auf äußere Einflüsse und Erfordernisse überhaupt, für die Kritik einzelner war er, allen sonstigen Zeugnissen zufolge, unzugänglich. 4. Die beiden Nachrichten stimmen inhaltlich nicht zusammen. Kleist meint „Bühnenwirksamkeit“, wenn nicht gar „Spielbarkeit“, während Tieck nur von einer Szene spricht, die den Charakter des ganzen Stücks verändert haben soll, im landläufigen Sinn aber sehr bühnenwirksam gewesen wäre. Immerhin wird man die ganze Frage mit der gebotenen Vorsicht erörtern müssen. Geht man dabei vom vorhandenen Material aus, so läßt sich ehrlicherweise nicht sicher sagen, daß Bau oder äußeres Gewand des Stückes ernste Störungen erlitten hätten.

Nach Bülow — Tieck soll im vierten Akt, also wohl nach oder in der 6. Szene, Käthchen auf einem Felsen gewandelt und „ihr unten im Wasser eine Nixe“ erschienen sein, „die sie mit Gesang und Rede lockte. Käthchen wollte sich herabstürzen, und wurde nur durch eine Begleiterin gerettet.“ Tieck habe sich im Gespräch mit Kleist über diese Szene geäußert, „die das ganze Stück gewissermaßen in das Gebiet des Märchens oder Zaubers hinüberspielte“, er habe sie dann im Druck (also 1810) vermißt und ihr Fehlen beklagt, erinnerte sich aber noch eines Verses daraus:

Da quillt es wieder unterm Stein hervor [94].

Nun würde man zwar diesen Vers ohne einen solchen Hinweis nicht gerade Kleist zuschreiben, aber das ‚Käthchen‘ zeigt auffällig viele glatt und fließend gebaute Verse, und ein Rest dieser Szene mag durchaus noch anklingen, wenn Käthchen, nachdem sie Kunigunde im Bade gesehen hat, ruft: „Es kommt!“ (289, 26). Andere Bestandteile der von Bülow — Tieck berichteten Szene sind aber im ‚Käthchen‘ auch vorhanden, das Belauschen im Bade und die Angst um den Grafen. Auf Grund dessen, was wir über die verlorene Szene wissen, kann man nicht auf eine ursprünglich „mythologische“ Herkunft der Kunigunden-Gestalt schließen [95], zumal Tieck sich ja ausdrücklich nur auf diese eine Szene

---

[92] Bei Tieck (aaO. XXX) findet sich nur die Bemerkung: „Der Herausgeber erwarb seine Bekanntschaft im Sommer 1808 in Dresden. Er hatte damals eben sein Schauspiel Käthchen von Heilbronn vollendet.“

[93] Vgl. Rahmer, Kleist, aaO. 143.

[94] LS 272.

[95] Wie es Meyer-Benfey getan hat. Vgl. Das Drama Heinrich von Kleists, II, 79 und 85.

bezieht, und eine Identität von Nixe und Kunigunde, ja irgendein Zusammenhang zwischen beiden Gestalten, gar nicht behauptet wurde. Es findet sich noch eine Spur „Mythologisches“ im ‚Phöbus‘, in der dann größtenteils gestrichenen Szene II, 10, freilich nichts, das auf Märchen oder Zauber wiese. Dort berichtet Rosalie, welcher Zufall sie auf die Strahlburg zu der gefangenen Kunigunde führte:

> Ihr nennt es Zufall! — Meine Iris war's,
> Ich hab's euch schon gesagt, sie selbst leibhaftig,
> Die Königinn der klugen Kammerzofen.
> Als euch der Burggraf mir entrissen hatte,
> Und ich, umirrend in der Finsterniss,
> Nicht weiss, wie ich den Fusstritt wenden soll,
> Zeigt gegenüber, matt verzeichnet, sich
> Ein zarter Mondscheins-Regenbogen mir.
> Ich kann nicht sagen, wie mich dies erfreute.
> Durch seine Pfort ermuntert geh' ich durch,
> Und steh', am Morgen, vor dem Schloss zum Strahle.
>
> *Kunigunde.*
>
> Ich will ihr einen Götter-Tempel baun. — [96]

Aber gerade Kunigunde erscheint in dieser Szene weitaus menschlicher als sonst; ihre Putztischkünste sind nicht so maßlos karikiert wie z. B. IV, 5—7. Hier ist nur von einer geschickt auf die Person des Grafen berechneten Aufmachung die Rede [97]. Das stimmt gut zusammen mit Kunigundens Haltung in der Schloßbrandszene (III, 15), in der es sich — wie indirekt auch in III, 3 — zeigt, daß sie gar nicht den Grafen heiraten will, sondern daß es ihr um die Verschreibung geht, die er ihr vor der

---

[96] IV, 367. — Sembdners Neudruck aaO. 470. — Iris ist z. B. nach Euripides, Kallimachos und Vergil Dienerin der Hera. Vgl. auch Benjamin Hederich, Gründliches Lexicon Mythologicum . . ., Leipzig 1724, Sp. 1112 f.

[97] Man vgl. etwa folgende Verse (IV, 365; Neudruck 468 f.):

> . . . Es ist nicht
> Mein Wille, was die Kunst kann, zu erschöpfen.
> Vielmehr, wo die Bedeutung minder ist,
> Mögt' ich dich gern nachlässiger, damit
> Das Ganze so vollendeter erschiene.
> . . .
> Das unsichtbare Ding, das Seele heisst,
> Mögt' ich an Allem gern erscheinen machen.

Und IV, 366; Neudruck 469:

> Doch weil's Graf Wetter ist, den ich erwarte,
> So lass ich diesen Schleier niederfallen; . . .

Verlobung gemacht hat. Gemeinsam weisen diese Szenen auf das Hauptmotiv der Habsucht in der Kunigunden-Gestalt. Die starke Kürzung, die II, 10 in E gegenüber P erfährt, schwächt das Motiv kaum ab. Das zweite Hauptmotiv, das des Ehebetrugs, in Kunigundens abnormer körperlicher Häßlichkeit begründet, steht etwas unverbunden neben dem anderen. Es kommt vor allem in den Rheingrafenszenen im II. Akt vor, deutlich in der fortgefallenen 9. Szene des ‚Phöbus', schließlich aber auch in IV, 5—8 und V, 3—9. Nur mit diesem Motiv wäre die Nixenszene Tiecks zur Not vereinbar. — Das Nebeneinanderstehen der beiden Hauptmotive erlaubt die Erwägung, ob wir es mit entstehungsgeschichtlich getrennten Schichten des Werks zu tun haben. Das in E stärker zurücktretende Habsuchtsmotiv wäre dann als das ältere anzusprechen, die Übertreibung der Häßlichkeit Kunigundens als das jüngere, dessen Einführung Kleist später zu beklagen gehabt hätte. Diese Wandlung aber können wir der Bühnenbearbeitung keineswegs sicher zuweisen, denn wenn auch Kleist sagt, daß er das ‚Käthchen' „für die Bühne bearbeitet habe" (II, 212), und wir somit die Wahrscheinlichkeit dafür in Anspruch nehmen könnten, so verkompliziert sich die Lage dadurch noch weiter, daß Kleist zuerst (am 2. Oktober 1808) von seiner Bühnenbearbeitung spricht und später (am 8. Dezember) erst von einer Kürzung. Die Fassung E kürzt gegenüber P ganz erheblich, vor allem im sprachlichen Ausdruck, in dem viel Überschwang kupiert wurde; Collins Vorschlag müßte also noch eine weitere Bühneneinrichtung betreffen. Ob eine solche von Kleist vorgenommen wurde, ist die Frage. Beide ‚Phöbus'-Fragmente müssen, vor allem der Kürzungen in E wegen, einer (oder zwei) Fassung(en) angehören, die älter ist (sind) als E. Anderseits enthält das zweite aber bereits beide Hauptmotive. Auf der bisherigen Stufe der Untersuchung ist folgender Schluß möglich: E stellt eine kürzende Bearbeitung dar; über das erste P-Fragment, in dem ja Kunigunde nicht auftritt, können wir nur sagen, daß die Lesarten seine Herkunft aus einer (kürzenden) Bearbeitung ausschließen. Das zweite P-Fragment gehört zwar keiner kürzenden Fassung an, zeigt aber gerade in den später fortgefallenen bzw. gekürzten Szenen II, 9 und 10, daß es bereits einer Bühnenbearbeitung angehört.

Die ganze Gestalt der Kunigunde und die ihr zugehörigen Handlungsteile kann man selbstverständlich nicht aus dem Drama escamotieren, da dann überhaupt keine Handlung übrigbliebe. In welche der bisher ermittelten Fassungen die Tiecksche Nixenszene — sofern sie existiert hat — gehört, läßt sich nicht einmal vermuten. Wie sehr unsere bisherigen Schlüsse im Schwebezustand der Hypothese verbleiben, möge folgende Überlegung veranschaulichen. Die beiden genannten Hauptmotive sind im Drama verschiedenen Personenkreisen zugeordnet: das Habsuchtsmotiv ist um die Gestalt des Rheingrafen zentriert, das des Ehebetrugs um die Freiburgs. Kunigunde täuscht beider echte Liebe und fordert damit die Rache der Beleidigten heraus. Um den Grafen vom Strahl nun treten b e i d e Motive auf. Neben der angenommenen Erklärung, daß sie zu verschiedenen Zeiten in das Drama gelangten — was dann wieder entstehungsgeschichtliche Konsequenzen entweder für die Rheingrafen- oder die Burggrafen-Szenen hätte — wäre ebensogut die andere möglich, daß bei der Hauptfigur Strahls eine einfache Häufung der Greuel auf seiten der negativen Gegenspielerin erfolgte. Dazu hätten dann die beiden unvereinigten und im Sinne einer psychologisch verständlichen personalen Einheit der Gestalt auch nicht miteinander in Einklang zu bringenden Hauptmotive gedient. Denn ebenso, wie es bei diesem Drama unmöglich ist, auf Widersprüche, die sich ergeben, wenn man einen psychologischen Realismus im Handlungsablauf fordert, irgendwelche Rückschlüsse auf entstehungsgeschichtlich bedingte Sprünge im Bau zu gründen — denn dafür sind der scheinbaren Ungereimtheiten zu viele —, ebenso muß man sich auch hüten, eine psychologisch-realistische Charakterzeichnung zu fordern. Die Gestalten dieses Dramas entfernen sich weit von einem psychologisch begründbaren Person-Begriff [98]. Sie sind Repräsentanten typischer Haltungen; bei mehreren von ihnen ereignet sich z. B. ein psychologisch ganz unverständlicher unvermittelter Übergang von einer zu anderen, so bei Strahl, beim Kaiser und bei Theobald. Man wird in dieser Art der figurinenhaften typisierenden Zeichnung der Personen einen inneren Anschluß an das Ritterdrama sehen dürfen, indirekt damit einen Anschluß an die süddeutsch-barocke Theatertradition. Damit würde Kleist seine sonstige Abneigung aufgeben, die Bedingungen des realen Theaters zu berücksichtigen [99].

Vielleicht kommen wir aber doch mit Hilfe dieses theatralischen Grundcharakters noch einen Schritt über das bisher für die Entstehungsgeschichte hypothetisch Ermittelte hinaus [100]. Denn hier, wo nun wirk-

---

[98] Diese relativ gemeinte Bemerkung schließt nicht aus, daß Kleists Gestalten ganz allgemein in geringerem Grade psychologische Charakterzeichnung bieten als in der zeitgenössischen Dramatik üblich.

[99] Vgl. z. B. II, 103. 187. 199.

[100] Kurz zusammengefaßt lautet es: das erste P-Fragment gehört der ältesten erhaltenen Fassung an, das zweite bereits der umgestaltenden Bühnenbearbei-

lich einmal die Welt des Theaters bestimmend ist, fänden Kleists Klagen über eine Verunstaltung am ehesten ihren Ort. Man muß den Anlaß also nicht primär in der Konstruktion der dramatischen Fabel suchen, obgleich er natürlich seine Auswirkungen auch auf sie hat.

Wenn unsere Vermutung zutrifft, daß das zweite P-Fragment bereits einer Bühnenbearbeitung mit ihrer Vermischung der Motive angehört, so bietet E an den entsprechenden Stellen einen Hinweis auf einen weiteren Eingriff in das Drama. Die Burggrafenszene P/II, 9, die ja zum Ehebetrugsmotiv gehört, ist in E durch die Brigittenszene ersetzt worden, die der Verdeutlichung des Doppeltraummotivs dient. Dieses muß dem Stück in irgendeiner Form schon von Anfang angehört haben, da das Muttermal, das in der Holunderbuschszene die innere Umkehr des Grafen entscheidend einleitet, auch im ‚Phöbus' schon in der Szene I, 1 erwähnt wird (185, 8). Ob dagegen das mit dieser Einführung verbundene Motiv der Kaisertochter auch bereits der ursprünglichen Fassung angehörte, ist eine andere Frage. Es könnte stutzig machen, daß ein mit der eingefügten Brigittenszene korrespondierender weiterer Zusatz in E, der neue Schluß der Szene II, 13, ebenfalls dieses Motiv bietet [101]. Daß es ganz gefehlt haben möge, ist seit Hebbel der Wunsch mancher Interpreten. Die Lösung dürfte darin liegen, daß Doppeltraum- und Kaisertochtermotiv nicht unbedingt zusammengehören. Eine Erhebung des Käthchen — auch zur Prinzessin von Schwaben — wäre ja auch anders zu bewerkstelligen gewesen. Dem Wiener Theaterzettel fehlen sowohl die Brigitte wie auch Kaiser und Erzbischof, stattdessen tritt ein Herzog von Schwaben auf [102]. Der Zweikampf vor dem Kaiser wäre dann überflüssig, wenn auch der Herzog die Stelle des Kaisers eingenommen haben könnte. Die außereheliche Geburt des Käthchen steht in gewisser Weise in Analogie zum Schluß des ‚Amphitryon'. Der Abstammung vom Kaiser kommt die höhere Dignität gegen-

---

tung. Der Erstdruck zeigt eine energische Kürzung, weitgehend auf Grund äußerer Erfordernisse des Theaters.

[101] Vgl. 241, 6—13.

[102] LS S. 250. Dem Theaterzettel fehlt allerdings auch sonst noch mancherlei, nämlich Gottfried Friedeborn, Ritter Wetzlaf, Hans von Bärenklau und Wenzel von Nachtheim, ein Köhler sowie die Vettern und Tanten Kunigundens. Dagegen hat Gräfin Helena statt einer Nichte zwei Gesellschaftsdamen, Eleonore und Philippine. Neben möglichem Personalmangel ist daran zu denken, daß bei der Theatereinrichtung Collin seine Hand im Spiel hatte. — Auch im Personenverzeichnis des Erstdrucks stimmt nicht alles, Ritter Schauermann und Ritter Wetzlaf sind vergessen worden.

über der von Recht und Sitte sanktionierten zu. Bei diesen Änderungen ist an solche zu denken, die zwischen Bühnenbearbeitung und Erstdruck liegen, dem wohl auch die Kürzung zuzuschreiben ist. Kleist hätte somit 1810 einen Teil dessen, was er der Bühne zuliebe einführte, wieder beseitigt. Den Schluß von angeblichen Widersprüchen in der Handlungsführung auf eine Urfassung müssen wir uns versagen, da das Stück in keinem Augenblick die Annahme rechtfertigt, daß es Kleist auf eine realistisch-psychologisch widerspruchsfreie Handlung ankam.

Es ist nicht ausgeschlossen, daß Kleist an eine nochmalige Bearbeitung n a c h E dachte. Franz Horn erwähnt die Existenz eines solchen Plans, der hauptsächlich das letzte Drittel des Dramas betreffen sollte [103], in dem ja allerdings die theaterwirksamen Elemente am häufigsten auftreten. Es ist aber unwahrscheinlich, daß es sich dabei um eine restitutio in integrum der ursprünglichen Konzeption gehandelt hätte. Horn zufolge sollte hier „der Graf, durch irgendein — vielleicht nur leises — Wort, Käthchen dergestalt verletzen, daß s i e nun i h n fliehen m ü ß t e". Das aber bewirkt dann seine innere Umkehr und Läuterung, die ebenfalls zu einem harmonischen Ende führt. Da Franz Horn und Kleist miteinander verkehrten [104], ist der Bericht glaubhaft. Nur findet eine solche Wandlung Käthchens gar keinen Platz im Rahmen der Gestalt, wie sie jetzt vor uns steht. Kleist muß also eine ganz andere Konzeption gehabt haben. Derart starke Veränderungen im Bau eines Stückes haben wir sonst bei Kleist nicht. Die Änderungen des Wortlauts haben gegenüber denen der ‚Penthesilea' eine fast gegenläufige Tendenz. Handelte es sich dort um ein Hervorholen und Aussprechen des inneren Vorgangs, so wird diese, in den frühen Fassungen der P-Fragmente sehr gesteigerte Tendenz, in E zurückgedämmt. Zweifellos enthält das ‚Käthchen' „Brüche". Man sollte diese jedoch nicht für wertende Urteile aus-

---

[103] Umrisse zur Geschichte und Kritik der schönen Literatur Deutschlands, während der Jahre 1790 bis 1818, Berlin 1819, besonders S. 157 ff. (LS 395). Horn berichtet allerdings, daß Kleist einen zweiten Teil zum ‚Käthchen' schreiben wollte. Damit hätten wir bei Kleist, der im Gegensatz zu den Romantikern nur einteilige Werke geschrieben hat, vielleicht den Plan eines Doppeldramas, wie es Adam Müller mit seinem ‚Julian der Abtrünnige' geplant hat (Briefwechsel zwischen Gentz und Müller, aaO. 95), aber auch Schiller mit der ‚Braut in Trauer', der Fortsetzung der ‚Räuber'.

[104] Vgl. das anonym erschienene Buch von Karoline Bernstein, Franz Horn. Ein biographisches Denkmal, Leipzig 1839, 155 (nicht bei Sembdner). Aus Horns sonstiger Umgebung in der gleichen Zeit wird außer Fichte, Arnim und Brentano auch Catel, Kleists früherer Privatlehrer, erwähnt.

nutzen, sondern bei der Interpretation vom relativ regellosen Formcharakter des Dramas als seiner Wesenseigentümlichkeit ausgehen [105].

Es bleibt nur noch übrig, kurz die Druckgeschichte des ‚Käthchen' im Herbst 1810 darzulegen. Nachdem Kleist das Ms. am 1. April 1810 von Cotta zurückgefordert hatte (II, 234), bot er es am 10. August Reimer zum Verlag an (II, 237); am gleichen Tage (Freitag) bat er Iffland um kurzfristige Rückgabe des ihm eingereichten Werks (aaO.). Am Sonntag, dem 12. August, erhielt er es zurück und schickte es Reimer (II, 238) [106]. Wie erbeten, erhielt Kleist am Montag eine positive Antwort, nur zeigte sich Reimer offenbar hinsichtlich des Honorars zurückhaltend, da Kleist ihn darüber am gleichen Tage (wohl mit zurückgehendem Boten) zu beruhigen versuchte (II, 239) [107]. Kleist hat zum ‚Käthchen' auch Korrektur gelesen (II, 240) [108], damit dürfte der Text des Erstdrucks als relativ zuverlässig gelten.

‚Die Hermannsschlacht'

Die ‚Hermannsschlacht' entstand während der zweiten Hälfte des Jahres 1808. Daß sie in Dresden geschrieben worden sei, bezeugt auch Schütz (LS 191) [109]. Einen genaueren Zeitplan für die Entstehung des Werkes,

---

[105] Bedeutungslos für die Text- und Entstehungsgeschichte des ‚Käthchen' scheint das vor einigen Jahren aufgefundene Soufflierbuch von 1815 zu sein, über das der Finder, Wolfgang Grözinger, am 18./19. Juli 1959 in der ‚Deutschen Zeitung' berichtet hat (Kleists Käthchen am Lippeschen Hof. Ein Fund auf der Auer Dult). Zwar hat Sembdner (Bd. I, 960) den Fund als sehr gewichtig bezeichnet, doch scheinen die Varianten, die Grözinger mitgeteilt hat, lediglich Normalisierungen des Kleistschen Textes zu sein.

[106] Von Sembdner (II, 837) richtig umdatiert.

[107] Der Brief Nr. 167 (II, 238) ist spätestens am 16. August geschrieben, da Reimer an diesem Tage die erste Zahlung auf das ‚Käthchen' leistete (LS 367). Sembdner (Bd. II, 838) hat den Brief auf den 5. September datiert, doch ist es unwahrscheinlich, daß Reimer eine Zahlung leistete ohne endgültige Festsetzung des Honorars, die an dem Tage, an dem dieser Brief geschrieben wurde, noch nicht erfolgt war.

[108] Kleist erbittet sich am 8. September „den Revisionsbogen gefälligst noch einmal zurück" (II, 240), falls Reimer an Einzelheiten Anstoß nehme. Da in dem erwähnten Brief Nr. 167 das ‚Käthchen' ganz offensichtlich noch nicht gesetzt ist, wohl aber in dem vom 8. September, kann ersterer nicht erst am 5. geschrieben sein. Sembdners Umdatierung ist also nicht stichhaltig.

[109] Minde-Pouet hat auf die Übereinstimmung einer Briefstelle mit ‚Hermannsschlacht' Vs. 2282 und ‚Zerbrochner Krug' Vs. 1952 hingewiesen (1. Aufl. V, 474). Der Brief ist in Königsberg geschrieben, woraus aber keine Schlüsse auf die Ent-

der von Mitte August bis Oktober / November reicht, hat Richard Samuel erarbeitet [110]. Am 7. Juni kündigt Kleist Cotta brieflich an, daß „nächstens“ wieder ein Fragment aus einem Drama im ‚Phöbus‘ erscheinen werde (II, 207), das ihm auf Wunsch zum Verlag in Taschenbuchform zur Verfügung stehe. Damit ist die Beschäftigung mit dem Werk wenigstens schon für den Frühsommer sicher. Am 1. Januar 1809 bot Kleist Collin das Drama zur Aufführung an (II, 215). Bereits am 19. Dezember hatte der alte Körner an seinen Sohn berichtet, es sei „das Werk schon vorgelesen worden“ (LS 304). Das Ms. lief in Dresden „unter dem Siegel des Schweigens“ um (LS 303a und b). Gedruckt wurde das Drama vollständig erst 1821 in den ‚Hinterlassenen Schriften‘ (N). Ein Abdruck der letzten fünf Szenen erfolgte am 22. und 25. April 1818 in den in Jena erschienenen ‚Zeitschwingen oder des Deutschen Volkes fliegende Blätter‘ [111]. Der Herausgeber der ‚Zeitschwingen‘, der spätere katholische Publizist Johann Baptist Pfeilschifter, sagt in einer Vorbemerkung, er besitze „eine von des Verblichenen Hand selbst durchcorrigirte Abschrift“ (also eine Schreiberkopie), nach der der Druck erfolge. Die Frage, wie diese Hs. in Pfeilschifters Hände gelangte, hat sich nicht klären lassen. Pfeilschifter war, bevor er 1817 nach Weimar kam, in Aarau Mitarbeiter Zschokkes gewesen. Er wurde zunächst Redakteur am ‚Oppositionsblatt‘ Friedrich Justin Bertuchs, der ein Zentrum antinapoleonischer Gesinnung und tätiger Opposition in Weimar repräsentierte. Über ihn bestand Verbindung zu Rühle sowie zu Ludwig Wieland; Anknüpfungspunkte für die Vermittlung der Hs. bestanden also genügend [112]. Der ‚Zeitschwingen‘-Druck (Z) weicht in Einzelheiten der Orthographie und Interpunktion stark von N ab und ist nachlässig an-

---

stehungszeit gezogen werden können. Wohl aber kann man sagen, daß Kleists Umgang mit den Kreisen der Reformer bereits den Grund zur ‚Hermannsschlacht‘ gelegt hat.

[110] In seiner Cambridger Dissertation: Heinrich von Kleist's Participation in the Political Movements of the Years 1805 to 1809. Vgl. jetzt vom gleichen Verfasser: Kleists Hermannsschlacht und der Freiherr vom Stein, JbSchG 5, 1961, 93.

[111] Vgl. den kommentierten Abdruck von Richard Samuel, JbSchG 1, 1957, 179—210.

[112] Vgl. das Material über diese Zusammenhänge in den Kapiteln ‚Franzosenschwärmerei und deutsche Gesinnung‘ und ‚Preßfreiheit und Landstände‘ bei L. Geiger, aaO. Die Briefe Pfeilschifters, Ludwig Wielands und Rühles an das Haus Bertuch, die das Weimarer Goethe-Schiller-Archiv besitzt, ergeben leider nichts über die Herkunft der Handschrift.

gefertigt [113]. Samuel hat bemerkt, daß die Vorlage von Z eine ältere Fassung als N gewesen ist [114]. N weist an verschiedenen Stellen deutlich eine gehobenere Stilisierung auf [115], ferner werden Spannung und Plastizität des Rhythmus verstärkt [116]. Wieviele Mss. es einmal gegeben hat, wird sich bei dem allgemeinen Interesse, das die ‚Hermannsschlacht' fand, nie feststellen lassen. Die Fassung Z — „Fassung" kann hier natürlich nicht bedeuten, daß ein andersgebautes Drama dadurch angezeigt würde [117] — deutet am ehesten auf ein Bühnenmanuskript als Vorlage. Dafür sprechen die beiden Streichungen von zusammen 14 Versen, deren Charakter ganz mit den an den ‚Phöbus'-Fragmenten des ‚Käthchen' vorgenommenen Kürzungen übereinstimmt [118], sowie eine sehr deutliche Zeitanspielung, die in N gestrichen wurde [119], offenbar, weil ein ehemals dafür vorhandener aktueller Anlaß wieder fortgefallen war. Z ist also, obgleich es sich um eine ältere Fassung handelt, ein Seitentrieb der zu N hinführenden Überlieferung. Aus dem Fehlen besagter Anspielung und den weitgehenden Besserungen in N darf geschlossen werden, daß Kleist die ‚Hermannsschlacht' weiter überarbeitet hat und nicht etwa aus künstlerischen Gründen keinen Versuch mehr zu ihrer Veröffentlichung unternahm, wie Samuel es für denkbar hält [120]. Immerhin zeigte sich Kleist am 28. Januar 1810 von Gotha aus bemüht, die nach Wien gesandte Abschrift wieder zurückzuerhalten (II, 231). Ob er sie zurückerhalten und eventuell weiter an dem Drama gefeilt hat, wissen wir

---

[113] Der zweimal wiederkehrende Druckfehler „Styr" (2513 und 2620) ist ein typisches Kopistenversehen, wie sie die ‚Penthesilea'-Kopie reichlich bietet. Sehr genau können also Kleists Korrekturen nicht gewesen sein. — Zweimal sind auch Worte ausgefallen (2542 und 2598).

[114] JbSchG aaO. 207.

[115] Vs. 2463, 2472, 2481, 2509, 2515, 2566, 2618 (!), auch 2549, obwohl der Vers jetzt zu kurz ist.

[116] Vss. 2449—51, 2584, 2604. — Vgl. Korrekturnote S. 293 f.

[117] Es handelt sich hier nur um ein anderes Gewand des Werkes. — Den schwachen Beweisversuchen, die Niejahr (VjSfLg 6, 1893, 422 ff.) für die Existenz einer abweichenden Urfassung vorgebracht hat, fehlt jede Überzeugungskraft.

[118] Vss. 2527—39 und 2587. Auch hier die Straffung der Handlung durch die Kupierung überschießender, für die eigentliche Handlung nicht wirksamer Nebentriebe. In der Haupths. können sie darum doch stehengeblieben sein.

[119] Vss. 2620—22. — Am 20. April 1809 schreibt Kleist an Collin, daß das Stück „einzig und allein auf diesen Augenblick berechnet war" (II, 222). Damit könnte Z datiert sein. In 2622 muß es heißen „anzuleiten" (laut brieflicher Mitteilung Richard Samuels).

[120] JbSchG aaO. 210.

nicht, jedenfalls scheint er damals kein Exemplar seines Werks mehr besessen zu haben. Mitte Februar 1810 meldet jedoch Brentano von mißlungenen Versuchen, es zu drucken (LS 346). Weiter lassen sich die Mutmaßungen nicht treiben. Es läßt sich nicht klären, ob er davon aus Erzählungen Kleists weiß, die sich auf weiter zurückliegende Versuche beziehen, oder ob Kleist mit Hilfe der inzwischen von Collin zurückerhaltenen Abschrift bereits neue Vorstöße in dieser Hinsicht unternommen hatte. Wir können mithin auch nicht ausmachen, ob N eine Überarbeitung von 1809 oder erst von 1810 darstellt. Wenn sich also auch die zweite Hälfte des Jahres 1808 als Entstehungszeit des Werkes ansprechen läßt, so handelt es sich dabei doch um eine imaginäre erste Fassung, da sowohl Z wie N jünger sind, sich aber nicht genauer datieren lassen, wenn man nicht Z mit der nach Wien gesandten Fassung (darum noch nicht unbedingt mit dem Ms. selbst) identifizieren will. Für die Datierung der Fassung N der ‚Hermannsschlacht' bleibt also ein Spielraum von wenigstens einem Jahr, während Z auf jeden Fall älter ist als N.

‚Prinz Friedrich von Homburg'

Ebenso ungenau sind wir über die Entstehung des ‚Homburg' informiert. Wir können im Grunde nur sagen, daß er auf die ‚Hermannsschlacht' folgt und das letzte vollendete Drama Kleists ist, von dem wir wissen. Am 2. Januar 1809, einen Tag, nachdem er die ‚Hermannsschlacht' an Collin abgesandt hatte, entlieh Kleist aus der Dresdner Bibliothek den 5. Band der Werke Friedrichs des Großen und einige Tage später Karl Heinrich Krauses ‚Mein Vaterland unter den hohenzollerischen Regenten' (LS 307). Damit ist eine Beschäftigung mit dem ‚Homburg' für diesen Zeitpunkt bezeugt. Der Beginn der Arbeit kann weiter zurückliegen. Kleist entlieh 1803, ein Jahr, nachdem er den ‚Guiskard' begonnen hatte, auch noch Bücher, um Studien für diesen zu machen. Die Legende um den Prinzen und die Schlacht bei Fehrbellin kannte Kleist wahrscheinlich schon aus seiner Jugend [121]. Kleist verließ Dresden Ende April 1809. Seine darauffolgenden Irrfahrten, die wir nur in kleinen Teilen rekonstruieren können [122], endeten am 4. Februar 1810 mit sei-

---

121 Vgl. — außer Schmidt III, 9 f. — die Übersicht in Richard Samuels Ausgabe der Heidelberger Hs., [Berlin 1964], 207—25.

122 Die beste biographische Darstellung dieser Periode bietet Samuels Cambridger Dissertation, aaO. Ausführliche Erwägungen über alle Umstände der Entstehung jetzt bei Samuel aaO. 9—26.

ner Ankunft in Berlin. Gerne wüßten wir, ob das Datum der Niederlage von Wagram (5./6. Juli 1809) von Einfluß auf die Entstehung war. Im Jahre 1809 muß, nach einer Anspielung auf die Eingangsszene des ‚Homburg' in ‚Was gilt es in diesem Kriege' (VII, Kl. Schr. 125), die Konzeption zumindest in Umrissen festgestanden haben. Wie weit die Arbeit 1809 gedieh, können wir nicht ausmachen. Brentano nennt im Februar 1810 ‚Die Hermannsschlacht' Kleists „letztes Drama" (LS 346), anderseits spricht schon am 19. März Kleist von einer bevorstehenden Privataufführung des ‚Homburg', vom Druck und einer Widmung an die Königin (II, 233). Kaum auszudenken, welche Auswirkung auf das Schicksal Kleists das Gelingen dieser Pläne gehabt hätte. Warum aber unterblieb alles?

Im Frühjahr 1810 begann Kleist mit den Arbeiten für den 1. Band der ‚Erzählungen', der wahrscheinlich erst einmal die eigentliche Abfassung des ‚Kohlhaas' erforderte. Am 19. Juli starb Königin Luise. Im Herbst nahmen ihn die Drucklegung des ‚Käthchen' und dann die ‚Abendblätter' in Anspruch. Wenn Kleist dann erst am 21. Juni 1811 bei Reimer wegen des Drucks anfragte (II, 273), so wissen wir nicht, ob das Ms. über ein Jahr vorher fertig (aber v o r einer Reinschrift) liegengeblieben war, oder ob die anderen Arbeiten oder auch der Tod der Königin damals zum Abbruch der Arbeit führten. Es ergibt sich ein Spielraum von zweieinhalb Jahren, wenn auch die genannten Pläne vom Frühjahr 1810 und eine Bemerkung Ludwig Roberts, der immerhin auch den Plan für Kleists Drama über die Zerstörung Jerusalems durch Titus überlieferte (LS 503), daß Kleist den ‚Homburg' „bereits 1809 der Allgemeinheit nicht verabreichen wollte" (LS 711a, S. 487), eher für eine Vorverlegung der Datierung ins Jahr 1809 sprechen. Bei Kleists Rückkehr nach Berlin Anfang 1810 wäre er dann im wesentlichen abgeschlossen gewesen. Eine spätere Überarbeitung für einen Druck wird dadurch nicht ausgeschlossen. Anfang September 1811 wurde das Stück in einer Prachthandschrift der Prinzessin Wilhelm dediziert (LS 506, S. 338). Das Autograph aus dem Besitz Maries von Kleist ging verloren, während Tieck sich 1814 das Dedikationsexemplar verschaffen konnte [123] und das Stück damit

[123] LS 657, S. 461. Bülow ist allerdings in Bezug auf Jahreszahlen unzuverlässig, und so wissen wir nicht, was wir mit Ferdinand Grimms Behauptung von 1816 machen sollen, er „lese eben den ganzen Prinzen in Kleists Handschrift" (LS 659, S. 461). Ganz ausgeschlossen ist das nicht, da Tieck noch 1817 Reimer um „die Originale von Hermann und dem Prinzen von Homburg" (im Gegensatz zu gleichfalls vorhandenen Kopien) bittet (LS 676).

rettete. Diese Hs. ist unsere einzige Textgrundlage [124]. Da sie — eventuell nach einer Überarbeitung — im Sommer 1811 angefertigt wurde, bietet sie mit Sicherheit den letzten von Kleist redigierten Text.

Dramenpläne

Außer dem ‚Guiskard' besitzen wir kein einziges unvollendetes Drama von Kleist. Damit ist nicht gesagt, daß ihn außer den uns bekannten Dramen nicht noch die mannigfaltigsten Pläne bewegt hätten, nur war es nach allem, was wir von ihm wissen, durchaus nicht seine Art, sich über Schöpfungen zu äußern, die noch nicht Gestalt gewonnen hatten. Darin spricht sich ein Grad an Besonnenheit aus, der mit dem am Maß Goethes geschulten und zuletzt von Georgeschen Traditionen beeinflußten Kleist-Bild kontrastiert, das ihn als manisch-besessenen und aus den Tiefen des Gefühls schaffenden Künstlertyp hinstellt. Was von unausgeführten dramatischen Plänen schriftlich fixiert gewesen ist, mag bei dem Autodafé untergegangen sein, das Kleist vor seinem Tode veranstaltete. Bedauerlicherweise sind die Nachrichten über diese Pläne noch schlechter beurkundet und ermöglichen keine genaueren Datierungen als bei den Dramen selbst.

Ausschließlich von Bülow wird der Titel ‚Peter der Einsiedler' überliefert, ein Drama, das die Belagerung Jerusalems durch die Kreuzfahrer und die Rolle, die Peter von Amiens dabei spielte, behandeln sollte. Der eigentliche Zeuge für die Nachricht ist Rühle, der Bülow auch „einen Theil des Plans erzählte" [125], so daß das Vorhaben selbst als gesichert gelten kann, desgleichen eine wenigstens teilweise Ausführung, da Rühle weiter berichtet, Kleist habe das Stück „in Shakespearschem Style" geschrieben. Von einem Fragment ist übrigens bei Bülow gar nicht die Rede. Das ausgehende 18. Jahrhundert bot reichlich Quellen für den Stoff, wie Petersen nachgewiesen hat [126], so daß die Idee Hoffmanns, ein ganz bestimmtes Taschenbuch dafür in Anspruch zu nehmen [127], nichts Zwingendes hat. Genauere Vorstellungen von dem Plan haben wir nicht. Die Kreuzzüge wurden von der Aufklärung durchweg verurteilt, auch noch von Haken (Hoffmanns „Quelle"), bei dem Peter als zwielichtige Betrügergestalt erscheint, die höchstens den Reiz des Rätsel-

---

[124] Vgl. Korrekturnote S. 293 f.

[125] Bülow aaO. 40 (fehlt bei Sembdner). Der Plan wird dann noch von Wilbrandt erwähnt (aaO. 205 Anm.), doch nur unter Berufung auf Bülow.

[126] Kleist und Tasso, aaO. 287 f., 339, 342.

[127] ‚Zerbrochner Krug', aaO. 40 f.

haften für sich hat. Bei der unbezweifelbaren Nähe des Stoffes zum ‚Guiskard' müßte Kleist wohl doch eine erhebliche Umwertung der Hauptgestalt versucht haben. In diesem Punkte war eine von der Historie abweichende Darstellung zweifellos möglich, wogegen die geschichtlichen Fakten einen vom ‚Guiskard' grundsätzlich abweichenden Ausgang des Dramas gefordert hätten. Hierin scheint mir auch der wahre Grund für die Aufgabe des Plans zu liegen. — Petersen hat seine Stellung — zwischen ‚Schroffenstein' und ‚Guiskard' — richtig fixiert [128], nur daß wir damit nach unseren Ermittlungen ins Frühjahr 1802 kämen, und nicht bereits in die Zeit des ersten Pariser Aufenthalts [129].

Im gleichen Zusammenhang und mit den gleichen Worten wie beim ‚Peter' ist bei Bülow auch von einem Drama ‚Leopold von Österreich' die Rede. Die Nachricht wird von Wilbrandt, der dabei mündlichen Bericht Pfuels auswertet, dahingehend präzisiert, daß es sich um eins der ersten Werke gehandelt habe und 1802 begonnen worden sei, daß aber nicht mehr als ein Akt existiert habe [130]. Diese an sich klare Sachlage wird durch zwei andere Zeugnisse kompliziert. Einmal wurde Pfuels Glaubwürdigkeit dadurch erschüttert, daß die Szene, deren Inhalt Wilbrandt nach seiner Mitteilung wiedergab, sich in einem 1810 erschienenen Drama Johann Jakob Hottingers wiederfand, das den Titel ‚Arnold von Winkelried' trägt [131]. Da die Existenz einer Szene auch anderweitig bezeugt ist (LS 191), braucht uns das nicht zu zwingen, den Gedanken an die Existenz einer Szene oder eines ganzen Aktes dieses Dramas ganz aufzugeben, äußerstenfalls hat sich Pfuel geirrt und die Szene, die er berichtet, ist nicht die von Kleist verfaßte [132]. Gravierender ist, daß der sonst — und gerade in der Datierung der Werke — recht genaue Schütz den ‚Leopold' in die Dresdner Zeit verlegt [133]. Nun ist es an sich kaum denkbar, daß Kleist den Stoff 1802

---

[128] aaO. 340.

[129] Wie Petersen noch annimmt (aaO. 286), da er die ‚Familie Schroffenstein' viel früher datiert.

[130] aaO. 152 ff.

[131] Vgl. P. Hoffmann, Einiges zu Kleist, JbKG 1937, 98—103.

[132] Die Frage einer Beeinflussung Hottingers durch Kleist bzw. die der Benutzung einer gemeinsamen Quelle, die Blume (aaO. 91, Anm. 91) zu prüfen fordert, könnte höchstens von einem Lokalhistoriker geklärt werden.

[133] LS 191. Tieck (aaO. XIX) folgt hier in einem ganzen Absatz genau dem entsprechenden Schützschen Abschnitt. Hiermit wird indirekt ausgeschlossen, daß Pfuel — außer vielleicht in Marginalzusätzen bei Schütz — einen Anteil an der biographischen Skizze Tiecks hat.

ohne politische Nebenabsichten ergriff. Dafür ist die Parallele zwischen der Sempacher Schlacht von 1386 und der Napoleonischen Bedrohung zu handgreiflich. Mit dem gleichfalls aufgegebenen ‚Peter' identisch ist der zum ‚Guiskard' wieder im Gegensatz stehende Sieg der angreifenden Partei, denn wenn es sich auch um keine ausdrückliche Belagerung handelt, so ist doch eine weitgehende Ähnlichkeit in der Situation dadurch gegeben, daß das Heer Leopolds fest wie ein Block verschanzt den Angriff der Schweizer erwartete, und daß wiederum ein Einzelner den Ausschlag beim Sturm gab [134]. Gerade eine Wiederaufnahme des Plans aus politischen Gründen ist für die Dresdner Zeit nicht unwahrscheinlich, zumindest denkbar. Ähnlich wie beim ‚Guiskard' und auch bei ‚Amphitryon', ‚Krug', vielleicht auch ‚Homburg' hätten wir die Erscheinung, daß Kleist sich über längere Zeit mit einem dramatischen Plan getragen hat. Dann wäre auch die Korrektheit Schütz' wieder gerechtfertigt. Der ‚Leopold' rückte an die richtige Stelle, da er in der Chronologie zweimal aufträte: nach der Vernichtung in Paris (zusammen mit ‚Peter dem Einsiedler' und ‚Guiskard') am wahrscheinlichsten in der zweiten Hälfte 1808, parallel mit der die patriotische Wendung am klarsten dokumentierenden ‚Hermannsschlacht'. Auch wenn wir bei diesem Plan nicht mehr mit Shakespearschem Stil rechnen können, wie Rühle das 1803 Verbrannte charakterisierte, haben wir doch immer noch einen Stoff vor uns, der aus den Schweizer Anfängen in die mittlere Phase der Entwicklung Kleists hinüberreicht.

Ein dritter, allerdings viel schwächer bezeugter Plan betrifft die Belagerung Numantias durch Scipio. Die Nachricht findet sich im Reisetagebuch der Adolphine von Werdeck, dessen erhaltene Teile 1938 veröffentlicht wurden, unter dem 13. August 1803, also nicht lange vor der katastrophalen Klimax des Kampfes um den ‚Guiskard'. Frau von Werdeck erwähnt dort, daß Kleist beschloß, sich von der Gesellschaft zu trennen und nach Thun zu gehen — also an den Ort, an dem er den ‚Guiskard' begann —, um sein „Peststück", wie sie sich etwas spöttisch ausdrückt, zu vollenden. Seltsamerweise enthält aber der Satz die Parenthese „ein Trauerspiel, das dünkt mich ‚die Numantia' heißen sollte" (LS 114, S. 83). Der Glaubwürdigkeit steht folgendes entgegen. Das Tagebuch wurde erst später, unter Benutzung von Notizen, nieder-

---

[134] Kleist konnte eine eindrucksvolle Schilderung der Schlacht finden bei Johannes Müller, Die Geschichten der Schweizer, Boston [fingierter Druckort] 1780, 405 ff.

geschrieben [135]. Ferner läßt sich auf keine Weise ausmachen, woher Kleist den Stoff gehabt haben könnte. Wie das spanische Drama überhaupt, fand auch die ‚Numancia' Cervantes' um 1800 in Deutschland, insbesondere im Kreis der Jenaer Romantik, viel Beachtung [136]. Die erste deutsche Übersetzung (von Fouqué) erschien jedoch erst 1810 [137]. Ob Kleist imstande war, das Werk im Original zu lesen, können wir nicht beurteilen [138]; eine gewisse Vorliebe für spanische bzw. portugiesische Literatur wird durch die ‚Familie Ghonorez' [139], namentlich aber durch die Novellen bezeugt. — Für die Existenz eines ‚Numantia'-Planes spricht seine enge stoffliche Verwandtschaft mit dem ‚Guiskard'. Zwar spielt bei Cervantes (und Livius) die Pest eine untergeordnete Rolle gegenüber dem dramatisch weit weniger brauchbaren Kannnibalismus und anderen Greueln, doch ist die Situation der vergeblichen Belagerung mit dem schließlichen Untergang der Belagerer gegeben, wenn auch auf eine etwas komplizierte Weise, denn Scipio hatte Numantia durch einen Ringwall einschließen lassen, so daß die Numantiner ihr Heil nur in der Erstürmung der römischen Verschanzung sehen konnten und so zu den eigentlichen Belagerern wurden [140].

---

[135] Vgl. Hans Röhl, Aus dem Reisetagebuch der Freifrau Adolphine von Werdeck ..., JbKG 1938, 93. Röhl hielt ‚Numantia' für einen Hörfehler an Stelle von ‚Normannia'. Das Unwort ‚Die Normannia' wäre kein sinnvoller Titel für den ‚Guiskard'.

[136] Wenigstens seit dem Plan zu einem deutschen Cervantes, den Schlegel und Tieck 1799 faßten. Bei den Brüdern Schlegel wird das Drama gelegentlich gestreift, auch bei Jean Paul (‚Vorschule ...', ed. Behrens, aaO. 76). Goethe las es Anfang 1800 (vgl. den Brief an Humboldt vom 4. Januar 1800, Artemis-Gedenkausgabe, Bd. 19, 394). Die Datierung des Fragments einer Übersetzung durch A. W. Schlegel schwankt zwischen 1800 und 1803. Die älteste Erwähnung bei Friedrich Schlegel steht in der ‚Geschichte der europäischen Literatur' vom Winter 1803/04, Kritische Friedrich-Schlegel-Ausgabe, hg. v. Behler, Bd. XI, 163 f.

[137] La Numancia. Tragedia de Miguel de Cervantes Saavedra. Zus. mit: Numancia. Trauerspiel von ... Zum Erstenmale übersetzt aus dem Spanischen in den Versmaßen des Originals, Berlin [1810, laut Heinsius].

[138] Rahmers Hinweis auf eine verlorene Übersetzung aus dem Spanischen im Nachlaß Dahlmanns, die von Kleist stammen sollte, ist nicht nachprüfbar (Kleist-Problem, aaO. 55, Anm. 1).

[139] Namentlich der Name Ignez weist auf die Geschichte der Ignez de Castro, die Bertuch 1782 gleich in zwei dramatischen Bearbeitungen deutsch veröffentlichte (Theater der Spanier und Portugiesen, 1. Bd., Dessau und Leipzig 1782). Der Stoff entstammt den ‚Lusiaden'.

[140] Vgl. den Artikel ‚Numantia' von A. Schulten in der Real-Encyclopädie der classischen Alterthums-Wissenschaften XVII, 1, Sp. 1254—70, bes. 1263 f.

Schließlich gibt es noch einen vierten Dramenplan Kleists mit der Grundsituation der Belagerung, die Eroberung Jerusalems durch Titus (LS 503), den man sehr zu Unrecht eliminieren wollte, indem man eine Verwechslung mit dem ‚Peter'-Plan annahm [141]. Ein sicherer Beweis liegt aber vor, denn Kleist entlieh am 19. Dezember 1808, dann wieder am 1. Februar 1809 Quellenwerke für dieses Drama aus der Dresdner Bibliothek (LS 307). Das ‚Mosaische Recht' des berühmten Göttinger Orientalisten und Theologen Johann David Michaelis konnte ihm dabei nur für den allgemeinen kulturhistorischen Hintergrund dienen, zumal Kleist den die Kriegsangelegenheiten behandelnden 3. Teil anscheinend nicht mehr entlieh, doch bot dafür Johann Friedrich Cottas Josephus-Übersetzung [142] eine immense Fülle von Stoff aus dem über sieben Jahre währenden Krieg, eine verwirrende Vielfalt, bei der das Herausschälen einer dramatischen Fabel ebenso schwierig sein mußte wie bei den gleichfalls sehr bunten ‚Guiskard'-Quellen. Eine Anspielung auf das Drama enthält das Fragment ‚Zeitgenossen!' in der dort referierten Weissagung eines Ananias über den Untergang Jerusalems. Der Name Ananias kommt bei Josephus vor [143], die Weissagung auch [144], jedoch nicht beide zusammen, womit wir bereits einen Anhalt dafür hätten, daß eine eigene Gestaltung des Geschehens durch Kleist vorgelegen hat. Dieses Selbstzitat zeigt, daß Kleist auf das Hauptthema des Josephus, den durch die eigene Uneinigkeit verschuldeten Untergang des Volkes, zurückgreifen konnte. Damit rückt dieses Drama in die Reihe der vaterländischen Themen, unter die Werke, „die in die Mitte der Zeit hineinfallen", wie Kleist am 1. Januar 1809 an Altenstein schrieb (II, 216). Das alte Belagerungsthema, hier

[141] So Hoffmann, ‚Zerbrochner Krug', aaO. 41.

[142] Des Fürtrefflichen Jüdischen Geschicht-Schreibers Flavii Josephi Sämmtliche Werke, Als ... Dessen Sieben Bücher von dem Krieg der Juden mit den Römern ..., Tübingen 1735. In Betracht kommen die Bücher V—VII, aaO. 143—212.

[143] Der Hohepriester Ananias, der sich verborgen gehalten hatte, wird von aufrührerischen Juden umgebracht (aaO. 83); ein gewisser Ananus hält eine Rede über die Uneinigkeit der Juden und ihr räuberisches Treiben, das schlimmer sei als das der Römer (aaO. 123); schließlich wird noch eine schreckliche Geschichte von einem „Jesus, Anani Sohn" berichtet, der vier Jahre lang beständig gerufen haben soll: „Wehe, wehe dir, Jerusalem" (aaO. 185).

[144] Vgl. aaO. 176: „Aber der Tyrann Johannes fluchte Josepho, spie grausame Scheltworte wider ihne aus, und entblödete sich nicht dieses hinzuzusetzen: Dieweil diß eine Stadt Gottes wäre, so hätte er [der Tempel] keine Verwüstung zu befürchten. ... Dann, wem ist die in den alten Propheten aufgezeichnete Weissagung ... unbekannt? nehmlich, daß Jerusalem solle verwüstet werden, wann die Juden sich selbsten untereinander zu tödten anfangen werden."

mit Sicherheit abgewandelt zum Untergang der Belagerten und als aufrüttelndes Menetekel, Gegenbild zur ‚Hermannsschlacht', gedacht, hat damit seine letzte und entscheidende Umwandlung erfahren.
Wir trafen also neben den bekannten abgeschlossenen Dramen Kleists in insgesamt fünf Fällen mehr oder weniger starke Abwandlungen eines einzigen Motivs in Kleists Schaffen an. Immer handelt es sich um Pläne, einmal um ein Fragment. Diese Unterströmung zieht sich durch Kleists g a n z e s Schaffen; gerade diese Kontinuität macht auch die Existenz des ‚Numantia'-Planes wahrscheinlich. Handelte es sich um ein anderes Motiv, so würden wir nicht zögern, den Bedenken gegen die Zuverlässigkeit der Überlieferung mehr Raum zu geben. Die Situation der Belagerung (die ja auch in ‚Penthesilea' anklingt) scheint Kleist wegen ihrer Statik, wie die sonst von ihm gebrauchte Prozeßform, besonders entgegengekommen zu sein. Auffällig ist immerhin, daß keins der betreffenden Werke vollendet wurde.

Die Erzählungen

Für die Chronologie der Kleistschen Erzählungen gibt es nur karge äußerliche Anhaltspunkte. Nicht einmal ihre Reihenfolge, geschweige denn ihre Datierung, ist mit einiger Zuverlässigkeit festgestellt worden. Die bisher vorgeschlagenen Lösungsversuche für diese schwierige Frage sind zahlreich und widersprüchlich, sie sind aber auch mit unzulänglichen Mitteln unternommen worden. Unter unzulänglichen Mitteln verstehe ich die ausschließliche Heranziehung sogenannter innerer Anhaltspunkte für die Chronologie. Das ist besonders schädlich, wenn dabei subjektive Werturteile als Ausgangspunkte gesetzt werden. Als ein Beispiel dafür kann die Arbeit von Kurt Günther gelten, die den Titel trägt: „Der Findling' — die frühste der Kleistschen Erzählungen." Dieser Titel erwies sich offenbar als so einprägsam, daß man sich nicht mehr die Mühe machte, Günthers Argumente nachzuprüfen, so daß die Frühdatierung der Novelle bis heute unangefochten geblieben ist, obwohl es keinerlei Beweis für sie gibt [145].

[145] Ebenso wie Günther ist auch Davidts (Die novellistische Kunst Heinrichs von Kleist, Berlin 1913) von einem Verständnis für die formalen Absichten Kleists weit entfernt. Mit Einschränkungen gilt dies auch für Gassen (Die Chronologie der Novellen Heinrich von Kleists, Weimar 1920), wenn sich auch Gassen um statistische Feststellungen bemüht. Jedoch bleibt seine Methode der älteren Sprachstatistik verhaftet, die sich im Gegensatz zu neueren Stilforschungen an vermeintlich nicht dem Willen des Dichters unterworfene Stilmerkmale zu halten versuchte.

Um das Ergebnis unserer Untersuchung vorwegzunehmen: Kleists erste Erzählungen sind das ‚Erdbeben', die ‚Marquise von O. . . .' und das ‚Kohlhaas'-Fragment, alles andere gehört der letzten Zeit an, der eigentlichen Frühzeit hingegen gar nichts. — Die einzige Stütze für alle Frühansätze anderer Erzählungen bildet die Angabe Bülows, Kleist habe 1806 in Königsberg Wilhelmine Krug, seiner früheren Braut, und deren Schwester Luise „seine kleinen, damals noch nicht gedruckten Erzählungen" vorgelesen (LS 144, S. 100). Abgesehen von der bekannten Unzuverlässigkeit Bülows stellt sich natürlich die Frage, welche „kleinen" Erzählungen Kleist eigentlich geschrieben hat, da ‚Cäcilie' und ‚Bettelweib' wohl ausscheiden. Die Bezeichnung ist umfangsmäßig keineswegs gerechtfertigt. Außerdem steht aber Bülow eine andere, weit bessere, Überlieferung entgegen. Brentano nämlich, der selten eine Gelegenheit vorübergehen ließ, eine kleine ironische Perfidie gegen Kleist, der ihn wohl ebensowenig geschätzt haben mag, zu brauchen, schreibt am 10. Dezember 1811 an Arnim aus Prag, wo er sich zusammen mit Pfuel aufhielt, dieser habe ihm gesagt, „daß sich vom Drama zur Erzählung herablassen zu müssen, ihn [Kleist] grenzenlos gedemütigt" habe (LS 579a, S. 404). Unter Berücksichtigung von Lebensumständen und Abfassungszeit der Dramen kommmen wir mit dieser kaum bezweifelbaren Angabe nur in Kleists letzte Zeit, insbesondere in die Zeit nach dem März 1810, dem Zeitpunkt, zu dem der ‚Homburg' mutmaßlich schon abgeschlossen war. Am 30. April 1810 wurde mit Reimer der Kontrakt über den ersten Band der Erzählungen abgeschlossen (II, 236). Laut Reimers Kontobuch erfolgte außer am 30. April am 16. Juli eine weitere Zahlung, die letzte, während am 16. August der Saldo gezogen wurde (LS 367). Da laut Vertrag das Manuskript „in drei Monaten à dato" (II, 236) abzuliefern war, dürfte es sich beim Datum des 16. August um ein Ablieferungsdatum handeln, wohl zunächst nur für das ‚Kohlhaas'-Ms. Vom 1. Oktober 1810 bis 30. März 1811 erschienen die ‚Abendblätter' und im August 1811 der zweite Band der Erzählungen. Im Kern kann Bülows Behauptung unangetastet bleiben, sie muß auf ‚Erdbeben', ‚Kohlhaas'-Fragment und eventuell ‚Marquise' [146] beschränkt werden.

Klare Aussagen Kleists sowohl wie Adam Müllers machen es unmöglich, vor dem Dezember 1807 noch weitere vollendete Erzählungen außer dem ‚Erdbeben', das zu diesem Zeitpunkt ja bereits erschienen war, und ‚Marquise' anzusetzen. Am 17. Dezember schrieb Kleist an Ulrike, er sei „im

[146] Bülow sagt ausdrücklich (aaO. 43), daß die ‚Marquise' in Königsberg entstanden sei (fehlt bei Sembdner).

Besitz dreier völlig fertigen Manuscripte“ (II, 189), und am gleichen Tage nannte er im Brief an Wieland die Titel: ‚Penthesilea‘, ‚Der zerbrochne Krug‘ und ‚Die Marquise von O....‘ (II, 191). Am 25. Dezember zählte Müller gegenüber Gentz den Manuskriptbestand für den geplanten ‚Phöbus‘ auf: „Zwei Tragödien von Kleist, die Penthesilea und Robert Guiskard, eine vortreffliche Novelle von demselbigen: Die Marquise von O...., und ein Lustspiel bilden nebst meinen vielen neueren Vorlesungen ... den Fond“ (LS 205, S. 139). Wenn zu diesem Zeitpunkt weitere Erzählungen Kleists vorgelegen hätten, so wären sie von den eher zu viel als zu wenig versprechenden Herausgebern (man denke an die Nennung des ‚Guiskard‘) mit Bestimmtheit erwähnt worden. Diese eindeutigen Angaben setzen allen Frühdatierungen eine Schranke, die nur willkürlich übersprungen werden kann [147]. — Damit sind natürlich noch keine Einzelheiten der Chronologie festgelegt, es ist erst ihr Umriß gegeben: die Kleistsche Erzählkunst folgt in der Entstehung n a c h den Dramen. Auch scheint ein direkter Zusammenhang mit dem Erscheinen der beiden Novellenbände zu bestehen. Der erste enthielt keine eigentlichen Erstveröffentlichungen, wenn man von der Vollendung des ‚Kohlhaas‘ absieht. Das Zustandekommen des zweiten beruht ein wenig auf dem Erfolg des ersten, das Honorar für ihn war auch doppelt so hoch. Kleist war hier wie sonst bemüht, zu drucken, was immer er besaß, darum nahm er in den zweiten Band auch ‚Cäcilie‘ und ‚Bettelweib‘ auf. Es ist nicht einzusehen, warum Kleist je fertige Novellen liegengelassen haben sollte. Das Argument, daß sie ihn nicht befriedigt hätten, kehrt zwar immer wieder, aber es beruht auf einer in der Forschung durchgehend anzutreffenden Bevorzugung des analytischen Formtyps, wie ihn ‚Erdbeben‘ und ‚Marquise‘ zeigen, während sich alle anderen Erzählungen wenn nicht ausgesprochenen Abwertungen, so doch mit Sicherheit geringerer Beachtung gegenübersehen. — Die in dem Pfuelschen Ausspruch angedeutete Grundlinie einer Entwicklung von der Dramatik zur Erzählkunst könnte eine gewisse indirekte Bestätigung in der Art finden, in der sich Kleist selbst über seine Werke äußerte: nicht ein einziges Mal läßt er sich näher über eine seiner Novellen aus, wäh-

---

[147] Mit anderen Argumenten auch schon Kluckhohn (Das Kleistbild der Gegenwart, aaO. 803). Kluckhohn meinte, daß Kleist alles Vorhandene in den ‚Phöbus‘ hineingegeben habe. Kleists Zurücktreten in der zweiten Hälfte des Jahrgangs beruht jedoch auf einer dort als Beilage auch veröffentlichten (vgl. Sembdners Neudruck, 360 f.) Abmachung der Herausgeber, derzufolge jeweils in der ersten Jahreshälfte die Dichtung, in der zweiten die Kritik das Wort haben sollte.

rend er doch gelegentlich erklärende Bemerkungen über ein Drama macht. Doch ist dies ein argumentum ex silentio.

Im folgenden soll noch das Wenige zusammmengetragen werden, was wir über die Datierung einzelner Novellen wissen. Die wahrscheinlich früheste Prosadichtung Kleists ist das ‚Erdbeben'. Sie erschien vom 10. bis 15. September 1807 in Cottas ‚Morgenblatt'. Kleist versuchte die Erzählung am 17. September noch von Cotta zurückzuerhalten, da inzwischen der Plan zum ‚Phöbus' gefaßt worden war (II, 180). Das deutet den Manuskriptbedarf der Herausgeber an und spricht ebenfalls gegen die Hypothese, daß Kleist schon früher vollendete Erzählungen aus irgendwelchen Gründen zurückbehalten hätte. Cotta hatte das Ms., wie es im gleichen Brief heißt, während Kleists Abwesenheit aus Deutschland, d. h. zwischen Ende Januar und Juli 1807, von Rühle erhalten, der ja zumindest auch den ‚Amphitryon' aus Königsberg bekommen hatte und seine Herausgabe besorgte. Als Kleist in Berlin in Haft genommen wurde, hielt sich Rühle in Dresden auf, muß das Ms. also schon früher gehabt haben. Nun hatte Kleist seit Anfang Oktober 1806 von Rühle keine Nachricht mehr [148] und klagte am 31. Dezember, daß der Postenkurs gestört sei, so daß er weder nach Berlin geschickte Manuskripte noch ihren Wert erhalten könne (II, 159 f.). Mit einiger Wahrscheinlichkeit war also das ‚Erdbeben' spätestens im Herbst 1806 vollendet.

Über die ‚Marquise von O. . . .' erfahren wir nicht mehr als das Datum, an welchem sie schon vollendet ist, den 17. Dezember 1807 [149]. Sie erschien zuerst im Februar-Heft des ‚Phöbus', „gegen Kleists Absicht und auf . . . dringenden Wunsch" Adam Müllers (LS 257).

Die Anregung zum ‚Michael Kohlhaas' erhielt Kleist von Pfuel, ob noch 1804/05 in Potsdam bzw. Berlin oder erst in Königsberg, ist unsicher, doch ist das letztere wahrscheinlicher, da eine Nachricht aus späterer Zeit ein Ms. des ‚Kohlhaas' mit einem des ‚Erdbebens' in Verbindung

---

148 Vgl. die Briefe an Ulrike vom 24. Oktober und an Marie vom 24. November 1806.

149 Vgl. die Briefe an Ulrike und an Wieland von diesem Tage. — Am 8. Juni 1807 schrieb Kleist aus Chalons an Ulrike, er habe „noch in diesem Augenblick" zwei fertige Manuskripte. Das erste wird der ‚Zerbrochne Krug' sein, das andere keinesfalls ‚Penthesilea', wie Minde-Pouet meinte (1. Aufl. V, 340 Anm.), sondern entweder ‚Erdbeben' oder ‚Marquise'. Wenn es am 17. September (an Ulrike) heißt: „Vier neue Werke liegen fast zum Druck bereit" (II, 179), so kommen dafür ‚Zerbrochner Krug', ‚Erdbeben', ‚Penthesilea', ‚Marquise', ‚Guiskard', u. U. auch ein Werk Rühles in Frage.

bringt [150]. Die Erhaltung des letzteren könnte damit erklärt werden, daß eine Kopie über Rühle an Cotta gegangen war, die des ersteren damit, daß es noch Fragment war. Die Hs. der ,Marquise' wäre dann beim Druck des ,Phöbus' verbraucht worden. 1810 besaß Kleist von allen drei Erzählungen keine Mss. mehr. Das ,Kohlhaas'-Fragment erschien im Juni-Heft des ,Phöbus' (ausgegeben im November) [151]. Die späteren Änderungen in diesem Text beziehen sich alle auf die endgültige Gestalt der Novelle, insbesondere auf ihren Schluß. Daß im Jahre 1808, ja daß überhaupt in Dresden noch weitere Teile bestanden haben, ist unwahrscheinlich. Kleists Schaffen wie auch dessen politische Zielsetzung waren damals ausgesprochen auf die Bühne gerichtet. Außerdem stellt schon der Abdruck eines zweiten Fragments aus dem ,Käthchen' im ,Phöbus' eine Verlegenheitslösung dar, denn die angekündigte Fortsetzung des ,Kohlhaas' wäre, sofern vorhanden, unbedingt vorzuziehen gewesen. Auch hätte den finanzschwachen Herausgebern der Abdruck eigener Werke insbesondere in den letzten Heften willkommener sein müssen als der fremder. Kleist hat sich mit der Ankündigung der Fortsetzung zunächst also wohl zu viel zugemutet.

Die Erzählungen des ersten Bandes wurden wahrscheinlich in der Reihenfolge abgeliefert, in der sie im Druck erscheinen. Die ,Marquise' also Mitte August [152], das ,Erdbeben' erst am 8. September, da man offenbar Schwierigkeiten hatte, die entsprechenden Hefte des ,Morgenblatts' aufzutreiben [153], nur deshalb können wir die Druckgeschichte überhaupt

---

[150] Vgl. LS 667, S. 465. — Leider gibt Johanna von Haza nicht an, ob die „Erzählung vom Roßkamm" noch Fragment war. Mutmaßlich handelt es sich um Skizzenhefte der Königsberger Zeit. Da die ,Marquise' hier nicht erwähnt wird, könnte ihre Vollendung in die Zeit der Gefangenschaft fallen.

[151] Sembdners Neudruck, S. 634.

[152] Nach unserer Annahme, daß Brief Nr. 167 wegen der ersten Vorschußzahlung auf das ,Käthchen' kurz vor oder spätestens am 16. August geschrieben sei, war der ,Kohlhaas' damals bereits abgeliefert, mit dem Brief zusammen das ,Phöbus'-Heft, das die ,Marquise' enthielt, und in das Kleist die Textänderungen hineinkorrigiert hatte. Weniger leicht war das beim ,Kohlhaas' möglich, obgleich auch bei ihm zunächst (wohl im Mai, vgl. Brief Nr. 171; II, 240) ein ,Phöbus'-Heft geschickt wurde.

[153] Vgl. die Billets vom 4. und 8. September sowie den umdatierten Brief Nr. 167. — Das Billet vom 4. ist auf den 3. zu setzen: Kleist hat die ,Morgenblatt'-Nummern inzwischen herausbekommen und bittet um Geld. Reimer zahlte ihm am 3. 20 Taler (LS 367), dann erst wieder am 6. Oktober etwas. Da Reimers Buchführung größere Genauigkeit zuzutrauen ist, wird sich Kleist um einen Tag geirrt haben.

verfolgen. — Ein zweiter Band war zunächst nicht geplant, denn der erste trägt nur den Titel ‚Erzählungen', der zweite dagegen den Untertitel „Zweiter Theil". Kleist muß die Arbeit dafür noch vor dem Niedergang der ‚Abendblätter' aufgenommen haben [154]. Zwei Erzählungen waren in ihnen schon erschienen, ‚Das Bettelweib von Locarno' [155] und die ‚Heilige Cäcilie' [156], letztere in einer kürzeren Fassung mit anderem Schluß. Beide Erzählungen dürften damit datiert sein. Noch nach der Vereinbarung mit Reimer über den zweiten Band erschien in Kuhns (Kleists Verleger im zweiten ‚Abendblatt'-Quartal) ‚Freimüthigem' vom 25. bis 30. März die ‚Verlobung'; ‚Findling' und ‚Zweikampf' wurden dagegen zum ersten Male in diesem Band gedruckt. Eine Quelle für den ‚Zweikampf', den ‚Persiles' des Cervantes, kannte Kleist vielleicht schon seit 1808 [157], doch können wir natürlich nicht sagen, wann ihm der bei Reimer erschienene Band in die Hände fiel, den er 1810 als Druckmuster für den ersten Novellenband vorschlug (II, 240). Immerhin bot auch schon Fouqués ‚Ritter Galmy' von 1806 (nach Wickram) das Motiv der wunderbaren Genesung des im Zweikampf Unterlegenen. Das Zustandekommen der ‚Zweikampf'-Novelle ist quellenmäßig erst nach dem November 1810 möglich [158]. Diese Novelle braucht mithin immer noch nicht die letzte zu sein, die Kleist geschrieben hat. Gegen unsere Arbeitshypothese, daß die Stücke des zweiten Bandes alle erst in Kleists letztem Lebensjahr, also zwischen Herbst 1810 und Frühjahr 1811, entstanden sind, können keine äußeren Gegengründe angeführt werden.

Nach Abschluß dieses Kapitels gelangte ein bisher unbekannter Brief Kleists zu meiner Kenntnis, der meine Hypothese stützt. Da er an entlegener Stelle publiziert worden ist [159], sei er hier im Wortlaut angeführt:

---

[154] Reimers Zahlungen dafür datieren bereits seit dem 12. März (LS 501).

[155] Nr. 10 vom 11. Oktober 1810.

[156] Nrn. 40, 41, 42, vom 15., 16. und 17. November 1810.

[157] Bertrand, Cervantes et le Romantisme Allemand, Paris 1914, 482.

[158] Am 17. November benutzte Kleist zum ersten Male die ‚Gemeinnützigen Unterhaltungsblätter', in denen am 21. April Baechlers ‚Hildegard von Carouge und Jakob der Graue', die zweite Quelle für den ‚Zweikampf', erschienen war. Am 20./21. Februar 1811 druckte Kleist in den ‚Abendblättern' seine unter Heranziehung des Originals (Froissart) gearbeitete ‚Geschichte eines merkwürdigen Zweikampfs'. Vgl. Sembdner, Kleists Berliner Abendblätter, aaO. 261 und 199 ff.

[159] Christoph E. Schweitzer, A New Letter by Heinrich von Kleist, The American-German Review 28, Nr. 1, Oct./Nov. 1961, 11 f. (mit Facsimile).

Mein lieber Freund Reimer,

Sie haben mir gesagt, daß [gestr.: Sie mir], wenn ich Ihnen, für die nächste Messe, einen zweiten Band Erzählungen schreiben wollte, Sie mir 100 Th. [die Lesung der Ligatur ist unsicher] Honorar dafür zahlen wollten. Nun frage ich bei Ihnen an, ob Sie sich, in einer Verlegenheit, in der ich mich befinde, entschließen können, mir dies Honorar sogleich praenumerando zu bezahlen? In diesem Falle, gehe ich den Contract ein; und der Druck, da schon einige Erzählungen fertig sind, kann binnen 5 Monaten von hier beginnen. Geben Sie mir, wenn es möglich ist, durch Überbringer Ihre Antwort.

H. v. Kleist

d. 17. [7 verb. aus 6] Febr. 11.

Das bedeutet zunächst, daß der Anstoß für den zweiten Band der Erzählungen von Reimer ausging. Wann dieser die Anregung gab, ist nicht feststellbar. Wahrscheinlich lag sie weiter zurück, da der Ausdruck „für die nächste Messe ... schreiben" wohl auf die Frühjahrsmesse hinweist, und ein angemessener Zeitraum zur Abfassung der Novellen erforderlich war. Wenn Reimer die Möglichkeit zu ihrer Veröffentlichung bot, so zwang die „Verlegenheit", nämlich die finanziellen Schwierigkeiten, in die Kleist mit den ‚Abendblättern' geraten war, fast dazu. Ohne beides besäßen wir wenigstens zwei der schönsten Novellen Kleists nicht. Das verbesserte Datum des Briefes ist kaum richtig, denn erst am 18. Februar schrieb Hardenberg den bei Sembdner (Bd. II, 852 f.) abgedruckten Brief, aus dem für Kleist hervorging, daß er keinerlei Unterstützung des Staates zu erwarten hatte. „Fertig" waren damals mit Sicherheit nur ‚Bettelweib' und ‚Cäcilie'; daß Gleiches auch nur für eine weitere Erzählung zutraf, widerlegt der Zeitraum von „5 Monaten", den Kleist sich ausbedungen hat. Er sah sich dann gezwungen, ebenfalls aus finanziellen Schwierigkeiten heraus, die ‚Verlobung' noch an den ‚Freimüthigen' abzutreten. Das hieße, daß Kleist vom Ende der ‚Abendblätter' ab ca. drei Wochen für ihren Abschluß benötigte. Reimers Honorarzahlungen datieren vom 12. März, 6. Juni, 5. und 20. Juli; erst am 6. Juni stimmte er der Honorarforderung zu. Die letzte Zahlung vom 20. Juli (LS 501) dürfte das Ablieferungsdatum des Manuskripts bezeichnen. Am 3. August erhielt Kleist die Freiexemplare von Reimer. Wenn der Zeitraum vom April bis 20. Juli sehr lang für die Abfassung von ‚Zweikampf' und ‚Findling' scheinen mag, so ist zu bedenken, daß Kleist Ende Juli auch schon sagt, er sei „mit einem R o m a n ziemlich weit vorgerückt" (II, 275). Am 21. Juni hatte er Reimer bereits den ‚Homburg' angeboten (II, 273).

Die Annahme, daß Kleist aus seiner Frühzeit liegengebliebene Erzählungen 1811 gewissermaßen aus der Schublade hervorgeholt und zu einem zweiten Band zusammengestellt habe, ist nach diesem Brief nicht mehr zu halten. Wir stehen damit auf dem Boden einer philologisch abgesicherten Chronologie für die Erzählungen.

Zwei wichtige Komplexe schließen die Entwicklung des Erzählers Kleist ab. Zunächst die Anekdoten, die zwar ihre Entstehung in erster Linie den Erfordernissen der ‚Abendblätter' verdanken, aber gerade mit ihrer Erfüllung einer aufgegebenen Form den Rang des Künstlers eher beweisen, als es der Fall wäre, wenn Kleist sie aus freiem Antrieb hervorgebracht hätte. Sie sind durch die ‚Abendblätter' auf das Halbjahr datiert, in dem diese Zeitung erschien.

Schließlich aber darf der Roman nicht vergessen werden. Er stand im Sommer 1811 vor der Vollendung (II, 275). Diese ist zwar bezeugt (LS 659, S. 462), wird jedoch nicht allgemein angenommen. Die Existenz des Romans kann damit nicht bestritten werden; beruht die Nachricht von seinem Abschluß auch auf einem On dit, so gibt es doch auch keine stichhaltigen Gründe, sie zu bezweifeln. So wenig Spekulationen über seine Form möglich sind, wird man doch annehmen müssen, daß es sich um einen wirklichen Roman gehandelt hat, also um ein literarisches Genus, das wir bei Kleist sonst nicht kennen und das auch in unser allzu einseitiges Kleist-Bild nicht recht hineinpaßt. Man hat zwar gemeint, daß Kleist nur zur Schaffung einer monströsen „Novelle strengster Funktionalität" [160] imstande gewesen wäre, aber wer wird vernünftigerweise annehmen, daß es möglich sei, eine Novelle über zwei Bände hinzudehnen, da doch der ‚Kohlhaas' schon hart an die äußersten Grenzen der Form gerät? Wir werden uns damit abfinden müssen, daß wir den Dichter Kleist immer nur teilweise kennen, da uns dieses sein letztes größeres Werk verloren ist.

---

[160] von Arx aaO. 83.

V. Die Entwicklung des Dichters Kleist

Der Übergang zur Dichtung

Kleist und Schlegel

„Es giebt Menschen, wie die ersten Arabesken; man versteht sie nicht, wenn man nicht Raphael ist“ (VII, 62). Mit diesem Satz, den Kleist am 11. April 1801, also kurz vor der Abreise nach Paris (der Abschiedsbrief an Wilhelmine stammt vom 14. April), Wilhelmine Clausius, einer nahen Bekannten der Familien Kleist und Zenge, ins Stammbuch schrieb, wird auf einen weißen Fleck in der Karte von Kleists Entwicklung verwiesen. Der Satz deutet durch die Zusammenstellung von „Arabesken“ und „Raphael“ auf die Gedankenwelt des „Athenäum“, auch formal könnte er für ein Fragment aus dem Kreise der Frühromantik passieren. Zeitpunkt und Rarität lohnen ein näheres Eingehen auf seine Hintergründe.

Seitdem im Jahre 1934 die beiden Briefe an Adolphine von Werdeck vom Jahre 1801 auftauchten, wissen wir, daß Kleist und Friedrich Schlegel einander gekannt haben, da Kleist darin Grüße an Schlegel ausrichten läßt (II, 44 und 73). Josef Körner mutmaßte sogar, daß Kleists Reise Friedrich und Dorothea zu ihrer Paris-Reise im folgenden Jahr angeregt habe [1]. Zwischen dem Dichter Kleist und Friedrich Schlegel scheint keinerlei Einverständnis bestanden zu haben. Dafür spricht, daß sich beide 1808 in Dresden begegneten und Schlegel zusammen mit Madame de Staël formell zur Mitarbeit am ‚Phöbus‘ gewonnen wurde (II, 207 und LS 290, S. 201), aber keinen Beitrag lieferte, und daß die Staël Kleist nicht für würdig befand, in ihrem Buch „De l’Allemagne“ erwähnt zu werden. Ein Umstand, der Kleist nicht an einer positiven Rezension des gleich nach seinem Erscheinen verbotenen und unterdrückten Buches hinderte (VII, Kl. Schr. 145 f.), wie auch nicht an einer ebenso wohlwollenden Bemerkung über Schlegels Wiener Vorlesung über die Kreuzzüge (aaO. 146). Kleists Brief an Schlegel vom 13. Juni 1809 handelt nur von politischen Aufsätzen für die ‚Germania‘; ähnlichen

[1] Krisenjahre der Frühromantik, Bd. III, Bern 1958, 661.

Zwecken dürfte die Zusammenkunft beider zwischen dem 14. und 30. Mai 1809 gegolten haben, die Körner annahm [2]. Von Äußerungen Schlegels über Kleist ist bisher nichts bekannt geworden außer der im Brief an seinen Bruder vom 4. Januar 1812: „Er hat also nicht bloß in Werken sondern auch im Leben T o l l h e i t für Genie genommen und beyde verwechselt" [3].

Uns interessiert hier nur der literarische Zusammenhang zwischen Kleist und Schlegel. Im Spiegel der zeitgenössischen Meinungen zeichnet sich eine scharfe Trennung zwischen beiden ab. Wenn Zschokke für Anfang 1802 berichtet, daß Ludwig Wieland und Kleist nach Goethe „S c h l e g e l und T i e c k am höchsten" schätzten (LS 66, S. 43), so brauchen wir, unter Zugrundelegung des zitierten Arabesken-Fragments, Kleist dabei nicht auszunehmen. Schon Huber setzte aber den Dichter der ‚Familie Schroffenstein' scharf von der „Schule, in welcher ein ‚Alarcos' ausgebrütet wurde", ab (LS 98a, S. 67). Fouqué rechnete sich zur Schlegelschen, Kleist zur „Wielandschen Schule" (LS 105, S. 76). Ob es dazu, wie er früher gesagt hatte, der persönlichen Einflußnahme Wielands bedurfte (LS 106), ist bei der engen Verbindung, die zwischen der geistigen Welt des jungen Kleist zu Wieland bestand, zumindest zweifelhaft. — Tieck wäre von Kleist durch Müllers Neigung (mit dem er allerdings schon von der Schule her verfeindet war) für Schlegel fast abgestoßen worden (LS 271, S. 189). — Kleists Dichtung hat mit dem Werk Schlegels in der Tat nicht das Geringste gemein. Am klarsten sah hier wohl Arnim, der 1812 an Cotta schrieb: „... statt ihm vorzuwerfen, daß er der neueren Schule angehangen, wozu wohl kein Mensch so wenig Veranlassung gegeben wie Kleist, hätte man eher bedauern müssen, daß er keine Schule anerkannt, . . ." (LS 612, S. 426 f.).

Anders steht es mit Kleists Anschauungen in der Übergangszeit von 1801. In der Tat ist Kleist in der absoluten Wertschätzung Raffaels, die Wackenroder 1797 in den ‚Herzensergießungen' begründet hatte, zeitlebens mit den Romantikern einig gewesen. Noch der Brief an Fouqué vom 25. April 1811 kündet davon (II, 260). Damit ist eine der Wurzeln von Kleists Kunstanschauung und -übung freigelegt, die sich in

---

[2] aaO. 405.

[3] aaO. Bd. II, Brünn — Wien — Leipzig 1937, 239. — Den Hintergrund für diese Ablehnung gibt vielleicht Kleists Verfassung 1803 in Paris. Dort ist er mit Schlegel möglicherweise zusammengetroffen, Werdecks werden ebenso wie Kleist in dem handschriftlich erhaltenen Tagebuch Karl Bertuchs (Goethe-Schiller-Archiv zu Weimar) mehrfach erwähnt.

seinem Formstreben äußert. Gerade hier gibt Goethes Haltung gegenüber Kleist einerseits und den Romantikern, eingeschlossen Werner, anderseits immer neue Rätsel auf.

Zieht man jedoch eine geistige Berührung des jungen Kleist mit den Gedanken des ‚Athenäum' in Betracht, so gilt es, sich Kleists damalige anderweitige Äußerungen vergleichend vor Augen zu halten. Er scheint Anfang 1801 mit den jüdischen Kreisen Berlins in Berührung gekommen zu sein, die damals „eine Art neutralen Bodens" bildeten, „auf dem sich die Gebildeten trafen" [4]. Möglicherweise war die Berührung enger, als Kleists briefliche Äußerungen erkennen lassen; die diffizile Lage der Juden im damaligen sozialen Gefüge des Staates könnten die reservierten Äußerungen gegenüber Ulrike [5] verständlich machen. Aus der Bemerkung, daß ihm die jüdischen Gesellschaften am liebsten wären, „wenn sie nicht so pretiös mit ihrer Bildung thäten", am 5. Februar, also etwa zu Beginn der Kant-Krise, spricht auch der Ärger des zurückgebliebenen Autodidakten. Mag die Klage über die preziöse Bildung [6] teilweise berechtigt sein, so hat sich Kleist doch, wie das Arabesken-Fragment ausweist, mit Eifer in diese ihm fremde geistige Welt gestürzt. Doch darf man sich dabei keineswegs einen allzu plötzlichen Umbruch vorstellen. Kleists Briefe zeigen auf lange Zeit zwei Gesichter: kurz vor dem erwähnten Brief an Ulrike findet sich am 31. Januar gegenüber Wilhelmine, versteckt in dem Bild, das Kleist von Brockes entwirft, zuerst der Gelehrtentadel, der dann immer heftiger wird. Trotzdem hält er der Braut gegenüber bis in den Juni die „Lebensplan"-Maske noch aufrecht (II, 14). Er hat in Leipzig den berühmten Anthropologen Platner besucht, der auch durch eine philosophische Fehde mit Kant bekannt ist, und den Mathematiker Hindenburg, mit dem er in ein näheres Verhältnis kam; in Halle den Mathematiker Klügel; in Göttingen den Anatom Wrisberg und den Magister Germaniae Blumenbach. Sie alle waren wissenschaftliche Größen ersten Ranges, was indirekt Dahlmanns Urteil bekräftigt, Kleist habe „ernste, nicht bloß dilettantische Universitätsstudien ge-

---

[4] Hannah Arendt, Rahel Varnhagen, München 1959, 63. Das Album Wilhelmine Clausius' (heute im Freien Deutschen Hochstift) bietet keine weiteren Hinweise, die für Kleists persönliche Verbindungen außerhalb der verwandtschaftlichen von Bedeutung wären. (Freundliche Auskunft des Freien Deutschen Hochstifts.)

[5] Vgl. besonders die Erwähnung einer Bekanntschaft mit Cohen, die Kleist mit dessen physikalischer Sammlung fast entschuldigt (I, 213).

[6] Eine Persiflage darauf bietet der satirische Gaunerroman Julius von Voss', ‚Der Berlinische Robinson, eines jüdischen Bastards abentheuerliche Selbstbiographie', Berlin 1810.

macht“ (LS 32). Während der ersten Paris-Reise und in der voraufgehenden Zeit wandte er sich jedoch entschieden, wenn auch vorerst noch in allgemeiner Form, der Kunst zu. Das erste Zeichen dafür ist das erwähnte Arabesken-Fragment.

Den Hintergrund für Kleists Satz über die Arabesken gibt Ludovikos ‚Rede über die Mythologie‘ im Rahmen des ‚Gespräches über die Poesie‘, das 1800 im 3. Teil des ‚Athenäum‘ erschienen war. Die dortigen Bestimmungen des Begriffs Arabeske sind, wie Wolfgang Kayser bemerkte, „vage“ [7], doch läßt sich Kleists Satz mit ihrer Hilfe einigermaßen verstehen [8]. Die Arabeske ist, ähnlich wie die Mythologie, ein „Kunstwerk der Natur“. „Die Organisazion ist dieselbe und gewiß ist die Arabeske die älteste und ursprüngliche Form der menschlichen Fantasie. Weder dieser Witz [sc. der romantischen Poesie] noch eine Mythologie können bestehn ohne ein erstes Ursprüngliches und Unnachahmliches, was schlechthin unauflöslich ist, was nach allen Umbildungen noch die alte Natur und Kraft durchschimmern läßt, . . .“ [9]. Kleist meinte in Umkehrung des Schlegelschen Gedankengangs Menschen, die „den Charakter der goldnen Zeit die noch kommen wird, . . .“ [10], erfüllten, indem sie „wie die ersten Arabesken“ waren, d. h. „die älteste und ursprüngliche Form der menschlichen Fantasie“ und damit die „neue Mythologie“ bereits verwirklichten. Seine Auffassung des Goldenen Zeitalters differiert also bereits 1801 von der Schlegelschen, hier setzt sich bei Kleist das Rousseauisch-Wielandsche Erbe durch. Die Arabesken des Raffael sind bei Schlegel gleichzeitig Kennzeichen der phantastischen, d. h. ursprünglichen Kunst. Kleist hat also in dem Satz, der als Markstein den Beginn seiner Hinwendung zur Kunst bezeichnet, einen zentralen Gedanken der frühromantischen Kunst- und Lebensauffassung aufgegriffen und zugleich umgebildet.

---

7 Das Groteske, [Oldenburg] 1957, 52. Die Goethezeit gab sich keine Mühe, die Begriffe Arabeske und Groteske voneinander zu trennen; ein Umstand, den schon Wilhelm Tischbein beklagte (Aus meinem Leben, hg. v. Lothar Brieger, Berlin [1922], 235 f.).

8 Wir können hier naturgemäß nur das ‚Athenäum‘ (zitiert nach dem Neudruck, Stuttgart 1960) als gedruckte Quelle zugrunde legen. Über den weiteren Hintergrund des Arabesken-Begriffs in den Notizheften Schlegels vgl. Karl Konrad Polheim, Studien zu Friedrich Schlegels poetischen Begriffen, DVjS 35, 1961, 363—398.

9 ‚Athenäum‘ III, 102.

10 aaO. 105.

Wir können diesen Satz zwar als „Fragment“ im Sinne der ‚Athenäums‘-Romantik bezeichnen, doch erübrigt sich zu sagen, daß der Dichter Kleist kein Fragmentist ist[11], sondern immer, im Sinne seiner eigenen Raffael-Auffassung, nach der in sich abgeschlossenen Form strebt. Der ‚Guiskard‘ ist kein echtes Fragment sondern ein unvollendetes Werk. Alle übrigen Skizzen, Entwürfe und unvollendeten Werke hat Kleist bezeichnenderweise vor seinem Tode selbst dem Feuer übergeben.

Kleist und die bildende Kunst

Zur Vervollständigung unserer im dritten Kapitel gesuchten Verbindung zwischen vordichterischer und dichterischer Periode bei Kleist bleibt noch übrig, auf seine Beschäftigung mit der bildenden Kunst in Dresden und Paris 1801 einzugehen. Hier äußert sich eine zunächst noch allgemein gehaltene Neigung zur Kunst, die noch keine bestimmte Form gefunden hat, wenngleich sie schon bei ihrem ersten Auftauchen alle Merkmale einer bis zum Ende konstant bleibenden Grundtendenz zeigt. Hier spiegelt sich auch Kleists Selbstverständnis, über das wir sonst so schlecht unterrichtet sind.

Auf der Würzburger Reise zeigt Kleist allenfalls für Baukunst Interesse. Für die Dresdner Galerie findet er nur die Worte: „Eigentlich habe ich daraus nicht mehr gelernt, als daß hier viel zu lernen sei“ (I, 104). Seine Urteile über Bauten dagegen lassen bereits damals als eigene Grundanlage eine Linie erkennen, die sich später, bestärkt im Umgang mit der Kunst, fortsetzt. Er findet, daß „das schöne Dreßden“ (I, 98) „viel Leben und Thätigkeit, wenig Pracht und Geschmack“ (I, 103) zeige und beschreibt es aus der Ferne als „zusammengekollert“ (I, 105). Auch von Würzburg heißt es, „den Lauf der Straßen hat der regelloseste Zufall gebildet“ (I, 118); die Residenz macht keinen besonderen Eindruck auf ihn. Sein Schönheitsbegriff schloß also die Kunst des Barocks aus. — Am deutlichsten wird dieser Schönheitsbegriff anläßlich der spätgotischen Leipziger St. Nikolaikirche, die 1797 im Inneren klassizistisch umgebaut wor-

---

[11] Auch nicht im Sinne der Dissertation von Arno Dreher, Das Fragmentarische bei Kleist und Hölderlin als rassenseelischer Ausdruck, Diss. Münster 1938. — Johanna von Haza berichtete 1816 an Tieck: „Noch hatte meine Mutter mehrere Hefte von seiner Hand, ‚Fragmente‘ überschrieben“. Im gleichen Zusammenhang ist auch von der ‚Geschichte meiner Seele‘ die Rede (wenngleich auch von ‚Erdbeben‘ und ‚Kohlhaas‘), so daß diese Fragmente („einzelne hingeworfne Ideen und Bemerkungen“) sehr wohl aus der frühen Zeit stammen könnten (vgl. LS 667, S. 465).

den war. Im Äußeren sei sie „wie die Religion, die in ihr gepredigt" werde, „antik, im Innern nach dem modernsten Geschmack ausgebaut. Aus der Kühnheit der äußeren Wölbungen sprach uns der Götze der abendtheuerlichen Gothen zu; aus der edeln Simplicität des Innern wehte uns der Geist der verfeinerten Griechen an" (I, 115). Man muß seine sehr lobenden Urteile über die Zwickauer Marienkirche (I, 114 f.), eins der Hauptwerke der deutschen Spätgotik, und die Zisterzienser-Abtei Ebrach (im romanisch-gotischen Übergangsstil), die er den Würzburger Kirchen vorzog (I, 118 f.), danebenhalten, um zu sehen, wie Kleist hier auf dem Boden der frühromantischen Kunstanschauungen etwa Wackenroders steht, der Dürer und Raffael als Leitsterne der Kunst gleichberechtigt nebeneinandergestellt hatte.

In Dresden bricht dann im Frühling 1801 der Hang zur Kunst übermächtig durch. Selbst die Landschaft sieht er dort wie ein Gemälde oder wie einen Bildteppich. Das Elbtal wirkt „wie ein Gemälde von Claude Lorrain ... — es schien mir wie eine Landschaft auf einen Teppich gestickt ... — und der prächtige Kranz von Bergen, der den Teppich wie eine Arabeskenborde umschließt — und der reine blaue italische Himmel" (II, 3), der schon ein Reflex italienischer Malerei sein dürfte. Auch Ulrike berichtet, daß Kleist der Galerie und der Antiken halber von Dresden „nicht fortzubringen war", ferner, daß sein Urteil den Maler Lohse sehr verblüfft und beeindruckt habe (LS 54). „Diese für mich ganz neue Welt voll Schönheit" (II, 7) ließ ihn nicht los, und er beneidete Menschen wie die Maler, „die nur in dem Schönen leben, das sich doch zuweilen, wenn auch nur als Ideal [12] ihnen zeigt" (II, 7).

Vorzüglich die Kirchenmusik scheint Kleist sehr bewegt zu haben (II, 7). Auch eine tiefgreifende religiöse Erschütterung muß, wie das ganze innere Erleben Kleists während der krisenhaften Umwälzung von 1801, ernster genommen werden, als es seine immer karger werdenden Äußerungen nahelegen; ein starker Nachhall findet sich vor allem in der Einleitung zu Zschokkes ‚Alamontade' (geschrieben Winter 1801/02), die in der Gestalt des Roderich ein wichtiges Porträt Kleists bietet [13]. Jedenfalls erwachte unter den Dresdner Eindrücken zum ersten Male die Erwägung in Kleist, daß die Kunst ihn aus seiner inneren Ver-

---

12 „Vollkommenheitsbegriff". Kleist denkt hier mehr im Leibnizischen Sinne („Vorstellung") als im modernen („Gedanke"). Vgl. Kluge-Goetze, Etymologisches Wörterbuch, 17. Aufl., Berlin 1957, 323.

13 Sembdners ‚Lebensspuren' bieten leider nichts daraus.

wirrung herausführen könne. — Unter allen Dresdner Kunstwerken stand Kleist die ‚Sixtinische Madonna' obenan; damit bestätigt sich in der Erfahrung am Kunsterlebnis Kleists ursprüngliche, zur klassischen Form drängende Anlage. Das nächste Zeugnis dafür, wiewohl erst aus Paris stammend, bezieht sich auf die Kasseler Galerie, in der ihm folgerichtig nicht die Niederländer, vor allem die herrliche Rembrandt-Sammlung, den stärksten Eindruck machten, sondern „in dem Zimmer des Directors Tischbein [14] zwei seinem hannövrischen Bruder gehörigen Stücke . . . [15], die alle landgräflichen Tableaus aufwiegen: nämlich der heilge Johannes von Raphael und ein Engel des Friedens von Guido" (II, 70).

Auf Aufforderung Frau von Werdecks lieferte Kleist aus Paris kurze Beschreibungen von Gemälden, wobei er ausdrücklich seine Lieblinge in den Vordergrund stellte [16]. Er nennt dabei eine nicht genau identifizierbare Kreuzabnahme, mutmaßlich die aus Perugia entführte aus der Schule Raffaels [17], die Fortuna auf der Weltkugel von Guido Reni, die wir in Homburgs Monolog wiederfinden:

---

[14] Die beiden erst 1934 gefundenen Briefe haben nur eine unzureichende Kommentierung erfahren. Vgl. Georg Minde-Pouet, Zwei neue Kleist-Briefe, DuV 35, 1934, 123—125. Es handelt sich um Johann Heinrich Tischbein den Jüngeren (1742—1808), der seit 1773 Galerie-Inspektor war.

[15] Es kann nur Johann Heinrich Wilhelm (der „Neapolitaner", 1751—1829) gemeint sein, der seit 1799 abwechselnd in Kassel, Göttingen und Hannover lebte. Die Bezeichnung „hannövrisch" ist seltsam. Tischbeins Bedeutung und namentlich seine Verbindung zu Goethe müssen Kleist ganz unbekannt gewesen sein. Tischbein erwähnt in seinen Lebenserinnerungen die Raffael- und Reni-Bilder, die er besaß, leider nicht namentlich; im alten Galerie-Inventar sind sie nicht nachweisbar (freundliche Auskunft der Verwaltung der Staatlichen Kunstsammlungen Kassel).

[16] Der Anfang und auf seiner Rückseite der wichtigste Teil des am 29. November notdürftig abgeschlossenen Briefes sind verloren. Die übliche Datierung (November) ist viel zu spät angesetzt. Inhaltlich gehört der Brief zumindest vor den vom 10. Oktober, der bereits die Hinwendung zur Dichtung andeutet. Bedauerlicher als der Textverlust am Anfang ist der dadurch entstandene auf der Rückseite des Blattes (etwa 8 Zeilen), wo Kleist über seine „Lieblingsstücke" geschrieben hatte. Vielleicht ist es nur diesem Verlust zuzuschreiben, daß wir von Kleist nie etwas über Raffaels ‚Heilige Cäcilie' erfahren. Ob Frau von Werdeck den oberen Teil der Seite weggeschenkt hat, vielleicht gar an Friedrich Schlegel?

[17] Natürlich kämen viele ikonographisch gleichartige Bilder in Betracht, doch liegt dies am nächsten. Das Bild ist angeführt bei Marie-Louise Blumer, Catalogue des peintures transportées d'Italie en France de 1796 à 1814, in: Bulletin

Nun denn, auf deiner Kugel, Ungeheures,
Du, der der Windeshauch den Schleier heut,
Gleich einem Segel, lüftet, roll' heran! (355 ff.) [18]

— schließlich noch einen Erzengel Raffaels, wohl St. Michael, den Schlegel ein Jahr später in seinen Gemäldebeschreibungen in der ‚Europa' erwähnt [19]. Über allem steht ihm aber immer noch die Dresdner Madonna (II, 69 f.). Kleists ganz entschiedene Neigung für Raffael und damit für die klassische Kunst beruhte nicht zuletzt auf Beobachtung der Bildkomposition; das lassen seine Urteile über die französische Malerei vermuten. „Wie schlecht verstehn sich die Künstler auf die Kunst, wenn sie, wie Lebrun ganze Wände mit einer zehnfach complicirten Handlung bemahlen. Eine Empfindung, aber mit ihrer ganzen Kraft darzustellen, das ist die höchste Aufgabe für die Kunst, . . ." [20]. Mit erstaunlicher Sicherheit hob Kleist aus der Sammlung zu Versailles Le Sueur [21] als einen Künstler heraus, der „nahe dem Raphael . . . getreten" sei (II, 72), wieder in Entgegensetzung zu Le Brun [22]. Le Sueur aber war Schüler Simon Vouets in dessen erster, „raffaelischer", d. h. vorzugsweise von Correggio bestimmten Periode, und von Vouet erwähnt Kleist noch 1807 die ‚Sterbende Magdalena' zu St. Loup in Chalons gegenüber Marie (II, 170) mit besonderer Hervor-

---

de la Société de l'Histoire de l'Art français 1936, Paris 1937, 244—348 unter Nr. 324.

[18] Blumer aaO. Nr. 278; ein anderes allegorisches Bild von Reni war nicht ausgestellt. Nach Schlegel (Kritische Ausgabe, Bd. IV, Paderborn — München — Wien 1959, 10 f.) wurde sie etwa September 1802 aus dem „langen Saal" entfernt. — Es muß freilich auch mit der Möglichkeit gerechnet werden, daß dieses Motiv, das besonders in der Kunst der Renaissance überaus häufig vorkommt, Kleist durch andere bildliche Darstellungen bekannt wurde.

[19] Kritische Ausgabe, Bd. IV, 41: „Weniger für das Auge aber mehr für das Nachdenken. —"

[20] II, 70. — Vgl. Schlegel aaO. 14: „Keine verworrene Haufen von Menschen, sondern wenige und einzelne Figuren, . . ." bei der Abhebung der „Alten" von der französischen Schule; ferner aaO. 102: „die wüste Prahlerei des Le Brün" — Urteile, die durch Kleist bereits präjudiziert wurden.

[21] Im Musée special de l'Ecole française des Versailler Schlosses befand sich seit 1802 die berühmte Folge von 22 Bildern aus dem Leben des heiligen Bruno. Es ist aber anzunehmen, daß Kleist diese bereits 1801 gesehen hat.

[22] Schlegel sagt, unmittelbar nach der Verurteilung Lebruns, über die Serie der erwähnten Bilder, daß sie „sich wie dieser Künstler überhaupt in der französischen Schule, sehr vorteilhaft" auszeichnen.

hebung der „schönsten Erfindung“ [23], d. h. also wieder besonders im Hinblick auf die Komposition.
Diese Zeugnisse zeigen, wie stark und sicher Kleist an einer ganz bestimmten Kunstauffassung, nämlich der klassischen, festhält. Noch 1811 nennt er sich einen, „der in der Regel lieber dem göttlichen Raphael nachstrebt“ (II, 260). Bei alldem entbehrt die Wertschätzung Kleists für Raffael jeglichen historischen oder systematischen Hintergrundes, er ist der Leitstern schlechthin für Kleist.

Kleists Aufsätze

Im Raum der Brief-Prosa zeigten sich, wie wir früher gesehen haben, die ersten Ansätze gestalterischer Kräfte bei Kleist. Da wir dabei auf Wechselbeziehungen zwischen Brief- und Aufsatzform stießen, seien seine Aufsätze an einigen markanten Punkten kurz charakterisiert, um in einem ersten Längsschnitt nach Indizien für eine Entwicklungslinie zu suchen. — Bei dem frühen ‚Aufsatz, den sichern Weg des Glücks zu finden . . .‘ stellt sich wieder das Datierungsproblem. Der Ansicht Luthers, daß er einen letzten Versuch Kleists zur eigenen inneren Festigung angesichts der drohenden Erschütterung durch Kant darstelle und aus dem November 1800 stamme [24], hat man mit Recht die Gefolgschaft versagt. Es darf angenommen werden, daß er 1799 verfaßt wurde; die Frage ist nur, ob vor oder nach dem weitgehend inhaltsgleichen Martini-Brief. In Übereinstimmung mit Hoffmann [25] hat sich zuletzt Sembdner für erstere Möglichkeit entschieden [26]. Diese Ansicht dürfte jedoch kaum aufrecht zu erhalten sein, da es nicht vorstellbar ist, daß Kleist aus dem vollkommen durchstilisierten und -geformten Auf-

---

[23] „Erfindung“ ist einer der wichtigsten Begriffe der hergebrachten Bildbeschreibung. Sie entspricht in ihrer Stellung der „inventio“ in der Rhetorik. Schon in der Antike hat sie die Bedeutung „Erfindungsgabe“ (Cic. Tusc. I, 61), Vitruv wendet den Ausdruck auch auf die Baukunst an. Sie ist nicht gleichbedeutend mit „Phantasie“. Heinrich Meyer hat in seiner Abhandlung ‚Über die Gegenstände der bildenden Kunst‘ einen Abschnitt ‚Erfundene (poetische im engeren Sinn), mythische, allegorische Darstellungen‘ (Kleine Schriften zur Kunst, hg. von Paul Weizsäcker, Heilbronn 1886, 14 ff.), in dem er vorzugsweise allegorische Bilder, darunter auch Renis ‚Fortuna‘, behandelt. „Erfindung“ ist die Auswahl des Darzustellenden, der Gesichtspunkt, von dem her der Stoff ergriffen wird.

[24] Die Abfassungszeit von Kleists Aufsatz den sichern Weg des Glücks zu finden, JbKG 1938, 59 f.

[25] Zu den Briefen Heinrichs von Kleist, StverglLg 3, 1903, 333.

[26] Bd. II, 919 f.

satz in einen Privatbrief, der die Hauptgedanken in statu nascendi vorführt, wieder zurückgefallen sei. Der ‚Aufsatz . . .' ist eine formal und stilistisch höhere Stufe und somit jünger.

Trotz des Untertitels „An Rühle" handelt es sich um keinen Brief im eigentlichen Sinne; bewußt oder unbewußt stellt sich Kleist mit seinem Aufsatz in eine Literaturtradition. Die Antike liebte es, Schriften vorwiegend moralphilosophischen Inhalts, gelegentlich auch rhetorische oder philosophische Abhandlungen durch eine Anrede dem Brief anzunähern; in poetischer Form kennen wir diesen Brauch etwa von den Horazischen Episteln. Die Trostschriften Senecas und seine ‚Epistulae morales ad Lucilium' kommen im Charakter dem Kleistschen Aufsatz am nächsten. Um die Zwischenstellung der Gattung zu kennzeichnen, scheint es geboten, an diese Vorbilder zu erinnern und für die Kleistschen Aufsätze den Terminus Epistel einzuführen. Die Wandlungen der epistolarischen Form bei Kleist geben bereits einen Reflex seines schriftstellerischen Entwicklungsganges ab.

Der in kleine, wohlabgerundete Absätze mit sorgfältig ausgewogenen Sätzen, die rhetorische Schulung verraten, gegliederte ‚Aufsatz . . . ' entwickelt seinen gedanklichen Gehalt so, daß der Leser das Werden der ausgesprochenen Überzeugung im Mitvollzug ihres Entstehens erfaßt. Der ‚Aufsatz . . .', weit mehr aber noch der Martini-Brief, spiegelt den Gedankenprozeß. Das liegt natürlich auch an der stilistischen Orientierung auf den Partner hin. Die Form erscheint etwas gebrochen, insofern als Kleists Hauptunterredner eigentlich er selbst ist, der sehr persönliche Schluß aber davon ganz absieht. Man wird ein Gefühl des Unbehagens, wie wenn man eine Mühsal des Verfassers spürte, bei der Lektüre nicht ganz los; jedenfalls zeigt die Folge, daß die Abhandlung nicht Kleists Sache war. Jedoch darf man nicht vergessen, daß der ‚Aufsatz . . .' nur bedingt ein Stück Literatur ist. Er war nicht zur Veröffentlichung bestimmt, und wir wissen zudem von Rühles Biographen, daß es unter Kleist und seinen Freunden üblich war, bei Zusammenkünften Abhandlungen über die halb privaten Studien auszutauschen [27].

Über Kleists nächsten derartigen Versuch, die ‚Geschichte meiner Seele', wissen wir leider nicht viel. Mit großer Wahrscheinlichkeit stammt sie aus dem Frühjahr 1801 und enthielt „die Darstellung seines einschnei-

---

27 General-Lieutenant Rühle von Lilienstern. Beiheft zum Militair-Wochenblatt . . . 1847, 128.

denden Kant-Erlebnisses“ [28], mutmaßlich jedoch auch dessen Voraussetzungen. Man muß „Geschichte“ durchaus nicht im heutigen Sinne wörtlich nehmen und mit „Entwicklung“ gleichsetzen, wie es Reuter getan hat [29]. Sprachgeschichtlich wäre das zwar möglich [30], liefe aber zumindest teilweise dem Sprachgebrauch Kleists zuwider [31], für den „Geschichte“ enger als heute mit „Geschehen“ zusammenhängt. „Geschichte meiner Seele“ hieße demnach ungefähr „das was meiner Seele (mir) widerfahren ist“, doch ist die Bedeutung dieser Wendung so abgeblaßt, daß man einfach „Über meine Seele“ dafür einsetzen könnte. Da die Voraussetzungen für das Kant-Erlebnis natürlich genannt werden mußten, darf vermutet werden, daß der Aufsatz auch den im Brief vom 22. März 1801 ausgesparten „Ursprung und den ganzen Umfang dieses Gedankens, nebst allen seinen Folgerungen“ (I, 221), also praktisch eine Darstellung der Weltanschauung des jungen Kleist, enthalten hätte. Das ist alles, was wir über diese Schrift zu sagen vermögen, da wir kaum mehr als ihren Titel kennen. Auch hier war an eine Veröffentlichung nicht gedacht. Ein guter Teil der Schrift dürfte im „Kant-Brief“ vom 22. März 1801 enthalten sein. Durchgehend enthalten Kleists Aufsätze, wie hier das Beispiel von den farbigen Gläsern zeigt, viele physikalische Parallelen; man vergleiche noch den ‚Allerneuesten Erziehungsplan‘ von 1810.

Gegenüber dieser gehaltlichen Konstante springt die formale Entwicklung sofort ins Auge, wenn wir ‚Über die allmähliche Verfertigung der Gedanken beim Reden. An R. v. L.‘ (1805 oder 1806) betrachten. Die epistolarische Form ist hier zugleich loser und bewußter gehandhabt.

---

[28] Sembdner, Geschichte meiner Seele ..., Bremen [1959], XI.

[29] Otto Reuter, Kleists Ideenmagazin, sein Tagebuch und die ‚Geschichte seiner Seele‘, JbKG 1923—24, 99. Im Original gesperrt.

[30] Vgl. ‚Anton Reiser‘ (Neuausgabe Darmstadt 1960), 234: der „Einfall ... die innere Geschichte seines Geistes“ aufzuzeichnen „und das, was er aufzeichnete, in Form eines Briefes an seinen Freund“ zu richten. An Reiser gemahnt auch Brockes' „Gefühlsblick“ (I, 204), vgl. aaO. 267 („Seelenblick“). — Vgl. ferner Wielands ‚Agathon‘: „... brachte ihn auf den Gedanken, seine [Agathons] Beichte [gegenüber Archytas] schriftlich abzulegen, und die Geschichte seiner Seele in den verschiedenen Epoken seines Lebens ... zu Papier zu bringen“ (aaO. Bd. 11, 337). Die „Geschichte meiner Seele“ ferner aaO. Bd. 10, 12.

[31] Vgl. „Geschichte des Tages“ (I, 86) — „unsrer Immatriculation“ (I, 97). Anders: „Eben so wenig kann ich Dir von seiner [Brockes'] Geschichte sagen“ (I, 202). Dann die Kernstelle: „... wenn Du den Verfolg dieser Geschichte meiner Seele verstehen willst“ (I, 221). — „Die Geschichte Deines Lebens“ (= deine Erlebnisse) II, 12.

Kleist führt aber ein Selbstgespräch in Gegenwart eines fingierten Adressaten. Von der Moralphilosophie gelangt Kleist hier zur empirischen Denkpsychologie. Das Ich des Schreibers ist als Erzähler wirklich anwesend, die allgemeine Form des Wir ist verlassen. Den eigentlichen Fortschritt bezeichnen die anekdotenhaften Einsprengsel, die dialogisierte Mirabeau-Erzählung und die Wiedergabe der Lafontaine-Fabel. Kleist zeigt sich hier bereits als Erzähler [32]. Von hier ab wird die bewußte erzählerische Fiktion Selbstverständlichkeit, sie wird in steigendem Maße sicherer und zugleich unauffälliger gehandhabt. Bei diesem Aufsatz wurde auch an eine Veröffentlichung gedacht, jedoch kaum im ‚Phöbus', wie Sembdner annimmt [33], sondern im ‚Morgenblatt'. Auf die Gewohnheit des ‚Morgenblatts', in kurze Absätze abzuteilen, weisen die Striche in der Handschrift, außerdem hat Kleist am 21. Dezember 1807 tatsächlich Cotta einen Aufsatz übersandt (II, 193). Im ‚Phöbus' trat Kleist im wesentlichen nur als Dramatiker und Erzähler hervor. Vielleicht drängte ihn schon die Produktivität Adam Müllers auf den rein künstlerischen Weg. Trotzdem ist diese Zeit, die keine „prosaischen" Beimengungen in Gestalt von Aufsätzen hervorbrachte, auch zugleich eine wichtige Stufe in Kleists Entwicklung. In der politischen Aktivität von 1808 wurde sie bereits wieder überwunden.

Der Aufsatz ‚Über das Marionettentheater' (erschienen 13.—15. Dezember 1810 in den ‚Abendblättern') setzt die Entwicklung in gerader Linie fort. Die dialogische Gedankenentwicklung wird zwar beibehalten, aber verglichen mit dem Zwischenstadium der ‚Allmählichen Verfertigung', die noch eine durch Einschiebsel aufgelockerte Abhandlung darstellte, sehen wir nun eine geschlossene Erzählung vor uns, unterbrochen durch Beispiele, die in sich abgeschlossene Anekdoten bilden, ein „Anekdotenkranz" also. Das Analogiedenken zwischen physischer und moralischer Welt lebt weiter, aber viel deutlicher tritt jetzt die Denkform der Paradoxie hervor: was wirklich ist, steht eigentlich mit allen Regeln der Wirklichkeit in Widerspruch. Wie in den Äußerungen über Raffael erfolgt auch hier wieder die Absage an die charakteristische Kunst. Das besagen die Verurteilung der Schwerpunktverlagerung und der Name

---

[32] Man vgl. wieder die naturwissenschaftliche Konstante, gerade auf dem Höhepunkt der Mirabeau-Anekdote: „Dies ist eine merkwürdige Übereinstimmung zwischen den Erscheinungen der physischen und moralischen Welt, welche sich, wenn man sie verfolgen wollte, auch noch in den Nebenumständen bewähren würde." VII, Kl. Schr. 25. Das Analogiedenken bleibt Kleist weiterhin eigentümlich.

[33] Bd. II, 923.

Bernini (VII, Kl. Schr. 43). — Unter keinen Umständen darf dabei vergessen werden, wie offen der Kleistsche Gedankengang ist. Der Tänzer führt „die Sache seiner Paradoxe“ (aaO. 44) zwar geschickt, aber Kleist hat auch den Sarkasmus dafür bereit: „Allerdings . . . kann der Geist nicht irren, da, wo keiner vorhanden ist“ (aaO. 43). Diese Offenheit wird am deutlichsten am Schluß. Das letzte Kapitel in der Geschichte der Menschheit ist im Grunde eine Paradoxie. Dies Offenhalten des Schlusses bedingt die lockere Form; es liegt kein erreichbares Denkziel vor und dem paßt sich die lose Gewandung an.

Noch weiter in der formalen Entwicklung stoßen die drei Briefe kunsttheoretischen Inhalts vor. Kleist greift wieder auf die epistolarische Form zurück, ist aber konziser und sicherer. Natürlich beruht die Gedrungenheit des Stils mit auf äußerem Zwang, aber der banale äußere Zwang bewirkt gerade die höchste Entfaltung seiner Mittel. Die knappe Form bedingt auch, daß sich Horazens sal niger hier in gröberes Korn verwandelt.

In diese Entwicklungslinie fügen sich die politischen Prosaschriften von 1809 vollkommen ein. Sie eröffnen eine ganz neue Gattung [34]. Heute spielen sie zwar in der Kleist-Deutung keine Rolle, aber das ist eher ein Verdachtsmoment gegenüber der Forschung. Zumindest als journalistische Bemühungen sollten sie ernstgenommen werden, zumal sie in engster Verbindung mit der späteren Gesamtentwicklung Kleists stehen. In den politischen Schriften zeigt sich ein ganz starkes Bewußtsein der Form, die fast straffer und reiner gehandhabt wird als in den früheren Dichtungen. So greift Kleist zu vorgeprägten festen Formen, dem Katechismus, dem paragraphierten Lehrbuch und zum Brief. Infolge des kaustischen Witzes, der Kleist offenbar sehr lag, ist die letztere Form wohl am überzeugendsten gelungen. Daneben finden sich die Fabel, zwei sehr knappe Aufrufe [35] und zwei Fragmente [36]. Zweifellos sind die politischen Schriften keine Dichtungen, aber das ist weniger eine Frage ihres Wertes als ihrer Artung. Sie repräsentieren Journalistik höchsten Ranges und markieren Kleists Formwillen und Formenkönnen nach der ‚Phöbus‘-Zeit.

---

[34] Brahm aaO. 341.

[35] ‚Was gilt es . . .‘ und ‚Über die Rettung von Österreich‘.

[36] Die ‚Einleitung‘ zu ‚Germania‘ und ‚Zeitgenossen . . .‘.

Am Beginn von Kleists dramatischem Schaffen steht die ,Familie Thierrez — Ghonorez — Schroffenstein' vom Frühjahr 1802. Ihre Fabel ist eine völlig eigene Erfindung, kein Vorbild hat sich dazu finden lassen. Das ist auch kaum möglich, wenn man bedenkt, wie ausschließlich der Stoff eigenster gedanklicher Problematik Kleists entspringt. Der dramatische Plan stand keineswegs gleich klar und fest da. Das ,Thierrez'-Szenar [37] zeigt in seinen vielfältigen Streichungen und Verschiebungen, daß viele Überlegungen der endgültigen Fixierung voraufgingen. Vor allem fehlt hier noch eine ausgewogene Gewichtsverteilung. Die Partei um Sylvester hat noch keine feste Kontur, ferner ist die Mittelgruppe Johann — Jeronimo noch durch ganz blasse Schemen („Freunde") vertreten. Der auslösende Tod des Kindes ist schon vorgesehen, aber es ist noch nicht klar, wie er erfolgt ist. Dagegen ist ein tragischer Konflikt sofort mit der Verknüpfung von Rache- und Liebeshandlung gegeben. Die spätere starke Präzipitation der Handlung durch Ruperts Wüten erfährt noch eine Reihe von Hemmungen, so im I. Akt durch eine Friedensbitte der Gegenpartei und zweimal durch jeweils wieder gestrichene Umstimmungsversuche im II. und III. Akt. Ebenso wurde das Auffinden der Kinder, ferner die Bemerkung, daß Ignez sich ihren Eltern anvertraut (mit deren nachfolgendem Vermittlungsversuch) und die Aufklärung über den Tod des Kindes vom ursprünglichen III. Akt weiter fortverlegt bzw. ganz gestrichen. Lediglich der V. Akt blieb von Anfang an konstant. Man sieht also, daß Kleist die so rasch ablaufende Handlung erst nach langer Überlegung so gegliedert hat; ihre Wucht war ursprünglich infolge zahlreicher Unterbrechungen wesentlich geringer. Diese Konzentration mag auch verursacht haben, daß sich im IV. Akt, der ursprünglich nur aus den jetzigen Szenen IV, 2 und 5 bestehen sollte, nun manches etwas zusammendrängt. — Dieser einzige uns gegebene Einblick in Vorstudien und Entwürfe zu einem Kleistschen Drama läßt den Schluß zu, daß Kleist nicht aus spontaner Eingebung heraus schuf, sondern seine Dramen erst nach gründlicher Überlegung so aufbaute, daß an die Ausführung zu denken war.

Die im vorigen Kapitel kurz charakterisierten Zwischenfassungen der ,Familie Ghonorez' führen schließlich zur ,Familie Schroffenstein'. Das Werden dieses Dramas läßt sich also über vier bis fünf Stufen hin verfolgen. Die ,Familie Schroffenstein' hebt sich von den anderen Dramen

---

[37] Schmidt IV, 287 f.

ab durch den lyrischen Einsatz, der (als Chor) nur noch im ‚Guiskard' wiederkehrt, was beide Werke nahe aneinanderrückt. Mit dem Chor ist, wie im ‚Guiskard', schon eine Teilexposition vorweggenommen. Praktisch ist mit der Charakterentfaltung Ruperts Vs. 40—62 [38] das Stück bereits in Gang gesetzt. Mit seinem Entschluß zur Rache trägt er die ganze Handlung. Dieses Merkmal, daß das handlungstragende Moment bei der „negativen" Gegenseite liegt, findet sich auch sonst bei Kleist; damit hängt eine gewisse Statik des szenischen Geschehens zusammen. Nachzuholen ist in der Exposition die Bedeutung des Erbvertrages (der im Szenar der Handlung vorangestellt ist!). In einem Punkte zeigt dies Drama klassizistische Züge: um die Kurzszenen des Sturm und Drang zu umgehen, nimmt Kleist unmotivierte Abgänge in Kauf (vgl. Vs. 237 f.). Hier wird ein Streben nach klaren und ruhigen Linien erkennbar. Eins der dramatischen Hauptmittel Kleists, die Vorausdeutung, wird ebenfalls bereits im I. Akt sinnfällig benutzt: der Sturz Johanns in dem weit ausgesponnenen Jagdbild (265 ff.) und seine Rettung mit dem Motiv des entfliehenden Paradieses. Eine überdeutliche Akzentuierung dieses Motivs wurde bereits in der ‚Familie Ghonorez' gestrichen.
Mit der antithetisch gesetzten 2. Szene wird der zweite Pfeiler, auf den das Stück dann schließlich zu ruhen kam, sichtbar. Dies Verfahren, zwei antagonistische Parteien nacheinander aufzustellen, zwischen denen sich eine innere Handlung entfaltet, finden wir im Prinzip auch in ‚Penthesilea' und ‚Käthchen'. Damit wird dann erst die Exposition vervollständigt, da die Gegenseite bisher nur aus negativer Erzählung kenntlich war. Nun sind auch beide Kinder in die Feindschaft einbezogen und der Raum für eine mögliche Versöhnung ist vorausdeutend verschlossen. Dieser Raum scheinbarer Versöhnung, tragisch überschattet vom Beginn des Dramas, öffnet sich in der Szene im Gebirge, II, 1. Das Auftreten Johanns und damit für das Paar die Erinnerung an die Fehde und an den düsteren Hintergrund ihrer Liebe läßt die Szene abbrechen. In hartem Gegeneinander der Kontraste, das für die Szenenübergänge in Kleists Drama charakteristisch ist, entwickeln sich die weiteren Szenen von Akt II und III parallel. Beide Akte beginnen mit Ottokar und Agnes im Gebirge, und beide wenden sich dann, in Umkehrung der Reihenfolge des I. Aktes, den beiden streitenden Häusern zu, bis schließlich durch den Tod der Herolde das Zerwürfnis unheilbar vertieft ist. Beide Familienhäupter sind nun mit Blutschuld beladen, ihrem Handeln ist das erfolglose Bemühen der Mütter jeweils antithetisch zugeordnet,

[38] Wozu unbedingt die Geste nach Vs. 95 gehört.

wobei die negative, treibende Seite schärfer durchgezeichnet ist. In den Szenen der Liebenden wird die aufscheinende Möglichkeit des Glücks noch durch Agnes' Mißtrauen getrübt und dann in ein fahles Licht getaucht durch die Vorausdeutung:

> O wär' es Gift, und könnt' ich mit dir sterben!
> Denn ist es keins, mit dir zu leben, darf
> Ich dann nicht hoffen, da ich so unwürdig
> An deiner Seele mich vergangen habe. (1335 ff.)

Der IV. Akt zeigt eine scheinbar rückläufige Bewegung, da in den ersten Szenen die beiden Häuser gewissermaßen Bilanz ziehen und dann in der dritten Ottokar den Knoten auflöst. Eine verknüpfende Reminiszenz an den Anfang bilden dabei Barnabés Zaubersprüche. Die Vergeblichkeit des Bemühens faßt Kleist wieder in einem vorausdeutenden Bilde zusammen: das Boot, welches das Ufer nicht erreichen kann (2024 ff.). In den abschließenden Szenen vier und fünf durchbricht wiederum Rupert die Konstellation, indem er die Handlung zur Katastrophe weitertreibt.

Der V. Akt führt im Gebirge alle Personen zusammen; eine tragische Ironie der Szene bereits, wobei die Höhle als Sinnbild der Ausweglosigkeit und zugleich des begrenzten Scheinglücks der Kinder fungiert. Das Stück ließ sich seiner gedanklichen Voraussetzung nach nicht wohl anders beschließen, nur hatte das ,Thierrez'-Szenar noch verschiedene Versuche zur Umstimmung Ruperts ins Auge gefaßt. Wenn der gesamte fünfte Akt nicht völlig überzeugt, so liegt das nicht an der Höhlenszene, sondern an der Anlage der ineinanderverflochtenen zwei Handlungen. Die Versöhnung war nötig, wollte Kleist nicht shakespearisch Leichen häufen. Sie ist durch den Wahnsinn Johanns genugsam umschattet, der zwar Ursula in Verkennung ihrer Bedeutung ein „Kunststück" (2725) zuschreibt, aber doch seherisch das Paradies-Motiv wieder aufnimmt:

> Ins Glück? Es geht nicht, Alter. 's ist inwendig
> Verriegelt. Komm. Wir müssen vorwärts. (2630 f.)

Damit ist bereits der Schlußgedanke des ,Marionettentheaters' ausgesprochen. In der ,Ghonorez'-Fassung wird durch das ständig wiederholte „Püppchen" in den Reden der Ursula stärker auf die Marionetten-Vorstellung angespielt. Die Gestalt hatte ursprünglich hexenhafte Züge.

Die äußere Handlung liegt bei den beiden Familien; der Vertragszwist gibt damit die Folie für die Schein-Idylle der Liebenden ab. Das Handlungsgerüst wird durch die beiden Frauen, Jeronimo, Johann, die Vasallen und weiteres Personal ausgefüllt. Jeweils zu Beginn des II., III., IV. und V. Aktes taucht die Möglichkeit einer positiven Lösung scheinhaft auf. Das Drama hat, um einen musikalischen Terminus zu verwenden, zwei Trugschlüsse, den einen etwa in der Mitte (III, 1) für die innere Handlung, den anderen, die Entdeckung der Todesursache, für die äußere (IV, 3), weit gegen Ende verschoben. Daß beide Handlungen nicht zur positiven Berührung kommen, läßt beide Trugschlüsse die Form tragischer Ironie annehmen. Der Schluß des Dramas hat dann fast die Gestalt einer Rechnung, die gezogen wird.

Ein für die Entwicklungsgeschichte der dramatischen Sprache Kleists kennzeichnendes Element ist in der ‚Familie Schroffenstein' die Verselbständigung des gnomischen Elements, der Sentenzenreichtum, der, von den folgenden Dramen her gesehen, überhaupt einen Fremdkörper in der Physiognomie des dramatischen Stils bei Kleist darstellt. Damit ist jedoch kein Anhalt für eine wertende Einschätzung dieses Stilzuges gegeben, denn es steht außer Frage, daß dieses Drama, stärker als die folgenden, bis zu einem gewissen Grade Problemdichtung ist. Von daher kann das auffällig häufige Vorkommen von Sentenzen hinreichende Erklärung finden. Einzelheiten des Bauplans sind in ähnlicher Weise funktionslos. Man kann, diese Gesichtspunkte weiter verfolgend, als Hauptkennzeichen der Entwicklungstendenzen des Dramatikers Kleist bis zu seinem ersten Höhepunkt, verkörpert in ‚Penthesilea', das Streben nach voller Funktionalität aller Teile des Werkorganismus annehmen.

Bei der Würdigung des ‚Robert Guiskard', der Kleist vom Frühjahr 1802 bis zum Herbst 1803 beschäftigte, ist in vieler Hinsicht Vorsicht geboten. Der fragmentarische Charakter des erhaltenen Werks läßt nur sehr bedingt Schlüsse auf das Ganze zu, und dann muß bedacht werden, daß die jetzige sprachliche Gestalt erst 1808 entstand. Schlüsse auf die Form sagen daher nicht mit Sicherheit etwas über die Bestrebungen Kleists in der frühen Zeit. Wir müssen vor allem nach Motiven suchen, die auf die fehlenden Teile des Werks hinweisen. Die Betrachtung der ‚Penthesilea' zeigt, in wie starkem Maße Kleist die Teile seines Dramas durch vorausweisende Motive und sinntragende Bilder zusammenhält. Da das Drama keine eigentliche Exposition hat, ist es verfehlt, mit Meyer-Benfey zu sagen, daß es nicht analytisch sei[39], denn gerade weil das Geschehen sich erst noch entfaltet, steht die Erklärung seiner Voraussetzungen in den erhaltenen zehn Auftritten noch aus.

---

[39] Drama I, 218.

Der Eingang des Dramas mit dem vielbewunderten Chor gibt nur eine Erklärung der Ausgangssituation, diese ist jedoch sprechend genug. Das Volk verkörpert gleichsam das Meer (37 ff.), und die Wassermetaphorik, von Helena in der 3. Szene (62 f.) aufgenommen, bildet zusammen mit „Volk" und „Pest" den einen der beiden Bildkreise, von denen das Drama durchflochten ist, der andere ist die erotische Bildlichkeit für Kampfvorstellungen — in Umkehrung zur ‚Penthesilea', wo eine agonale Metaphorik erotischen Sinn hat. Die Zypressen in der Szenenangabe mögen gleicherweise Guiskards Streben wie seinen Tod symbolisieren [40]; wichtig ist auch „Im Hintergrunde die Flotte". Von ihr nahm, wie uns Funk in den ‚Horen' (die Hauptquelle Kleists) sagt, die Pest ihren Ausgang. Die Flotte ist aber die einzige Rückzugsmöglichkeit des um seine Heimführung flehenden Volkes — so mag hier das Verderben des Volkes schon angedeutet sein.

Die Einzigartigkeit des ‚Guiskard' gegenüber allen anderen Kleistschen Dramen besteht darin, daß die bewegende Kraft (Guiskards Ehrgeiz) und die tödliche Gegenkraft (die Pest) in e i n e r Figur vereint sind. Das Fragment reicht bis zum ersten Aufeinanderprallen beider Kräfte. Mit der Darstellung körperlichen Leidens auf der Bühne, wie in ‚Philoktet' und ‚Ugolino', und einer Wiedergeburt und Apotheose des Sturm und Drang [41] hat das nur bedingt zu tun. Vielmehr liegt hier ein optimales Maß an Konzentration vor, und wenn wir den Trugschluß des 10. Auftritts, Guiskards Niedersinken, vergleichen dürfen mit dem entsprechenden 9. der ‚Penthesilea' und analoge Proportionen annehmen, so ist es sehr wohl möglich, daß der ‚Guiskard' mit etwa 1100 bis 1200 Versen ausgekommen wäre. Das entspricht etwa dem Umfang eines Sophokleischen Dramas. Hierin wie in dem Pest-Motiv liegt zweifellos eine Verwandtschaft mit der antiken Tragödie vor. Ob die Pest eine dem ‚Ödipus' entsprechende Bedeutung als Schuldsymbol gehabt hat, läßt sich nicht beweisen. Aber selbst wenn das in dem uns erhaltenen Teil des Dramas nicht gesagt worden ist, ja selbst wenn es auch sonst nirgends ausgesprochen wurde, ist es darum doch möglich; auch das Gesetz der Tanais ist eine Art Schuld oder verursacht doch eine solche. Guiskards Ehrgeiz aber trägt sein gerüttelt Maß Schuld an der Lage des Volkes.

---

40 Vgl. A. Grob, Die Bedeutung der Natur in Kleists Leben und Werk, Diss. Zürich 1954, 37.

41 So versucht Ottokar Fischer ‚Kleists Guiskardproblem' (Dortmund 1912, 44) zu erklären.

Guiskard wird nicht als Einziger an der Pest sterben, das darf als sicher angenommen werden; ob vor oder nach einem Sturm auf Byzanz (ein solcher ist 373 ff. angedeutet), oder eventuell einer Eroberung (28 ff.), bleibt Vermutung. Bei einer Eroberung wäre Guiskards Tod lediglich ein rein persönliches Scheitern des Helden. Jedenfalls hat sich Guiskard vor seinem Auftritt bereits „auf offnem Seuchenfelde“ [42] angesteckt und ist von der Seuche ergriffen. Das bringt ihn jedoch von seinem Ziel nicht ab [43]. Die Schilderung des Sturmes durch Bericht und Teichoskopie ist bei Wahrung des einheitlichen Schauplatzes denkbar; Kampfszenen auf offener Bühne kommen bei Kleist nicht vor. Also wird auch die vollkommene Einheit des Ortes zum formalen Prinzipienbestand des Werkes gehört haben.

Weniger deutlich erkennbar sind die beiden Nebenhandlungen des Dramas. Die eine entspinnt sich um die Tochter Helena als Schlüsselfigur. Sie ist eng mit ihrem Vater verbunden wie dieser mit ihr (vgl. Vs. 489). Gleichzeitig ist sie aber Abälards Braut, womit die Brücke zur zweiten Nebenhandlung geschlagen ist. Es sind zweifellos noch unausgetragene Spannungen zwischen Guiskard und Abälard da, wie die Verse 277 ff. und die Fußnote zu Vs. 283 lehren. Guiskard kam unrechtmäßig zur Herrschaft, was im Drama irgendwie noch zum Austrag gekommen sein muß; bereits zu Anfang zeigen sich Spuren davon (vgl. 45 ff. und 182). Guiskard ist Abälard vermutlich wohlgesonnen [44]. Abälard operiert aber auch selbständig gegen seinen Oheim [45], während dieser in einen doppelten Konflikt gerät, da Abälards Verlobte Helena nach dem Abkommen mit den griechischen Verrätern die Kaiserkrone an ihren Vater verlieren soll. Auch dies hätte im Drama ausführlicher berichtet werden und seine Auswirkung haben müssen. Es ist unwahrscheinlich,

---

[42] Vs. 79. — Gerne würde man an eine Parallele zu der bekannten Episode Napoleons in Ägypten denken, aber der Ausgang ist bei gleichem Verhalten ein anderer. — Das bekannte Bild von Legros ‚Bonaparte visitant les pestiférés de Jaffa‘ wurde erst 1804 ausgestellt. Höchstens eine Skizze (heute im Musée Condé in Chantilly) kann Kleist gesehen haben. (Für diese und andere museale Ermittlungen in Frankreich bin ich Danielle Truchot zu Dank verpflichtet.) Die Episode selbst war natürlich allgemein bekannt.

[43] Guiskards Sendungsbewußtsein ist ausgesprochen in Vs. 448 („In Stambul halt' ich still, und eher nicht!“) und in der Verheißung, die er empfangen hat (479 f.: „Es hat damit sein eigenes Bewenden“).

[44] Vgl. Vs. 299 ff. — Auch die Worte 411 ff. bedeuten wohl keine Drohung.

[45] Erstens sein geschicktes Eingreifen in den Streit zwischen Robert und dem Greis (221 ff.) und zweitens, nachdem er ersterem unterlegen ist, die Enthüllung von Guiskards Krankheit.

daß Abälard nach Guiskards Tod als Retter des Volkes in Frage kommt. Ich möchte das zweimalige Anklingen des Motivs vom pestkranken Bräutigam (20 und 515) eher als tragische Vorausdeutung auffassen.

Die Exposition des Dramas ist praktisch mit der Auflösung der ganzen Motiv- und Geschehensverknüpfung identisch, eine formale Analogie zum ‚Ödipus'; diese Auflösung hätte sich durch das ganze Drama hinziehen müssen. Die Auflösung der beiden Nebenhandlungen, in die Guiskard aufs engste verflochten ist, ist denkbar in Gesprächsform, wie im ‚Zerbrochnen Krug', so daß auf offener Bühne mit relativ wenig bewegtem Geschehen zu rechnen ist. Die formale Konzentration und das Zusammendrängen des dramatischen Konfliktes mag sehr wohl das große Problem gewesen sein, an dem Kleist nahezu zerbrach. Das Fragment zeigt in seiner großartigen Abrundung zwar keine Spuren der mühevollen Arbeit, doch haben wir versucht zu zeigen, daß die eigentlichen Komplikationen der Handlung, vor allem dann, wenn ein gleichbleibendes Maß an Konzentration erreicht werden sollte, noch bevorstanden. Die Gesamtfabel, d. h. der Guiskard betreffende Teil, mag immerhin klar gewesen sein, doch steckten die Schwierigkeiten mehr in den Einzelheiten.

Der ‚Guiskard' ist, mangels jedes Kolorits, so ungeschichlich wie die ‚Familie Schroffenstein'. Daß es eine historische Quelle gibt, ist von ganz ephemerer Bedeutung; Geschichte und auch Religion spielen in Kleists Werk nur die Rolle poetischer Medien. Wir wissen, daß Kleist mit dem ‚Guiskard' etwas Neues in der Geschichte der Kunst im Sinne hatte, worin aber die „Erfindung" genau bestand, an die er dachte, ist unklar. Die allgemein übliche Formel „Verbindung des antiken und modernen Dramas" ist eben doch sehr allgemein. Wenn man darunter Aktlosigkeit, Konzentration der Handlung und ausgeführte Charakterzeichnung zugleich versteht, so wird dies auch in anderen Dramen Kleists geleistet. Daß der ‚Guiskard' hinsichtlich der Konzentration ein denkbares Optimum geboten hätte, steht allerdings außer Frage. Das Scheitern des Versuchs ist nicht nur ein rein persönliches, sondern ein Unglück in der Geschichte der deutschen Literatur überhaupt. Es ist aber nicht einsichtig, warum dieses Scheitern eines Dramas von geradezu übermenschlicher Qualität als Kern der Kleistschen Lebens- und Künstlertragik angesehen werden muß. Es blieb Kleist wie allen seinen Zeitgenossen schließlich nichts anderes übrig, als seinen eigenen Weg zu gehen und sich von der Abhängigkeit gegenüber zeitlosen Vorbildern mehr oder weniger zu befreien. Daß es Kleist gelang, sich mit den folgenden beiden Lustspielen, die mit Novalis zu sprechen gleichsam nach einem verlorenen Krieg geschrieben sind, aus dem Zusammenbruch wieder emporzuarbeiten und mit der ‚Penthesilea' s e i n e Form der Annäherung und Verwandlung der Antike zu finden, ist vielleicht der größte und kräftigste Schritt in seiner Entwicklung, unbeschadet ihres später ganz andersartigen Fortgangs.

Kleists Umschmelzungen des Molièreschen ‚Amphitryon' und des ‚Ödipus' (im ‚Zerbrochnen Krug') sind zunächst Ausdruck der Bescheidenheit und der gewonnenen Einsicht, daß ihm noch vieles zu lernen blieb. Wieviel er auch damals noch n i c h t lernte, zeigt der Vergleich der handschriftlichen Fassung des ‚Krugs' mit der des Erstdrucks von 1811. Manche krasse Forderung an die seelische Spannweite des Lesers im ‚Amphitryon' mag sich aus Kleists Verfassung nach dem ‚Guiskard'-Zusammenbruch erklären [46].

Die Werdegeschichte des ‚Z e r b r o c h n e n K r u g s' und seine Stellung in der Entwicklung des Dramatikers Kleist sind recht undurchsichtig. Seit Meyer-Benfey sehen wir dieses Stück als eine Transposition des ‚König Ödipus' ins Komische an, wenn dies auch erst ein halbes Jahrhundert später durch Wolfgang Schadewaldt bündig gezeigt wurde [47], der das Verhältnis als „spiegelbildliche Verkehrung" analysierte. Nun würde ein bewußter Versuch, den ‚Ödipus' umzuformen — in einer, wie gegenüber Molière, ganz eigenwüchsigen Weise — recht gut in die „Lehrzeit" nach dem ‚Guiskard'-Zusammenbruch passen. Nur: der ältere ‚Krug', der hierfür als Zeuge gelten könnte, erreicht dieses Ziel

[46] Mehr der Kuriosität halber sei hier eine ganz sonderbare Parallele angeführt. 1801 erschien in Leipzig zur Frühjahrsmesse ein Roman von Franz Horn ‚Guiscardo der Dichter oder das Ideal'. Er ist in loser Form gehalten, enthält eingelegte Sonette und steht nicht nur durch blasse Mignon- und Harfner-Gestalten in überdeutlicher ‚Wilhelm Meister'-Nachfolge. Guiscardo ist eine Flamme, die sich selbst verzehrt. Er leidet an den unheilbaren Gegensätzen von Poesie und Gemeinheit, Genuß und Arbeit, Wort und Tat, Anforderungen der Umwelt und eigenem Trieb und ist unfähig zur Kommunikation. Schließlich zerstört er sich selbst. — Sein Charakter entspricht ganz merkwürdig dem Kleistbild der frühen Kritik. Er ist der Typus des durch innere Krankheit an einem unheilbaren Zwiespalt Leidenden. Er erlebt zutiefst das Nebeneinander von Gefühl und Intellekt und geht schließlich an der Übermacht des eigenen Inneren zugrunde. An eine Beeinflussung Horns ist nicht zu denken.

[47] Der ‚Zerbrochene [!] Krug' von Heinrich von Kleist und Sophokles' ‚König Ödipus', in: Hellas und Hesperien, Zürich und Stuttgart [1960], 843—50. — Meyer-Benfeys einfach ausgesprochene Behauptung wurde von Braig (aaO. 169) aufgegriffen, außerdem von Ayrault (den Schadewaldt nicht kannte) auf eine breitere Basis gestellt.

so wenig, daß man sich fragen muß, ob Kleist es immer so klar erstrebte. Über die endgültige Fassung von 1810/11, die den angestellten Vergleichen immer zugrunde liegt, sagt Kleist nur, „es ist nach dem Tenier gearbeitet" (II, 260). Damit ist die äußere Gewandung angesprochen, aber nichts über die Gründe für die Kürzung ausgesagt. Sie mag auch nüchternen praktischen Erwägungen zuzuschreiben sein. Ebensogut ist es möglich, daß die straffere reziproke Analogie zum ‚Ödipus', die nun entstand, in dieser Form auch jetzt erst beabsichtigt wurde. Allerdings spielt die nur in der Hs. (die Kleist für den Druck nicht vorlag) erhaltene Vorrede bereits auf den ‚Ödipus' an, so daß die Analogie in nuce schon gegeben war. Jedenfalls hat Kleist jene Metamorphose des griechischen Dramas erst am Ende seines dramatischen Schaffens gefunden. — Hans M. Wolff hat die Ansicht geäußert, daß der ‚Variant' eine ganz andere Fassung des Dramas voraussetzte [48]; eine unhaltbare Behauptung, wenn man die Handschrift vergleicht, die Wolff gar nicht kannte. Das Drama — mit dem ‚Variant' als vorletzter Szene — ist (in H) eine andere Fassung. In die Ursprünge des Werks gelangen wir auf keinem Wege zurück. Keinesfalls ist die ‚Krug'-Schilderung mit Meyer-Benfey „als eine Art komisches Heldengedicht" [49] und als Urfassung anzusehen, denn was hat sie mit der Bildvorlage, in jeder ihrer denkbaren Auslegungen, zu schaffen? Anderseits muß Kleist schon aus der Schweiz die wesentlichen Umrisse eines dramatischen Planes mitgebracht haben, sonst hätte er nicht im Sommer 1803 Pfuel den Anfang des Stückes diktieren können; der Anfang bietet aber die Exposition und im Grunde die Klarlegung des ganzen Falles, der zur Verhandlung kommen soll.

Die Frage nach dem Verhältnis beider Fassungen zueinander ist zunächst keine Wertfrage. Will man eine solche stellen, so beweist nicht zuletzt Gundolfs Analyse ex negativo, d. h. trotz ihrer ganz anderen Absicht, welcher Wert der endgültigen Fassung zukommt. Die Bildvorlage hatte Kleist, als er die im Druck fortgelassene ‚Vorrede' [50] schrieb, entweder in Einzelheiten aus dem Gedächtnis verloren oder längst im Geiste im Hinblick auf sein Drama umgemodelt. Das zeigt gerade die (schon in H teilweise wieder getilgte) Anspielung auf Sophokles, denn das Bild von Debucourt-Le Veau läßt ganz andere, keinesfalls diese Auslegungen zu.

---

[48] aaO. 165 f.

[49] Drama I, 485.

[50] Schmidt IV, 318. — Sembdner hat die Vorrede wieder in den Text aufgenommen (Bd. I, 176).

Es ist, was das delikate „Delictum" betrifft, auf das u. a. mit der Namensbeziehung Adam und Eve angespielt wird, noch an eine weitere Bildvorlage zu denken, an ‚La cruche cassée' von Greuze, ein Bild, das Kleist vermutlich kannte [51]. Zum Charakter des Lustspiels gehört aber, daß eben dies „Delictum" nicht geschehen ist, zumal in der niederländischen Atmosphäre des Stücks keine Möglichkeit zu einer Apotheose wie im ‚Amphitryon' bestand.

Wird das Motiv einer Verführung Eves nur umspielt, so verdeutlicht ein anderes Motiv das gegensätzliche Aufeinanderbezogensein von ‚Amphitryon' und der Urfassung des ‚Krugs'. Es ist das Motiv des Vertrauens. Der endgültigen Gestalt des Werks steht in der Urfassung ein ganz anders gewendeter zweiter Teil gegenüber (im jetzigen ‚Variant'). In gewisser Weise sind hier die Gewichte sogar gleichmäßiger verteilt, da Eve viel stärker Gegenspielerin Walters war und so eigentlich mehr n e b e n Adam trat. Das breitausgespielte Vertrauensmotiv (zwischen Walter und Eve), das auch noch die Problematik des Verhältnisses von Individuum und Staat, ja sogar wohl zeitgeschichtliche Anspielungen hineinbringt, erforderte zu seiner Darstellung eine nochmalige Erzählung der gesamten längst aufgeklärten Ereignisse. Das war einerseits unökonomisch, bot Kleist aber anderseits wieder Gelegenheit, eine seiner Lieblingstechniken, das die positive Lösung steigernde, mit einem „Quälen" der zu verherrlichenden Figur verbundene Hinauszögern des Schlusses anzubringen. Daß beides fortfiel, erlaubt die Folgerung, daß Kleist sich 1811 erstens den Erfordernissen des Theaters stellte, daß ihm zweitens aber erst jetzt eine wahre Assimilation des griechischen Dramas gelang; es weist ferner auf seinen gewachsenen Sinn für die Ökonomie des Dramas. Das zeigt der weitgehende Fortfall des Hinauszögerns am Schluß, eine Entwicklung, die sich schon in der ‚Hermannsschlacht' und im ‚Homburg' angebahnt hatte, wo diese Technik jedoch keineswegs fehlt. Die Verkürzung im ‚Krug' 1810/11 stellt die späteste Stufe dieser Entwicklung dar. Eine Beschreibung des dramatischen Aufbaus im ‚Krug' muß sich also immer vor Augen halten, daß sie es im Grunde mit Kleists letztem Drama zu tun hat.

Der ‚Zerbrochne Krug' ist wie kaum ein anderes Kleistsches Bühnenwerk Lesedrama. Seine Komik beruht weitgehend auf dem Wortwitz. Indirekt meinte das auch Goethe, wenn er zu Falk äußerte, „daß es dem übrigens geistreichen und humoristischen Stoffe an einer rasch durchgeführten

[51] Es stammt aus dem Besitz der Gräfin Dubarry und befand sich schon viele Jahre im Louvre, als Kleist nach Paris kam.

Handlung fehlt“ (LS 251). Nur vermißt man bei dieser Kennzeichnung die positive Gegenseite, nämlich die, daß sich das „Geschehen“ rein im sprachlichen Bereich vollzieht, da alles Geschehen als Bericht erscheint. Diesem Griff zur Komik in der sprachlichen Sphäre kam die Wahl des niederländischen Milieus, sicher durch die Malerei der Niederländer angeregt, glücklich entgegen. Die stationäre Prozeßform bietet nur ein Minimum an Handlung. Diesem Mangel — vom bühnentechnischen Standpunkt betrachtet — kann auch durch Kürzungen nicht abgeholfen werden, da das Wesentliche dieses Stücks nun einmal in seiner Sprache liegt. Im Grunde unterscheidet sich der ‚Krug‘ hierin nur wenig von der ‚Familie Schroffenstein‘ (man denke an die Ermordung Jeronimos) und von der ‚Penthesilea‘, deren eindrucksvollste Partien die Berichte sind. Im ‚Amphitryon‘ geht das Überwiegen des szenischen Elements aufs Konto Molières. Die Kleistsche Hinzudichtung geht gerade in die andere Richtung. Daß auch der ‚Guiskard‘ auf dieser Linie geblieben wäre, lassen die ersten Szenen nur vermuten.

Die Bereitstellung des ganzen für die weitere Entwicklung nötigen Materials erfolgt in den ersten drei Szenen; alles Weitere besteht in seiner Entfaltung. Es wird nur das Verhalten der Betroffenen gegenüber der Situation, wie sie am Morgen des Gerichtstags besteht, gezeigt. Dies bezieht sich aber nur auf die um Adam zentrierte Haupthandlung. Die auf Eve bezogene Nebenhandlung besaß in der Urfassung ein ganz anderes Gewicht, da sie im ‚Variant‘, der ein Fünftel des ursprünglichen Umfangs ausmachte, breit ausgeführt wurde, und zwar nach Adams Abtreten von der Bühne. Das Vertrauensmotiv, einmal im menschlich-unmittelbaren Bereich (Ruprecht) und dann innerhalb der staatlichen Ordnung (repräsentiert durch Walter), fand nur im Lustspiel eine positive Lösung; ‚Hermannsschlacht‘ und ‚Homburg‘ stellen später hierin eine ganz neue Stufe dar. Das Gleichgewicht zwischen Haupt- und Nebenhandlung in der Urfassung sprengte aber in Wahrheit die Einheit des Stückes. Erst durch die weitgehende Aufgabe des Nebenmotivs, das in der Eve-Handlung fast gleichgewichtig neben die Haupthandlung um Richter Adam trat, wurden die jetzigen Proportionen hergestellt.

Damit sei jedoch keineswegs gesagt, daß die Nebenhandlung weniger wichtig wäre, vielmehr fiele das Stück ohne sie ganz auseinander. Sie bildet das eigentliche Movens für alle Geschehnisse um Adam, nur durch ihre Tendenz zur Aufhellung des wahren Sachverhalts wird auch die groteske Selbstverteidigung des schuldigen Richters schließlich zum Zusammenbruch getrieben. Den äußeren Rahmen für diese beiden ineinandergewebten Handlungen gibt die gleichfalls darein verflochtene ,Krug'-Geschichte ab, die am Ende den Schlußpunkt setzt. Im ganzen hat Kleist also drei Handlungsstränge ineinandergearbeitet.

Nach der Exposition, die spätestens mit der Traumvorausdeutung der dritten Szene abgeschlossen ist, geht es in den nächsten drei Szenen zunächst steil bergab mit Adam. Der erste Schlag gegen ihn ist Walters Ankunft, der zweite die fehlende Perücke, der dritte das Auftreten der Parteien. Die folgenden drei Szenen bringen ihn dagegen wieder empor: die Aussagen Marthes und Ruprechts in der 7. Szene wehrt er noch ab, obwohl er sehr wohl weiß, wie es um ihn steht und, als äußeres Zeichen, in der 8. nach Wasser ruft. In der 9. aber entwickelt sich die Verwirrung der Lage zu seinen Gunsten. Sein Vorschlag zum Vergleich leitet eine positive Hemmung des Ablaufs ein. Dieser Trugschluß beruht auf der Vielzahl von Argumenten, darunter das scheinbare Komplott zwischen Ruprecht und Eve. Die Fermate im Gesamtrhythmus des dramatischen Ablaufs bildet das Frühstück in der 10. Szene. Wir finden hier den rhythmischen Stau wieder, den Beißner als Grundfigur der Kleistschen Kunstprosa ermittelt hat. Er setzt nach gut zwei Dritteln der Gesamtlänge ein. Man muß, um die Bedeutung der Endfassung richtig einzuschätzen, dabei bedenken, daß er ursprünglich etwa in der Mitte lag und somit der Gesamtaufbau die Kleistsche Physiognomie des Rhythmus noch nicht zeigte. Die Katastrophe nimmt dann ungefähr das letzte Viertel des Dramas ein und gewinnt durch den voraufliegenden Ruhepunkt eine um so stärkere Präzipitation. Die drei Handlungen finden in der Reihenfolge, in der sie eingefügt wurden, ihre Auflösung: erst flieht Adam, dann löst sich die Nebenhandlung um Eve, schließlich kehrt, in der 13. Szene, Frau Marthe wieder zu ihrer Klage zurück [52].

Ayrault hat für den ,Amphitryon' die Formel geprägt: „Kleist à l'école de Molière". Dabei darf man nicht übersehen, wie das Molièresche Stück in der Hand des Bearbeiters — von Übersetzer kann nur stellenweise die Rede sein — sogleich aus den Fugen geriet. Kleist strich zunächst den exponierenden Prolog. Das glatte Theaterhandwerk Molières konnte er nicht brauchen, zumal seine Ausgestaltung der Alkmene-Figur eine allzu klare Erörterung des Sachverhalts nicht vertrug. Sie bedurfte einer Aura des Geheimnisses, die auch am Schluß nicht völlig

---

[52] Nur nebenbei sei bemerkt, daß der ,Krug' viele Vorausdeutungen enthält: vgl. Vs. 410 f., 500, 549, 1069 und 1092. Kleist ist bemüht, keine Spannung in der Sache aufkommen zu lassen. Alles Interesse ist damit auf das Wie der Auflösung verlegt.

von ihr genommen wird. So vertritt der Eingangsmonolog des Sosias die Exposition. Das Fehlende wird von Jupiter und Merkur in den folgenden Szenen nachgeholt. Damit ist das Geschehen für den Zuschauer schnell überschaubar, wie es Kleists Gewohnheit ist. Nur Alkmene und Amphitryon bleiben bis zum Schluß im Ungewissen über die wahren Vorgänge. — Auch hier wieder das Verfahren, in den ersten beiden Akten die beiden Hauptparteien nacheinander vorzuführen. Einer der Hauptstreitpunkte in der ‚Amphitryon'-Deutung ist das Verhältnis der „tragischen" und „komischen" Partien zueinander. Es ist keine Frage, daß sie weit auseinanderklaffen, aber sie sind von Kleist bewußt aufeinander bezogen, wie gleich die Szene I, 5 lehrt, die die 4. komisch spiegelt. Die Spannweite zwischen beiden Sphären verlangt besonders dem Zuschauer im Theater viel ab.

Der II. Akt stürzt alle Beteiligten in Verwirrung, zuletzt auch Jupiter [53]. Alkmene geriet religiös in Schuld und beschwor damit erst das Kommen Jupiters herauf. Jupiter zeigt sich schließlich einverstanden und versöhnt mit Alkmenes Haltung (1569 ff.). Der ganze Akt macht ungefähr die Hälfte des Stückes aus. Das geht auf die hinzugedichtete Szene II, 5 zurück, die die Gewichtsverlagerung gegenüber Molière genugsam verdeutlicht. — Im III. Akt ist alles auf die Führungsrolle Jupiters angelegt. In komischer Ironie stellt sich nun Sosias (als erster) zu ihm, und Amphitryon, noch komischer, fällt ausgerechnet Sosias „in die Arme" (in 2187). Der Akt zeigt jedoch in Vorausdeutungen schon die endgültige Lösung an. Zunächst kehrt sich Alkmene von Jupiter ab:

> Eh' will ich meiner Gruft, als diesen Busen,
> Solang' er atmet, deinem Bette nahn. (1331 f.)

und schließlich nimmt Jupiter die Schlußapotheose vorweg:

> . . . , ich neide Tyndarus,
> Und wünsche Söhne mir, wie Tyndariden. (1354 f.)

— was die Verse 2332 ff. antizipiert. Auch sonst gibt es Korrespondenzen, so die szenenschließenden Reime II, 5 und II, 6, die ironisch aufeinander bezogen sind, und dann das zweifache „Ach" der Alkmene (507 und 2362), denn mit jedem der beiden kehrt sie zu Amphitryon, dem Gatten, zurück.

Der Schluß des Stückes zeigt wieder jenes Charakteristikum der Dramen Kleists, die Verstärkung der Apotheose durch ein Hinauszögern,

[53] Vgl. Vs. 1512: „Verflucht der Wahn, der mich hierher gelockt!" und 1287 ff.

durch ein „Quälen" der Hauptbeteiligten, hier des „entamphitryonisierten" Amphitryon und der zur Entscheidung aufgerufenen Alkmene. Aber Amphitryon wird nur zur Anerkenntnis des Göttlichen gezwungen, und alles dient letztlich der Verherrlichung von Alkmenes Treue. Die Spannweite der beiden Sphären ist gerade in der Schlußszene besonders ausgekostet, in der sie am schroffsten ineinandergearbeitet sind. Das Nebeneinander drastischer Komik und herzzerreißenden Jammers nimmt im Grunde bereits die gewaltige Spannweite („Nachtigallenlaut" und „Tiger") der Penthesilea-Gestalt vorweg. Damit sind alle Gattungsgrenzen gesprengt, auch die Kompromißformel „Tragikomödie", schon bei Plautus eine Ausflucht, versagt hier.

Der Plan des Stückes gehört im Prinzip Molière. Doch hat Kleist durch die Streichung des Prologs und vor allem durch die hinzugefügte Szene II, 5 stark in den Bauplan eingegriffen. Die hinzugedichtete Szene beginnt kurz nach der Mitte und erzeugt eine gewaltige Stauung. Durch diese Unterbrechung des glatten Flusses hat Kleist die für ihn typische Rhythmisierung des Gesamtablaufs hergestellt, die wir auch in den anderen Dramen antreffen. So zeigen sich seine Hand und sein Eigenes — neben der sprachlichen Umsetzung — auch im Aufbau. Der ganze Ton des Stückes ist verändert und nach zwei Richtungen hin erweitert worden. Einmal durch die größere Derbheit und Drastik der komischen Partien und dann durch die Heroisierung der höheren Sphäre, die wir nicht als eine tragische bezeichnen können. Die Schlußapotheose fängt die Tragik wieder auf, wenngleich Kleists eigene Bezeichnung „Ein Lustspiel nach Molière" für die Poetik immer ein Ärgernis bleiben wird. — Es war Einsicht in die allgemeinen Gesetze des Dramas, die Kleist nach dem Versuch, ein Werk nach eigenen Formprinzipien schaffen zu wollen, auch nach dem Rückhalt bei Molière greifen ließ, um in einer Metamorphose von dessen Schöpfung die eigenen Kräfte zu erproben. In diesem Sinne, nicht in dem abwertenden der älteren Forschung, darf der ‚Amphitryon' durchaus als ein „Übungsstück" gelten.

Wenn wir uns vergegenwärtigen, daß Kleist 1802 die ‚Familie Schroffenstein' schrieb, 1805 den ‚Krug' und 1806 den ‚Amphitryon' abschloß, 1808 den ‚Guiskard' noch einmal aufgriff und 1810 den ‚Krug', so wird die außerordentlich enge Verflochtenheit seines dramatischen Schaffens deutlich. Alle vier Stücke rühren in ihren Anfängen aus der Schweizer Zeit [54]. Man sieht also, wie lange sich Kleist mit seinen Plänen trug,

[54] Die Anregung zum ‚Amphitryon' durch Zschokke bleibt dabei immer Vermutung.

ferner, daß er oft lange Zeit bis zu ihrer Inangriffnahme brauchte. Die ‚Familie Schroffenstein' steht ihrer Form nach etwas für sich, mit ‚Amphitryon' und ‚Krug' ist sie verbunden durch das Vertrauensproblem und das des Trugs der Wirklichkeit. ‚Guiskard' und ‚Krug' verbindet — über acht Jahre hin — die Anlehnung an das antike Drama, beide mit dem ‚Amphitryon' die Umwandlung eines Vorbildes überhaupt. Mit den ersten dichterischen Ideen aus den Schweizer Anfängen hat sich Kleist in vielen Verwandlungen während seines ganzen Schaffens getragen. Mit diesen ersten vier Dramen Kleists haben wir eine erste Schicht seines Gesamtschaffens freigelegt, die von einer Reihe weiterer überlagert wird. Eine Abfolge läßt sich dabei eher im Einsetzen der einzelnen Schichten feststellen. — Kleist geht in dieser ersten Schicht anfänglich weitgehend von selbsterfundenen Formprinzipien aus. In der „Erfindung" des ‚Guiskard' steckt ein geradezu titanischer Wille, eine Form selbst zu schaffen. ‚Amphitryon' und ‚Krug' sind selbständige Metamorphosen großer Vorbilder. Sie fallen in eine Zeit bewußten Lernens nach dem Zusammenbruch über dem ‚Guiskard'. Kleists nüchterne Feststellung: „Auch muß ich mich im Mechanischen verbessern, an Übung zunehmen, und in kürzern Zeiten, besseres liefern lernen" (II, 153) spiegelt treulich seine Einstellung zu den Problemen der dramatischen Form in der Königsberger Zeit. Jedoch muß die endgültige Gestalt des ‚Krugs' aus diesem Zeitraum und dem bewußten In-die-Schule-gehen herausgenommen werden. Die große fruchtbare Begegnung zwischen dem Dramatiker Kleist und Sophokles gelang erst 1810, in der ‚Abendblätter'-Zeit. Als ein besonderer Schritt in Kleists Entwicklung muß aber auch die Wiederaufnahme des ‚Guiskard' nach so langer Pause in Dresden 1807/08 angesehen werden. In Königsberg war Kleist relativer Resignation verfallen, relativ, weil die Resignation mit kühler Besinnung auf die eigenen Fähigkeiten gepaart war. Er schrieb von dort: „Meine Vorstellung von meiner Fähigkeit ist nur noch der Schatten von jener ehemaligen in Dresden" (II, 152), d. h. von der Zeit, in der der ‚Guiskard' ihn am meisten beschäftigte. Wenn Kleist sich dann in der zweiten Dresdner Zeit 1807 dem ‚Guiskard' wieder zuwendet, so drückt das ein Erstarken seines künstlerischen Selbstbewußtseins aus, aber auch einfach die Gewißheit seiner gewachsenen dichterischen Kräfte. Um so schwerwiegender müssen die Beweggründe für das Verlassen dieses Weges Mitte 1808 gewesen sein.

Die Form der ‚Penthesilea' ist auf dem Boden der bisherigen Versuche erwachsen, insofern als sie den geradlinigen, oder besser gesagt:

rhythmischen Ablauf von ‚Guiskard' und ‚Krug' mit dem zweiflügeligen Aufbau des ‚Schroffenstein'-Dramas verbindet. Damit ist eine neue Stufe, zum erstenmal eine durch und durch eigene Form erreicht. Es wäre nicht richtig, die gehaltliche Deutung von Kleists Selbstaussage her „der ganze Schmutz zugleich und Glanz meiner Seele" zu beginnen [55]. Kleist geht mit dieser Formulierung sehr auf seine Cousine ein, die wohl Mühe hatte, sich mit der Kraßheit des Stoffes abzufinden, wenn er sie mit dem Satz nicht geradezu zitiert. Richtig ist, daß Penthesileas Weg der eines maßlosen und selbstzerstörerischen Ehrgeizes ist. Insofern mag sehr wohl Kleists „ganzes Wesen", auch im Hinblick auf das ‚Guiskard'-Streben, das hier sein Symbol fand, in dem Drama liegen.

Die Betrachtung muß bei der Urfassung (h) einsetzen [56]. Ihr bedeutsamstes Merkmal sind die gegenüber der Endfassung fehlenden Partien, an denen sich die eigenen Züge dieser Fassung am ehesten sichtbar machen lassen. Die Umarbeitung der schon bestehenden Partien bringt keinerlei Milderung, vielmehr auf der ganzen Linie eine ausdrucksmäßige Steigerung und eine Verschärfung der Konflikte und Kontraste. Zunächst ist eine größere Derbheit wahrzunehmen [57], dann eine zunehmende Erotisierung [58], schließlich, damit eng verbunden, eine größere Ausdehnung der Jagdmetaphorik [59]. Kleist hat aber auch Eingriffe in den Bau vorgenommen. Sie bestehen in Vorausdeutungen, die der inneren Verzahnung dienen [60], dann in einer bewußten Verrätselung Penthesileas im ersten Drittel des Dramas [61]. Daneben gibt es in E aber auch größere Eingriffe. Im 7. Auftritt fehlen in h die Vss. 1056—1113, statt ihrer hieß es dort nur:

> Nacht wieder des Gewitters deckt die Flur,
> Ihr Tempelfrauen; man kann nicht unterscheiden.
> Die Wolken sinken, wie ein Schleyer, nieder,

---

[55] Die zweifelsfrei richtige Lesung zuerst bei Sembdner, Geschichte meiner Seele ..., aaO. 328. Seine Aufteilung des Briefes 116 ist allerdings unbegründet.

[56] Sie ist anhand der unübersichtlichen Lesarten bei Schmidt kaum rekonstruierbar, ebensowenig mit Hilfe der bruchstückhaften Varianten, die Sembdner mitteilt. Ich zitiere nach dem Neudruck von Charlotte Bühler.

[57] Vgl. Vs. 401 „Köter" statt „schlechte Hunde".

[58] Vgl. u. a. Vs. 396 („inbrünstiglich"). 590 ff. („Lust" und „Bett der Schlacht"). 825—28. 1173 („üpp'gen Glieder"). 2991—99 (in ein Gleichnis umgesetzt).

[59] Vgl. Vs. 256—60. 796—802. 2641—44.

[60] Vgl. Vs. 614. 1032.

[61] In h steht in Vs. 76 „verwirrt". Vgl. ferner 546—54. 721—25. 983 (in h war von Aphrodite und Amor die Rede).

Ein Anblick, schauerlich Geheimniß voll,
Als ob ein Werk des Orkus sich vollbrächte.

Die zweite Priesterinn

Seht, Seht! wie jene Jungfrau dort heraneilt.

Die Erweiterung mit dem neuen Abschluß führt die alte Szene in ihrer kontrapunktischen Doppellinigkeit weiter; h hatte die Vorgänge im Dunkel gelassen. Nun wird das Geschehen ins Licht gestellt, das Treffen berichtet. Der Zusammenstoß zweier Sterne versinnbildlicht das Aufeinandertreffen von Achill und Penthesilea. Daneben kommt aber in der kontrapunktischen zweiten Stimme, dem Bericht über die vorhergehenden Ereignisse, Penthesileas wahnsinnige Liebesverstrickung zum Vorschein. — Im 9. Auftritt fehlen in h die Vss. 1238—1365 bis auf die Erwähnung eines möglichen Rückzuges. Völlig neu tritt das Motiv von Penthesileas Beschämung als Frau hinzu, das bei der Herausforderung durch Achill in den wichtigen Vss. 2384 ff. wiederkehrt. Sie ergibt sich nun in ihr Schicksal als in das einer Gescheiterten. Damit ist der Umstand schlüssiger motiviert, daß sie den Griechen in die Hände fallen kann. In E spricht sie den Wunsch zu sterben selbst aus, in h sprach an dieser Stelle Prothoe Sätze der Begütigung. Alles dies unterstreicht in E Penthesileas gänzliche Verzweiflung. Die Herausarbeitung der Bedeutung von „Herz“ 1280 f. und die hinzugetretene Partie Vss. 1370—79 zeigen Penthesileas Selbstübersteigerung. Ihr Zusammenbruch wird so zugleich hinausgezögert und motiviert.

Die weiteren auf der gleichen Linie liegenden Hinzudichtungen betreffen vor allem das Gespräch zwischen Achill und Penthesilea, das eine verzögernde Pause bewirkt. Die Erweiterung Vss. 1499—1508 mit Prothoes Bitte um Schonung und Achills hinzugekommenes Geständnis seiner Liebe (1513—37) sind miteinander gekoppelt, denn sie leiten die unheilvolle Täuschung ein. Der Unterschied beider Fassungen ermißt sich erst an all diesen Verdeutlichungen und Herausstellungen des inneren Vorgangs in Penthesilea. Nach der gelungenen Täuschung wird sie in den neu hinzugekommenen Versen mehr und mehr wieder Amazone [62]. Betont wird aber auch, wie sich Achill und Penthesilea auseinanderbewegen, zunächst in Achills Frage:

Und auch mich denkst du also zu entlassen? [63]

---

[62] Vgl. die Vss. 1573—81 und 1830—76.

[63] Vs. 2090. — Vgl. die ganze in Frage kommende Partie 2083—98, die neu hinzutrat.

und dann auf der Gegenseite in der Betonung des Gesetzes Vss. 2144—50. — Ein letzter Zusatz ist schließlich noch Penthesileas Wunsch, unter das Amazonengesetz zurückzukehren (2737 f.). — Diese Erweiterungen in E zeigen folgendes: in ihrem Zusammenbruch im 9. Auftritt wird Penthesilea von der Amazone zur Frau, im 13./14. Auftritt unterliegt sie einer Täuschung, im 14./15. wird sie mit ihrer äußerlichen Wiederherstellung wieder zur Amazone. Gleichzeitig gerät Achill in die Verstrickung des Amazonengesetzes, dessen wahnwitziger Erfüllung er schließlich zum Opfer fällt. Im 24. Auftritt endlich wird klar, daß für Penthesilea keine Rückkehr mehr möglich ist. Alle diese Befunde des Fassungsvergleichs zeigen den sehr kargen und rätselvollen Charakter der Urfassung [64].

Die ‚Penthesilea' ist in unmittelbarer Nachbarschaft mit Goethes ‚Achilleis' entstanden [65], die Herausgeber des ‚Phöbus' bemühten sich sogar, letztere abdrucken zu können [66]. Um so stärker fällt ins Auge, wie wenig die ‚Penthesilea' in der Tradition des deutschen Hellenismus der Goethezeit steht, ein Umstand, dessen sich Kleist und sein Umkreis sehr wohl bewußt waren (LS 226, S. 161). Auf der anderen Seite folgt die ‚Penthesilea' (wie der ‚Krug') im Äußerlichen dem antiken Drama mit seiner fehlenden Akteinteilung viel radikaler. Die innere Verwandtschaft ist jedoch nicht eben groß, fehlt doch den Kleistschen Dramen die Gliederung durch die Stasima. Am ehesten bietet sich zur Charakterisierung des allgemeinen Ablaufs der Saransche Begriff der „Wellenhandlung" an. Dieser wurde angewendet auf Dramen der Empfindsamkeit und des Sturm und Drang, die als Vergleichsbeispiele dienen können [67], nur daß sich das Kleistsche Drama nicht auf die Bewegung von Stimmungen reduzieren läßt, dafür enthält es zuviel — wenn auch lediglich berichtetes — Geschehen. Gerade die Form des Berichts aber, der durch seine Transponierung des Geschehens in die Sprache eine Ten-

---

[64] Es sei noch angemerkt, daß in den Vss. 1809 ff., bes. in 1812 („Wie nenn' ich dich ..."), kein Relikt einer vordergründigen Erkennungsszene aus einer anderen Fassung vorliegt. Besonders als Ergriffenheitsformel kommt diese Wendung bei Kleist öfter vor, vgl. Käth. 212, 6 und 306, 15. Ho. 1763. ‚Todeslitanei' VII, 59; auch Briefe II, 87. — Es ist eine sprachliche Formel des Außersichseins.

[65] Die Arbeit an der ‚Achilleis' wurde seit 1805 für den 1808 erschienenen 10. Band der ‚Werke' (Cotta 1806—10, in 13 Bänden) weitergetrieben.

[66] Die ‚Phöbus'-Herausgeber wußten von der Existenz der ‚Achilleis', wie Rühles Vorstoß (LS 221) zeigt.

[67] Vgl. Hermann Dollinger, Die dramatische Handlung in Klopstocks ‚Der Tod Adams' und Gerstenbergs ‚Ugolino', Halle 1930.

denz zur Verinnerlichung und ausdrucksmäßigen Steigerung in sich trägt, nähert Kleists Drama dem empfindsamen an, etwa Klopstocks ‚Hermann'-Trilogie. Die Verkennung dieser Strukturgesetze des empfindsamen Dramas ließ die Interpreten häufig konstatieren, daß auch die ‚Penthesilea' eigentlich „undramatisch" sei [68], doch hat Kleist dafür gesorgt, daß sein äußerlich so undramatisches Werk mit ganz eigenen Mitteln eine, wenn auch singuläre, dramatische Form bekam.

Zunächst der Aufbau im Großen. In zweimal vier Auftritten werden nacheinander die Griechen und dann die Amazonen gezeigt. Damit wird Penthesilea zunächst in einer Spiegelung eingeführt. Zwei Fünftel des Dramas laufen ab, bis Achill und Penthesilea aufeinandertreffen. Das zeigt, wie große Bedeutung Kleist dieser Spiegelungstechnik, die Wolfgang von Einsiedel analysiert hat [69], beimaß. Von der folgenden Übergangspartie (9. bis 13. Auftritt) nimmt der 9. Auftritt, rein auf Penthesilea bezogen, den größten Raum ein. Die äußere Handlung wird rasch, beinahe hastig, abgetan. Dann, in der Mitte des Dramas, beginnt der große Ruhepunkt des 14. und 15. Auftritts, der den gewaltigen rhythmischen Stau erzeugt; beide Auftritte machen zusammen fast ein Viertel des ganzen Dramas aus. Die katastrophale Auflösung erfolgt in einem letzten Abschnitt, wieder etwa ein gutes Viertel der Gesamtlänge. Der Gesamtrhythmus des Aufbaus ähnelt stark dem des ‚Zerbrochnen Krugs' in der Buchfassung. Eine eigentliche Exposition fehlt, das Rätsel Penthesilea, das die ersten acht Auftritte hinstellen, wird erst im 14. und 15. einigermaßen gelöst; im Grunde wird die Aufhellung des Rätsels bis in den Schluß hineingezogen. Der Einsatz des Dramas ohne Angabe der Voraussetzungen verschafft dem Ablauf dabei eine bedeutende Präzipitation [70].

Angesichts dieses verschränkten Aufbaus mußte Kleist auf eine Stabilisierung des inneren Gefüges bedacht sein. Diese Aufgabe übernehmen die Bilder, die in ihrem Verweisungscharakter strukturbildende Funktion besitzen. Außerdem gehören auch unbildliche Verknüpfungen und Vorausdeutungen hierher. Da ihrem ganzen engverwobenen Geflecht hier

---

68 Vgl. Erich Schmidts Einleitung, Bd. II, 15: „... eine reichlich mit undramatischen Behelfen arbeitende Komposition, ganz abgesehn von Penthesileas großem Bericht über das Frauenreich und ihren Feldzug."

69 Die dramatische Charaktergestaltung bei Heinrich von Kleist, besonders in seiner ‚Penthesilea', Berlin 1931.

70 Das Fragment im ‚Phöbus' konnte mit Recht „organisch" heißen, da es, unter Weglassung der Katastrophe, fast alle Knotenstellen des Ganzen herausgriff.

nicht nachgegangen werden kann, sei wenigstens auf einige Hauptpunkte verwiesen. — Die Bilderfülle der ‚Penthesilea ist nicht einfach eine Form gesteigerten Ausdrucks, sondern die Bilder dienen der Sinndeutung des Geschehens. Analoge Funktion hat im ‚Krug‘ die Wortkomik, die auch auf ihre Weise das Geschehen sprachlich einfängt.

Bei der Bildlichkeit fällt die wechselseitige Verschränkung von Kampf- und Jagdmetaphorik mit erotischen Vorstellungen auf. Zunächst sind die Tiermetaphern zu erwähnen [71]. E fügt gegenüber h schon Vs. 258 bei Achills erster Flucht vor Penthesilea das Adverb „scheu“ ein, so auf das Bild des fliehenden Rehs bei Achills letzter Flucht vorausweisend (2626 ff.). Auch die Jagdbilder gehören hierher. So kann Penthesilea einer Wölfin (163 ff.), Achill einer Dogge (213) verglichen werden. Kampf und Erotik vermischen sich [72]. Als Vorausdeutung sind die Pfeile als Brautwerber anzusehen (596 ff.), ebenso — eine tragische Ironie — Achills Absicht, Penthesilea, „die Stirn bekränzt mit Todeswunden“ (614), hinter seinem Wagen herzuschleifen. Das deutet sowohl auf seine spätere Bekränzung wie auf sein Ende (2907 ff.). Aus dem gleichen Vorstellungsbereich stammt auch die Klage der gefangenen Griechen, daß sie wie Opfertiere gehalten würden (981 f.). — Daneben gibt es viele Bilder der Bewegung und Kraft. Relativ einfach der „Sturmwind“ (35 ff.), wichtig aber die Zusammenstellung von Feuer und Wasser (127 ff.), die sich auch zum Gewitterbild verdichtet (246 ff. und 496), am innigsten verschmolzen in dem Worte „Donnersturz“ (637). — Während Penthesilea abwechselnd als Sphinx, Megäre und Mänade bezeichnet, dann aber auch mit der Nachtigall verglichen werden kann, ist Achill ganz eindeutig ein festumrissener Bildkreis zugeordnet: Sonne und Licht [73]. Damit ist er sowohl die strahlende Erscheinung wie auch das Symbol eines unerreichbaren Ziels für Penthesilea. Ein letzter bedeutsamer Bildkreis ist Abgrund und Höhe, und zwar als Symbol scheiternden Absturzes wie des Strebens nach einem Ziel. So stürzt Achill auf der Flucht v o r dem Abgrund (266 ff.), während Penthesilea die Felswand hinaufblickt (282 ff.) und zu erklimmen versucht. Ihr Sturz von der Felswand (325 ff.) ist eine Vorausdeutung [74]. Diese Bilder, von denen nur ein Ausschnitt genannt werden konnte, durchwalten

[71] Vs. 5 (Wölfe). 799 und 2666 ff. (Löwin).

[72] Vgl. etwa Vs. 590 ff. und 851.

[73] Vgl. Vs. 368 f. 419 f. 631. 1033 ff. 1059 ff. 1320 ff. 1385. 1787. 2207.

[74] Auch der Hyperbolismus des Aufeinandertürmens der Weltgebirge (1375 f.) gehört hierher, wie die einfache Wendung „zu hoch“ in 1341.

das ganze Drama und geben ihm inneren Zusammenhalt. Kleist läßt in ‚Penthesilea' das härteste Aufeinanderprallen gegensätzlicher Töne wirken, auch da, wo in musikalischer Weise ein vorher gegebenes Motiv aufgegriffen wird, wie etwa bei der Szene der Rosenjungfrauen. Dabei sucht er bisweilen die Gegensätze auch ineinander zu verschmelzen [75].

Die schon erwähnten Berichte bringen, wie im ‚Krug', ein starkes „episches" Element in die Dichtung. Es handelt sich um eine Frage der Darstellungstechnik, denn die Berichte selbst sind vollkommen dramatisch. Auch Unwahrscheinlichkeiten werden in Kauf genommen, um nicht bloßes Geschehen auf die Szene bringen zu müssen. Das beste Beispiel hierfür bieten der 14. und 15. Auftritt. Wäre nicht von vornherein durch Penthesileas Täuschung ein unheimliches Gefühl im Leser erregt, würde es sich um eine völlig aus dem Rahmen fallende Szene handeln. So aber ist eine Spannung erzeugt, die sich nur verstärkt, je weiter sich die scheinhafte Idylle beruhigt. — Die ‚Penthesilea' besitzt gar keine dramatische Struktur im gebräuchlichen Sinne, Handlung fehlt fast ganz. Es handelt sich um eine Form sui generis. Sie geht in der Entschiedenheit des Ausdruckswillens und der Erfindung von keiner Konvention gebundener Form weit über alles hinaus, was Kleist bis dahin geschaffen hatte. Das zeigt auch die Sorglosigkeit, mit der Kleist mit allen Requisiten umspringt, sein Drama in einem ganz ahistorischen Niemandsland ansiedelnd.

Erich Schmidt nannte das ‚K ä t h c h e n v o n H e i l b r o n n' noch „ein ... für Hoch und Niedrig, Alt und Jung mundgerechtes Volksschauspiel" [76], Tiecks Charakteristik aufgreifend. Für uns kommt heute das ‚Käthchen' aus ebenso wunderbaren Regionen wie die ‚Penthesilea'; das eine ist dem Theater ebenso undarstellbar und dem Publikum ebenso unzugänglich wie das andere. Hiermit soll, gegenüber so manchen Aktualisierungsversuchen, warnend auf die Kluft zwischen Kleist und dem heutigen Leser verwiesen werden. — Kleist hat sich in Dresden von seinen früheren dramatischen Mustern endgültig gelöst [77]. Das Motiv der platonischen Hälftenliebe ist Kleist sicher von Wieland direkt zu-

---

[75] Vgl. Vs. 99. 2060. 2185. Schließlich das Wortspiel mit Küssen und Bissen 2975—99.

[76] Bd. II, 171.

[77] Dies spricht auch der Reflex eines verlorengegangenen Briefes Kleists bei Zschokke aus: „Bisher herrschten seine Vorbilder, Shakespeare und Sophokles, noch zu mächtig über ihn. Sein Geist wird sich der Vormundschaft entreißen, und zur Eigentümlichkeit zurückkehren" (LS 214).

gekommen und ohne Vermittlung des für die Romantik wichtigen Jakob Böhme. Käthchens Widerpart Graf Wetter bewegt, wie Achill in der ‚Penthesilea', die Handlung. Diese entsteht aus seiner Hinführung zur Anamnese; danach bleibt nur noch der zweite Teil des Rätsels zu lösen: Käthchens Abkunft.

Ohne Kleists Aussage über die Beziehung zwischen Käthchen und Penthesilea bemühen zu wollen, kann man sagen, daß beide Dramen Ähnlichkeiten in ihrem Bau aufweisen. Auch das ‚Käthchen' hat keine eigentliche Exposition, und wie in der ‚Penthesilea' wird das Auftreten beider weiblicher Hauptfiguren durch indirekte Berichte vorbereitet. Die Exposition — auch in der Holunderbuschszene noch nicht abgeschlossen — zieht sich im Grunde bis in den Schluß des Dramas hinein. Der Ursprung der dramatischen Handlung ist ein Rätsel. Die eingefügte Brigittenszene ist eine Vorwegnahme für die Holunderbuschszene. Das Femgericht dient gleich zu Anfang der Verrätselung Käthchens. Ein wichtiger Unterschied zu Penthesilea liegt darin, daß Käthchen im wachen und entrückten (träumenden) Zustand in den Grafen eingeweiht ist (190, 12). Eine Analogie hingegen zeigt sich, wenn Käthchen in der 2. Szene ausschließlich den Grafen beachtet: das entspricht Penthesileas Verhalten gegenüber den Griechenfürsten. Diese Szene zeigt die Verherrlichungstendenz wie sonst die Kleistschen Schlüsse (202, 33). Der Monolog Strahls II, 1 — Kleists erster Monolog — gehört als innerer Abschluß einerseits zum vorhergehenden Akt, zur anderen Hälfte leitet er aber mit Strahls Besinnung auf die Standesehre zum II. Akt und damit bereits zur Kunigunden-Handlung über. Die Akteinteilung ist also nur lose und sie wäre zur Not entbehrlich — ganz im Gegensatz zur ‚Familie Schroffenstein'. Kleist tat mit der lockeren Fügung des Ganzen aber (im literaturgeschichtlichen Sinn) einen weiteren Schritt über seinen Erstling hinaus zurück, indem er sich sichtbar, die zahlreichen Kurzszenen zeigen es, an das Sturm-und-Drang-Drama annäherte. Eine allzu direkte Nachfolge Shakespeares wird durch die Irregularität des Wechsels von Prosa und Vers vermieden. Damit wird die klassizistische Leitlinie von Kleists bisheriger Entwicklung, die schon mit der ‚Familie Schroffenstein' eingesetzt hatte, verlassen, desgleichen aber auch das Bemühen um die antike Tragödie. Eine völlige Wende zeichnet sich somit nach der ‚Penthesilea' ab. Das ‚Käthchen' stellt sich äußerlich zwar in eine literarische Tradition, die des Ritterdramas, auf Kleists Entwicklung hin gesehen wird darin aber ein Schritt von der Antike fort auf nationales literarisches Erbe hin manifest. Der nächste

Schritt einer Hinwendung auch zu nationalen Stoffen wird damit schon vorbereitet. Damit ist im Bereich der Bühnendichtung die Entwicklung Kleists als Tragiker beendet, es handelt sich hier keinesfalls um eine „momentary excursion into the land of poetic truth and justice“ [78]. Die verbreitete pantragische Kleistdeutung wird dieser letzten, vom ‚Käthchen‘ eingeleiteten Phase nicht gerecht.

Im II. Akt wird der Graf, seiner innersten Ahnung zum Trotz, von Käthchen weg Kunigunde zugeführt; schon vor der Mitte wird so eine Art Trugschluß erreicht (II, 13). Der Graf ist in P noch in Unkenntnis des Silvesternachttraumes; wenn nicht eine besondere Berichtsszene wieder ausgefallen ist, konnte seine Einweihung in das Geheimnis auch in der älteren Fassung erst in der Holunderbuschszene (IV, 2) erfolgen. Das verstärkt die rhythmische Spannung. Die Brigittenszene macht zwar mit dem Kaisertochter-Motiv seine Hinwendung zu Kunigunde verständlicher, verringert aber auch die Spannung. Der III. Akt ist umschlossen von Käthchens Gang zum Kloster und ihrer wunderbaren Rettung aus dem zusammenstürzenden Haus. Damit sind die Akzente gesetzt — die davon eingeschlossene äußere Handlung ist die Folie, vor der sich die innere abhebt. Schließt der III. Akt mit der Rettung der Thurneck, so nimmt der IV. das Motiv auf und schließt dann mit Kunigundens Vernichtung. Nach etwa drei Vierteln der Gesamtlänge erfolgt das Traumgespräch Käthchens mit dem Grafen. Damit setzt eine Pause ein, aus der heraus Graf Wetters innere Wende erfolgt. Auch in diesem Drama haben wir, wenngleich minder gewichtig, einen rhythmischen Knoten im Gesamtverlauf. Ihm fehlt jedoch die übergroße stauende Wirkung, die er noch in ‚Penthesilea‘ besitzt, und sein Gewicht wird durch die nachfolgende Szenenmasse abgeschwächt. Auch der V. Akt ist symbolisch vom Auftreten einer Gestalt umschlossen, der des Kaisers. Schon der Zweikampf ist eine Verherrlichung Käthchens, Strahl setzt völlig auf das Wunder der höheren Fügung. Nach dem 12. Auftritt könnte das Drama schließen, aber wieder setzt Kleist seine hinauszögernde Form der Apotheose der zu verherrlichenden Gestalt ein.

Die Sprache des Dramas gibt sich völlig frei, in den älteren Fassungen stärker noch als in der endgültigen. Sie vermeidet geradezu personale Charakteristik. Die Metaphernhäufung ist nicht geringer als in ‚Penthesilea‘, in der Prosa fällt sie sogar noch stärker auf. Vieles wird, dem Brauch des Volksstücks gemäß, ins Parkett gesprochen; es werden viele Dinge

[78] Walter Silz, Heinrich von Kleist's Conception of the Tragic, aaO. 58.

direkt gesagt, die der szenischen Darstellung vorbehalten bleiben müßten. So erklärt Theobald direkt, warum er mit Käthchen auf dem Wege zum Kloster ist (244, 1), Graf Wetter spricht in seinem zweiten Monolog fast schon einen kommentierenden Zwischentext (275, 14), und der Kaiser erzählt Käthchens Herkunft einfach in einem Selbstgespräch. Auch hier zeigt sich — wenn auch angesichts der theatralischen Elemente in paradoxer Weise — die Transposition des Gehalts in die Sprache. Natürlich fangen die Elemente des Ritterschauspiels einen Teil der sprachlichen Verinnerlichung wieder ab, wie deren lockere Fügung anderseits auch der Sprache freien Raum läßt.

Die beiden gegensätzlich aufeinander bezogenen Dramen bilden die zweite Phase in Kleists dramatischem Schaffen. Sie reicht von 1806 bis 1810, vom Beginn der ‚Penthesilea' bis zur Drucklegung des ‚Käthchens'. In ihr überwindet Kleist die Macht der Tradition. Formtraditionen spielen in dieser Übergangsgruppe noch eine Rolle, aber ihre Elemente werden gänzlich umgeschmolzen, so daß man etwa das ‚Käthchen' als die Aristie des Ritterdramas bezeichnen kann.

Die letzte Stufe in der Entwicklung des Dramatikers Kleist läßt sich nicht aus rein ästhetischen Voraussetzungen erklären. Wir werden auf die Problematik politischer Dichtung geführt, die auch eine Problematik der Literaturgeschichtsschreibung ist. Bei Kleists Hinwendung zur Politik Mitte 1808 spielt die soziale Situation des Adligen als freier Schriftsteller eine bedeutende Rolle, und zwar eines Adligen, der innerlich gebunden war an die Traditionen und das Erbe seiner Familie und seines Staates. Die rein literarische Fragestellung muß an dem Phänomen politischer Dichtung immer scheitern, diese bleibt immer ein Fremdkörper in der ästhetischen Betrachtung. Der ästhetische Ansatz eröffnet den Zugang zu Kleists Dichtung aber nur teilweise. Gerade weil in der politischen Tätigkeit auch eine Anknüpfung an die Tradition möglich schien, ergriff Kleist als Dichter diese Möglichkeit so leidenschaftlich. Das erste Dokument dieser Wendung ist die ‚Hermannsschlacht'. Auch in das novellistische Schaffen drangen diese Anregungen ein (‚Kohlhaas'). Unbestreitbar ist der Gipfel von Kleists dramatischem Werk, der ‚Homburg', nur so möglich geworden. Die Frage ist nur, ob Kleist nach dem Scheitern der ‚Abendblätter' mit dem Roman und dem zweiten Novellen-Band nicht wieder auf einen rein ästhetischen Weg abgedrängt wurde. Jedenfalls können diese Fragen seiner Entwicklungsgeschichte nicht von den geschichtlichen Vorgängen isoliert werden.

Die ‚Hermannsschlacht' stellt mit ihren 2636 Versen in der

Fassung N wohl keine Bühnenfassung dar. Kleist kehrt wieder zur klassischen Einteilung in fünf Akte zurück. Der Einsatz des Dramas erfolgt bei der verzweifelten Situation der Germanenfürsten, die den Hintergrund abgibt für Hermanns großes Spiel. Diese Schilderung der Lage in der 1. Szene enthält alle Elemente, die für eine Exposition erforderlich sind, bis auf Hermanns rätselhafte Haltung, die erst im weiteren Verlauf erklärt wird. Sie trägt wesentlich zur inneren Fügung des Dramas bei. Auch hier wird die dramatische Funktion des Rätsels wieder deutlich: da eine handlungsmäßige Verwicklung schwach ausgebildet ist, wird die innere Konsistenz des Dramas weitgehend durch den Prozeß der L ö s u n g d e s R ä t s e l s hergestellt. Die 2. Szene, das Jagdergebnis, ist schon durchbrochen mit Andeutungen von Thusneldas Wildheit und Hermanns Verschlagenheit. Hier wird die Nebenhandlung um Thusnelda und Ventidius — eine Umkehrung der empfindsam-klassizistischen Großmutshandlung — angeknüpft. Die 3. Szene vollendet die völlige Isolierung Hermanns:

> Allein muß ich, in solchem Kriege, stehn,
> Verknüpft mit niemand, als nur meinem Gott. (270 f.)

Damit ist die Exposition beendet; der ganze Akt nimmt weniger als ein Sechstel der Gesamtlänge ein. Das Drama ist auf die Figur Hermanns abgestellt, die übrigen sind damit verglichen eher Komparsen [79]. — Der II. Akt (von der Übergabe an die Römer bis zur Botschaft an Marbod) ist der Ablauf eines einzigen Gedankens. Eingefügt ist die Ventidius-Thusnelda-Handlung (2. bis 7. Auftritt) mit ihrem Höhepunkt, dem Lockenraub, und der Vorausdeutung, die Thusneldas Lied (7. Auftritt) enthält. Im 8. Auftritt stoßen beide Handlungen zum erstenmal aneinander, im 9. Auftritt wird die Sendung an Marbod abgefertigt. Hermanns Spiel bleibt nicht rein menschlicher Kalkül, es ist ein Raum für die Hilfe des Himmels ausgespart. Der III. Akt zeigt Hermann im Zusammengehen mit den Römern und endet mit der scheinbaren Einigung. Die letzte Szene des II. Aktes und die erste des IV. (Marbods Lager) schließen die Römer sinnbildlich ein. Die Herrschergestalt Marbods, besonders in IV, 2, ist bereits eine Vorahnung des Kurfürsten im ‚Homburg'. Aber die Aufgabe war einfacher als dort, da es nur auf Marbods Entschlußkraft und Feldherrngeist ankam: die Flucht der Römer nimmt ihm das Wagnis ab, das der Kurfürst zu tragen hat. Das

---

[79] Ayrault aaO. 521.

größte Gewicht hat damit Hermann als Spiritus rector. Der Aufruhr in der Teutoburg und die Hallyszene (3. bis 6. Auftritt) sind auch agitatorisch gemeint und weisen über den Schluß des Dramas hinaus. Die allgemeine Erhebung der Germanen und ihr Zug nach Rom gehören schon immer zum Hermann-Mythos. Nach dem Aufbruch des Heeres [80] wird auch Thusnelda zur Rache aufgestachelt. Damit ist der Kreis des Aktes geschlossen, und beide Handlungen laufen wieder zusammen. Der erste Sieg über die Römer ist damit vorbereitet. Hermann hatte Ventidius' Rettung zugestimmt, jedoch nur, um Thusnelda dann durch die Entdeckung des Briefes an Livia heftiger zu reizen. Der V. und bei weitem längste Akt zeigt eine lockere Folge von 24 Szenen. Diese Auflockerung des Schlusses war schon im ‚Käthchen' zu beobachten gewesen. Vierter und fünfter Akt sind mit letztem und erstem Vers motivisch aneinandergeknüpft:

> 1867: Roms ganze Kriegsmacht, wahrlich, scheu' ich nicht!
> 1868: Ruft: Halt! ihr Feldherrn, den Cohorten zu!

Die ersten neun Auftritte des 5. Aktes, in denen sich der steile Abstieg Varus' vollzieht, sind angefüllt mit vorausweisenden Andeutungen, Varus ahnt auch den wahren Sachverhalt bereits (2014 ff.). Die Tötung Septimius Nervas, der den Typus des unedlen Eroberers vertritt, ist nach der Bärenszene das zweite Exempel, die des Varus das dritte. In der 23. Szene bereitet die Rechtfertigung Thusneldas das Schlußbild vor, in dem die Ausgewogenheit des Kräftespiels noch einmal sichtbar wird: Hermann führt die Ereignisse herbei, den Sueven fällt jedoch die Entscheidung der Schlacht zu.

Darin, daß der Held (und nicht sein Gegenspieler) die ganze Bewegung des Dramas trägt, wird eine deutliche Abkehr von Kleists bisheriger Gewohnheit sichtbar. Die Rolle der Geschichte in der ‚Hermannsschlacht' ist von Sengle so charakterisiert worden, daß das Drama eine geschichtliche Allegorie politischen Handelns darstelle [81]. Es handelt sich hierbei um das politische Programm der preußischen Reform-

---

[80] Von den vielen vorausweisenden Motiven des Dramas sei nur ein Beispiel genannt:

Septimius.
Die Nacht war heiß, ich fürchte ein Gewitter.
(Pause.)
Hermann.
Nun, sei so gut, verfüg' dich nur voran! (1649 f.)

[81] Sengle, Geschichtsdrama, aaO. 49.

und Kriegspartei [82]. — Die Frage der ästhetischen Wertung der ‚Hermannsschlacht' wird im allgemeinen — auch von der unregelmäßigen Versgestaltung her — negativ entschieden. Brahm hat hierin den Anfang gemacht [83] und als Begründung die Eile ihrer Ausarbeitung in Anspruch genommen. Vorsichtiger hatte Hubberten eine veränderte Formgesinnung aus dem grundsätzlich unkünstlerischen Antrieb abgeleitet [84]. Da eine besondere Eile bei der Ausarbeitung gar nicht vorliegt — Kleist hat wenigstens ein halbes Jahr auf das Drama verwendet — ist es am naheliegendsten, mit Fries anzunehmen, daß die unregelmäßigen Verse sich absichtlich an das Vorbild der vers libres anlehnen [85]. Es geht keinesfalls an, die ‚Hermannsschlacht' als einen Seitentrieb in Kleists Schaffen zu betrachten. Sie eröffnet die letzte Phase in seiner Entwicklung als Dramatiker, die Hinwendung zum vaterländischen Drama. Wenn man gemeint hat, daß in ihr Kleists zentrale Thematik in den Hintergrund gedrängt werde [86], so wäre das eher ein Hinweis, daß wir unsere Kleistauffassung um das Bild eines bewußt politischen Dichters erweitern müssen. Die ‚Hermannsschlacht' hängt eng mit den politischen Gedichten und der Prosa des Jahres 1809 zusammen. Parallel mit ihr bzw. im Anschluß an sie gibt es weitere gleichartige Dramenpläne, vor allem aber den ‚Homburg'. Eine Periode politischen Engagements reicht wenigstens bis zum Ende der ‚Abendblätter', d. h. bis ins Frühjahr 1811. Dieser wichtige Komplex des Kleistschen Schaffens darf aus dem Ganzen nicht herausgelöst werden, innerhalb dieses Ganzen findet er erst seinen sinnvollen Platz.

Der ‚Prinz von Homburg' ist Kleists kürzestes Drama und das formal gedrungenste. Die äußere Abrundung durch die Einheit von Eingangs- und Schlußbild fällt sofort ins Auge. Daran knüpft sich die Frage, ob beide auf gleichen Ebenen liegen [87], oder ob eine Entwicklung des Prinzen vorliegt. Die Traumszene des Eingangs nimmt wie eine Ouvertüre die Ergebnisse des Spiels vorweg. Traum und Wirklichkeit

---

[82] Georg Hempel, Heinrich von Kleists Hermannsschlacht, Diss. Erlangen 1930, 111.

[83] aaO. 328.

[84] aaO. 208.

[85] Miszellen zu Heinrich von Kleist, aaO. 246.

[86] Müller-Seidel, Versehen und Erkennen, aaO. 128.

[87] Verneint zuerst von Julian Schmidt aaO. CXIII; noch darüber hinausgehend Schlagdenhauffen (L'univers existentiel ..., aaO. 100), für den die letzte Szene noch unwirklicher ist als die erste.

verschlingen sich, da der Somnambulismus des Prinzen die Ereignisse mit beeinflußt und gleichzeitig zu ihrer Begründung herangezogen wird. Anderseits ist er poetisches Medium, indem in einer Art anderer Wirklichkeit die später erreichte antizipiert wird. Die Schlußszene spielt nicht nur mit der Vorstellung einer Traumwirklichkeit, sie ist in Wahrheit zugleich Erfüllung des Traumes [88]. So ergibt sich eine zyklisch geschlossene Form. Die Traumszene ist Teilexposition, die Exposition der äußeren Handlung erfolgt in den fünf ersten Szenen des I. Aktes. Die Technik der „Verrätselung" und nachfolgenden Auflösung des Rätsels erst durch den gesamten Verlauf des Dramas hat Kleist damit aufgegeben. Das Thema der ersten Szene klingt in der vierten als Begleitstimme wieder an, hier wird der Prinz sich selber zum Rätsel, und zwar am äußeren Faktum (des Handschuhs). Mit und seit der Rückgabe des Handschuhs hält er sich jedoch an die äußere Wirklichkeit, die sich bei seinem weiteren Handeln mit der des Traumes gänzlich verbindet. In der Paroleszene hat Kleist seine Technik der polyphonen Handlungsführung mit drei gleichzeitig ablaufenden selbständigen Handlungen auf die Spitze getrieben. Angesichts der großen Leichtigkeit und Ungezwungenheit fällt die komplizierte Komposition nicht sogleich auf. Eine Schuld des Prinzen eindeutig zu begründen, vermeidet Kleist sorgfältig. Dazu dient die Unterstimme aus der Traumszene mit der Überreichung des Handschuhs. Zudem ist der Knoten ganz unentwirrbar geflochten, denn der Prinz schreibt selbst nieder: „Vom Platz nicht, der mir angewiesen, weichen —" (305). Hinzu treten die warnenden Worte des Kurfürsten (348 ff.). Diese Unauflöslichkeit des Widerspruchs, wie sie in der Exposition erscheint, gehört zu den Kennzeichen der späteren Werke Kleists. So kommt es auch, daß der Prinz trotz Anweisung und Mahnung in seinem Monolog die Fortuna anrufen kann (6. Auftritt). Der II. Akt beginnt mit der Wiederaufnahme des Motivs der Schlacht und schließt völlig entgegengesetzt mit dem Kriegsgericht. Auch beim Angriff des Prinzen sind Ursachen und Schuld unauflöslich verknotet: Kottwitz wird ganz emotional überrumpelt, und Hohenzollern erweist sich hier als inaktiver Zwischenträger. Nach dem ersten Drittel des Dramas (bis Vs. 611) setzt, nach dem vermeintlichen Tode des Kurfürsten, der erste Trugschluß ein, noch gesteigert durch das Wiederaufgreifen des Motivs aus dem Fortuna-Monolog in Vs. 714. Gleich der nächste Vers aber bringt den härtesten Sturz für den Prinzen. Der Kurfürst sucht

[88] Vgl. Arthur Henkel, Traum und Gesetz in Kleists ‚Prinz von Homburg', NR 73, 1962, 464.

sich noch gegen die Möglichkeit zu sichern, daß er Homburg mit der Verfügung treffen könnte, doch getäuscht und übereilt zugleich gleitet er in die Verstrickung hinein und legt sich fest. — Der III. Akt zeigt das Niedersinken des Prinzen von äußerer Gelassenheit zu völliger Verzweiflung. Motivisch reicht eine geschlossene Kette vom Ende des II. bis zum Anfang des IV. Aktes. Insbesondere der III. und IV. Akt sind direkt miteinander verbunden; der IV. schließt dann mit der inneren Aufrichtung des Prinzen. Natalie sieht beide Wege, den der Gnade und den der Unterwerfung, aber vereinigen kann sie nur der Prinz. Mit dem „Wenn" (1185) des Kurfürsten beginnt dessen Risiko. Er setzt auf den Prinzen wie in einem Glücksspiel, er ist keineswegs der „geheime Regisseur, der auf anderer Ebene spielt" [89].

Seine Verflechtung in das Ganze und das Gewicht seines Einsatzes hat Friedrich Kayßler in seiner Interpretation des Dramas herausgearbeitet. Erst im V. Akt, nachdem er den Brief des Prinzen erhalten hat, ist er, wie Kayßler gezeigt hat, der Überlegene, der mit den anderen Personen spielt, sie führt [90]; von hier an gewinnt das Geschehen auch immer mehr lustspielhaften Charakter. Vor der Verwandlung des Prinzen erfolgt noch das Eingreifen des Heeres (IV, 2), mit Nataliens Vorstoß verbunden, das später die Begnadigung des Prinzen erleichtert. Die allmähliche Umwandlung des Prinzen vollzieht sich im 4. Auftritt. Blume hat bemerkt, daß der Prinz die erste Figur Kleists ist, die eine Entwicklung zeigt [91]. Das schließt allerdings aus, daß seine Unterwerfung den kategorischen Imperativ der reinen Subjektivität darstellt [92]. Es handelt sich um eine Bewegung von der reinen Subjektivität auf den wertgebundenen Kern der Persönlichkeit hin. Diese Szene vertritt die in Kleists Dramen sonst übliche rhythmische Stauung, jedenfalls ist sie hier ganz kurz, und ihre Lösung läßt das Drama zu seinem positiven Schluß gelangen.

Der V. Akt zeigt die seit dem ‚Käthchen' übliche Szenenhäufung. In steigernder Reihung wird die Lage des Prinzen durch die scheinbare Starrheit des Kurfürsten immer verzweifelter, auch und gerade nachdem der Prinz selbst das Urteil bestätigt hat. Die wahre Lösung ist dabei längst vollzogen, es wird nur ihre äußere Bestätigung hinausge-

[89] Müller-Seidel, Kleist. Prinz Friedrich von Homburg, in: Das deutsche Drama, hg. v. B. v. Wiese, Düsseldorf [1958], Bd. I, 402.

[90] Friedrich Kayßler, Gedanken zum Prinzen von Homburg, JbKG 1933—37, 49—58. Ähnlich auch schon Ayrault aaO. 375 ff.

[91] Kleist und Goethe, aaO. 157.

[92] Fricke, Gefühl und Schicksal, aaO. 191.

zögert. Das Zerreißen des Urteils ist also keineswegs dem Zerbrechen des Tanais-Bogens vergleichbar[93], vielmehr ist hier Kleists frühere Auffassung vom Staat und der Verpflichtung des Individuums ihm gegenüber fast ins Gegenteil verkehrt. Die schließliche Erfüllung der Traumszene am Schluß bedient sich mehr äußerlich und aus Gründen der formalen Abrundung der Gestalt der ersten Szene. — Der Gesamtaufbau des ‚Prinzen' ist von der wunderbarsten Klarheit, wenig Bilder werden verwandt, die Sprache ist ruhig und gelöst.

Nicht anders als in der ‚Hermannsschlacht' ist die geschichtliche Gewandung nur eine Verlebendigung der Gegenwart. Es ist hier an Kleists eigenes Wort zu denken, daß das Drama „mancherlei Beziehungen" (II, 273) enthalte. Die vaterländische Dichtung, die in beiden Dramen auf „die Mitte der Zeit" zielt, schließt die Entwicklung des Dramatikers Kleist ab. Damit ist von den ersten apolitischen Anfängen her über die Dresdner Euphorie der gewonnenen dichterischen Kraft ein weiter Weg zurückgelegt. Nur muß man sich vor Augen halten, daß dieser Weg vielleicht schon anderthalb Jahre vor Kleists Tod sein Ende findet. Danach ist als einziges dramatisches Werk nur noch die Druckfassung des ‚Krugs' bekannt, die sich als formales Meisterstück neben den ‚Homburg' stellt, aber keine Neuschöpfung ist. Mit den erhaltenen acht Dramen kann also nicht der gesamte Weg, den Kleists dichterische Entwicklung genommen hat, abgeschritten sein.

Wenig trägt zur Erhellung dieses Weges die „dunkle Reihe" der Dramenpläne Kleists bei, da wir bei ihr allzusehr auf Mutmaßungen angewiesen sind. Wir können nur fragen, ob ihnen ein gemeinschaftliches Strukturprinzip eignete, da die Fabeln sich möglicherweise durch die allen gemeinsame Belagerungssituation sehr ähnlich waren. Einzig die Nichtvollendung des ‚Peter'-Dramas ist halbwegs erklärbar, da Kleist mit dem ‚Guiskard' zweifellos an einen geeigneteren Stoff geriet. Die andersgeartete Situation bei der tatsächlich gelungenen Eroberung Jerusalems durch die Kreuzfahrer hätte die Tragik außerdem sehr auf die Einzelpersönlichkeit verlagert. Der Normannen-Stoff bot reichhaltigere Verwicklungen und eine Verbreiterung des tragischen Fundaments, da das Schicksal des Volkes mit dem Guiskards verknüpft ist. ‚Leopold von Österreich' und die ‚Numantia' sind ohne politische Zielsetzung gar nicht denkbar, insbesondere falls ersterer wirklich in Dresden noch einmal wieder aufgenommen wurde. Als Tragödie wäre die ‚Numantia'

---

[93] Fricke, Kleists ‚Prinz von Homburg', in: Studien und Interpretationen, aaO. 262.

1803 neben dem ‚Guiskard‘ am ehesten zu erklären. Allerdings würde das dazu zwingen, ein wesentlich anderes Bild von der Entwicklung der politischen Dichtung Kleists zu geben. Samuels Vermutung, daß bereits in den ‚Guiskard‘, beeinflußt durch die Gestalt Napoleons, ein politischer Hintergrund hineingeriet, erhielte so eine zusätzliche Bestätigung. Es ist möglich, daß Kleist bereits am Beginn seiner Bemühungen um den ‚Guiskard‘ glaubte, eine allgemeine dramatische Strukturformel gefunden zu haben [94]. Eine solche hätte es ihm erlaubt, mehrere Dramen gleichzeitig oder doch wenigstens nach gleichem Plan auszuarbeiten, auch hätten sich dann Ausweichmöglichkeiten im Falle eines Nichtgelingens angeboten [95]. Das ‚Titus‘-Drama, das sich zusammen mit dem ‚Homburg‘ an die ‚Hermannsschlacht‘ anschloß, verfolgte ganz eindeutig politische Tendenzen. Welche Umwandlung die vermutete Strukturformel in der Spätzeit erfahren hätte, kann nicht einmal vermutet werden. Jedenfalls stammt der Bericht über die ‚Belagerung Jerusalems‘ aus der Berliner Zeit, was die Annahme nahelegt, daß sich die vaterländischen Tendenzen der Kleistschen Dramatik noch über den ‚Homburg‘ hinaus fortgesetzt hätten. Dabei ist immer noch eine offene Frage, ob diese Tendenzen auch noch die allerletzte Phase von Kleists gesamter Entwicklung tragen.

Im ganzen lassen sich also vier einander teilweise überlagernde Kreise in der Entwicklung von Kleists dramatischem Schaffen herausstellen. Einmal die Verwirklichung der in der Schweiz gewonnenen Anregungen, die in ihren letzten Metamorphosen bis 1811 reichen. Sie markieren die ersten Anfänge, dann die Mühen um die Schaffung eines eigengesetzlichen Dramas und die Folgen des daran sich anschließenden Zusammenbruchs. Der zweite Kreis (mit ‚Penthesilea‘ und ‚Käthchen‘), einer Zeit wiedergewonnenen künstlerischen Selbstbewußtseins zugehörig, leitet schließlich über zum vaterländischen Drama als dritter Entwicklungsstufe. Schließlich aber gibt es, zumindest neben der ersten und dritten Reihe, einen dunklen Unterstrom von dramatischen Plänen, der zwar Gemeinsamkeiten mit dem Gesamtschaffen aufweist, aber doch wohl einen eigenen Zusammenhang besessen hat.

---

[94] Hierauf weist eine leider nicht belegte Quelle bei Hoffmann, ‚Krug‘-Facsimile, aaO. 45, derzufolge Kleist bereits 1802 „die Gesetze des Trauerspiels in einer sehr einfachen und mathematischen Figur“ darzustellen in der Lage gewesen sein soll. (Jetzt LS 2. Aufl. 77a).

[95] Vgl. Wilbrandt LS 112, S. 79 [für 1803, vor der zweiten Schweizerreise]: „... sooft er sah, daß ihm die Kraft [sc. für den ‚Guiskard‘] noch erlahmte, legte er den Plan zurück und nahm etwas anderes vor; ...“.

Die Gedichte

Kleists Gedichte haben nie eine geschlossene Darstellung erfahren. Müller-Seidel hat zu Recht gesagt, daß Kleists künstlerisches Bewußtsein sich das Lyrische, vielleicht mit einer Ausnahme, versagt hat [96]. „Lyrisch" — etwa im Sinne des Staigerschen Grundbegriffs — sind Kleists Gedichte in der Tat nicht. In seinem Gesamtwerk nehmen sie auch eine Randstellung ein. Eine ästhetische Würdigung hat Hubberten versucht [97], sie läuft im wesentlichen auf eine Ehrenrettung hinaus.

Die Gedichte entstanden fast nur bei bestimmten Anlässen. Ein erster Teil gruppiert sich um den ‚Phöbus'. Das Gedichtpaar ‚Prolog' und ‚Epilog' ist einerseits Programmparaphrase, wobei das zweite Gedicht selbstironisch einen guten Teil des ersten wieder zurücknimmt. Anderseits gehören beide Gedichte in die Tradition des Bildgedichts, wie übrigens auch ‚Der Engel am Grabe des Herrn'. Rosenfeld hat in seiner Monographie gesagt, daß Kleist im ‚Phöbus' einen Wettkampf der Künste verkündet habe [98]. Tatsächlich war wohl schon im Herbst 1807 ein Bildzyklus Ferdinand Hartmanns mit Gedichten geplant (LS 194), aber das allgemeinere Ziel, hiermit eine Art Fortsetzung des Lessingschen ‚Laokoon' in Beispielen zu schaffen, gehört Adam Müller an, der wohl auch die betreffende Fußnote zu dem Gedicht verfaßte [99]. Kleist scheint sich aus guten Gründen auf das ganze Unternehmen nicht eingelassen zu haben, wenn er Hartmann auch verbunden blieb und z. B. ein Taschenbuch mit Illustrationen von ihm herausgeben wollte (II, 207). In das Programm des ‚Phöbus' gehörten auch die beiden Verserzählungen ‚Die beiden Tauben' und ‚Der Schrecken im Bade'; erstere ist autobiographischen Ursprungs. Sie nehmen eine Mittelstellung zwischen Erzählung und dramatischer Dichtung ein. Die zweite, bessere von beiden, ist folgerichtig dialogisiert. Die beiden Legenden nach Hans Sachs, Gelegenheitsarbeiten für die ‚Abendblätter', beruhen auf Hinweisen, die Müller in seinen Dresdner Vorlesungen gab. Im Bewußtsein der literarischen Situation seiner Zeitschrift hat Kleist im ‚Phöbus' zwei Epigrammreihen abgedruckt (seine weiteren Epigramme sind bei

[96] Versehen und Erkennen, aaO. 33 f.

[97] aaO. 83 ff.

[98] Das deutsche Bildgedicht, Berlin 1935, 156.

[99] Neudruck S. 41 (LS 227a). Der Herausgeber äußert sich zur Verfasserfrage nicht. Vgl. aber LS 226, S. 161: „... so war seine Legende, der Engel am Grabe des Herrn, ... eine freundschaftliche Rücksicht auf meine Neigung und meine Wünsche für ihn."

vereinzelten Gelegenheiten entstanden). Im Gegensatz zu den ‚Xenien' bilden sie keine polemische Front. Nirgends zeigt sich die Isolierung und die schmale Grundlage der Zeitschrift deutlicher. Es war lange üblich, die gegen Goethe gerichteten Epigramme als ein maßloses Vergreifen hinzustellen, aber man sollte doch anerkennen, daß sie zumindest gute Pointen enthalten, und man sollte vor allem nicht vergessen, daß die ‚Xenien' an Schärfe auch nichts zu wünschen übrig ließen. Was den ‚Xenien' dagegen fehlt, ist die grimmige Selbstverspottung, die Kleist übt. — Von geringem Gewicht sind die kleineren Gelegenheitsgedichte im ‚Phöbus'; sie zeigen am klarsten, daß Kleist ein unbefangen lyrischer Ton nicht vergönnt war.

Das größte geschlossene Gebiet stellen in diesem Zusammenhang die politischen Gedichte dar, auf sie fällt auch das Hauptgewicht von Kleists „lyrischem" Schaffen. Sie sind heute nicht leicht zu verstehen und werden von der Forschung im allgemeinen übergangen. Kleist hat jedoch viel Mühe auf sie verwandt, wie schon die sieben Fassungen der ‚Germania'-Ode beweisen. Es kam ihm vor allem darauf an, den knappsten und schlagendsten Ausdruck zu finden, der die Gedichte praktisch, d. h. agitatorisch bei der Entstehung eines Volkskrieges verwendbar machen sollte. In dieser Form, z. T. als Flugblätter, wurden einige 1813 auf Vermittlung Pfuels gedruckt. Sie sind, neben der politischen Prosa und eventuell dem ‚Homburg', das Ergebnis des Jahres 1809. Es ist nicht zu übersehen, daß Kleist das in sich selber selige Dichtertum schon in Dresden überwand und sagte: „ . . . man muß sich mit seinem ganzen Gewicht, so schwer oder leicht es sein mag, in die Waage der Zeit werfen; . . ." (II, 221). Schon in der späteren Dresdner Zeit hört das bindungslose Dichtertum auf. Vielleicht hätte sich Kleist nicht so leidenschaftlich der neuen Bindung hingegeben, wenn er seine Isolierung als Dichter vorher nicht so schmerzlich empfunden hätte. Um so furchtbarer mußte 1811 die gänzliche Hoffnungslosigkeit der politischen Lage auf ihn wirken. — Kleist wollte seine Gedichte zunächst einzeln herausgeben, und sie dann in einer Sammlung zusammenfassen (II, 221 f.). Die Niederlage von Wagram machte alle diese Pläne zunichte. Aus ihrem Anlaß entstand ‚Das letzte Lied', das wohl ergreifendste Gedicht politischen Charakters in deutscher Sprache. Es spricht deutlicher noch als der ‚Homburg' aus, wie Kleist einen Platz in der nationalen Gemeinschaft suchte. Gerade von hier aus stellt sich dringlich die Frage, wie Kleists Hinwendung zur Erzählkunst nach dem Niedergang der ‚Abendblätter' in die Linie seiner Gesamtentwicklung hineinpaßt.

Einige Worte sind noch zu Kleists sogenannter ‚Todeslitanei' nötig. Ohne Frage handelt es sich um eine Art Gedicht, das jedoch auf keine Weise zu Kleists sonstiger Dichtung stimmen will. Die Sprache gemahnt in ihrer Verwendung an das Hohelied, wenn auch wörtliche Anklänge kaum vorkommen. Sauer hat angenommen, daß es sich um eine bewußte Parodie der katholischen Litanei handele[100]. Das erweckt Zweifel, auch weil nicht ersichtlich ist, wie Kleist an das Vorbild der Litanei gelangt sein soll. Handelt es sich aber überhaupt um eine Litanei? Die drei Schlußzeilen, die Sauer heraushob und als Responsion auffaßte, können ebensogut mit dem Psalmreim verglichen werden[101]. Die Reihung von preisenden Metaphern kann als Steigerungsform eines literarischen Topos aufgefaßt werden, der das geliebte Wesen mit anderen hohen Gütern vergleicht und es über sie stellt. Er leitet sich wenigstens von Homer her und kommt auch sonst bei Kleist vor[102]. Hier bieten vielleicht die biographischen Zeugnisse einen Hinweis. Peguilhen gab amtlich zu Protokoll, daß Kleist „und Mad. Vogel ganze Abende am Fortepiano gesessen, und geistliche Choräle gespielt, und zusammen gesungen haben" (LS 522). So findet sich auch bei der Anschrift des Billets an Sophie Sander der Zusatz: „Hierbei ein Gesangbuch" (Sembdner II, 882). Deutlicher noch ist Bülow „Sie [Kleist und Henriette Vogel] musizierten und sangen zusammen, vorzüglich alte Psalmen, . . ." (LS 524, S. 356). Die Notiz wird verständlicher, wenn man die von Sauer beigebrachten Belege vergleicht, die tatsächlich aus den Psalmen stammen[103]. In Frage kommen hier nur die Gesangbücher der Hugenotten, entweder Lobwassers Psalter, der bis gegen das Ende des 18. Jahrhunderts noch im Gebrauch war oder Matthias Jorissens ‚Neue Bereimung der Psalmen' von 1798. Die Calvinisten kannten namentlich für den Hausgebrauch mehrstimmige

---

100 Kleists Todeslitanei, aaO. 17.

101 Vgl. etwa Psalm 46 und 136.

102 Vgl. Ilias VI, 429 f. (R. A. Schröder):
Hektor, nun aber Du, du bist mir Vater und Mutter,
Bist mein Bruder zugleich und blühender Lagergeselle.
Ferner Properz I, 11, 23 f. (ed. Schuster):
tu mihi sola domus, tu, Cynthia, sola parentes,
omnia tu nostrae tempora laetitiae.
Dann Kleist im Brief an Pfuel (II, 128): „Ich heirathe niemals, sei du die Frau mir, die Kinder und die Enkel!"

103 aaO. 21 f.

Ausgaben ihres Psalters, auch solche mit Generalbaß[104]. Wir können also mit den Quellen für die genannte ‚Todeslitanei' im protestantischen Bereich und in der Umgebung Kleists in seiner letzten Zeit bleiben. Den Terminus „Litanei" sollte man aufgeben, da eine solche dem reformierten Kultus fremd war, die Zeilen aber wieder unter Kleists Gedichte aufnehmen. Sie repräsentieren die späteste greifbare Stufe seiner Sprache und seines Stils.

Kleists Erzählkunst

Wie unsere Ermittlungen zur Chronologie ergeben haben, ist mit den Anfängen der Prosaerzählung bei Kleist nicht vor der Königsberger Zeit zu rechnen. Das bedeutet aber, daß diese Anfänge mit den mannigfachen formalen Versuchen auf dem Gebiet des Dramas in der Zeit nach dem ‚Guiskard'-Zusammenbruch zusammenfallen. Diese Zeit des Suchens ist durch ein vielfältiges Erproben der dichterischen Möglichkeiten gekennzeichnet. Es ist wie eine zweite Geburtsstunde des Dichters Kleist nach der ersten zu Anfang des Jahres 1802 in der Schweiz. Nach dem Versuch, in einem Wurf alles Erreichbare zu gewinnen, erprobt Kleist nun eine Vielzahl von Wegen. Neben den Lustspielen und der ‚Penthesilea' entsteht mit der Prosaerzählung etwas völlig Neues.

Besondere Aufmerksamkeit haben seit jeher die Eingänge der Kleistschen Erzählungen gefunden. Und in der Tat geben sie bei der straffen Erzählweise Kleists wichtige Hinweise auf die Form des Ganzen und auf den Wandel der Formen. Der Anfang der ersten Erzählung, des ‚Erdbebens', ist dafür kennzeichnend. Der erste Satz rafft eine Einführung über Zeit und Ort auf einen Punkt, fast auf eine Sekunde, zusammen. Dieser Augenblick bildet den Schnittpunkt gleich zweier Handlungen, zunächst der knappen Vorgeschichte und dann des Erdbebens als des zentralen Ereignisses, das alle anderen um sich gruppiert. Der ursprüngliche Obertitel ‚Jeronimo und Josephe' sprach noch von einer stärkeren Anteilnahme des Dichters und setzte den Akzent mehr in den Bereich persönlicher Tragik. Der endgültige Titel entspricht der Neigung Kleists in seinen späteren Werken, mehr auf Verflechtung, Bedingtheit und Zusammenhang des Einzelnen zu achten. Nach dem ersten Kreuzungspunkt wird die Flucht Jeronimos aus der Trümmerstadt nachgeholt, die Flucht eines einzelnen, der in jeder Hinsicht aus den Bindungen der Gesellschaft gelöst ist. Seine Erlebnisse dabei geben

---

104 Vgl. Die Religion in Geschichte und Gegenwart, 3. Aufl., Bd. II, Sp. 1463 f. (s. v. Gesangbuch).

die Folie ab für die Flucht Josephens, die Ereignisse werden gedoppelt. Josephens Flucht wird aus der Rückschau dargestellt, nicht von ihr selbst erzählt. So ergibt sich aus dem Zusammenwirken von Antizipation und Nachholen am Anfang, Fortführen der Erzählung und einer zweiten nachgeholten Vorgeschichte eine ganz starke Konzentration der Erzählung, die gleichsam immer die Tendenz hat, alles in einen Punkt zusammenzuzwingen. Syntaktisch spiegelt sich das in Wendungen wie „eben — als", „kaum", „eben stand er, wie schon gesagt, . . ." etc. Der Erzählstandpunkt ist der jeweilige des Erlebenden, besonders bei Jeronimos Flucht, wo die „hier"-Kette gleichsam den Fluchtweg nachzeichnet. Es fehlt bei der scheinbar unbeteiligten Erzählweise nicht an Gesellschaftskritik, vor allem an Kritik an der Kirche, womit das Hauptthema, die Liebe außerhalb von Stand, Gesetz und Religion, stark in den Vordergrund gerückt wird. Diese nicht direkt sondern nur durch die Ereignisse ausgesprochene und so beständig in der Schwebe bleibende Wertung leitet die Deutung, die fast gezwungen ist, das Erdbeben als eine Antwort der Natur [105] auf die Handlungsweise der Gesellschaft anzusehen, was jedoch nirgendwo ausgesprochen wird. Beide Vor-Handlungen treffen zusammen 301, 11: „ . . . und fand ihn hier, diesen Geliebten, im Tale, und Seligkeit, als ob es das Tal von Eden gewesen wäre." Es ist jedoch kein einfacher Vergleich „wie in dem Tal von Eden", sondern ein „als ob": das Glück blüht aus der Zerstörung der menschlichen Ordnungen und namenlosem Jammer auf. Da diese Ordnungen in der Folge aber ihre Lebenskraft behalten, kann das Glück nicht von Dauer sein. Der Plan, nach La Conception zu fliehen, ist, wie oft in den Dramen, der Trugschluß mit zum endgültigen Schluß entgegengesetzter Tendenz.
Die nun einsetzende Pause, die den dramatisch-rhythmischen Stau bewirkt, ist die scheinhafte Versöhnung mit der Gesellschaft. Die paradiesische Nacht dagegen ist nicht der Mittelteil der Komposition, sondern das in jeder Hinsicht umschattete Ende des ersten Teils, der, wie gesagt, in einen Trugschluß einmündet. Diese Interpretation wird auch durch Kleists Einteilung in drei Absätze gestützt. Der zweite gehört der Pause der scheinbaren Versöhnung. Gegenüber den vielen kleinen Absätzen der ‚Morgenblatt'-Fassung, die Sembdner in seiner letzten Ausgabe wiederhergestellt hat, sind schon aus diesem kompositionellen Gesichtspunkt heraus Bedenken am Platze. Selbst wenn sie tatsächlich von Kleist stammen sollten, was gar nicht erwiesen ist — zumal sie keine

[105] So A. Grob aaO. 69.

sinnfälligen Einschnitte ergeben —, gebührt die größere Authentizität doch der endgültigen, sinnvollen Einteilung. — Glück in der Vereinigung mit der Gesellschaft ist nur in einem idealen Raum möglich, zu dessen Charakteristik Abgeschiedenheit und Amönität gehören. Die Beängstigung verläßt den Leser trotzdem nicht, sie steigert sich nur. Jeronimo und Josephe haben nur auf schmalstem Raum in dieser Versöhnung einen Platz. Das unterstreicht die Sprache mit Wendungen wie: „Es war als ob . . .", „Und in der Tat schien . . . der menschliche Geist selbst, wie eine schöne Blume, aufzugehn" (304, 13).

Der Aufbau der Erzählung ist von einer bemerkenswerten Symmetrie. Die drei Teile verhalten sich ungefähr wie 2:1:2; der letzte, stärker unterteilte Abschnitt, ist etwas kürzer als der erste. Eine gewisse Parallelität zu dramatischen Aufbauprinzipien Kleists in dieser Zeit ist nicht zu verkennen, denn auch die ältere Fassung des ‚Zerbrochnen Krugs' hat ihre rhythmisch stauende Pause etwa in der Mitte, während sie in den späteren Werken mehr gegen das Ende verschoben wird. — Der Absturz des letzten Abschnitts setzt ein mit der Nachricht von dem Dankgottesdienst, bei der sich Täuschung und Wirklichkeit verderblich überlagern, da die Liebenden, verführt von der Scheinidylle der naturnahen kleinen Gesellschaft, sich verleiten lassen zu glauben, daß diese wiedergewonnene Ordnung sich auch ins Große übertragen lasse. Beim Aufbruch fehlt es denn auch nicht an Warnungen; die falsche Exaltation Josephens ist ebenfalls ein Prodigium. In der Schilderung des Gottesdienstes greift Kleist wieder die starre menschliche Ordnung an, verkörpert durch den kirchlichen Kultus: das Paar betet zusammen mit der ganzen erschütterten Gemeinde, die Kirche stößt das Paar aber wörtlich aus der Gemeinschaft aus.

Ein Zufall, die unbedachte ängstliche Äußerung Constanzes, führt die Katastrophe herbei. Gegen den Schluß der Erzählung steigert sich die Wirkung gewaltig: an ihrem Anfang stand nur Bericht, am Ende verwendet Kleist dramatische Szenen. In der ersten Szene (in der Kirche) sind Ereignisse und Bericht bei Durchbrechung der erzählenden Syntax gemischt. So wird die denkbar gedrängteste Darstellung erzeugt. Eine Scheinkatastrophe und ein scheinbar positiver Ausgang steigern die Spannung. Der Höhepunkt liegt in der zweiten der Szenen, dem Mord vor dem Dom. Darauf setzt als Kontrast die Stille ein. — Die Novelle hat einen ausgewogenen Bau. Im ersten Teil parallele, aber durch Raffung ineinander verschlungene Berichte, abgeschlossen durch die paradiesische Nacht. Im zweiten Teil ein Scheinfriede, am Ende zunehmend von Ahnungen beschwert. Im dritten Teil geht der Bericht in Szenen über, der Abschluß erfolgt wieder durch Bericht. Am Ende erfolgt eine ausleitende Verlagerung auf die Gesellschaft des Mittelteils, die in dem versöhnenden Symbol des durch den Edelmut Don Fernandos geretteten Kindes eine Aristie erfährt. Mit diesem Schluß hat Kleist das Grauen der Erzählung wieder abgefangen.

Die ‚Marquise von O. . . .' [106] hat die zweieinhalbfache Länge des ‚Erdbebens'; da der Einsatz ganz ähnlich an einem — oder dem — Krisenpunkt der Handlung erfolgt, die Erzählung aber, nachdem die voraufliegenden Ereignisse in normaler Abfolge erzählt wurden, erst nach drei Fünfteln ihrer Gesamtlänge auf diesen Punkt zurückkehrt, ergibt sich eine weit stärkere Spannung [107]. Der erste Satz stellt einen Widerspruch hin, wie es ähnlich rätselhaft auch der ‚Kohlhaas' tut. Von der ‚Marquise' an ist das Paradoxe eine der Haupteigentümlichkeiten der Kleistschen Kunstprosa. Ohne diese spannungserzeugende Raffung, bei „normaler" Anordnung und ausführlichem Detail, hätte der Stoff auch einen Roman ergeben können. Nach dem Paradox des Anfangs wird die eigentliche Erzählung im Plusquamperfekt herbeigeführt, das rätselhafte Faktum des Anfangs wirft jedoch Unruhe und Spannung über das ganze, scheinbar normale Geschehen. Mit der Erklärung des Paradoxons ist die Erzählung noch keineswegs beendet. Auf der ganzen Linie zeigt die ‚Marquise' — der ‚Kohlhaas' steigert diese Entwicklung bis an die äußersten möglichen Grenzen —, wie sehr der Erzähler an Atem gewonnen hat. Diese Erzählung spielt schon auf zwei Ebenen, auf der der Marquise und der des Grafen und seiner Läuterung; letztere führt die beiden Ebenen schließlich zusammen. Gegenüber dem ‚Erdbeben' ist eine Streckung und kompositorische Verkomplizierung eingetreten. Das Formprinzip der Raffung und analytischen Entwicklung ist sonst das gleiche geblieben.

Trotz des verschleiernden Gedankenstriches ist der entscheidende Vorgang dem Leser bald klar. In den nachfolgenden Sätzen wird er sorgsam durch Hinweise verdeutlicht: es soll kein kriminalistisches Rätsel bestehen bleiben. Auch dies ist ein Merkmal der analytischen Form —

---

[106] Die ‚Phöbus'-Fassung ist über das Ganze hin gleichmäßig in Einzelheiten verbessert worden, so, wie sich die Änderungen in den gedruckten Text eintragen ließen. Sie steigern bisweilen einen religiösen Einschlag im Wortschatz.
[107] Für die Form dieser Einleitung ist von Beißner (aaO. 444) und Kahlen (aaO. 134 ff.), danach von Conrady (aaO. 11), der Terminus „Tiefenform" verwendet worden.

als Parallele wäre wieder der ‚Krug' heranzuziehen —, daß zu Anfang eine Klarlegung des Falles gegeben wird; es interessiert nur das „Wie" der Lösung. In die Vorgänge bei der Erstürmung des Forts ist der auf das am Ende aufgelöste Paradox hin angelegte Schlüsselsatz gesetzt: „Der Marquise schien er ein Engel des Himmels zu sein" (251, 6). Eine Scheinlösung deutet sich bei der ersten Werbung des Grafen an. Als die Marquise äußert, sie fürchte nicht, daß ihre Unpäßlichkeit von Folgen sein werde, antwortet der Graf: „ . . . er auch nicht! und . . . ob sie ihn heiraten wolle?" (256, 19). Aber die Lösung darf hier noch nicht erfolgen, denn der Graf ist zur Umkehr zwar bereit, muß aber erst noch die Stadien seiner Läuterung durchlaufen. Kleist benutzt hier viel gestische Förmlichkeit und indirekte Rede. Dadurch wird ein distanzierter Berichtsstil möglich. Das Gespräch wird nur ausnahmsweise wörtlich wiedergegeben, etwa bei der Abreise des Adjudanten. Dies ist aber auch ein Höhepunkt, der wieder kontrapunktisch Dialog und Handlung verflicht. Mit szenischen Partien, die sich an berichtende anschließen, erreicht Kleist gewöhnlich eine Steigerung der Bewegung. Eine Vorausdeutung über den Mittelteil enthält die Erzählung vom Schwan Thinka [108], in der bedeutsam eine grammatische Verschiebung zum Femininum erfolgt: „ . . . daß er aber nicht im Stande gewesen wäre, sie an sich zu locken, indem sie ihre Freude gehabt hätte, bloß am Rudern und In-die-Brust-sich-werfen; . . ." (263, 20). Die Abreise des Grafen schließt den ersten Abschnitt der Erzählung.

Bis zur Wiedererwähnung der Annonce folgen einige den Zustand der Marquise erklärende Szenen. Es handelt sich um das Auftreten des Arztes und das der Hebamme, beide zuerst als Bericht, dann in einem Nachspiel, das den Bericht reflektiert, in Gesprächsform gesteigert. Nach der Abreise der Marquise, die nach den ersten drei Vierteln der Erzählung erfolgt, wird eine lange Betrachtung eingefügt, die diesen Entschluß befestigt. An sie schließt sich dann die Anzeige an. Vorauf geht eine innere Wendung der Marquise, die zunächst kein bestimmtes Ziel hat. Sie geht ganz von ihr aus und bleibt auch ganz auf sie beschränkt. Auch das direkte Zusammentreffen des Grafen mit der Marquise, ein zweiter Ausweg, bringt keine Lösung, denn der Weg der Marquise ist vorgezeichnet, wie es schon die Erzählung vom Schwan Thinka angedeutet hatte. Der ganze Abschnitt (275, 27—279, 18) wirkt retardierend. Darauf erfolgt langsam die Wiederherstellung der allgemeinen

---

108 Es ist an die Wortbedeutung von Katharina = „die Reine" zu denken.

Ordnung vom Hause des Kommandanten aus. Diese Entwicklung bereitet eine dritte mögliche Scheinlösung in Gestalt der Heirat vor, die sich bei der zweiten Werbung des Grafen anbietet. Aber das Ende wird noch einmal hinausgezögert. Der eigentliche Abschluß wird mehr kursorisch gegeben, bis auf den bedeutsamen verklammernden Schlußsatz. Die Gesellschaft und ihre Ordnung haben im positiven Sinn einen großen Anteil an dieser Novelle, ein entscheidender Wandel gegenüber dem ‚Erdbeben'.

Diese Novelle hat zwei selbständig geführte Hauptpersonen, die sich auf verschiedenen Ebenen aufeinander zu bewegen. Die „Erziehung" des Grafen beginnt bei seiner Abreise, sie ist längst vollendet, als ihn die Marquise, zunächst nur formal, heiratet. Er durchläuft, wie auch die Marquise selbst, eine Entwicklung. In diesem Zug, der zum ‚Kohlhaas' hinüberweist, unterscheiden sich viele Novellengestalten von denen der Dramen. Diese Entwicklung ist notwendig erstens um der Verherrlichung der Marquise willen und zweitens um die Buße des Grafen tiefer zu begründen. Gegenüber dem ‚Erdbeben' hat die Novelle an innerer und äußerer Ausdehnung entschieden gewonnen. Die Rolle der Gesellschaft als Medium ist in beiden auf ganz entgegengesetzte Weise von großer Bedeutung. Die Tendenz zu extensiven Bauformen in der Novelle setzt sich dann im ‚Kohlhaas' fort.

Der ‚Kohlhaas' hat eine klare und symmetrische Komposition. Seine drei Hauptteile — der zweite beginnt mit dem Eingreifen Luthers, der dritte mit dem des Brandenburgischen Kurfürsten — sind funktional streng aufeinander bezogene Teile eines durchkomponierten Ganzen. Demgegenüber fallen kleine Unstimmigkeiten, die sich bei dem Übergang von der ‚Phöbus'- zur Endfassung ergeben haben, weniger ins Gewicht, zumal sich Unstimmigkeiten auch in den späteren Teilen der Novelle finden. Das bisherige Grundprinzip des Aufbaus wird verlassen: die Novelle setzt nicht mehr an einem Krisenpunkt der Handlung ein. Der erste Absatz gibt eine allgemeine Vorbemerkung. Danach wird die Handlung im allgemeinen ihrem zeitlichen Verlauf nach gegeben, bis auf eine im dritten Teil nachgeholte Partie der Vorgeschichte (das Treffen in Jüterbog), die sich auf die für den Schluß so bedeutsame Zettelgeschichte bezieht. Der Schluß mit der Hinrichtung greift streng auf das Paradox des ersten Satzes zurück, „einer der rechtschaffensten zugleich und entsetzlichsten Menschen seiner Zeit" (141, 6). Ein Unterschied gegenüber der ‚Marquise' besteht auch darin, daß zu Anfang zwar ein rätselhaftes Paradoxon, aber kein Faktum genannt wird. Die drei

Stufen, über die sich die Handlung in ihren größeren Teilen erstreckt, sind: die Privatfehde Kohlhaasens, der Rechtsstreit mit dem sächsischen Staat und schließlich die Verhandlungen in Berlin mit der Lösung durch den Kaiser.

In der Erzählung ist gleich alles auf die Rappen angelegt, die das Auf und Ab der Handlung begleiten [109]. Auslösend für die Geschehnisse ist ein kleines Begebnis, das aus vielen zufälligen Ingredienzien, die es verderblich emporsteigern, zusammengesetzt ist. Gleich hier gebraucht Kleist zur Hervorhebung die sprechende Szene, die ihre eigene Deutung in begleitenden Gebärden hat. Für das Verständnis des Ganzen ist besonders wichtig, daß Kohlhaas sich als integrierten Teil eines Ordnungszusammenhanges fühlt [110]. Es geht Kohlhaas keineswegs um ein privates Rechtsgefühl, sondern er leidet und handelt weitgehend gleichsam stellvertretend. — In die ‚Phöbus'-Fassung wurde später die sogenannte Geusau-Episode eingefügt. Sie dient äußerlich der besseren Motivierung der Zweistaatlichkeit, innerlich der ausweglosen Zuspitzung der Lage Kohlhaasens vor seinem Rachezug. Der Zusatz kompliziert das Gefüge, zumal er auch den zweiten Staat ins Unrecht setzt und gleichzeitig Kohlhaas noch mehr isoliert; natürlich dient er auch dazu, die Wendung zum dritten Teil der Novelle zu ermöglichen. Einfache Beziehungen sind bei fast keinem Zug dieses Werks anzutreffen. Die ursprüngliche Fassung kannte ohne Zweifel nur einen Staat. Trotzdem hätte ein zweiter später in die Fehde hineingezogen werden (wie es in den Quellen auch tatsächlich geschieht) und entweder durch diesen oder eine andere höhere Instanz ein gleichgewichtiges Endurteil herbeigeführt werden können. Doch stand Kleist zweifellos eine so gewaltige Ausdehnung, wie sie die Geschehnisse in der Endfassung zeigen, nicht von vornherein vor Augen. Das Gefüge der Novelle wäre einfacher gewesen und hätte höchstens zwei Hauptschritte beinhaltet. Die Einführung eines zweiten Staates schon im Anfang erleichtert die Fortführung der Erzählung gerade dadurch, daß sie die Verhältnisse verkompliziert. Überhaupt lebt diese Erzählung davon, daß in ihr die verworrenen Zustände weiter fortgezogen werden. Wenzel von Tronka beschwört erst durch das Ver-

[109] Man vergleiche die Stelle 145, 10 im ‚Phöbus': „... was er denn und wie viel, zum Pfande deshalb zurücklassen solle" mit E „... zum Pfande, wegen der Rappen, ...".

[110] Vgl. 149, 16: „... daß, ... er mit seinen Kräften der Welt in der Pflicht verfallen sei, sich Genugtuung für die erlittene Kränkung, und Sicherheit für zukünftige seinen Mitbürgern zu verschaffen." Auch 154, 33: „... daß es ein Werk Gottes wäre, Unordnungen, gleich diesen, Einhalt zu tun; ...".

schleppen des alten und die Anhäufung neuen Unrechts die Rache Kohlhaasens herauf, der förmlich darauf wartet, weil er sonst nicht auf seinem eingeschlagenen Wege hätte weiterschreiten können. Die Rückgabe der Pferde ist „der einzige Fall, in welchem seine, von der Welt wohlerzogene, Seele auf nichts, das ihrem Gefühl völlig entsprach, gefaßt war" (159, 6). Eine solche Lösung hätte sein allgemeines Rechtsgefühl, das eben keineswegs ein privates ist, nicht befriedigt, weil ein geschehenes Unrecht ungesühnt geblieben wäre. Das Ausbleiben der Rappen bewirkt dann auch „die innerliche Zufriedenheit ..., seine eigne Brust nunmehr in Ordnung zu sehen" (159, 13). Daß Kohlhaas zunächst nicht an eine Ausweitung seiner Fehde mit dem Junker denkt, zeigen die schon hier angedeuteten Auswanderungspläne [111]. Kohlhaas hat sich nach dem Tode seiner Frau von allen menschlichen Bindungen gelöst. Zunächst gibt das Verhör über Herse die Bestätigung des Unrechts, dann erfolgt der Zusammenstoß mit der sächsischen Kanzlei, schließlich die Geusau-Episode, endlich Lisbeths Bittgang. Zwischen den beiden letzten Schritten liegt der Verkauf der Besitzungen, wobei im Erstdruck durch die Aussparung des Dresdner Hauses und die Fristverlängerung dem zweiten Teil vorgearbeitet wird. Der letzte Schritt in der Kette dieser Loslösungen ist als der bedeutsamste von den übrigen abgetrennt. Kleist führt in diesem ersten Teil, wie in ‚Penthesilea', einen deutlichen Angriff auf die äußerliche „Ordnung" und legt Fragwürdigkeit und innere Gebrochenheit der legalen Mächte frei.

Bei der Schilderung des Sturms auf die Tronkenburg strebt die Syntax danach, alle Vorgänge möglichst gleichzeitig darzustellen. In diesem Geflecht bedeutet ein normal verlaufender Satz eine starke Hervorhebung. „Der Engel des Gerichts fährt also vom Himmel herab" (167, 21): damit ist, vom Standpunkt der endgültigen Fassung von 1810, Kohlhaasens Tun gerechtfertigt. Bedeutsam ist hier die Rettung der Rappen, denn eine Rettung aus dem brennenden Gebäude deutet bei Kleist auch an anderen Stellen auf den besonderen Schutz des Himmels [112]. Von hier an jedoch wird Kohlhaas durch die Flucht des Jun-

---

[111] Vgl. 160, 2. 161, 29. 162, 16.

[112] Vgl. Eb. 300, 9 und Käth. III, 14, bes. 267, 17. — Die Lesart des Erstdrucks, daß der Knecht „wenige Momente n a c h d e m [von mir gesperrt] der Schuppen hinter ihm zusammenstürzte, mit den Pferden ... daraus hervortrat" (169, 3) ist wohl doch dem „bevor" in allen Ausgaben vorzuziehen. Das stimmt mit den angegebenen Parallelen überein; die darin liegende Kühnheit ist dem Erfinder der Zigeunerin Elisabeth durchaus zuzutrauen. Die Rappen gewinnen damit eine weit höhere Bedeutung.

kers über sein Ziel hinausgerissen. So „beunruhigt“ ihn das Fräuleinstift, weil er sich gezwungen sieht, den Junker zu verfolgen. Als er ihn in Erlabrunn auch nicht trifft, beginnen die Ereignisse ihm zu entgleiten, und alle seine Mandate sind im Grunde immer verzweifeltere und darum zuletzt auch ins Sinnlose gesteigerte Versuche, den Lauf der Dinge noch aufzuhalten. Luther bricht schließlich die Rachlust Kohlhaasens auf einen Schlag von innen heraus durch das Argument, das seinem Tun jede rechtmäßige Begründung fehle. Damit ist ein Fazit gezogen, und die Erzählung könnte hier auf irgendeine Weise zu Ende gebracht werden.

Bei der Wendung, die die Erzählung mit Luthers Eingreifen nimmt, stellt sich jedoch heraus, daß Luther selbst in der heillosen Verstrickung der Welt steht. Kleist hat ein weit größeres Bild von ihrer Wirrnis im Sinn. Luther greift am Antrieb Kohlhaasens letztlich vorbei und sieht nur das Ergebnis, die Schuld, zu der dieser sich hat hinreißen lassen. Luthers Brief verkennt das bestehende Gleichgewicht: Kohlhaas mußte sich unterfangen, „das Schwert der Gerechtigkeit zu handhaben“ (179, 32), aber er verfiel dabei in den „Wahnsinn stockblinder Leidenschaft“ (179, 34). Die Güte des Landesherrn ist, wie sich bald zeigt, eine Fiktion. So verstrickt sich auch Luther in Irrtum. Die Amnestie aber kann, wie der Schluß zeigt, Geschehenes nicht ungeschehen machen. Im Ganzen ist sie nur eine Art Schwebezustand, in dem sich die Dinge durch unglückliche Zufälle bis fast zur Katastrophe verschlechtern. Die Staatsratsszene zeigt das unentwirrbare Geflecht und Wechselspiel der Kräfte mit völliger Deutlichkeit. Ein „schlichtes Rechttun“ (189, 10) ist in dieser Welt, jedenfalls im zweiten Schritt, nicht mehr möglich. Auch die Wiederkehr der Rappen ist nur ein scheinbarer Neuanfang. Sie symbolisieren gerade den Tiefpunkt von Kohlhaasens Bemühen, nicht umsonst sind sie in die Hände des Schinders geraten. Das Symbol seiner Rache beginnt auf geheimnisvolle Weise selber zu wirken; es ist nicht mehr bloßes Zeichen. Kohlhaas fällt schließlich, bei dem scheinbaren Bündnis mit Nagelschmidt, seiner eigenen List zum Opfer. Selbst sein letztes Mittel versagt damit, ein Mittel, zu dem er durch den Bruch der Amnestie innerlich längst berechtigt war. „Die Ritter“ werden im zweiten Teil der Dresdner Geschichte immer mehr zur Formel für die Kabale, später sind gar nicht mehr die Tronkas speziell gemeint. Darin liegt jedoch keine soziale Parteinahme, da das niedere Volk ebenso schlecht wegkommt und dem Kohlhaas ebenso verderblich wird. — Die Erzählung zeigt immer das wechselseitige Verstricktsein der Handelnden. Dieses

Geflecht von widereinanderstrebenden und sich gegenseitig aufhebenden Kräften ist zeichenhaft.

Das Hauptthema des letzten Abschnitts ist Kohlhaasens Rache an dem sächsischen Kurfürsten, sein äußeres Hauptkennzeichen sind die übernatürlichen Elemente. Warum die scheinbar so persönliche Rache an dem Kurfürsten? — Sie greift folgerichtig auf den Anfang zurück, denn bei der Loslösung des Kohlhaas aus allen menschlichen Bindungen ist entscheidend, daß die letzte Instanz, die Gerechtigkeit schaffen könnte, von ihm nie erreicht wird. Von ihr aber breitete sich die innere Krankheit im Staate aus, wie aus der Umgebung des Kurfürsten genugsam ersichtlich ist. Darum greift auch Kohlhaas ihn als den größten Schuldigen an, daher ist seine Rache auch so unersättlich und geht bis zur letzten Konsequenz.

In einem kurzen Überleitungsabsatz erfolgt die rasche und energische Wendung auf die dritte und höchste Stufe. Der Brandenburger kann Kohlhaas zwar zunächst retten, Recht und Unrecht können jedoch letztlich nur von einem Übergeordneten geschieden werden. Die für den Ausgang entscheidende Klage wegen des Landfriedensbruchs wird von Brandenburg selbst nahegelegt. Sie läßt sich nachher nicht mehr rückgängig machen. Das Zusammentreffen des Kurfürsten mit Kohlhaas wird zweimal (Kleist liebt in seinen späten Novellen die Doppelungen) beinahe rücksichtslos und abrupt herbeigeführt. Im Anschluß daran hören wir zum erstenmal von der Geschichte der Kapsel, sie wird nachher aus anderer Perspektive vom sächsischen Kurfürsten vervollständigt. Der Anknüpfungspunkt wird damit weit nach rückwärts verlegt, und zwar an die entscheidende Stelle: genau an die Zeitgrenze vor Kohlhaasens erstem Schritt zur Rache. Sein ganzes Tun hat nachträglich eine Sicherung erfahren. Er selbst lernt den Zusammenhang erst später kennen und kann keinen Nutzen mehr daraus ziehen, außer dem, der ihm allein übrigbleibt. Die ganze Geschichte mußte aufgespart bleiben, um Kohlhaas am Ende Genugtuung zu verschaffen.

Die Zigeunerin gibt Kohlhaas erst die zerstörerische Macht über den Kurfürsten. Die Unwahrscheinlichkeiten sind hier gehäuft; sie dienen alle zur Erhöhung der Zigeunerin, die zuletzt als Abgesandte des Himmels erscheint, ohne daß aber ihre Rolle je eindeutig würde, wenngleich die Ähnlichkeiten mit Kohlhaasens Frau sehr deutlich sind. Der Antrag des Kämmerers, den sie übermittelt, ist keine Versuchung mehr für Kohlhaas. — Das Urteil muß vollstreckt werden, damit Kohlhaas die begangenen Verbrechen sühnt, eine Notwendigkeit, die Kleist durch die anderslautende Volksmeinung nur bekräftigt hat. Die Erzählung greift damit wieder auf den Anfang zurück: Kohlhaas wird bestraft „wegen des allzuraschen Versuchs, sich selbst ... Recht verschaffen zu wollen" (245, 18). Mit den beiden sich durchkreuzenden Urteilen wird ein vollkommener Ausgleich geschaffen, der beiden Seiten der paradoxalen Verknüpfung gerecht wird. Der sächsische Kurfürst kommt zu Kohlhaasens Hinrichtung, um dabei gewissermaßen seine eigene Strafe zu empfangen, womit noch ein drittes Element, das Thema des zweiten Hauptteils, in die Hinrichtungsszene mit einbezogen wird. Kohlhaas erscheint am Ende gerechtfertigt und gerichtet zugleich, simul justus et peccator, wie sein ganzer Zug gerecht und verbrecherisch zugleich war. So ist die „gebrechliche Einrichtung der Welt" auch am Schluß in der Paradoxie einer verherrlichenden Hinrichtung bewahrt.

Kleist hat mit dem ‚Kohlhaas' die Grenzen der Novelle als Gattung erreicht, denn wesentlich weiter hätte sich das Zugleich von komplexen Wertungen und funktionalen Bezügen wohl nicht treiben lassen. Die Erzählung spielt auf drei selbständigen Ebenen, die im einzelnen vielfach abgestuft sind. Ihr Thema ist die Unentwirrbarkeit der Widersprüche in dieser Welt, die sich nur in einem Paradox aufheben lassen. In drei Schritten hat Kleist in einem Zeitraum von fünf Jahren die erste Entwicklungsstufe seiner Novellistik durchlaufen. Dabei ist zu bedenken, daß die Endfassung des ‚Kohlhaas' nach einem bedeutsamen Einschnitt zustande gekommen ist. Zwischen ihr und den vorhergehenden Werken liegen die anderthalb Jahre der politischen Dichtung, von der der ‚Kohlhaas' sichtlich mitbeeinflußt worden ist. Was hier geschah, wiederholt sich nach dem zweiten Versuch Kleists zum Engagement (in den ‚Abendblättern'). Beide Male sieht er sich nach dem Zusammenbruch eines mit höchstem Einsatz unternommenen Versuchs auf sein Dichtertum allein zurückgeworfen. Beide Male ist ihm aber auch seine wohl größere Hoffnung, die Wirkung durch das Drama, genommen worden. So erwachsen die Höhepunkte der Kleistschen Erzählkunst beide Male aus Niederlagen. Sie sind die Antworten der Gestaltungskräfte auf die dem Menschen Kleist versagte Möglichkeit, sich in seine Gesellschaft, wenn schon nicht in seine Zeit, einzuordnen.

Das am ‚Kohlhaas' abgelesene weiterwirkende Formprinzip der Kleistschen Erzählkunst ist das Aufruhen von Teilschichten des Gesamtgefüges auf voraussetzenden anderen Schichten. Aus der anfänglichen Raffung, die eine Tendenz zur Zusammendrängung hatte, wird immer mehr ein Gefüge, das deutlich in sich gegliedert ist und sich von reiner Temporalverflechtung zu architektonischem Aufbau entwickelt, in dem die konsekutiven und finalen, weniger die kausalen, Verbindungen vorherrschen. Diese architektonische Gliederung wird am deutlichsten im Absetzen der Vorgeschichte gegenüber dem eigentlichen Hauptteil der Erzählung.

Das ‚Bettelweib von Locarno' zeigt die gleiche Technik. Der geringe äußere Umfang der Erzählung hängt von den Raumbedingungen der ‚Abendblätter' ab. Zweifellos liegt hier keine Anekdote vor, obwohl eine innere Verwandtschaft in dem einen zentralen Ereignis besteht. In einer Anekdote müßte dieses als Pointe am Ende stehen; in der Erzählung, bei der häufigen Wiederkehr des Motivs, ergibt sich eine viel komplizierter gebaute Geschichte. Sie erstreckt sich zudem mit Ursache und Auswirkungen über einen längeren Zeitraum hin. — Der Eingangssatz mißachtet alle Zeitfolge: der Temporalnexus tritt für Kleist stärker zurück, er braucht im wesentlichen den konsekutiven; noch wichtiger aber ist der Verweisungscharakter der einzelnen Erzählungsteile. Das ‚Bettelweib' ist eine Geschichte mit einer Moral und steht auch darin den Anekdoten nahe, aber da in dieser Geschichte nur erzählt wird, ist die Moral spürbar, aber nicht aussprechbar. Das gleichfalls nicht wörtlich ausgesprochene Eingreifen des rächenden Jenseits ist ein Zug, den diese Novelle wieder mit den späten ‚Kohlhaas'-Partien gemein hat. Überraschend ist die große zeitliche Erstreckung auf so kurzem Raum. Dabei kehrt die temporale Perspektive vom „heutigen" Betrachter immer näher auf das „Einst" zurück. — Vorweg wird das Faktum der Geschichte erzählt, der von dem Marchese halb und halb verschuldete Tod des alten Weibes. Dann, nach einem Abstand von Jahren, schon als erster Vorbote des Unheils, die schlechten Verhältnisse des Marchese, die durch den Spuk und das Zurückschrecken der Käufer verschlimmert werden; schließlich die von Schritt zu Schritt gesteigerte dreifache Wiederholung des Spuks. Viermal geht das Bettelweib seinen geisterhaften Gang. Dabei wird das Erlebnis des florentinischen Ritters zur Episode, der ein eigener Absatz zufällt. Der letzte Absatz enthält die drei Proben: die erste, nachdem die Lage des Marchese schon hoffnungslos geworden ist, die zweite Probe in Begleitung des Dieners, bei der das Ehepaar in seiner Zwangslage sich nicht äußern kann. Erst die dritte Probe stellt die eigentliche Erzählung dar. So verdichtet sich das Geschehen von Schritt zu Schritt. Der Hund in seiner kreatürlichen Angst beschwört durch seine Bewegung, die syntaktisch in der Inversion dargestellt wird, die Katastrophe herauf. Der Brand des

Schlosses lenkt schließlich wieder auf den Anfang zurück. — In der Konzentrierung auf ein Ereignis unterscheidet sich diese Erzählweise von dem auf mehreren Ebenen spielenden Ereignisgeflecht der ‚Marquise' und des ‚Kohlhaas', die gerade durch dieses Geflecht die Sinngebung boten. Dabei ist das Formprinzip der Steigerung, das sich zumindest in der szenischen Verdichtung am Schluß des ‚Erdbebens' und in der Hereinnahme des Übernatürlichen im letzten ‚Kohlhaas'-Teil findet, auch hier gewahrt, doch so, daß eine Gliederung des Erzählungsablaufs in verschiedenen Stufen erfolgt und die Ereignisse immer genauer ins Blickfeld treten. Ein gewisser Hang zur Pointierung ist hier nicht zu übersehen — auch dies eine Folge der gedrängten Form, die zur Anekdote hinüberweist.

Die ‚Heilige Cäcilie' liegt in zwei verschiedenen Fassungen vor, von denen die kürzere ältere in den ‚Abendblättern' erschienen ist. Abgesehen von kleineren Änderungen liegt der Unterschied der beiden Fassungen in ihren Schlüssen. Der erste Absatz der Endfassung entspricht dem ersten in den ‚Abendblättern' erschienenen Teil, der zweite der ersten Fortsetzung, während der zweiten Fortsetzung der älteren Fassung drei neue Absätze im Erstdruck entsprechen. Die Zahl Drei erscheint in dieser Erzählung fast wie eine Dignitätsformel. In der Urfassung werden am Schluß die eigentlichen Ereignisse ausgespart, wir erhalten nur einen Reflex davon im Bericht des Gastwirts. Auch wird der Gesang der Brüder noch in milderer Form geschildert; er ist dort „nicht ohne musikalischen Wohlklang, aber durch sein Geschrei gräßlich" [113]. Die Aussagen, indirekt berichtet, erfolgen dreifach gestaffelt: durch den Gastwirt, dann durch den Arzt, der aus Gründen, die nicht weiter erläutert werden, die Partitur durchsieht, schließlich durch die vor Gericht zitierten Bürger. Die Erzählung läuft in dieser Fassung auf den Tod der Antonia, die Rettung des Klosters und damit auf das Hauptmotiv des Stellvertretungswunders hinaus. Dieses wird wieder dreifach bekräftigt, nämlich durch die Aussagen der Klosterfrauen, schließlich durch Erzbischof und Papst. Das Wunder ist hier mehr ein Triumph der Religion durch die Musik, während in der Endfassung das rätselhafte Thema Musik und Wahnsinn in den Vordergrund tritt, wobei Glaube und Wahnsinn wieder eine unscheidbare Paradoxie und Einheit zugleich bilden.

Die ersten beiden Absätze blieben, wie gesagt, in der Buchfassung annähernd dieselben. Die Brüder haben eine sachliche Begründung für ihr

[113] ‚Abendblätter' vom 17. November, zitiert nach dem Neudruck, aaO. 163.

Zusammentreffen; die Erzählung leitet jedoch sofort auf Religiöses über. Das Treiben der Brüder erscheint zwar als schwärmerisch in einem zweifelhaften Licht, doch erfolgt sonst keine Parteinahme, wie denn in Kleists letzten Erzählungen der Erzähler selbst, sei es auch nur als Fiktion für die Optik des Moments, immer weniger sichtbar wird. Die Nonnen sind bei dem Gottesdienst völlig auf sich allein gestellt; ein unbekannter Meister, eine uralte Messe, das seltsame Beharren der Äbtissin: all das schafft eine Aura des Geheimnisses. Das Vertrauen der Äbtissin wird schließlich belohnt durch das Erscheinen der zweiten Antonia. Die Musik schlägt ihren Bann seltsamerweise nur über die Brüder, was doch fast einer Auserwählung gleichkommt. Das Stellvertretungswunder ist in der Endfassung nur Teil, besser Voraussetzung für das Neue, das der dreiteilige Zusatz bietet.

Wie im ‚Bettelweib' liegt ein großer zeitlicher Abstand zwischen der Vorgeschichte, denn als solche muß nun das Stellvertretungswunder angesehen werden, und dem Hauptteil; die Mutter sucht erst sechs Jahre später nach ihren Söhnen, die sich nur kriminalistisch durch die Briefspur auffinden lassen. Sie leben nun in einem geisterhaften Zustand, der in Verbindung mit dem langen zeitlichen Abstand eine geheimnisvolle Steigerung mit sich bringt. In der Endfassung gibt der Tuchhändler eine sachliche Aufklärung und die eigentliche Erzählung. Aber gibt er die e i g e n t l i c h e n Vorgänge wieder? Wie das Geschehen überhaupt nur in der Gebrochenheit mehrerer Reflexe erscheint, so trägt der scheinbar sachliche Bericht der Augenzeugen am wenigsten zur Erklärung bei. Er verschleiert gerade am meisten. Zwischen sachlichem Detail und Verstehen besteht eine Kluft. Ebenso steht detaillierte Schilderung neben leicht durchschaubarem Bruch: der Gottesdienst hatte abends bei Licht stattgefunden, also kann der Satz von der „Kathedrale, die hinter uns im Glanz der Sonne prächtig funkelte" (384, 17) nur als Einzelstelle einen verweisenden Bezug haben. Die Wirkung des Gesanges erscheint im direkten Bericht nur um so rätselhafter. Während wir in der Fassung der ‚Abendblätter' nichts über das fernere Schicksal der Brüder erfahren, wird dieses hier ausführlich geschildert. — „Drei Tage darauf" (387, 4) erscheint der äußere Glanz der Kirche leibhaftig vor den Augen der Mutter in Erweiterung und Erneuerung des Baues. Abziehendes Gewitter und der Glanz der Rose sprechen wortlos dabei mit. Ein krasser Zufall (Kleist wird zunehmend sorgloser im Motivieren) führt die Mutter vor die Äbtissin, und hier wird die dritte, noch geheimnisvollere Aufklärung gegeben, die alles auf den „Schrecken der

Tonkunst" (389, 11) hinlenkt. Das Stellvertretungswunder mit seiner dreifachen Bezeugung wird am Schluß zur Abrundung wieder aufgenommen, es führt dann auch die Bekehrung der Mutter herbei. Sie scheint wie in dem dunklen Sog entstanden, den Rätsel und Schrecken ausüben.

Die Urfassung ist, im Rahmen der Gesamtentwicklung von Kleists Novellistik, als Vorstufe anzusehen. Der Katholizismus hat, wie der ‚Findling' lehrt, für Kleist nur die Bedeutung eines ästhetischen Mediums. Die Bekehrung stellt eine Steigerung des Stellvertretungswunders dar, beide stehen in Abhängigkeit zueinander. Wie im ‚Kohlhaas' haben wir mehrere Ebenen, die in ihrem Ansteigen die Vielschichtigkeit und Komplexität des Geschehens spiegeln. Sie spiegeln es auch äußerlich, da die Novelle nur mit indirekten Reflexen arbeitet. Das Hauptgewicht liegt auf dem dreifach gegliederten dritten Teil. Auch hier ist das Formprinzip, das am Krisenpunkt der Handlung einsetzt, verlassen; das Wesentliche der Erzählung stützt sich auf einen voraussetzenden Teil. Rechnet man die zeitliche Dehnung hinzu, die an und für sich kein novellistischer Zug ist, so könnte man vielleicht gerade anläßlich der kleineren Erzählungen davon sprechen, daß sich die Entwicklung auf den Roman hin bewegt.

An dieser Stelle ist wenigstens eine kurze Erwähnung der Kleistschen Anekdoten nötig. Sie sind im doppelten Sinne mit den ‚Abendblättern' verwachsen. Erstens ist die Kurzform an äußere Notwendigkeit gebunden und zweitens dienen sie unterschwellig der politischen Propaganda. Daher rührt ihr soldatischer Ton, der auch die Art ihres Witzes formt. Die Darstellung preußischen Soldatentums, von Lorenzen, der die Anekdoten zuerst in ihrer Eigengesetzlichkeit erfaßte, als eines ihrer Hauptkriterien hingestellt [114], ist von außen bedingt. Zweifellos gibt es hier auch Schwierigkeiten der Gattungsbestimmung. So hatte Sembdner 1938 in der zweiten Auflage der Schmidtschen Ausgabe eine Sondergruppe „Kurzgeschichten" angedeutet [115], eine Grenze, die er leider in seiner letzten Ausgabe wieder verwischte. Ganz sicher handelt es sich bei ihnen nicht um Anekdoten, aber auch nicht um Erzählungen, zumal Kleist sie sonst in den zweiten Band aufgenommen hätte. Die Formstrenge beider Gattungen fehlt ihnen.

---

[114] Typen deutscher Anekdotenerzählung ..., aaO. 23.
[115] VII, Kl. Schr. VIII.

Die Anekdoten widerlegen Gundolfs Ansicht, daß Kleist sich nicht auf engem Raum ausdrücken konnte, sondern Entladung brauchte [116]. Ihr Hauptmerkmal besteht darin, daß sie um e i n e Szene oder e i n e festgehaltene Eigenschaft kreisen. Das Auszusagende wird kommentarlos in dies Eine zusammengezogen. Darin besteht ein einzigartiger Unterschied zu den Erzählungen. Diese kennen eine Aussage nur auf dem Weg über ein kompliziert gesponnenes Gewebe. Die Anekdoten dagegen zeigen eine ganz neue Stufe in Kleists Entwicklung, denn hier wird alles in ein einziges Bild zusammengezogen. Damit wird sehr von ferne eine Annäherung an das Symbol vollzogen, das bei Kleist sonst von symbolischem Geschehen vertreten wird. Die Kontraktionsform Anekdote erlaubt es, von einem Geschehenssymbol bei Kleist zu sprechen.

Die ‚V e r l o b u n g' ist wohl die am lockersten gebaute Novelle Kleists. Das zeugt möglicherweise von größerer Eile bei ihrer Ausarbeitung. Sie kreist im Kern um das Problem des Vertrauens und erinnert auch sonst in manchen Zügen an die Frühzeit [117]. Verglichen mit den sie umgebenden Novellen ist die ‚Verlobung' wenig gestrafft; eine deutliche Gliederung ist nicht erkennbar. Das Prinzip der Raffung fehlt gänzlich, ebenso ein vorausliegendes Ereignis; es wird der Reihe nach erzählt. Hier erscheint ein neues Aufbauprinzip: das Einsetzen mit einem Kreis von Nebenpersonen. Toni ist in diesen beziehungsvoll hineingestellt. Für jeden Charakter und jedes Begebnis gibt es in dieser Erzählung irgendeine Voraussetzung, die jeweils nur auf diesen Einzelfall bezogen ist. Die Darstellung aber besteht in einer scheinbar beziehungslosen Reihung von Ereignissen, bei denen die kausale Folge wenig interessiert. Die im ‚Kohlhaas' beginnende Tendenz zur Darlegung einer allgemeinen ausweglosen Verstrickung wird hier fortgesetzt. Dabei besteht der Möglichkeit nach immer ein Ausweg, aber die Verschuldung eines jeden Mitspielers wird von einer höheren Gerechtigkeit so gelenkt, daß so etwas wie eine ausgleichende Bestrafung eintritt. Dergleichen wird aber nie direkt gesagt, die Ereignisse als solche sprechen allein. Die Neigung zur Darstellung der Unerklärlichkeit begünstigt das Entstehen von Doppelungen, die beinahe jedes Ereignis und jede Person in ein Zwielicht rücken.

Ein gewisses Interesse an der Charakterzeichnung als solcher hebt die späteren Novellen von den früheren ab. Man darf Kleists Neigung für

---

116 aaO. 169.

117 So die Worte vom vergifteten Becher (322, 27), die eine Parallele in der ‚Familie Schroffenstein' haben.

die Psychologie jedoch nicht überschätzen. Bezeichnend ist, daß sich alle Charakterwandlungen immer auf Ereignisse zurückführen lassen. So wird Hoango zum Bösewicht, als die Möglichkeit zu einer allgemeinen Rache an den Weißen entsteht, und Babekan ist durch das an ihr begangene Verbrechen zu ihrer finsteren Rächerhaltung gewissermaßen berechtigt. Gustav ist mit einer ungesühnten Schuld beladen. Er bleibt der Sich-übereilende, der mit den Folgen seiner Taten nicht fertig wird. Einzig Toni durchläuft eine echte Wandlung. Sie hat bis zur Begegnung mit Gustav Teil an den allgemeinen Verbrechen, dann entdeckt sie in der Liebe den Adel ihres Wesens.

Das Einsetzen mit Nebenpersonen in einem hinführenden Vorspiel hat seine Entsprechung in einem abgesetzten kurzen Nachspiel, das als Ausleitung gleichfalls von einem Kreis von Nebenpersonen getragen wird. Am Eingang der eigentlich zu erzählenden Geschichte stehen sich Vertrauen und Lüge unscheidbar gegenüber. Das bewirkt vor allem der Hintergrund von pseudoepisodischen kleinen Erzählungen. Die Tendenz der Geschichte Babekans und die der Erzählung von der Pestkranken heben einander auf. Die Geschichte der Mariane ist sowohl für Gustav wie für Toni Vorausdeutung, erst danach erfolgt Tonis Umkehr. In der Mitte tritt eine Sperrung ein durch die Verlobung und die offene Parteinahme Tonis. Letztere trägt aber ihre Unausführbarkeit schon in sich. Der Unsegen der „lügenhaften Anstalten" (337, 21) bringt es mit sich, daß sie ihre eigene Mutter betrügen muß und so aus dem Kreis von Mißtrauen nie hinausgelangt. Dieses Gefühl ist durchaus auch in ihr selbst lebendig und aus ihm entspringt ihre Todesbereitschaft [118]. Das Geschehen wird dann auf beide Hauptpersonen konzentriert. Voraussetzung für eine glückliche Lösung wäre das Geständnis, das Toni beabsichtigt, das aber durch Zufälle verhindert wird. Ein scheinbarer Betrug, wieder Zeichen des Teufelskreises, der um Toni liegt, ersetzt dieses Geständnis. Gustavs Vertrauen ist nicht stark genug, den Anschein der Wirklichkeit zu durchbrechen.

Vor der Katastrophe ist eine spannungssteigernde Pause eingeschoben, das Zusammentreffen Tonis mit den Flüchtlingen. Als glücklicher Kontrast bahnt sich in der Natur — wie in der ‚Familie Schroffenstein' — eine wenn auch überschattete Möglichkeit eines versöhnenden Auswegs an. Durch diesen Einschub wird die tragische Fallhöhe wesentlich vergrößert. — Im Hause Hoangos herrscht dagegen wieder die Macht des Betrugs mit allen seinen Folgen. Das Wort „Hure" ist wahr und falsch

[118] Vgl. 337, 27 und 344, 18.

zugleich. Toni hat Gustav anfangs mit ihren Zärtlichkeiten betrogen, aber ebenso richtig spricht Kleist nachher von ihrer „schönen Seele". Damit ist wenigstens die Möglichkeit von Wandlung und Entwicklung eingeräumt. Selbstmord und Nachspiel werden sehr lakonisch erzählt. — Im ganzen zeigt die ‚Verlobung' als einzige Novelle formale Lockerung. Die lockere Form ist jedoch kaum als Verfall anzusehen, sondern geht vornehmlich darauf zurück, daß Kleists Blick immer zahlreichere Widersprüche im Bilde der Wirklichkeit zutage fördert. Ihre Auflösung bleibt als Möglichkeit immer anerkannt; ein Weg, den Kleist mit den formal gestraffteren letzten beiden Novellen dann wieder beschritten hat.

Auch die Novelle ‚Der Findling' besitzt eine einleitende Vorgeschichte. Diese ist nur zweieinhalb Seiten lang und enthält keinen einzigen Zug, der nicht später Verwendung fände. Die Geschichte des Findlings ist der rote Faden, der sich durch die Erzählung zieht. Bei aller engen Verzahnung der Motive gliedert sich doch die Handlung in mehrere Teile. Zunächst wird die Vorgeschichte bis zu Nicolos Heirat erzählt. Damit erst ist seine Aufnahme in das Haus vollzogen. Das sind aber noch nicht alle Voraussetzungen, andere werden nachgeholt, und zwar jeweils an der Stelle, an der der Erzähler ihrer bedarf. Die eigentliche Erzählung handelt von den Vorgängen im Hause Piachi. Das Nachspiel gehört zunächst Piachi und Nicolo, ganz am Schluß steht Piachi wieder allein wie zu Anfang. So sind Anfangs- und Schlußabschnitt streng aufeinander bezogen.

Vor der die Vorgeschichte Nicolos abschließenden Heirat ist bereits das Nebenmotiv des Kirchenstaates eingeflochten, verkörpert durch Bigotterie und Hurerei, das die weitere Erzählung begleitet. Es gibt einen Hintergrund ab, der zum Schluß stark hervortritt. Wie in der ‚Heiligen Cäcilie', nur unter anderem Vorzeichen, ist der Katholizismus ästhetisches Medium.

Nach der Vorgeschichte des Findlings erfolgt, lose motivisch angeknüpft, ein Einschub mit der nachzuholenden Vorgeschichte Elvirens, zunächst nur ein Teil, der später vervollständigt wird. Elvire hat eine eigene empfindsame „Geschichte", eine abgeschlossene Erzählung für sich. Mit dieser Geschichte ist auch ihr Leben praktisch abgeschlossen. Ihre Geschichte wird nur deshalb so detailliert gegeben, damit deutlich wird, wie wenig sie in die Welt des Hauses Piachi paßt. Somit ist nicht einmal die Isoliertheit dieses Schicksals funktionslos. Wenn Kleist bei Elvire an die Bedeutung des arabischen Namens gedacht haben sollte (= „die Strahlende"), dann war das Ironie. Sie treibt einen fortgesetzten, höchst subtilen Ehebruch [119], der einen kranken Untergrund für das Leben im Hause abgibt und der für alle höchst verderblich wird. Kleist erzählt das alles ohne das geringste kommentierende Wort. Für Elvire ist es letztlich gleich, ob sie einen Stiefsohn oder einen Pflegesohn hat. Damit ist auch für Nicolo ein Hineinwachsen nicht möglich, alle menschlichen Verhältnisse sind hier tot, Starre und Schweigen herrschen. Der distanzierte, völlig kühl-überlegene Ton des Erzählers unterstreicht dies. Bestandteile der distanzierten Erzählhaltung sind die festabgegrenzten Personensphären. Piachi bleibt immer „der Alte", bis er am Schluß plötzlich zur dämonischen Rächergestalt emporwächst. Die anderen Personen werden wie leblose Requisiten mit größter Kälte behandelt, so Paolo, Constanze, auch Xaviera. Sie treten auf und werden dann entweder einfach nicht mehr erwähnt oder sterben, wenn sie nicht mehr benötigt werden. Auch Nicolos Charakter wird ganz distanziert gezeichnet. Nur vom jeweiligen Erzählungsstand fällt ein Licht auf ihn. Meist ist er stumm oder seine Äußerungen werden in indirekter Rede gegeben, die schon zur Gebärde hinüberneigt. Wir erhalten nur sein Erscheinungsbild, ohne jede erklärende Zutat. Der ‚Findling' ist keine „charakterologische" Novelle. Alle Züge Nicolos sind rein funktionell, d. h. es gibt nur solche, die dazu beitragen, die Handlung ablaufen zu lassen. Kleist ist hier mit geradezu fanatischer Ausschließlichkeit Nur-Erzähler, es gibt nicht die winzigste Abschweifung.

Der eigentliche Hauptteil der Erzählung wird mit einer Vorwegnahme eingeleitet: Elvirens Sturz, als sie Nicolo in genuesischer Rittertracht erblickt. Dies ist eine Vorwegnahme ihres späteren Auf-die-Knie-stürzens mit dem Ausruf „Colino! Mein Geliebter!" (373, 18). Der Tod Constanzens eröffnet Nicolos Verderbnis. Die Bestrafung durch Piachi leitet eine Steigerungsreihe von Reaktionen ein, die zu der letzten Untat hinführen. Zuerst sind Rache und Beschämung gegen Elvire gerichtet, dann erfolgt ein erster Einschub mit der Beobachtung Elvirens durch Nicolo. Sie gibt ein Rätsel auf und bildet damit einen weiteren Antrieb für sein Handeln. Bei der Entdeckung seiner Ähnlichkeit mit dem Bilde Colinos vermutet Nicolo ganz richtig eine verborgene Leidenschaft Elvirens. Der zweite Einschub ist die Entdeckung der kryptischen Namensübereinstimmung. Damit hat Nicolo scheinbar die Lösung des Rätsels erhalten. Im dritten Schritt kommt eine andere Beschämung gegen-

[119] Thomas Mann hat ihn charakterisiert als „romantischen und sittlich nicht einwandfreien geheimen Liebeskult" (Heinrich von Kleist und seine Erzählungen, Gesammelte Werke, Berlin 1955, Bd. 11, 650).

über Elvire hinzu durch die Enttäuschung, die Nicolo erfährt, als ihm der wahre Hintergrund von Elvirens Treiben bekannt gemacht wird. Unterschwellig spielt hier wieder der Kirchenstaat mit hinein, da die Erklärung nur durch Bruch des Beichtgeheimnisses möglich war. Bei Nicolos Untat kommt ihm Elvirens Ehebruch faktisch entgegen. Ein weiteres Verbrechen schließt sich an: eine Umkehrung der Ausgangssituation zwischen Nicolo und Piachi vom Anfang der Novelle; der unschuldige Findling ist zum Tartuffe geworden. Die Nachgeschichte erzählt von Piachi allein — erst der Mord, dann die grandiose Verfolgung über den Tod hinaus; eine steil ansteigende Linie leidenschaftlichen Aufbegehrens.

Die Novelle lebt überwiegend von Perversionsformen Kleistscher Grundmotive. In dem zyklischen Aufbau enthält die Antithetik von Anfang und Schluß die Verkehrung der Handlungsweisen Piachis und Nicolos. Es liegt aber keine einfache Spiralbewegung vor, wie etwa am Schluß des ‚Homburg', sondern eine völlige Umkehrung. — Im ‚Erdbeben' war das Böse letztlich noch untergeordnet, hier herrscht es wirklich. Die Kleistschen Hauptmotive, vor allem das des Vertrauens, sind hier, in statu negationis, fast alle anwesend.

Die Novelle hat die ganze Geschlossenheit des ‚Kohlhaas'; sie verbindet die Aufbauprinzipien mehrerer Entwicklungsstufen. Hier gibt es gleich zwei voraussetzende Geschichten, die ‚Verlobung' besaß nur e i n e allgemeine Einleitung. Diese Vorgeschichten sind auch straffer auf die Haupthandlung bezogen, obwohl sie in sich selbst mehr Eigenleben haben als die Hintergrundschilderung der ‚Verlobung'. Das Formprinzip des ‚Bettelweibs' und der ‚Cäcilie' wurde hier weiterentwickelt, das darin besteht, eine Geschichte zu erzählen, die die Voraussetzung für die sich steigernden Hauptteile abgibt. Dabei liegt in dem Nachholen der zweiten, zeitlich am weitesten zurückliegenden Vorgeschichte wieder eine Art von Raffung vor. Der ‚Findling' hat eine äußerste Funktionalisierung aller Teile erreicht; kaum eine andere Novelle ist formal so gestrafft. Zieht man die geringere motivische Ausdehnung ab, so ist sie an Willen zur Funktionalität höchstens dem ‚Kohlhaas' vergleichbar.

Im ‚Z w e i k a m p f' wird das Prinzip der verselbständigten Vorgeschichte so weit gesteigert, daß Kleist beinahe zwei verschiedene Geschichten erzählt. Der Mord an dem Herzog von Breisach zu Beginn gibt wieder das Rätsel auf, dessen Auflösung bis zum Schluß aufgespart bleibt. Damit ist auch der Hauptantrieb zur Weiterentwicklung der Handlung gegeben. In Bezug auf die Klarlegung des Sachverhalts ist

Kleist hier wesentlich zurückhaltender als früher. Er gibt nur einen ganz schwachen Hinweis [120], der eigentlich kaum in einer bestimmten Weise auslegbar ist. Die Indizien bei der Suche nach den Mördern weisen eindeutig auf den Rotbart; sie werden mit großer Umständlichkeit erzählt, so daß die eigentliche Erzählung noch lange auf sich warten läßt. Der Graf stellt sich dem Gericht in dem berechtigten Bewußtsein, daß ihm sein Alibi volle Sicherheit bietet [121]. Nach der Einsetzung des Schwurgerichts übergeht der Graf den die Herkunft des Pfeils betreffenden Klagepunkt. Am Ende der Verhandlung steht sein Alibi, und damit ist der Anstoß für eine zweite Vorgeschichte gegeben.

Diese, die Erzählung von Littegarde, greift wie die Elvirens im ‚Findling' zeitlich vor die erste zurück. Insofern zeigen beide Erzählungen gleichartige Raffungstendenzen. Littegarde wird vertrieben: ihre vollkommene äußere Verlassenheit zeichnet von der Erzählhaltung her ihre Isolierung in diesem Punkt der Erzählung nach. Ihr bleibt einzig das Vertrauen zu Friedrich von Trota. Man hat in der Littegarden-Gestalt immer eine Parallele zur Marquise gesehen. Beide gleichen sich zwar im Bewußtsein ihrer Unschuld und in den später gegen sie sprechenden Fakten, aber ein nicht zu übersehender Unterschied liegt darin, daß das Vertrauen zum eigenen Bewußtsein im ‚Zweikampf' so groß ist, daß Littegarde die Überzeugung Trotas völlig selbstverständlich fordert und in ihre eigene miteinbezieht. Als das Schwurgericht die Klage gegen den Grafen aufheben will, wozu es auf Grund des Indizienbeweises berechtigt ist, erfolgt auf dem Höhepunkt die Forderung Trotas. Damit werden beide Vorgeschichten verknüpft zum Thema der eigentlichen Erzählung, dem Zweikampf.

Erster und zweiter Teil hatten zusammen 13 Absätze, der dritte 6, die dabei immer länger werden, dieser Teil macht mehr als die Hälfte der Gesamtlänge aus. Er beginnt mit einer Retardation, die als Steigerung wirkt: die Erprobung der inneren Sicherheit Littegardens durch Friedrichs Mutter und Schwester. Als Sinnbild dieser Sicherheit nehmen alle im Kampfgeviert Platz, wohin eigentlich nur Littegarde gehörte. Bei der Kampfschilderung ist die Kampfesweise der Gegner bedeutungsvoll voneinander abgesetzt, auch der Sieg erscheint in zweifelhaftem Licht. Friedrich hatte sich sinnbildlich nur verteidigt, erst als er diese einzig angemessene Haltung wegen des Murrens unter den Zuschauern aufgab,

---

[120] Vgl. 392, 13: „... in kluger Erwägung der obwaltenden Umstände ...".
[121] Auch hier nur ein zunächst undeutbarer Hinweis, vgl. 395, 22: „... die Vernichtung seiner Seele verbergend ....".

stürzte er. Damit ist ein erster Gegenbeweis gegen das Ergebnis des Kampfes angedeutet. Ein zweiter liegt in Friedrichs Genesung, auf Grund derer er das Ergebnis des Kampfes nicht anerkennt. Friedrichs Glaube stützt sich auf ein Faktum, nicht etwa alleine auf die Sicherheit des Gefühls. Wäre das der Fall, dann hätte Kleist vielleicht die beiden Inkulpierten im Bewußtsein ihrer Unschuld als Märtyrer den Scheiterhaufen besteigen lassen. Aber Friedrich hält sich nicht an „diese willkürlichen Gesetze der Menschen“ (413, 21). Das Gespräch zwischen Friedrich und Littegarde bewirkt, als Littegarde auf Friedrichs Argumentation eingeht, eine um so größere Aufrichtung. Wenn dann noch Rosaliens Betrug aufgedeckt wird, ist mit dem dritten Gegenbeweis das Gottesurteil schon widerlegt. Nachgeholt wird dann Rotbarts Erkrankung, die während der ganzen Zeit, in kontrapunktischer Umkehr zur Genesung Friedrichs, ein indirekter Gegenbeweis gegen das Gottesurteil war; hier tritt noch einmal ein Raffungszug auf. Die Krankheit ist Sinnbild göttlicher Bestrafung. Vor seinem Tode gibt der Graf schließlich noch die Aufklärung über den Mord an seinem Bruder, womit die beiden Handlungsteile endgültig zusammenlaufen. Selbstverständlich hätte keiner für sich eine „Geschichte“ ergeben, erst aus der Verflechtung entstand die Erzählung. Der Schluß betont noch einmal die Fragwürdigkeit menschlicher Erkenntnis.

Hält man ‚Findling‘ und ‚Zweikampf‘ nebeneinander, so läßt sich eine Weiterentwicklung der Erzählweise erkennen. Der ‚Zweikampf‘ hat eine abgerundete und geschlossene Form. Die Weiterentwicklung besteht darin, daß sich die Haupterzählung immer mehr gegen das Ende verlagert und die Vorgeschichte immer größeres Eigengewicht bekommt. Im ‚Zweikampf‘ nimmt sie fast die Hälfte des Ganzen ein. Bei ‚Bettelweib‘, ‚Cäcilie‘ und ‚Verlobung‘ lag eine einfache Vorgeschichte vor, im ‚Findling‘ und ‚Zweikampf‘ ruht die Haupthandlung auf einer doppelten (hinleitenden) Vorgeschichte. Das Prinzip der Klammerung ist im ‚Zweikampf‘ durch die gewaltige Spannung zwischen den Teilen noch verstärkt. Beide Vorgeschichten sind unabhängig voneinander (wie im ‚Findling‘), erst Rotbarts Alibi verknüpft sie, wie es Elvirens vorausdeutender Sturz im ‚Findling‘ tut. Auch der ‚Zweikampf‘ setzt mit einem „Nebenton“ ein, aber viel nachdrücklicher, da die Erzählung zunächst in eine Richtung läuft, die weder von der zweiten Vorgeschichte noch von der eigentlichen Erzählung etwas ahnen läßt.

Der zweite Band der ‚Erzählungen‘ hat sichtlich einen geplanten Bau. ‚Verlobung‘ und ‚Zweikampf‘ bilden mit dem Vertrauensthema in tragischer, an die dichterischen Anfänge anknüpfender, und in untragischer Form den Rahmen. Die letzte Erzählung bietet die strahlende Umkehr des Grundmotivs der ersten. Die beiden kleinen Erzählungen fassen den ‚Findling', das künstlerisch wohl wertvollste Stück, ein. Es ergibt sich eine Symmetrie um eine Zentralachse. Das spukhafte ‚Bettelweib' führt zu ihr hin, die ‚Cäcilie' mit dem Hauptmotiv des rätselvollen Glaubens wieder von ihr fort. Der ‚Zweikampf' ist Ausleitung und antithetischer Gegenpol zur vorhergehenden Erzählung. So zeigt sich selbst in dieser Anordnung noch die formende Hand Kleists.

Der zweite Band der ‚Erzählungen' ist das späteste Werk, das wir von Kleist besitzen. Wieviele Entwürfe Kleist vor seinem Tode verbrannt hat, wissen wir nicht. Uns bleibt hier noch übrig, abschließend nach Kleists dichterischen Bemühungen in den letzten Monaten vor seinem Tode zu fragen. Es wurde bereits gesagt, daß die Hinwendung zur Erzählkunst aus einem Gefühl doppelten Verlustes im Frühjahr 1811 begründet ist. Der Versuch einer Eingliederung seiner ganzen Existenz in die Bestrebungen zur Erneuerung des Vaterlandes war fehlgeschlagen. Eine Wirksamkeit als Dramatiker, wohl sein größter Wunsch als Dichter wie als Mensch, blieb ihm versagt. Auch seine mit ganzer Leidenschaft begonnene Tätigkeit als Journalist war von dem großen Zusammenhang, in dem Kleist sie gedacht hatte, abgedrängt worden und zuletzt im Sande verlaufen. Die Rückkehr zur Erzählkunst war die einzige mögliche Antwort auf diese Notlage. Die Erzählungen des zweiten Bandes, die ja schon während des Niedergangs der ‚Abendblätter' geplant wurden, sind darin nur ein erster Schritt. Es war nur folgerichtig, daß Kleist diesen Weg mit einem Roman, dessen bevorstehende Vollendung er Ende Juli ankündigte, fortsetzte. Die Hinwendung zu einer ganz neuen Gattung zeigt, wie ernst Kleist den für ihn neuen Weg nahm. Die Briefe Nr. 197 und 198, von Sembdner jetzt richtig auf den Sommer umdatiert, bezeugen, daß Kleist nach neuen Ufern der Kunst strebte. Von irgendeinem Zusammenbruch seiner dichterischen Kräfte kann also keine Rede sein.

Die entscheidende Wende brachte dann die auf Vermittlung Maries von Kleist zustandegekommene Audienz beim König, die wohl am 17. September stattfand [122]. Mit einem Schlage schien sich Kleist damals die Möglichkeit zu eröffnen, doch wieder aktiv am Leben des Vaterlandes beteiligt zu sein. Diese Hoffnung, so kurzlebig sie war, muß die dichte-

---

[122] Vgl. Sembdner, Zu Heinrich und Marie von Kleist, JbSchG 1, 1957, 167.

rischen Neuansätze an Bedeutung bei weitem überragt haben. Kleist war zumindest seit 1808 nicht mehr fähig, auf die Dauer auf diese Bindung zu verzichten. Nur in diesem Lichte, im schnellen Zusammenbruch dieser frischen Hoffnung, ist es verständlich, daß Kleist seinen dichterischen Neubeginn geringer einschätzte als den Einsatz seiner menschlichen Existenz. Der erniedrigende Besuch bei der Familie hat sein gewichtig Teil dazu beigetragen, daß Kleist jede Hoffnung aufgab. Ohne an das Geheimnis von Kleists Tod rühren zu wollen, dürfen wir doch sagen, daß er nicht starb, weil er als Dichter gescheitert war. Die Zeit hatte keinen Platz für den Dichter, daß sie auch keinen für den Menschen und Bürger hatte, wog schwerer. So hat sie nur indirekt auch den Dichter ausgelöscht, der allein als Dichter nicht mehr in ihr zu bestehen vermochte. Der Zusammenbruch aller Hoffnungen außerhalb der Dichtung rief die Todesbereitschaft in Kleist hervor.

Literaturverzeichnis

Verzeichnis der verwendeten Abkürzungen

ADB	Allgemeine deutsche Biographie
AfdA	Anzeiger für deutsches Altertum und deutsche Literatur
DU	Der Deutschunterricht
DuV	Dichtung und Volkstum. Neue Folge des Euphorion
DVjS	Deutsche Vierteljahrsschrift für Literaturwissenschaft und Geistesgeschichte
EG	Etudes Germaniques
Euph.	Euphorion
Germanistik	Germanistik. Internationales Referatenorgan mit bibliographischen Hinweisen
GLL	German Life and Letters
GR	The Germanic Review
GRM	Germanisch-Romanische Monatsschrift
JbKG	Jahrbuch der Kleist-Gesellschaft
JbSchG	Jahrbuch der Deutschen Schillergesellschaft
JEGPh	The Journal of English and Germanic Philology
LE	Das literarische Echo
MLN	Modern Language Notes
MLQ	The Modern Language Quarterly
MLR	The Modern Language Review
Monatshefte	Monatshefte. A journal devoted to the study of German language and literature
Neoph.	Neophilologus
NR	Die neue Rundschau
PEGS	Publications of the English Goethe Society
PJbb	Preußische Jahrbücher
SchrdKG	Schriften der Kleist-Gesellschaft
StverglLg	Studien zur vergleichenden Literaturgeschichte
ZfÄ	Zeitschrift für Ästhetik und allgemeine Kunstwissenschaft
ZfdPh	Zeitschrift für deutsche Philologie
ZfdU	Zeitschrift für den deutschen Unterricht
ZsfBfr	Zeitschrift für Bücherfreunde
ZsfverglLg	Zeitschrift für vergleichende Literaturgeschichte
VjSfLg	Vierteljahrsschrift für Literaturgeschichte
WB	Weimarer Beiträge
WW	Wirkendes Wort

I. Texte

a) Erstdrucke (in chronologischer Folge)

Die Familie Schroffenstein. Ein Trauerspiel in fünf Aufzügen. Bern und Zürch [!] 1803.

Heinrich von Kleists Amphitryon, ein Lustspiel nach Molière. Herausgegeben von Adam H. Müller. Dresden [1807].

Heinrich v. Kleist, Jeronimo und Josephe. Eine Scene aus dem Erdbeben zu Chili, vom Jahr 1647. Morgenblatt für gebildete Stände, Nr. 217—21; 10., 11., 12., 14., 15. September 1807, Sp. 866—84.

Penthesilea. Ein Trauerspiel von Heinrich von Kleist. Tübingen 1808.

Phöbus. Ein Journal für die Kunst. Herausgegeben v. Heinrich von Kleist und Adam H. Müller. Erster Jahrgang, Dresden 1808.

Erzählungen. Von Heinrich von Kleist. Berlin 1810.

Das Käthchen von Heilbronn oder die Feuerprobe ein großes historisches Ritterschauspiel von Heinrich von Kleist. Aufgeführt auf dem Theater an der Wien den 17., 18. und 19. März 1810. Berlin 1810.

Der zerbrochne Krug, ein Lustspiel, von Heinrich von Kleist. Berlin 1811.

Die Verlobung in St. Domingo, von Heinrich von Kleist. Der Freimüthige, oder Berlinisches Unterhaltungsblatt für gebildete, unbefangene Leser. Nr. 60—68; 25., 26., 28., 29., 30. 3.; 1., 2., 4., 5. 4. 1811, Sp. 237—72.

Erzählungen. Von Heinrich von Kleist. Zweiter Theil. Berlin 1811.

Heinrich von Kleists hinterlassene Schriften herausgegeben von L. Tieck. Berlin 1821.

b) Gesamt- und Einzelausgaben der Werke Kleists – Facsimiles und Neudrucke – Briefausgaben

Heinrich von Kleists gesammelte Schriften. Herausgegeben von Ludwig Tieck. Berlin 1826. 3 Bde.

Heinrich von Kleist's gesammelte Schriften. Herausgegeben von Ludwig Tieck, revidiert, ergänzt und mit einer biographischen Einleitung versehen von Julian Schmidt. Berlin 1859. 3 Bde.

Heinrich von Kleists sämtliche Werke. Herausgegeben von Theophil Zolling. Deutsche Nationallitteratur, Bde. 149, I/II und 150, I/II. Berlin u. Stuttgart 1885. 4 Bde.

H. v. Kleists Werke. Im Verein mit Georg Minde-Pouet und Reinhold Steig herausgegeben von Erich Schmidt. Leipzig u. Wien [1904—05]. 5 Bde.

Kleists Werke. Zweite Auflage. Nach der von Erich Schmidt, Reinhold Steig und Georg Minde-Pouet besorgten Ausgabe neu durchgesehen und erweitert von Georg Minde-Pouet. Leipzig [1936—38]. 7 Bde.

Heinrich von Kleist. Sämtliche Werke und Briefe. Herausgegeben von Helmut Sembdner. Zweite, vermehrte und auf Grund der Erstdrucke und Handschriften völlig revidierte Auflage. München [1961]. 2 Bde.

* * *

Der zerbrochene [!] Krug. Ein Lustspiel von Heinrich von Kleist. Together with an Idyll by Heinrich Gessner, a Short Story by Heinrich Zschokke, and Scenes from a Comedy by Ludwig Wieland, on the same Subject. Edited by Richard Samuel. London 1958.

Prinz Friedrich von Homburg. Ein Schauspiel by Heinrich von Kleist. Edited by Richard Samuel. London, Toronto, Wellington, Sydney [1957].

Heinrich von Kleist's politische Schriften und andere Nachträge zu seinen Werken. Mit einer Einleitung zum ersten Mal herausgegeben von Rudolf Köpke. Berlin 1862.

Heinrich von Kleist. Zwei Jugend-Lustspiele. Herausgegeben von Eugen Wolff. Oldenburg und Leipzig [1898].

Heinrich von Kleist. Prinz Friedrich von Homburg. Ein Schauspiel. Nach der Heidelberger Handschrift herausgegeben von Richard Samuel unter Mitwirkung von Dorothea Coverlid. [Berlin 1964]. Jahresgabe der Heinrich-von-Kleist-Gesellschaft 1963.

* * *

Heinrich von Kleist. Die Familie Ghonorez. Mit einer Nachbildung der Handschrift herausgegeben von Paul Hoffmann. Berlin 1927, SchrdKG, Sonderband.

Heinrich von Kleist. Der zerbrochene [!] Krug. Eine Nachbildung der Handschrift. [Hg. von Paul Hoffmann.] Weimar 1941.

Heinrich von Kleist. Penthesilea. Ein Trauerspiel. Für den Text verantwortlich Charlotte Bühler. Frankfurt a. M. 1921. 8. Druck der Kleukens-Presse.

Berliner Abendblätter. Herausgegeben von Heinrich von Kleist. Nachwort und Quellenregister von Helmut Sembdner. Darmstadt 1959.

Phöbus. Ein Journal für die Kunst. Herausgegeben von Heinrich von Kleist und Adam H. Müller. Nachwort und Kommentar von Helmut Sembdner. Darmstadt 1961.

* * *

Bülow, Eduard von: Heinrich von Kleist's Leben und Briefe. Berlin 1848. (Vorabdruck: Monatsblätter zur Ergänzung der Allgemeinen Zeitung [Cotta], November 1846, 512—30.)

Heinrichs von Kleist Briefe an seine Schwester Ulrike. Hg. von August Koberstein. Berlin 1860.

Heinrich von Kleists Briefe an seine Braut. Zum ersten Male vollständig nach den Originalhandschriften hg. von Karl Biedermann. Breslau 1884.

Heinrich von Kleist. Briefe an seine Schwester Ulrike. Mit Einleitung, Anmerkungen, Photogrammen und einem Anhang: aus dem Tagebuch Ludwig von Brocke's [!]. Berlin 1905. Kleist-Bibliothek, hg. von S. Rahmer, I. Bd.

Heinrich von Kleist. Zwei bisher unbekannte Briefe. Mit einem Nachwort hg. von Herbert Wünsch. Berlin 1934. [Neujahrsgabe zum 1. Januar 1934 für die Mitglieder der Maximilian-Gesellschaft.]

Heinrich von Kleist. Geschichte meiner Seele. Ideenmagazin. Das Lebenszeugnis der Briefe. Hg. von Helmut Sembdner. Bremen [1959], Slg. Dieterich Bd. 233.

Schweitzer, Christoph E.: A New Letter by Heinrich von Kleist. The American-German Review 28, Nr. 1, Oct./Nov. 1961, 11 f.

Rothe, Eva: Ein neuer Kleist-Brief. JbSchG 6, 1962, 4—8.

II. Quellen

Adelung, Johann Christoph: Grammatisch-kritisches Wörterbuch der Hochdeutschen Mundart, mit beständiger Vergleichung der übrigen Mundarten, besonders aber der Oberdeutschen. 2. Aufl. Leipzig 1793—1801. 4 Bde.

Anon. [„Sg".]: (Rez.) ‚Prüfung der Mendelssohnschen Morgenstunden, oder aller spekulativen Beweise für das Daseyn Gottes in Vorlesungen von Ludwig Heinrich Jakob ... Nebst einer Abhandlung vom Herrn Professor Kant'. Leipzig 1786. Allgemeine Deutsche Bibliothek 1788/2, 427—70.

Anon. [= Haken, Johann Christian Ludwig]: Historisch-genealogischer Kalender auf das Gemein-Jahr 1801. Abriß einer Geschichte des ersten Kreuzzuges der Christen nach Palästina. Mit einer Landkarte und zwölf historischen Vorstellungen von D. Chodowiecki. Berlin, bei Johann Friedrich Unger.

Anon. [= Bernstein, Karoline]: Franz Horn. Ein biographisches Denkmal. Leipzig 1839.

Anon. [= Major Gerwien]: General-Lieutenant Rühle von Lilienstern. Ein biographisches Denkmal. Beiheft zum Militair-Wochenblatt für die Monate Oktober, November und Dezember 1847. Berlin 1847.

Athenäum. 1798—1800. Herausgegeben von August Wilhelm und Friedrich Schlegel. Mit einem Nachwort von Ernst Behler. Stuttgart 1960.

Bertuch, Friedrich Justin: Theater der Spanier und Portugiesen. 1. Band. Dessau und Leipzig 1782.

Blanckenburg, Christian Friedrich von: Versuch über den Roman. Leipzig und Liegnitz 1774.

Brockes, B[arthold] H[inrich]: Aus dem Englischen übersetzter Versuch vom Menschen des Herrn Alexander Pope, Esqu. ... Hamburg 1740.

[Cervantes] La Numancia. Tragedia de Miguel de Cervantes Saavedra [Berlin 1810]. Zus. mit: Numancia. Trauerspiel von ... Zum Erstenmale übersetzt aus dem Spanischen in den Versmaßen des Originals [von Fouqué]. Berlin [1810].

Collin, M[atthäus] v[on]: Über neuere dramatische Literatur. Wien 1822, 109—214. Jahrbücher der Literatur 20.

Dessoir, Max: Geschichte der neueren deutschen Psychologie. Bd. I. 2. Aufl. Berlin 1902.

Eckermann, J[ohann] P[eter]: Beyträge zur Poesie mit besonderer Hinweisung auf Goethe. Stuttgard 1824.

Fichte [Johann Gottlieb]: Bestimmung des Menschen und Anweisung zum seligen Leben. Mit Einleitung neu hg. von August Messer. Berlin 1925.

Gellert, Christian Fürchtegott: Briefe, nebst einer praktischen Abhandlung von dem guten Geschmacke in Briefen [1751]. C. F. Gellerts sämmtliche Schriften. Leipzig 1840. Bd. 3, 1—188.

[Gentz-Müller] Briefwechsel zwischen Friedrich Gentz und Adam Heinrich Müller. 1800—1829. Stuttgart 1857.

Goethe, Johann Wolfgang: Gedenkausgabe der Werke, Briefe und Gespräche. Hg. von Ernst Beutler. Zürich [1948—54]. 24 Bde.

Goethes Werke. Hamburger Ausgabe. Hg. von Erich Trunz. Hamburg [1948—60]. 14 Bde.

[Haller] Ludwig Hirzel (Hg.): Albrecht von Hallers Gedichte. Frauenfeld 1882.

Hederich, Benjamin: Gründliches Lexicon Mythologicum ... Leipzig 1724.

Hegel, Georg Wilhelm Friedrich: (Rez.) Solgers nachgelassene Schriften und Briefwechsel. Sämtliche Werke. Jubiläums-Ausgabe in 26 Bdn., hg. von Hermann Glockner. Bd. 20. 3. Aufl. Stuttgart 1958, 132—202.

Heinsius, Wilhelm: Allgemeines Bücher-Lexikon oder Vollständiges alphabetisches Verzeichnis aller von 1700—1892 erschienenen Bücher. Leipzig 1812—94. 19 Bde.

Herder, Johann Gottfried: Vom Erkennen und Empfinden der menschlichen Seele. Bemerkungen und Träume (1778). Herders Sämmtliche Werke. Hg. von Bernhard Suphan. 33 Bde. Berlin 1877—1913. Bd. 8, 165—333.

—: Über die Seelenwanderung. Drei Gespräche. aaO. Bd. 15, 243—303.

Horn, Franz: Guiscardo der Dichter oder das Ideal. Leipzig 1801.

—: Umrisse zur Geschichte und Kritik der schönen Literatur Deutschlands, während der Jahre 1790 bis 1818. Berlin 1819.

Hotho, H[einrich] G[ustav]: (Rez.) Heinrich von Kleist's gesammelte Schriften. Herausgegeben von L. Tiek. Jahrbücher für wissenschaftliche Kritik 1827, Sp. 685—724.

Hottinger, Johann Jakob: Arnold von Winkelried. Winterthur 1810.

[Josephus, Flavius] Des Fürtrefflichen Jüdischen Geschicht-Schreibers Flavii Josephi Sämmtliche Wercke, Als ... Dessen Sieben Bücher von dem Krieg der Juden mit den Römern ... nach dem Grund-Text mit besonderem Fleiß übersehen und neu übersetzet, ... von Johann Friderich Cotta. Tübingen 1735.

Kant, Immanuel: Werke in sechs Bänden. Hg. von Wilhelm Weischedel. Darmstadt 1956—64.

[Kästner] Abraham Gotthelf Kästner's gesammelte poetische und prosaische Schönwissenschaftliche Werke. Berlin 1841.

Kleist, Franz [Alexander] von: Sappho. Ein dramatisches Gedicht. Berlin 1793.

—: Zamori oder die Philosophie der Liebe in zehn Gesängen. Berlin 1793.

—: Das Glück der Ehe. Berlin 1796.

—: Liebe und Ehe in drei Gesängen. Berlin [1797].

Körner, Josef: Krisenjahre der Frühromantik. Briefe aus dem Schlegelkreis. Brünn, Wien und Leipzig 1936 [Bd. 1 und 2]. Bern 1958 [Bd. 3].

Mendelssohn, Moses: Schriften zur Philosophie und Ästhetik I. Hg. von Fritz Bamberger. Gesammelte Schriften (Jubiläumsausgabe). Berlin 1929. Bd. 1.

Meyer, Heinrich: Kleine Schriften zur Kunst. Hg. von Paul Weizsäcker. Heilbronn 1886. Deutsche Literaturdenkmale des 18. und 19. Jahrhunderts 25.

Michaelis, Johann David: Mosaisches Recht. Reutlingen 1793.

Moritz, Karl Philipp: Anton Reiser. Ein psychologischer Roman. Darmstadt 1960.

Müller, Adam H[einrich]: Von der Idee der Schönheit. In Vorlesungen gehalten zu Dresden im Winter 1807/08. Berlin 1809.

[Müller, Johannes von] Die Geschichten der Schweizer. Durch Johannes Müller. Das erste Buch. Boston [= Bern] 1780.

Nietzsche, Friedrich: Der Fall Wagner. Turiner Brief vom Mai 1888. Werke in drei Bänden. Hg. von Karl Schlechta. München [1954—56]. Bd. 2, 905—38.

Novalis: Schriften. Hg. von Paul Kluckhohn und Richard Samuel. 2., ... Aufl. in vier Bänden. 1. Bd.: Das dichterische Werk. Darmstadt 1960.

Röhl, Hans: Aus dem Reisetagebuch der Freifrau Adolphine von Werdeck im Sommer 1803. JbKG 1938, 77—97.

Schelzig, Alfred: Der zerbrochene [!] Krug. Kleists Lustspiel und die Dichtungen seiner schweizerischen Freunde. Berlin [1921]. Der Domschatz 6.

Schillers Werke. Nationalausgabe. Hg. von Julius Petersen, Hermann Schneider und anderen. Weimar 1943 ff.

[Schlegel, Friedrich] Kritische Friedrich-Schlegel-Ausgabe. Hg. von Ernst Behler unter Mitwirkung von Jean-Jacques Anstett und Hans Eichner. München, Paderborn und Wien 1958 ff. Bd. IV.

Schlegel, Friedrich: Über das Studium der griechischen Poesie. Hg. und eingeleitet von Paul Hankamer. Godesberg 1947.

Schlösser, Rudolf [Hg.]: Die Quellen zu Heinrich von Kleists Michael Kohlhaas. Bonn 1913. Kleine Texte für Vorlesungen und Übungen 116.

Schütz, Christoph Gottfried: Die Wolken. Eine Komödie des Aristophanes. Zweyte verbesserte Ausgabe. Halle 1798.

Schütz, Wilhelm von: Biographische Notizen über Heinrich von Kleist. In Faksimilenachbildung ... hg. von Georg Minde-Pouet. Berlin 1936. SchrdKG 16.

Spaldings Bestimmung des Menschen (1748) und Wert der Andacht (1755). Mit Einleitung neu hg. von Horst Stephan. Gießen 1908. Studien zur Geschichte des neueren Protestantismus, 1. Quellenheft.

[Steinbrüchel] Das tragische Theater der Griechen. Des Sophocles Erster Band. Übersetzt von J. J. Steinbrüchel. Zürich 1763.
Tischbein, Wilhelm: Aus meinem Leben. Hg. von Lothar Brieger. Berlin [1922].
Voss, Julius von: Der Berlinische Robinson, eines jüdischen Bastards abentheuerliche Selbstbiographie. Berlin 1810.
[Wieland] Christoph Martin Wielands sämmtliche Werke. Hg. von J. G. Gruber. Leipzig 1818—28. 53 Bde.
Wünsch, Christian Ernst: Kosmologische Unterhaltungen für junge Freunde der Naturerkenntniß. Erster Band: Von den Himmelskörpern. 2. Aufl. Leipzig 1791. — Zweiter Band: Von den Eigenschaften der irdischen Körper und von den Naturbegebenheiten auf Erden. 2. Aufl. Leipzig 1794.
—: Kosmologische Unterhaltungen für die Jugend. Dritter Band: Von dem Menschen. Leipzig 1780.

III. Kleistforschung

a) Bibliographien

Minde-Pouet, Georg: Kleist-Bibliographie 1914—1921. JbKG 1921, 89—169.
—: Kleist-Bibliographie 1922. JbKG 1922, 112—63.
—: Kleist-Bibliographie 1923 und 1924 mit Nachträgen. JbKG 1923/24, 181—230.
—: Kleist-Bibliographie 1925 bis 1930 mit Nachträgen. JbKG 1929/30, 60—193.
—: Kleist-Bibliographie 1931 bis 1937 mit Nachträgen. JbKG 1933/37, 186—263.
Rothe, Eva: Kleist-Bibliographie 1945—1960. JbSchG 5, 1961, 414—547.

b) Forschungsberichte

Ayrault, Roger: La légende de Heinrich von Kleist. Un poète devant la critique. Paris 1934.
Blühm, Elger: Die Wandlungen des Kleistbildes, vornehmlich aufgewiesen an der Auffassung der ‚Penthesilea'. Mschr. Diss. Greifswald 1951.
Gilow, Hermann: Heinrich von Kleists Prinz Friedrich von Homburg 1821—1921. Ein geschichtlich-kritischer Rückblick. JbKG 1921, 22—50.
Kluckhohn, Paul: Das Kleistbild der Gegenwart. Bericht über die Kleistliteratur der Jahre 1922—25. DVjS 4, 1926, 798—830.
—: Kleist-Forschung 1926—1943. DVjS 21, 1943, Referatenheft 45—87.
Kreuzer, Helmut: Kleist-Literatur 1955—1960. DU 13, 1961, 116—35.
Minde-Pouet, Georg: Neue Kleistliteratur. LE 15, 1913, Sp. 906—12 und Sp. 968—78.
Minor, J[akob]: Kleist-Literatur. AfdA 11, 1885, 193—203.
Petsch, Robert: Aus der Kleistliteratur des Jubiläumsjahres. GRM 5, 1913, 129—47.

Sprengel, Johann Georg: Das Kleistproblem. Eine kritische Studie. Zeitschrift für deutsche Bildung 3, 1927, 10—29.
—: Kleistforschung. Zeitschrift für deutsche Bildung 7, 1931, 284—87.
Weilen, Alexander von: Zur Kleist-Literatur des Jahres 1911. Zeitschrift für die Österreichischen Gymnasien 63, 1912, 198—218.

c) Kleistliteratur

Albrecht, Hans: Die Bilder in den Dramen Heinrich von Kleists. Ihr Wesen und ihre Bedeutung. Mschr. Diss. Freiburg 1955.
Allert, Kurt: Einzelmensch und Gemeinschaft bei Heinrich von Kleist. JbKG 1925/26, 170 f. [Selbstanzeige].
Appelbaum Graham, Ilse: The Broken Pitcher: Hero of Kleist's Comedy. MLQ 16, 1955, 99—113.
Arx, Bernhard von: Novellistisches Dasein. Spielraum einer Gattung in der Goethezeit. Zürich [1953]. Zürcher Beiträge zur deutschen Literatur- und Geistesgeschichte 5.
Ayrault, Roger: Heinrich von Kleist. Paris 1934.
—: A propos d'un livre récent sur Heinrich von Kleist. EG 10, 1955, 304—08.
Badewitz, Hans: Kleists ‚Amphitryon'. Halle 1930. Bausteine zur Geschichte der deutschen Literatur 27.
Bathe, Johannes: Die Bewegungen und Haltungen des menschlichen Körpers in Heinrich von Kleists Erzählungen. Diss. Tübingen 1917.
Baumann, Ruth: Studien zur Erzählkunst Heinrichs von Kleist. Die Gestaltung der epischen Szene. Diss. Hamburg 1928.
Baxa, Jakob: Adam Müller in Dresden 1807—1809. JbKG 1927/28, 13—45.
—: Die „Phoenix"-Buchhandlung. Ein Beitrag zur Kleist-Forschung. ZfdPh 75, 1956, 171—85.
Becker, Ingeborg: Die Todesstrafe in der Dichtung Heinrich von Kleists. [Jur.] Mschr. Diss. Freiburg i. B. 1944.
Behme, Hermann: Heinrich von Kleist und C. M. Wieland. Heidelberg 1914. Literatur und Theater 1.
Beißner, Friedrich: Unvorgreifliche Gedanken über den Sprachrhythmus. In: Festschrift für Paul Kluckhohn und Hermann Schneider. Tübingen 1948, 427—44.
Bertram, Ernst: Heinrich von Kleist. Eine Rede. Bonn 1925.
Berwien, Beate: Heinrich von Kleist, der Realist des Nichtwirklichen. JbKG 1927/28, 74—89.
Beutler, Ernst: Der Glaube Heinrich von Kleists. [Frankfurt a. M. 1936.]
Bianchi, Lorenzo: Studien über Heinrich von Kleist. I. Die Marquise von O... Bologna [1921].
Bischoff, H.: Lessings ‚Laokoon' und Heinrich von Kleist. ZfdU 12, 1898, 348—52.

Bischofsberger, Daniel: Der Dreitakt in der Sprache Heinrich von Kleists. Diss. Zürich 1960. Selbstreferat in: Germanistik 2, 1961, 105.

Blaesing, Edith: Kleists Käthchen von Heilbronn. Gestalt und Gehalt. Beziehungen zur Romantik und Ausdruck Kleistscher Individualität. Mschr. Diss. Marburg 1945.

Blankenagel, John Carl: The Attitude of Heinrich von Kleist towards the Problems of Life. Göttingen 1917. Hesperia 9.

—: The Dramas of Heinrich von Kleist. A Biographical and Critical Study. Chapel Hill 1931.

Blöcker, Günter: Heinrich von Kleist oder Das absolute Ich. Berlin [1960].

Blume, Bernhard: Kleist und Goethe. Monatshefte 38, 1946, 20—31, 83—96, 150—64.

Böckmann, Paul: Kleists Aufsatz über das Marionettentheater. Ein Beitrag zum Gehalt und zur Form seiner Dichtung wie seines Lebens. Euph. 28, 1927, 218—53.

Bodensohn, Anneliese: Heinrich von Kleists Begegnung mit dem Tode. Frankfurt a. M. und Bonn 1951.

Böx, Heinrich: Kleists politische Anschauungen. Diss. Hamburg 1930.

Brahm, Otto: Das Leben Heinrichs von Kleist. [4. Aufl.] Berlin 1911.

Braig, Friedrich: Heinrich von Kleist. München 1925.

—: Kleist und Calderon. Literaturwissenschaftliches Jahrbuch, N. F. 2, 1961, 41—54.

Brügger, Hans Horst: Die Briefe Heinrich von Kleists. Diss. Zürich 1946.

Bruneder, Hans: Persönlichkeitsrhythmus — Novalis und Kleist. DVjS 11, 1933, 364—97.

Bruns, Friedrich: Kleist. Prinz Friedrich von Homburg. Monatshefte 32, 1940, 97—116.

—: Kleist's Prinz Friedrich von Homburg: Eine Duplik. Monatshefte 33. 1941, 33—36.

Bumke, Joachim: Zu Kleists Briefen. Euph. 52, 1958, 183—92.

Burkhardt, C. A. H.: Der historische Hans Kohlhase und Heinrich von Kleist's Michael Kohlhaas. Leipzig 1864.

Carré, Jean-Marie: Der Somnambulismus in Kleists ‚Prinz von Homburg'. ZfdU 25, 1911, 513—19.

Cassirer, Ernst: Heinrich von Kleist und die Kantische Philosophie. Berlin 1919. Philosophische Vorträge, veröffentlicht von der Kantgesellschaft 22.

Catholy, Eckehard: Der preußische Hoftheater-Stil und seine Auswirkungen auf die Bühnen-Rezeption von Kleists Schauspiel ‚Prinz Friedrich von Homburg'. In: Kleist und die Gesellschaft. Eine Diskussion. [Berlin 1965], 75—94. Jahresgabe der Heinrich-von-Kleist-Gesellschaft 1964.

Collin, Josef: Vom unbegreiflichen Kleist: Sein Wille nach Wert. JbKG 1927/28, 46—73.

Conrad, Hermann: Heinrich von Kleists „Familie Ghonorez". Eine literarhistorisch-dramaturgische Studie. PJbb 90, 1897, 242—79.

Conrady, Karl Otto: Die Erzählweise Heinrichs von Kleist. Untersuchungen und Interpretationen. Mschr. Diss. Münster 1953.

—: Kleists ‚Erdbeben in Chili'. Ein Interpretationsversuch. GRM 35, 1954, 185—95.

—: Das Moralische in Kleists Erzählungen. Ein Kapitel vom Dichter ohne Gesellschaft. In: Literatur und Gesellschaft. Festschrift für Benno von Wiese. Bonn 1963, 56—82.

—: Notizen über den Dichter ohne Gesellschaft. In: Kleist und die Gesellschaft. Eine Diskussion. [Berlin 1965], 67—74. Jahresgabe der Heinrich-von-Kleist-Gesellschaft 1964.

Corssen, Meta: Kleist und Shakespeare. Weimar 1930. Forschungen zur neueren Literaturgeschichte 61.

Davidts, Hermann: Die novellistische Kunst Heinrichs von Kleist. Berlin 1913. Schriften der literarhistorischen Gesellschaft Bonn, N. F. 5.

Deetjen, Werner: Luise Wieland und Kleist. JbKG 1925/26, 97—105.

—: Zum Kampf um die Abendblätter. JbKG 1929/30, 21—23.

—: Ludwig Wieland in Bern. JbKG 1929/30, 24—29.

Dombrowski, Alexander: Weiteres zu Heinrich von Kleist. Euph. 15, 1908, 172—74.

—: Miszellen zu Kleist und Adam Müller. I. Euph. 15, 1908, 570—73.

—: Zur Interpretation zweier Kleistverse. Euph. 16, 1909, 180—82.

Dorr, Rüdiger: Heinrich von Kleist's ‚Amphitryon'. Deutung und Bühnenschicksal. Diss. Kiel 1930.

Dreher, Arno: Das Fragmentarische bei Kleist und Hölderlin als rassenseelischer Ausdruck. Diss. Münster 1938.

Dreykorn, Paul: Studien über Hölderlin und Kleist vom Problem der Schuld in ihrem Drama aus. Mschr. Diss. Erlangen 1949.

Dyer, D. G.: ‚Amphitryon': Plautus, Molière and Kleist. GLL 5, 1951/52, 191—201.

Einsiedel, Wolfgang von: Die dramatische Charaktergestaltung bei Heinrich von Kleist, besonders in seiner ‚Penthesilea'. Berlin 1931. Germanische Studien 109.

Eloesser, Arthur: Heinrich v. Kleist. Eine Studie. Berlin o. J. Die Literatur 16.

Emrich, Wilhelm: Kleist und die moderne Literatur. In: Heinrich von Kleist. Vier Reden zu seinem Gedächtnis. [Berlin 1962], 9—25. Jahresgabe der Heinrich-von-Kleist-Gesellschaft 1961.

Engert, Horst: Persönlichkeit und Gemeinschaft in Kleists Drama „Prinz Friedrich von Homburg". JbKG 1925/26, 1—16.

Falkenfeld, Hellmuth: Kant und Kleist. Logos 8, 1919/20, 303—19.

Fischer, Max: Heinrich von Kleist. Der Dichter des Preußentums. Stuttgart und Berlin 1916.

Fischer, Ottokar: Mimische Studien zu Heinrich von Kleist. Euph. 15, 1908, 488—510, 716—25; Euph. 16, 1909, 62—92, 412—25, 747—72.

—: (Rez.) Rahmer, Heinrich von Kleist als Mensch und Dichter. LE 12, 1909/10, Sp. 1444—49.

—: Kleists Guiskardproblem. Dortmund 1912.

Fricke, Gerhard: Gefühl und Schicksal bei Heinrich von Kleist. Studien über den inneren Vorgang im Leben und Schaffen des Dichters. Berlin 1929. Neue Forschung 3.

—: Wirklichkeit und Schicksal bei Heinrich von Kleist. JbKG 1933/37, 1—21.

—: Kleists ‚Michael Kohlhaas'. In: Studien und Interpretationen. Frankfurt a. M. [1956], 214—38.

—: Kleists ‚Prinz von Homburg'. Ebda. 239—63.

—: Kleist. Penthesilea. In: Das deutsche Drama, hg. von Benno von Wiese. Düsseldorf [1958]. Bd. I, 362—84.

Fries, Albert: Miszellen zu Heinrich von Kleist. StverglLg 4, 1904, 232—47.

—: Zu Heinrich von Kleists Stil. StverglLg 4, 1904, 440—65.

—: Stilistische und vergleichende Forschungen zu Heinrich von Kleist mit Proben angewandter Aesthetik. Berlin 1906. Berliner Beiträge zur germanischen und romanischen Philologie 30. Germanische Abteilung 17.

Gadamer, Hans-Georg: Der Gott des innersten Gefühls. NR 72, 1961, 340—49.

Gasse, Therese: Die dramatische Grundspannung bei Kleist. Mschr. Diss. Leipzig 1952.

Gassen, Kurt: Die Chronologie der Novellen Heinrich von Kleists. Weimar 1920. Forschungen zur neueren Literaturgeschichte 55.

—: Heinrich von Kleists epische Kunst. JbKG 1921, 61—63 [Selbstanzeige].

Gleissberg, Gerhart: Kleists ‚Prinz Friedrich von Homburg' und seine Stellung in der Romantik. Breslau 1929. Sprache und Kultur der germanisch-romanischen Völker. B. Germanistische Reihe Bd. 1.

Goetz, Wolfgang: Kleist und sein Publikum. JbKG 1929/30, 1—13.

Gordon, Wolff von: Die dramatische Handlung in Sophokles' ‚König Oidipus' und Kleists ‚Der zerbrochene [!] Krug'. Halle 1926. Bausteine zur Geschichte der deutschen Literatur 20.

Grob, Annelies: Die Bedeutung der Natur in Kleists Leben und Werk. Diss. Zürich 1954.

Grözinger, Wolfgang: Kleists Käthchen am Lippeschen Hof. Ein Fund auf der Auer Dult. Deutsche Zeitung Nr. 89, 18./19. Juli 1959.

Gundolf, Friedrich: Heinrich von Kleist. Berlin 1922.

Günther, Kurt: ‚Der Findling' — die frühste der Kleistschen Erzählungen. Euph., 8. Ergänzungsheft, 1909, 119—53.

—: Die Konzeption von Kleists ‚Verlobung in St. Domingo'. Eine literarische Analyse. Euph. 17, 1910, 68—95, 313—31.
—: Die Entwicklung der novellistischen Kompositionstechnik Kleists bis zur Meisterschaft. Diss. Leipzig 1911.
Guthke, Karl S.: Ein pseudo-kleistisches Gedicht. ZfdPh 76, 1957, 420—24.
—: Kleists Amphitryon als Tragikomödie. Orbis Litterarum 13, 1958, 141—62.
—: Thomas Mann on Heinrich von Kleist: an Unpublished Letter to Hans M. Wolff. Neoph. 44, 1960, 121 f.
Hafner, Franz: Heinrich von Kleists „Prinz Friedrich von Homburg". Zürich [1952]. Zürcher Beiträge zur deutschen Literatur- und Geistesgeschichte 4.
Hahne, Otto: Die Entstehung von Kleists „Verlobung in St. Domingo". Euph. 23, 1921/23, 233—55.
Hart, Julius: Das Kleist-Buch. Berlin [1912].
Hartge, M.: Heinrich von Kleists Schrift. JbKG 1930/31, 105—11.
Heber, Fritz: „Michael Kohlhaas". Versuch einer neuen Textinterpretation. WW 1, 1950/51, 98—102.
Heimreich, Jens: Das Komische bei Heinrich von Kleist. Diss. Berlin 1937.
Hellmann, Hanna: Heinrich von Kleist. Darstellung des Problems. Heidelberg 1911.
—: Kleists Penthesilea und Klopstocks Hermann und die Fürsten. ZfdU 33, 1919, 469—73.
—: Heinrich von Kleist und „Der Kettenträger". GRM 13, 1925, 350—63.
Hempel, Georg: Heinrich von Kleists Hermannsschlacht. Diss. Erlangen 1930.
Henkel, Arthur: Traum und Gesetz in Kleists ‚Prinz von Homburg'. NR 73, 1962, 438—64.
Henschel, Arnold J.: The Primacy of Free-Will in the Mind of Kleist and in the Prinz von Homburg. GLL 17, 1964, 97—115.
Herrmann, Hans-Peter: Zufall und Ich. Zum Begriff der Situation in den Novellen Heinrich von Kleists. GRM 42, 1961, 69—99.
Herrmann, Helene: Studien zu Heinrich von Kleist. ZfÄ 18, 1925, 273—304.
Herzog, Wilhelm: Heinrich von Kleist. Sein Leben und sein Werk. München 1911.
Heubi, Albert: Heinrich von Kleists Novelle ‚Der Findling'. Motivuntersuchungen und Erklärung im Rahmen des Gesamtwerks. Diss. Zürich 1948.
Hoffmann, Paul: Ulrike von Kleist über ihren Bruder Heinrich. Ein Beitrag zur Biographie des Dichters. Euph. 10, 1903, 105—52.
—: Zu den Briefen Heinrichs von Kleist. StverglLg 3, 1903, 332—66.
—: „Ein neues Gedicht von Heinrich von Kleist". Einige Bemerkungen. Euph. 18, 1911, 441—46.
—: Kleist in Paris. Berlin 1924.
—: Heinrich von Kleist und Wilhelm Reuter. Berlin 1927.
—: Heinrich von Kleist und Helvetius. GRM 23, 1935, 24—36.

—: Einiges zu Kleist. JbKG 1933/37, 98—107.
Hoffmeister, Johannes: Beitrag zur sogenannten Kantkrise Heinrich von Kleists. DVjS 33, 1959, 574—87.
Hohoff, Curt: Komik und Humor bei Heinrich von Kleist. Ein Beitrag zur Klärung der geistigen Struktur eines Dichters. Diss. Münster 1936.
Holz, Hans Heinz: Macht und Ohnmacht der Sprache. Untersuchungen zum Sprachverständnis und Stil Heinrich von Kleists. Frankfurt a. M. und Bonn 1962.
Holzgraefe, Wilhelm: Schillersche Einflüsse bei Heinrich von Kleist. Programm Cuxhaven 1902.
Hoppe, Alfred: Die Staatsauffassung Heinrich von Klei s. Bonn 1938.
Horwath, Peter: Michael Kohlhaas: Kleists Absicht in er Überarbeitung des Phöbus-Fragments: Versuch einer Interpretation. Monatshefte 57, 1965, 49—59.
Hubberten, Hans-Günter: Form und Rhythmus in der gebundenen Dichtung Heinrich von Kleists. Mschr. Diss. Tübingen 1952.
Ibel, Rudolf: Heinrich von Kleist. Schicksal und Botschaft. Hamburg [1961].
Ide, Heinz: Der junge Kleist. „... in dieser wandelbaren Zeit ...". Würzburg [1961]. Der Göttinger Arbeitskreis: Veröffentlichung Nr. 244.
—: Kleist im Niemandsland? In: Kleist und die Gesellschaft. Eine Diskussion. [Berlin 1965], 33—66. Jahresgabe der Heinrich-von-Kleist-Gesellschaft 1964.
Isaac, Hermann: Schuld und Schicksal im Leben Heinrich von Kleists. PJbb 55, 1885, 433—77.
Kahlen, Irene: Der Sprachrhythmus im Prosawerk Heinrich von Kleists. Mschr. Diss. Tübingen 1953.
Kaiser, Tino: Vergleich der verschiedenen Fassungen von Kleists Dramen. Bern und Leipzig 1944. Sprache und Dichtung 70.
Kayka, Ernst: Kleist und die Romantik. Ein Versuch. Berlin 1906. Forschungen zur neueren Literaturgeschichte 31.
—: Heinrich von Kleists Amphitryon. ZsfverglLg N. F. 16, 1906, 62—78.
Kayser, Wolfgang: Kleist als Erzähler. In: Die Vortragsreise. Bern [1958], 169—83.
Kayßler, Friedrich: Gedanken zum Prinzen von Homburg. JbKG 1933/37, 49—58.
Keller, Marie-Luise: Die Bildlichkeit in der Tragödie Heinrich von Kleists. Bilder als Phänomene des Tragischen. Mschr. Diss. Tübingen 1959.
Kienast, Walter: Zu Kleists „Michael Kohlhaas". JbKG 1923/24, 118 f.
Klahre, R.: Heinrich von Kleist's Michael Kohlhaas in seinen beiden Fassungen. Zeitschrift für deutsche Sprache 8, 1895, 401—09.
Klein, Hans: Musikalische Komposition in deutscher Dichtung. DVjS 8, 1930, 680—716.
Kluckhohn, Paul: Penthesilea. GRM 6, 1914, 276—88.

Koch, Franz: Kleists deutsche Form. JbKG 1938, 9—28.

Koch, Friedrich: Heinrich von Kleist. Bewußtsein und Wirklichkeit. Stuttgart 1958.

Köhler, Reinhold: Zu Heinrich von Kleist's Werken. Weimar 1862.

Kohrs, Ingrid: Das Wesen des Tragischen im Drama Heinrichs von Kleist. Dargestellt an Interpretationen von „Penthesilea" und „Prinz Friedrich von Homburg". Marburg 1951. Probleme der Dichtung 1.

Kommerell, Max: Die Sprache und das Unaussprechliche. Eine Betrachtung über Heinrich von Kleist. In: Geist und Buchstabe der Dichtung. Frankfurt a. M. [4. Aufl. 1956], 243—313.

Koopmann, Helmut: Das „rätselhafte" Faktum und seine Vorgeschichte. Zum analytischen Charakter der Novellen Heinrich von Kleists. ZfdPh 84, 1965, 508—50.

Kreuzer, Helmut: Hebbel und Kleist. DU 13, 1961, 92—115.

Krüger, Wolfgang: Kleist und das Problem der Wahrheit. Diss. Göttingen 1939.

Kruhoeffer, Maria: Heinrich von Kleists Religiosität. JbKG 1921, 63—66 [Selbstanzeige].

Kühnemann, Eugen: Kleist und Kant. JbKG 1922, 1—30.

Kunz, Josef: Kleists ‚Gespräch über das Marionettentheater' [!]. ZfdPh 85, 1954/55, 234—46.

—: Die Gestaltung des tragischen Geschehens in Kleists ‚Erdbeben in Chili'. In: Gratulatio. Festschrift für Christian Wegner. [Hamburg 1963, Privatdruck], 145—73.

Lazarsfeld, Sophie: Kleist im Lichte der Individualpsychologie. JbKG 1925/26, 106—32.

Leeuwe, H. H. J. de: Molières und Kleists Amphitryon. Ein Vergleich. Neoph. 31, 1947, 147—93.

Lindberger, Örjan: The Transformations of Amphitryon. Stockholm [1956]. Acta Universitatis Stockholmiensis. Stockholm Studies in History of Literature, Bd. 1.

Lorenzen, Hans: Typen deutscher Anekdotenerzählung. Kleist — Hebel — Schäfer. Diss. Hamburg 1935.

Lugowski, Clemens: Wirklichkeit und Dichtung. Untersuchungen zur Wirklichkeitsauffassung Heinrich von Kleists. Frankfurt a. M. 1936.

Lukács, Georg: Die Tragödie Heinrich von Kleists. In: Deutsche Realisten des 19. Jahrhunderts. Berlin 1953, 19—48.

Luther, Bernhard: Kleists „Prinz von Homburg" und Adam Müllers „Elemente der Staatskunst". ZfdU 30, 1916, 171—83.

—: Heinrich v. Kleist— Kant und Wieland. Biberach/Riß 1933.

—: Die Abfassungszeit von Kleists Aufsatz den sichern Weg des Glücks zu finden. JbKG 1938, 53—61.

Lüthi, Max: Kleist und Shakespeare. Shakespeare-Jahrbuch 95, 1959, 133—42.

Lütteken, Anton: Die Dresdener Romantik und Heinrich von Kleist. Diss. Münster 1917.
Lyon, Charles Edward: The Phöbus Fragment of Kleist's Kätchen [!] von Heilbronn. JEGPh 14, 1915, 35—55.
McClain, William H.: Kleist and Molière as Comic Writers. GR 24, 1949, 21—33.
Mann, Thomas: Heinrich von Kleist und seine Erzählungen. Einleitung zu einer amerikanischen Ausgabe der Novellen [1954]. Gesammelte Werke in 12 Bänden. Berlin 1955. Bd. 11, 637—56.
Martini, Fritz: Heinrich von Kleist und die geschichtliche Welt. Berlin 1940. Germanische Studien 225.
—: Kleists ‚Der zerbrochne Krug'. Bauformen des Lustspiels. JbSchG 9, 1965, 373—419.
Mauerhof, Emil: Schiller und Heinrich von Kleist. Zürich und Leipzig o. J.
May, Kurt: Kleists ‚Penthesilea'. In: Form und Bedeutung. Stuttgart [1957], 243—53.
—: Kleists ‚Hermannsschlacht'. Eine Strukturanalyse. Ebda. 254—62.
Mayer, Hans: Heinrich von Kleist. Der geschichtliche Augenblick. [Pfullingen 1962].
Meschendörfer, Adolf: Heinrich von Kleist als Prosaschriftsteller. Programm Brassó [Kronstadt] 1910.
Meyer, Heinrich: Kleists Novelle „Der Zweikampf". JbKG 1933/37, 136—69.
Meyer-Benfey, Heinrich: Die innere Geschichte des „Michael Kohlhaas". Euph. 15, 1908, 99—140.
—: Das Drama Heinrich von Kleists. I. Band: Kleists Ringen nach einer neuen Form des Dramas. Göttingen 1911.
—: Kleists Leben und Werke. Göttingen 1911.
—: Das Drama Heinrich von Kleists. II. Band: Kleist als vaterländischer Dichter. Göttingen 1913.
—: Die Liebe in Kleists Leben und Dichtung. JbKG 1925/26, 69—96.
—: Kleists politische Anschauungen. JbKG 1931/32, 9—37.
Michael, Friedrich: Goethes Amtmann und Kleists Dorfrichter. JbKG 1922, 75—84.
Minde-Pouet, Georg: Heinrich von Kleist. Seine Sprache und sein Stil. Weimar 1897.
—: Briefe von, an und über Kleist. JbKG 1925/26, 56—68.
—: Zwei neue Kleist-Briefe. DuV 35, 1934, 123—25.
Minor, Jakob: Studien zu Heinrich von Kleist. Euph. 1, 1894, 564—90.
Monpetain, Grete: Studien zu Kleists dramatischer Exposition. Diss. Jena 1927. Hannover 1927 [Teildruck].
Morgan, Donald P.: Heinrich von Kleists Verhältnis zur Musik. Diss. Köln 1937. Köln 1940.
Morris, Max: Heinrich von Kleists Reise nach Würzburg. Berlin 1899.

Mülher, Robert: Kleists und Adam Müllers Freundschaftskrise. Zwei ungedruckte Briefe Adam Müllers zur Geschichte der Zeitschrift „Phöbus". Euph. 45, 1950, 450—70.

—: Heinrich von Kleist und seine Legende ‚Die hl. [!] Cäcilie oder die Gewalt der Musik'. Gedenkrede anläßlich von Kleists 150. Todestag, gesprochen im Wiener Goethe-Verein am 24. November 1961. Jahrbuch des Wiener Goethe-Vereins 66, 1962, 149—56.

Müller, Arthur: Heinrich von Kleist als Lyriker. Mschr. Diss. Greifswald 1921.

Müller, Harro: Die Zeitstruktur im Drama Heinrich von Kleists. Diss. Münster 1964.

Müller, Johann Karl-Heinz: Die Rechts- und Staatsauffassung Heinrich von Kleists. Bonn 1962. Schriften zur Rechtslehre und Politik 37.

Müller-Seidel, Walter: Die Struktur des Widerspruchs in Kleists ‚Marquise von O...'. DVjS 28, 1954, 497—515.

—: Kleist. Prinz Friedrich von Homburg. In: Das deutsche Drama, hg. von Benno von Wiese. Düsseldorf [1958]. Bd. I, 385—404.

—: Versehen und Erkennen. Eine Studie über Heinrich von Kleist. Köln und Graz 1961.

—: Die Vermischung des Komischen mit dem Tragischen in Kleists Lustspiel ‚Amphitryon'. JbSchG 5, 1961, 118—35.

—: (Rez.) Heinz Ide. Der junge Kleist. AfdA 74, 1963, 173—86.

—: Kleist und die Gesellschaft. Eine Einführung. In: Kleist und die Gesellschaft. Eine Diskussion. [Berlin 1965], 19—31. Jahresgabe der Heinrich-von-Kleist-Gesellschaft 1964.

Muschg, Walter: Kleist. Zürich 1923.

Muth, Ludwig: Kleist und Kant. Versuch einer neuen Interpretation. Köln 1954. Kantstudien, Ergänzungshefte 68.

Nadler, Josef: (Rez.) Friedrich Braig, Heinrich von Kleist. Euph. 27, 1926, 574—78.

Nedde, Dietmar: Untersuchungen zur Struktur von Dichtung an Novellen Heinrich von Kleists. Mschr. Diss. Göttingen 1954.

Niejahr, Johannes: Heinrich von Kleists Prinz von Homburg und Hermannsschlacht. VjSfLg 6, 1893, 409—29.

—: Heinrich von Kleists Penthesilea. VjSfLg 6, 1896, 506—53.

—: Kleists ‚Penthesilea' und die psychologische Richtung in der modernen literarhistorischen Forschung. Euph. 3, 1896, 653—92.

Nordmeyer, H. W.: Kleists ‚Amphitryon' — Zur Deutung der Komödie. Monatshefte 38, 1946, 1—19, 165—76, 268—83, 349—59 und 39, 1947, 89—125.

Obenauer, Karl Justus: Kleists Weg zu Volk, Staat und Vaterland. JbKG 1933/37, 59—73.

Ohmann, Fritz: Kleist und Kant. In: Festschrift für Berthold Litzmann. Bonn 1920, 105—131 [Seminararbeit von 1905].

Oppel, Horst: Kleists Novelle ‚Der Zweikampf'. DVjS 22, 1944, 92—105.
Parker, John J.: „Wenn er den Spruch für ungerecht kann halten, Kassier' ich die Artikel: er ist frei! —". Zum ‚Prinzen Friedrich von Homburg' 1185—1186. GRM 45, 1964, 313 f.
Paulsen, Wolfgang: Zum Problem der Novelle bei Kleist. MLN 59, 1944, 149—57.
Petersen, Julius: Heinrich v. Kleist und Torquato Tasso. Eine Studie über literarischen Einfluß. ZfdU 31, 1917, 273—89 und 337—59.
—: Kleists dramatische Kunst. JbKG 1921, 1—21.
—: Varnhagen v. Ense über Kleist. JbKG 1923/24, 135—41.
Petsch, Robert: Das Käthchen von Heilbronn. Einige neue Beiträge zur Erklärung des Dramas. GRM 6, 1914, 389—405.
—: Kleist und Kant. GRM 8, 1920, 85—91.
—: Die Entwicklung der tragischen Idee in der dramatischen Dichtung Heinrichs von Kleist. JbKG 1925/26, 17—55.
Plügge, Herbert: Grazie und Anmut. Ein biologischer Exkurs über das Marionettentheater von Heinrich von Kleist. Hamburg [1947].
Pongs, Hermann: Möglichkeiten des Tragischen in der Novelle. JbKG 1930/31, 38—104.
Prang, Helmut: Irrtum und Mißverständnis in den Dichtungen Heinrich von Kleists. Erlangen 1955. Erlanger Forschungen Reihe A: Geisteswissenschaften, Bd. 5.
Prigge-Kruhoeffer, Maria: Heinrich von Kleists Religiosität und Charakter. JbKG 1923/24, 1—85.
Psaar, Werner: Schicksalsbegriff und Tragik bei Schiller und Kleist. Berlin 1940, Germanische Studien 228.
Rahmer, S[igismund]: Das Kleist-Problem auf Grund neuer Forschungen zur Charakteristik und Biographie. Berlin 1903.
—: Heinrich von Kleist als Mensch und Dichter. Nach neuen Quellenforschungen von ... Berlin 1909.
Rasch, Wolfdietrich: Tragik und Tragödie. Bemerkungen zur Gestaltung des Tragischen bei Kleist und Schiller. DVjS 21, 1943, 287—306.
Reusner, Ernst von: Satz — Gestalt — Schicksal. Untersuchungen über die Struktur in der Dichtung Kleists. Berlin 1961. Quellen und Forschungen zur Sprach- und Kulturgeschichte der germanischen Völker, N. F. 6.
Reuter, Otto: Heinrich von Kleists Art zu arbeiten. JbKG 1922, 98—102 [Selbstanzeige].
—: Heinrich von Kleists Ideenmagazin, sein Tagebuch und die „Geschichte seiner Seele". JbKG 1923/24, 86—106.
Rieschel, Hans: Tragisches Wollen. Untersuchungen zum Lebens- und Schaffensproblem Heinrich von Kleists. Diss. Göttingen 1937.

Riethmüller, Helmut: Wunder und Traum bei Heinrich von Kleist. Die Überwindung des „Unbegreiflichen" durch die „Bestimmung". Mschr. Diss. Tübingen 1955.

Ringleb, Heinrich: Heinrich von Kleist: Das Ende der Idyllendichtung. JbSchG 7, 1963, 313—51.

Ritzler, Paula: Zur Bedeutung des bildlichen Ausdrucks im Werke Heinrich von Kleists. Trivium 2, [1944], 178—94.

Röbbeling, Friedrich: Kleists Käthchen von Heilbronn. Halle 1913. Bausteine zur Geschichte der neueren deutschen Literatur 12.

Roedemeyer, Friedrich-Karl: Kleists „Robert Guiskard". Eine sprechkünstlerische Betrachtung. JbKG 1923/24, 107—17.

Roetteken, Hubert: Kleists Penthesilea. ZsfverglLg N. F. 7, 1894, 28—48.

—: Nochmals Penthesilea. ZsfverglLg N. F. 8, 1895, 24—50.

—: Einige Bemerkungen zur Methode der Litteraturgeschichte. Mit besonderer Berücksichtigung der ‚Penthesilea'. Euph. 4, 1897, 718—55.

Rogge, Helmuth: Heinrich von Kleists letzte Leiden. Nach unveröffentlichten Zeugnissen aus dem Nachlaß Julius Eduard Hitzigs. JbKG 1922, 31—74.

—: Kleist und Rahel. JbKG 1923/24, 127—34.

Rohrer, Amalie: Das Kleistsche Symbol der Marionette und sein Zusammenhang mit dem Kleistschen Drama. Mschr. Diss. Münster 1948.

Rothe, Eva: Die Bildnisse Heinrich von Kleists. Mit neuen Dokumenten zu Kleists Kriegsgefangenschaft. JbSchG 5, 1961, 136—86.

Rudolph, Gerhard: Die Epoche als Strukturelement in der dichterischen Welt. Zur Deutung der Sprache Heinrichs von Kleist und Achims von Arnim. GRM 40, 1959, 118—39.

Ruland, Wilhelm: Kleists Amphitryon. Eine Studie. Berlin 1897.

Sadger, J.: Heinrich von Kleist. Eine pathographisch-psychologische Studie. Wiesbaden 1910. Grenzfragen des Nerven- und Seelenlebens 70.

Samuel, Richard: Heinrich von Kleist's Participation in the Political Movements of the Years 1805 to 1809. Diss. Cambridge 1938 [ungedruckt].

—: A Source for Heinrich von Kleist's ‚Prinz Friedrich von Homburg'? MLR 33, 1938, 52—55.

—: Goethe — Napoleon — Heinrich von Kleist. Ein Beitrag zu dem Thema: Napoleon und das deutsche Geistesleben. Cambridge 1939, PEGS N. S. 14, 43—75.

—: Heinrich von Kleist und Karl Baron von Altenstein. Euph. 49, 1955, 71—76.

—: (Rez.) Heinrich von Kleist. Sämtliche Werke und Briefe. Hg. von Helmut Sembdner. München 1952. 2 Bde. Euph. 49, 1955, 246—50.

—: (Rez.) Hans M. Wolff. Heinrich von Kleist. Die Geschichte seines Schaffens. Euph. 49, 1955, 251—58.

—: (Rez.) Ludwig Muth. Kleist und Kant. Euph. 50, 1956, 358—61.

—: Eine unbekannte Fassung von Heinrich von Kleists Hermannsschlacht. JbSchG 1, 1957, 179—210.
—: (Rez.) Heinrich von Kleists Lebensspuren ..., hg. von Helmut Sembdner. Euph. 52, 1958, 205—07.
—: (Rez.) Heinrich von Kleist. Geschichte meiner Seele ..., hg. von Helmut Sembdner. Euph. 54, 1960, 215—17.
—: Kleists ‚Hermannsschlacht' und der Freiherr vom Stein. JbSchG 5, 1961, 64—101.
—: (Rez.) Heinrich von Kleist. Sämtliche Werke und Briefe. Hg. von Helmut Sembdner. 2. Aufl. Euph. 56, 1962, 327—31.
—: Zu Kleists Aufsatz ‚Über die Rettung von Österreich'. In: Gratulatio. Festschrift für Christian Wegner. [Hamburg 1963, Privatdruck], 174—89.
—: Heinrich von Kleist und Neithardt von Gneisenau. JbSchG 7, 1963, 352—70.
—: Selected Writings. Edited in Honour of his 65th Birthday by D. R. Coverlid, J. Smit, H. Wiemann, C. Kooznetzoff. With a Forword by W. H. Bruford. Melbourne 1965. (Darin Wiederabdruck von: Goethe — Napoleon — Heinrich von Kleist; Heinrich von Kleist und Karl Baron von Altenstein; Heinrich von Kleist und Neithardt von Gneisenau.)
Sauer, August: Kleists Todeslitanei. Prag 1907. Prager deutsche Studien 7.
—: Zu Kleists ‚Amphitryon'. Euph. 20, 1913, 93—104.
Schadewaldt, Wolfgang: Der ‚Zerbrochene [!] Krug' von Heinrich von Kleist und Sophokles' ‚König Ödipus'. In: Hellas und Hesperien. Gesammelte Schriften zur Antike und zur neueren Literatur. Zürich und Stuttgart [1960], 843—50.
Schäfer, Wilhelm: Der Dichter des Michael Kohlhaas. JbKG 1933/37, 32—48.
Scherer, Michael: Die beiden Fassungen von Heinrich von Kleists Erzählung ‚Die heilige Cäcilie oder die Gewalt der Musik'. Monatshefte 56, 1964, 97—102.
Schilakowski, Charlotte: Kleists Überarbeitung seiner Dramen. Ursachen und Auswirkung auf den Gesamtorganismus des einzelnen Kunstwerks. Diss. Kiel 1926.
Schlagdenhauffen, Alfred: Kleist à Dresde. EG 6, 1951, 291—302.
—: L'univers existentiel de Kleist dans ‚Le Prince de Hombourg'. Straßburg 1953. Publications de la faculté des lettres de l'université de Strasbourg.
Schmidt, Erich: Heinrich von Kleist als Dramatiker. In: Charakteristiken [Bd 1]. Berlin 1886, 350—80.
— und Bernhard Seuffert: Handschriftliches von und über Heinrich von Kleist. VjSfLg 2, 1889, 301—14.
—: Kleists ‚heilige Cäcilie' in ursprünglicher Gestalt. VjSfLg 3, 1890, 191—95.
Schmidt, Herta: Kleist als Romantiker im Hinblick auf das „Androgynen"-Problem. Mschr. Diss. Frankfurt a. M. 1950.
Schmidt, Werner: „Penthesilea" in der Kleistliteratur. Leipzig 1934. Von deutscher Poeterey 16.

Schneider, Helene: Sprache und Vers von Kleists ‚Amphitryon' und seiner französischen Vorlage. Diss. Frankfurt a. M. 1933.

Schneider, Hermann: Studien zu Heinrich von Kleist. Berlin 1915.

Schneider, Karl Ludwig: Heinrich von Kleist. Über ein Ausdrucksprinzip seines Stils. In: Libris et Litteris. Festschrift für Hermann Tiemann. Hamburg [1959], 258—71. — Wiederabdruck in: Heinrich von Kleist. Vier Reden zu seinem Gedächtnis. [Berlin 1962], 27—43. Jahresgabe der Heinrich-von-Kleist-Gesellschaft 1961.

Schoch, Margrit: Kleist und Sophokles. Diss. Zürich 1952.

Scholz, Wilhelm von: Festvortrag ... zur Feier der 150. Wiederkehr des Geburtstages Kleists. JbKG 1927/28, 1—12.

Schrimpf, Hans-Joachim: Kleist. ‚Der zerbrochne Krug'. In: Das deutsche Drama, hg. von Benno von Wiese. Düsseldorf [1958], Bd. I, 339—62.

Schultze-Jahde, Karl: „Verflucht das Herz, das sich nicht mäß'gen kann." (Penthesilea, Vers 720). JbKG 1925/26, 133 f.

—: Kleists Shakespeare-Anekdote. JbKG 1925/26, 135—37.

—: Zur Interpretation von Kleists Schauspiel „Prinz Friedrich von Homburg". JbKG 1927/28, 105—48.

—: Kleists Gestaltentyp. ZfdPh 60, 1935, 223—40.

—: Kohlhaas und die Zigeunerin. JbKG 1933/37, 108—35.

Schulze, Berthold: Neue Studien über Heinrich von Kleist. Heidelberg 1904.

—: Über Heinrich von Kleists Universitätslehrer Wünsch. Pädagogisches Archiv 48, 1906, 705—16.

Schunicht, Manfred: Henrich [!] von Kleist: „Der zerbrochne Krug'. ZfdPh 84, 1965, 550—62.

Schur, Ernst: Heinrich von Kleist in seinen Briefen. Eine Charakteristik seines Lebens und Schaffens, hg. von ... Charlottenburg o. J.

Schütze, Martin: Studies in the Mind of Romanticism. I. Romantic Motives of Conduct in Concrete Development. The Letters of Heinrich von Kleist to Wilhelmine von Zenge. Modern Philology 16, 1918/19, 281—96 und 505—24.

Schwerte, Hans: Das Käthchen von Heilbronn. DU 13, 1961, Heft 2, 5—26.

Seidler, Georg: Musik und Sprache im Drama Schillers und Kleists. Versuch einer neuartigen Verserforschung im Drama. DuV 42, 1942, 71—93.

Sembdner, Helmut: Haydns Tod. Ein unbekannter Aufsatz Heinrich von Kleists. JbKG 1933/37, 79—94.

—: Die Berliner Abendblätter Heinrich von Kleists, ihre Quellen und ihre Redaktion. Berlin 1939. SchrdKG 19.

—: Neue Quellenfunde zu Kleists ‚Berliner Abendblättern'. Euph. 45, 1950, 471—77.

—: Eine wiederentdeckte Kleist-Anekdote. Euph. 45, 1950, 478—84.

—: Kleine Beiträge zur Kleist-Forschung. DVjS 27, 1953, 602—10.

— (Hg.): Heinrich von Kleists Lebensspuren. Dokumente und Berichte der Zeitgenossen. Herausgegeben von ... Bremen [1957]. Sammlung Dieterich 172.
—: Zu Heinrich und Marie von Kleist. JbSchG 1, 1957, 157—78.
—: Fouqués unbekanntes Wirken für Heinrich von Kleist. JbSchG 2, 1958, 83—113.
—: Neuentdeckte Schriften Heinrich von Kleists. Euph. 53, 1959. 175—94.
—: Kleists Interpunktion. Zur Neuausgabe seiner Werke. JbSchG 6, 1962, 229—52.
—: Neues zu Kleist. JbSchG 7, 1963, 371—82.
— (Hg.): Heinrich von Kleists Lebensspuren. Dokumente und Berichte der Zeitgenossen. Zweite, veränderte und erweiterte Auflage. Herausgegeben von ... Bremen [1964]. Sammlung Dieterich 172.
—: Heinrich von Kleist im Urteil der Brüder Grimm. Unbekannte Rezensionen. JbSchG 9, 1965, 420—46.
Senger, Joachim Henry: Der bildliche Ausdruck in den Werken Heinrich von Kleists. Leipzig 1909. Teutonia, Arbeiten zur germanischen Philologie 8.
Sengle, Friedrich: Vom Absoluten in der Tragödie. DVjS 20, 1942, 265—72.
Senk, Herbert: Das Katastrophale als gesetzmäßig-rhythmisches Moment in der Persönlichkeit und der Epik Heinrich von Kleists. Diss. Jena 1930.
Servaes, Franz: Heinrich von Kleist. Leipzig, Berlin und Wien 1902.
Siegen, Karl: Heinrich von Kleist und der zerbrochene [!] Krug. Neue Beiträge. Sondershausen 1879.
Silz, Walter: Heinrich von Kleist's Conception of the Tragic. Göttingen 1923. Hesperia 12.
—: On Homburg, and the Death of Kleist. Monatshefte 32, 1940, 325—32.
—: Zur Bühnenkunst in Kleists ‚Prinz Friedrich von Homburg'. DU 13, 1961, Heft 2, 72—91.
—: Heinrich von Kleist. Studies in his Works and his Literary Character. Philadelphia [1961].
Simon, Ernst: Auf dem Wege zur zweiten Naivität — Schiller und Kleist. Neue Sammlung 4, 1964, 525—35.
Singer, Herbert: Kleists Verhöre. In: Studi in onore di Lorenzo Bianchi. [Bologna 1960], 425—42.
Smith, Pieter Fokko: Das Vertrauen in Heinrich von Kleists Briefen und Werken. Diss. Groningen 1949.
Spörri, Reinhart: Dramatische Rhythmik in Kleists Komödien. Diss. Zürich 1954.
Stadler, Ernst: „Penthesilea". In: Dichtungen, hg. von Karl Ludwig Schneider. Hamburg o. J. Bd. II, 102—13.
Stahl, E[rnst] L[eopold]: Heinrich von Kleist's Dramas. Oxford 1948. Modern Language Studies 4.

Staiger, Emil: Heinrich von Kleist. „Das Bettelweib von Locarno." Zum Problem des dramatischen Stils. DVjS 20, 1942, 1—16. (Ferner in: Meisterwerke deutscher Sprache aus dem neunzehnten Jahrhundert. 2. Aufl. Zürich 1948, 100—18.)

—: Kleist oder Schiller? Gegenwart 9, Nr. 8, 1954, 240 f.

—: Heinrich von Kleist. In: Heinrich von Kleist. Vier Reden zu seinem Gedächtnis. [Berlin 1962], 45—62. Jahresgabe der Heinrich-von-Kleist-Gesellschaft 1961.

Stech, Richard: Kleists Novellenform in ihren Beziehungen zu den drei historischen Grundformen der Novellengestaltung. Mschr. Diss. Marburg 1925.

Stefansky, Georg: Ein neuer Weg zu Heinrich von Kleist. Euph. 23, 1921, 639—94.

—: Die Macht des historischen Subjektivismus. Euph. 25, 1924, 153—68.

Steig, Reinhold: Heinrich von Kleist's Berliner Kämpfe. Berlin und Stuttgart 1901.

—: Neue Kunde zu Heinrich von Kleist. Berlin 1902.

Stern, Martin: Die Eiche als Sinnbild bei Heinrich von Kleist. JbSchG 8, 1964, 199—225.

Stock, Hans: Kleists Dramenbruchstück Robert Guiskard. Diss. Bonn 1937.

Stockum, Th. C. van: Kleists ‚Amphitryon' und Rotrous ‚Les Sosies'. Neoph. 34, 1950, 157—62.

Stoessl, Franz: Amphitryon. Wachstum und Wandlung eines poetischen Stoffes. Trivium 2, 1944, 93—117.

Streller, Siegfried: Heinrich von Kleist und Jean-Jacques Rousseau. WB 8, 1962, 541—66.

Strodel, Hans: Heinrich von Kleist als Briefschreiber. Mschr. Diss. Frankfurt a. M. 1923.

Szondi, Peter: ‚Amphitryon'. Kleists ‚Lustspiel nach Molière'. Euph. 55, 1961, 249—59.

Teller, Frida: Neue Studien zu Heinrich von Kleist. Euph. 20, 1913, 681—727.

Thalheim, Hans-Günter: Kleists ‚Prinz Friedrich von Homburg'. WB 11, 1965, 483—550.

Thiem, Susanne: Kleist und Schiller. Zwei Jugendgedichte. ZfdPh 69, 1944/45, 128—32.

Thomas, Ursula: Heinrich von Kleist and Gotthilf Heinrich Schubert. Monatshefte 51, 1959, 249—61.

Thomé, Norbert: „Kantkrisis oder Kleistkrisis". Diss. Bonn [1923].

Turk, Horst: Dramensprache als gesprochene Sprache. Untersuchungen zu Kleists ‚Penthesilea'. Bonn 1965. Abhandlungen zur Kunst-, Musik- und Literaturwissenschaft 31.

Ulbricht, Günter: Das Verhältnis von Dichter und Dichtung bei Heinrich von Kleist. Mschr. Diss. Bonn 1952.

Ungar, Hans: Der Aufbaustil in den Novellen Heinrich von Kleists. Diss. Jena 1939.
Unger, Rudolf: Herder, Novalis und Kleist. Studien über die Entwicklung des Todesproblems in Denken und Dichten vom Sturm und Drang zur Romantik. Frankfurt a. M. 1922. Deutsche Forschungen 9.
—: Ein spekulatives Kleistbild auf religiösem Hintergrunde. LE 29, 1926, Heft 3, 132—38.
Uyttersprot, H[erman]: Heinrich von Kleist. De Mensch en het Werk. [Diss.] Brugge 1948.
Viëtor, Karl: Tieck oder Kleist? JbKG 1925/26, 138—47.
Voisine, Jacques: Trois ‚Amphitryons' modernes: Kleist, Henzen, Giraudoux. [Paris] 1961. Archives des lettres modernes 35.
Wächter, Karl: Kleists Michael Kohlhaas, ein Beitrag zu seiner Entstehungsgeschichte. Weimar 1918. Forschungen zur neueren Literaturgeschichte 52.
W[alzel, Oskar]: (Rez.) Steig, Berliner Kämpfe und Neue Kunde ... AfdA 29, 1904, 104—33.
Warkentin, Roderich: Heinrich von Kleist in seinen Briefen. Heidelberg 1900.
Weigand, Hermann J.: Das Motiv des Vertrauens im Drama Heinrichs von Kleist. Monatshefte 30, 1938, 233—45.
—: Zu Kleists ‚Käthchen von Heilbronn'. In: Studia philologica et litteraria in honorem L. Spitzer. Bern [1958], 413—30.
Weissenfels, Richard: Vergleichende Studien zu Heinrich von Kleist. I. Der Tod der Penthesilea. ZsfverglLg 1, 1887, 273—94.
—: Vergleichende Studien zu Heinrich von Kleist. II. Kleist und Novalis. ZsfverglLg N. F. 1, 1887/88, 301—23.
—: Über französische und antike Elemente im Stil Heinrich von Kleists. Braunschweig 1888.
Weltmann, Lutz: Die „verdeckte Handlung" bei Kleist. JbKG 1925/26, 168 f. [Selbstanzeige].
Werlich, Egon: Kleists ‚Bettelweib von Locarno'. Versuch einer Aufwertung des Gehalts. WW 15, 1965, 239—57.
Wiese, Benno von: Die deutsche Tragödie von Lessing bis Hebbel. 2. Aufl. Hamburg [1952].
—: Heinrich von Kleist. Michael Kohlhaas. In: Die deutsche Novelle von Goethe bis Kafka. Düsseldorf [1956], 47—63.
—: Heinrich von Kleist: Das Erdbeben in Chili. JbSchG 5, 1961, 102—117.
—: Heinrich von Kleist. Tragik und Utopie. In: Heinrich von Kleist. Vier Reden zu seinem Gedächtnis. [Berlin 1962], 63—74. Jahresgabe der Heinrich-von-Kleist-Gesellschaft 1961.
Wilbrandt, Adolf: Heinrich von Kleist. Nördlingen 1863.
Wilkie, Richard F.: A New Source for Kleist's ‚Der zerbrochne Krug'. GR 23, 1948, 239—48.

Witkop, Philipp: Heinrich von Kleist. Leipzig 1922.
Wittig, Heinrich: Das innere Erlebnis in Heinrich von Kleists ‚Penthesilea'. Diss. Greifswald 1912.
Wittkowski, Wolfgang: Absolutes Gefühl und absolute Kunst in Kleists ‚Prinz Friedrich von Homburg'. DU 13, 1961, Heft 2, 27—71.
Wolff, Eugen: Inwiefern rührt „Die Familie Schroffenstein" von Kleist her? ZsfBfr II, 1, 1898/99, 232—49; III, 1, 1899/1900, 193—210; IV, 1, 1900/01, 93—103 und 180—90.
Wolff, Hans M.: Heinrich von Kleist als politischer Dichter. Berkeley und Los Angeles 1947. University of California Publications in Modern Philology 27, no. 6.
—: Käthchen von Heilbronn und Kunigunde von Thurneck. Trivium 9, [1951], 214—24.
—: Heinrich von Kleist. Die Geschichte seines Schaffens. Bern [1954].
Wukadinowić, Spiridion: Kleist-Studien. Stuttgart und Berlin 1904.
Xylander, Oskar Ritter von: Heinrich von Kleist und J. J. Rousseau. Berlin 1937. Germanische Studien 193.
Zeißig, Gottfried: Heinrich von Kleists Dramensprache. ZfdU 43, 1929, 118—37.
Zeydel, Edwin H.: Der Maler Ferdinand Hartmann und Ludwig Tiecks Ausgabe der Schriften Kleists. Mit zwei unbekannten Briefen Tiecks. JbKG 1933/37, 95—97.
Zimmermann, Karl: Heinrich v. Kleist am Rhein 1803—04. Rheinische Vierteljahrsblätter 21, 1956, 366—72.
Zolling, Theophil: Heinrich von Kleist in der Schweiz. Stuttgart 1882.

IV. Sonstige wissenschaftliche Literatur

Allgemeine Deutsche Biographie. Hg. ... von Rochus Freiherr von Liliencron und Franz Xaver von Wegele. Leipzig 1875—1912. 56 Bde.
Arendt, Hannah: Rahel Varnhagen. Lebensgeschichte einer Jüdin aus der Romantik. München 1959.
Bertrand, J.-J. Achille: Cervantes et le Romantisme allemand. Paris 1914.
Blumer, Marie-Louise: Catalogue des peintures transportées d'Italie en France de 1796 à 1814. In: Bulletin de la société de l'histoire de l'Art français 1936. Paris 1937, 244—348.
Borcherdt, Hans Heinrich: Schiller und die Romantiker. Stuttgart [1948].
Brahm, Otto: Das deutsche Ritterdrama des achtzehnten Jahrhunderts. Studien über Joseph August von Törring, seine Vorgänger und Nachfolger. Straßburg 1880. Quellen und Forschungen zur Sprach- und Culturgeschichte der germanischen Völker 40.
Brinkmann, Richard: Wirklichkeit und Illusion. Studien über Gehalt und Grenzen des Begriffs Realismus für die erzählende Dichtung des neunzehnten Jahrhunderts. Tübingen [1957].

—: Romantische Dichtungstheorie in Friedrich Schlegels Frühschriften und Schillers Begriffe des Naiven und Sentimentalischen. Vorzeichen einer Emanzipation des Historischen. DVjS 32, 1958, 344—71.

Buck, Rudolf: Rousseau und die deutsche Romantik. Berlin 1939. Neue deutsche Forschungen, Abteilung Vergleichende Literaturwissenschaft 1.

Cassirer, Ernst: Die Philosophie der Aufklärung. Tübingen 1932. Grundriß der philosophischen Wissenschaften.

—: Freiheit und Form. Studien zur deutschen Geistesgeschichte. 3. Aufl. Darmstadt 1961.

Cholevius, Carl Leo: Geschichte der deutschen Poesie nach ihren antiken Elementen. Zweiter Theil: Von der Feststellung des classischen Ideals durch Winckelmann bis zur Auflösung des Antiken in der eklektischen Poesie der Gegenwart. Leipzig 1856.

Clemen, Wolfgang H.: The Development of Shakespeare's Imagery. London [1951].

Dockhorn, Klaus: Die Rhetorik als Quelle des vorromantischen Irrationalismus in der Literatur- und Geistesgeschichte. Nachrichten von der Akademie der Wissenschaften in Göttingen 1949, Phil.-hist. Klasse, 109—50.

Dollinger, Hermann: Die dramatische Handlung in Klopstocks ‚Der Tod Adams' und Gerstenbergs ‚Ugolino'. Halle 1930. Bausteine zur Geschichte der deutschen Literatur 29.

Eichendorff, Joseph Freiherr von: Geschichte der poetischen Literatur Deutschlands. Neue Gesamtausgabe der Werke und Schriften in vier Bänden. Hg. von Gerhart Baumann in Verbindung mit Siegfried Grosse. Bd. 4. Stuttgart [1958], 11—424.

Ermatinger, Emil: Das dichterische Kunstwerk. Grundbegriffe der Urteilsbildung in der Literaturgeschichte. Leipzig und Berlin 1921.

Ewald, Karl: Die deutsche Novelle im ersten Drittel des neunzehnten Jahrhunderts. Diss. Rostock 1907.

Fabian, Bernhard: Pope und die goldene Kette Homers. Anglia 82, 1964, 150—71.

Fricke, Gerhard: Die Problematik des Tragischen im Drama Schillers. Jahrbuch des Freien Deutschen Hochstifts 1930, 3—69.

Geiger, Ludwig: Aus Alt-Weimar. Mitteilungen von Zeitgenossen nebst Skizzen und Ausführungen. Berlin 1897.

Gervinus, G[eorg] G[ottfried]: Geschichte der poetischen National-Literatur der Deutschen. Fünfter Theil. Von Goethe's Jugend bis zur Zeit der Befreiungskriege. 2. Aufl. Leipzig 1844.

Hettner, Hermann: Geschichte der deutschen Literatur im achtzehnten Jahrhundert. 3. Aufl. Braunschweig 1879.

Hoppe, Karl: Der junge Wieland. Wesensbestimmung seines Geistes. Leipzig 1930. Von deutscher Poeterey 8.

Jellinek, Max Hermann und Carl Kraus: Widersprüche in Kunstdichtungen und höhere Kritik an sich. Euph. 4, 1897, 691—718.

Kainz, Friedrich: Klassik und Romantik. In: Deutsche Wortgeschichte. Hg. von Friedrich Maurer und Fritz Stroh. Bd. II. 2. Aufl. Berlin 1959, 223—408. Grundriß der Germanischen Philologie 17/II.

Kaiser, Gerhard: Pietismus und Patriotismus im literarischen Deutschland. Ein Beitrag zum Problem der Säkularisation. Wiesbaden 1961. Veröffentlichungen des Instituts für Europäische Geschichte Mainz. Bd. 24.

—: ‚Denken' und ‚Empfinden': ein Beitrag zur Sprache und Poetik Klopstocks. DVjS 35, 1961, 321—43.

Kästner, Erhard: Wahn und Wirklichkeit im Drama der Goethezeit. Leipzig 1929. Von deutscher Poeterey 4.

Kayser, Wolfgang: Das Groteske. Seine Gestaltung in Malerei und Dichtung. [Oldenburg] 1957.

Klemann, Elisabeth: Die Entwicklung des Schicksalsbegriffs in der deutschen Klassik und Romantik. Diss. Heidelberg 1936.

Koberstein, August: Grundriß zur Geschichte der deutschen National-Litteratur. Leipzig 1827.

Korff, H[ermann] A[ugust]: Geist der Goethezeit. Versuch einer ideellen Entwicklung der klassisch-romantischen Literaturgeschichte. IV. Teil: Hochromantik. 2. Aufl. Leipzig [1956].

Köster, Albert: Die deutsche Literatur der Aufklärungszeit. Fünf Kapitel aus der Literaturgeschichte des achtzehnten Jahrhunderts mit einem Anhang: Die allgemeinen Tendenzen der Geniebewegung. Heidelberg 1925.

Kuehnemund, Richard: Arminius or the Rise of a National Symbol in Literature. From Hutten to Grabbe. Chapel Hill 1953. University of North Carolina Studies in Germanic Languages and Literatures 8.

Langen, August: Anschauungsformen in der deutschen Dichtung des 18. Jahrhunderts. Rahmenschau und Rationalismus. Diss. Köln 1932. Jena 1934. Deutsche Arbeiten der Universität Köln 6.

—: Deutsche Sprachgeschichte vom Barock bis zur Gegenwart. In: Deutsche Philologie im Aufriß, hg. von Wolfgang Stammler. Bd. I. [Berlin 1952], Sp. 1078—1522.

—: Der Wortschatz des 18. Jahrhunderts. In: Deutsche Wortgeschichte. Hg. von Friedrich Maurer und Fritz Stroh. Bd. II. 2. Aufl. Berlin 1959, 23—222. Grundriß der Germanischen Philologie 17/II.

Majut, Rudolf: Lebensbühne und Marionette. Ein Beitrag zur seelengeschichtlichen Entwicklung von der Genie-Zeit bis zum Biedermeier. Berlin 1931. Germanische Studien 100.

May, Kurt: Friedrich Schiller. Idee und Wirklichkeit im Drama. Göttingen 1948.

Meinecke, Friedrich: Weltbürgertum und Nationalstaat. Studien zur Genesis des deutschen Nationalstaates. 7. Aufl. München und Berlin 1928.

Merkel, Franz Rudolf: Der Naturphilosoph Gotthilf Heinrich Schubert und die deutsche Romantik. München 1913.
Müller, Andreas: Landschaftserlebnis und Landschaftsbild. Studien zur deutschen Dichtung des 18. Jahrhunderts und der Romantik. [Stuttgart 1955.]
Müller, Richard M.: Die deutsche Klassik. Wesen und Geschichte im Spiegel des Strommotivs. Bonn 1959. Abhandlungen zur Kunst-, Musik- und Literaturwissenschaft 6.
Nadler, Josef: Die Berliner Romantik. 1800—1814. Berlin [1920].
Pamp, Friedhelm: „Palingenesie" bei Charles Bonnet (1720—1793), Herder und Jean Paul. Zur Entwicklung des Palingenesiegedankens in der Schweiz, in Deutschland und in Frankreich. Mschr. Diss. Münster 1955.
Polheim, Karl Konrad: Studien zu Friedrich Schlegels poetischen Begriffen. DVjS 35, 1961, 363—98.
Raabe, Paul: Die Briefe Hölderlins. Mschr. Diss. Hamburg 1957.
Rapp, Eleonore: Die Marionette in der deutschen Dichtung vom Sturm und Drang bis zur Romantik. Leipzig 1924.
Rosenfeld, Hellmut: Das deutsche Bildgedicht. Leipzig 1935. Palaestra 199.
Schadewaldt, Wolfgang: Das Bild der exzentrischen Bahn bei Hölderlin. In: Hellas und Hesperien. Gesammelte Schriften zur Antike und zur neueren Literatur. Zürich und Stuttgart [1960], 666—80.
Scheffler, Karl: Späte Klassik. Ein Stilproblem deutscher Dichtung. Urach [1946]. Erbe und Schöpfung 11.
Scherer, Wilhelm: Geschichte der deutschen Literatur. Berlin 1883.
Schmidt, Erich: Richardson, Rousseau und Goethe. Ein Beitrag zur Geschichte des Romans im 18. Jahrhundert. Jena 1875.
Sengle, Friedrich: Wieland. Stuttgart 1949.
—: Das deutsche Geschichtsdrama. Geschichte eines literarischen Mythos. Stuttgart 1952.
Snell, Bruno: Aischylos und das Handeln im Drama. Leipzig 1928. Philologus, Supplementband 20. Heft 1.
Steinhausen, Georg: Geschichte des deutschen Briefes. Zur Kulturgeschichte des deutschen Volkes. Berlin 1889/91. 2 Bde.
Thalmann, Marianne: Romantik und Manierismus. Stuttgart [1963].
Trube, Hans: Friedrich Gottlob Wetzels Leben und Werk. Mit besonderer Berücksichtigung seiner Lyrik. Berlin 1928. Germanische Studien 58.
Unger, Rudolf: Zur Geschichte des Palingenesiegedankens im 18. Jahrhundert. In: Aufsätze zur Literatur- und Geistesgeschichte. Gesammelte Studien II. Berlin 1929. Neue Forschung 2, 1—16.
—: „Der bestirnte Himmel über mir ..." Zur geistesgeschichtlichen Deutung eines Kant-Wortes. Ebda. 40—66.
Valjavec, Fritz: Geschichte der abendländischen Aufklärung. Wien und München 1961.

Wackernagel, Wilhelm: Geschichte der deutschen Litteratur. 2. Aufl., neu bearbeitet und zu Ende geführt von Ernst Martin. Bd. 2. Basel 1894.

Wundt, Max: Die deutsche Schulphilosophie im Zeitalter der Aufklärung. Tübingen 1945. Heidelberger Abhandlungen zur Philosophie und ihrer Geschichte 32.

* * *

Nach Abschluß des Manuskripts der vorliegenden Arbeit erschien:

Kleists Aufsatz über das Marionettentheater. Studien und Interpretationen. Mit einem Nachwort herausgegeben von Helmut Sembdner. [Berlin 1967]. Jahresgabe der Heinrich-von-Kleist-Gesellschaft 1965/66.

Korrekturnote

Während der Drucklegung meiner Arbeit brachte der Euphorion zwei Aufsätze zu Fragen der Textkritik und Entstehungsgeschichte Kleistscher Werke. Vorausgegangen war ihnen ein Beitrag von J. M. Ellis (The Heidelberg Manuscript of Kleist's ‚Prinz Friedrich von Homburg', Euph. 60, 1966, 383—87), der den Nachweis zu erbringen versuchte, daß die namentlich von Sembdner und Samuel angenommene direkte und ausschließliche Affiliation zwischen Dedikationsexemplar und Tiecks Druck des ‚Homburg' in der Nachlaßausgabe von 1821 nicht erwiesen sei, ohne dem freilich eine andere Hypothese entgegenzustellen. Daraufhin hat Sembdner, z. T. gestützt auf neues, höchst interessantes Quellenmaterial, erneut dargetan und erhärtet, daß tatsächlich für N keine andere Vorlage als das Heidelberger Ms. in Betracht kommt (Noch einmal zur Manuskript-Lage des ‚Prinz von Homburg', Euph. 61, 1967, 163—69).

Unabhängig von dieser Frage zeigt jedoch gerade dieses Material, daß nach Kleists Tod außer dem Dedikationsexemplar noch wenigstens eine weitere Hs. existiert hat; sie gelangte 1816 aus dem Besitz der engeren Familie Kleists in Tiecks Hände. Der Wortlaut des von Sembdner zitierten Briefes nämlich: „zwei Schauspiele zur Herausgabe anzuvertrauen" (aaO. 168) muß doch wohl in dem Sinne interpretiert werden, daß man Tieck die M a n u s k r i p t e zweier Schauspiele zum Zwecke der Herausgabe und nicht, wie Sembdner meint, daß man ihm „die H e r a u s g a b e anvertraut" habe. Sollte zudem dieser Brief in den ersten Monaten des Jahres 1816 geschrieben sein, würde Ferdinand Grimms strittige Aussage u. U. erheblich aufgewertet (vgl. meine Erwägungen S. 180 Anm. 123).

Es kann nur gemutmaßt werden, daß diese Hs. ein Autograph war und daß dieses sich — vielleicht wegen zahlreicher Korrekturen — nicht als Druckvorlage und eventuell auch nicht für eine Abschrift eignete. Ferner bleibt offen, ob es sich um das gleiche Exemplar handelt, das sich im Besitz Maries von Kleist befand (vgl. Sembdner, Zu Heinrich und Marie von Kleist, JbSchG 1, 1957, 176). Ein Einfluß dieser Handschrift(en?) auf die uns greifbare Texttradition ist jedenfalls nicht nachweisbar.

Schließlich hat Horst Dieter Schlosser zu zeigen versucht, daß die Hypothese Samuels über die zeitliche Abfolge von ‚Zeitschwingen'-Druck und Tieckscher Nachlaßausgabe der ‚Hermannsschlacht' unrichtig sei, daß vielmehr umgekehrt der Text von N eine ältere Bearbeitungsstufe repräsentiere (Zur Entstehungsgeschichte von Kleists ‚Hermannsschlacht', Euph. 61, 1967, 170—74). — Setzt man als gegeben voraus, daß die Daten der Überlieferung alleine keine sicheren chronologischen Schlüsse zulassen, so hängt für die Beurteilung einer Beweisführung alles davon ab, welcher methodische Horizont dieser gesetzt wird. Und hier meine ich, daß erstens eine solche Frage nicht (wie Schlosser es unternimmt) von einem einzelnen Drama aus angegangen werden sollte, das von der Gesamtchronologie isoliert wird, und daß zweitens Erörterungen über die Charakterzeichnung weniger bündige Ergebnisse zu liefern vermögen als etwa stilkritische Kategorien. Überdies beruht Schlossers Argumentation auf der unbegründeten Annahme, daß die beiden Fassungen in direkter Abhängigkeit stehen (vgl. dazu oben S. 178).

Register

Das Werkregister enthält die nach Gattungen geordneten Werke Kleists in chronologischer Reihenfolge. Erhaltene, verlorene, geplante und zweifelhafte Werke werden dabei gleich behandelt. Erschlossene Werktitel erscheinen in Klammern. Hinweise auf die Briefe Kleists unterbleiben, da letztere in den durch das Inhaltsverzeichnis ausführlich aufgeschlüsselten Kapiteln II. und III. thematisch sind. Das Personenregister nennt auch Herausgeber von Büchern, nicht jedoch Namen in Buchtiteln, ferner keine literarischen Gestalten im Bereich von Werkzitaten (z. B. Jupiter, Iris etc.). — Bei den Stellenangaben wird kein Unterschied zwischen Text- und Anmerkungsteil der jeweiligen Seite gemacht.

A. Werke

B. Personen